333

MODERN
GREEK
VERBS

Greek123
LEARN GREEK THE EASY WAY™

FULLY CONJUGATED AND TRANSLATED
IN ENGLISH, WITH EXAMPLES OF
REGULAR AND IDIOMATIC USES.
ENGLISH AND GREEK LISTS OF VERBS.

Theodore C. Papaloizos, Ph.D.

ISBN - 13: 978-0-932416-04-9
ISBN - 10: 0-932416-04-7

3rd Edition

For more information, please visit www.greek123.com

Printed and bound in Korea

Papaloizos Publications, Inc.
11720 Auth Lane
Silver Spring MD 20902
301.593.0652

FORWARD

The conjunction of the Greek verb is undoubtedly one of the most difficult aspects of Modern Greek. Many of the somewhat unpredictable verb forms were irregular even in Classical Greek. In the course of many centuries which the linguistic development into Modern Greek represents, only a few verb forms remained the same as in Classical Greek; most underwent great changes. Some forms were simplified, some were treated like other frequently used verbs (analogy) and their erroneous formations were eventually accepted and through constant use became standard forms. Some verb forms owe their existence to dialectal influences or are loan words from foreign languages. While the verb forms of the ancient and Classical Greek language have been thoroughly investigated by scholars of many nationalities, comparatively little research has been done on the verb formations of Modern and contemporary Greek.

The present book does not want to tackle these difficult problems. Having taught Greek for almost 50 years, I wanted to state why the Greek verb presents such difficulty to the learner and even to many native speakers: though many simplifications have occurred, language, a living thing, cannot be regulated as if it were a machine. For some years, the spontaneous development of the spoken language, the _demotiki_, had been suppressed in favor of the so-called "pure" language, the _katharevusa_ which tends to retain or revive archaic forms and orthography. In the _demotiki_, the infinitive is never used and has been replaced by the subjunctive.

The book at hand contains a list of 333 Greek verbs which are the most commonly and frequently used. Each verb is individually conjugated in both voices (active, middle-passive) and in all its moods (indicative, subjunctive, imperative). Its infinitive and participles are also given. For all verb forms English translations or appropriate equivalents are given. Short sentences are provided to illustrate their literal meaning or a peculiar idiomatic expression which may vary considerably from the original meaning.

I hope this book will be handy and reliable reference work and a valuable companion to students of Modern Greek.

Theodore C. Papaloizos, Ph.D.

TABLE OF CONTENTS

The Greek Verb .... 1 - 12

Remarks .... 13 - 14

Verbs .... 15 - 404

List of Greek Verbs .... 405 - 408

List of English Verbs .... 409 - 413

The Greek Verb

A. Voices

The Greek verb has three voices, active, middle and passive.

In the active voice the subject acts, in the middle the subject performs an action upon itself or for its own benefit, and in the passive voice the subject is acted upon.

Η μητέρα πλένει το παιδί. - The mother washes the child. (active)

Το παιδί πλένεται. - The child washes himself. (middle)

Το παιδί πλένεται από τη μητέρα. - The child is washed by the mother. (passive)

B. Conjugations

Verbs are classified into four groups called conjugations:

Group 1 – This group contains verbs ending in –**ω**. Ex.:

    γράφω – I write

    τρέχω – I run

    έχω – I have

    θέλω – I want

Group 2 – It contains verbs ending is –**ώ** (with an accent). Ex.:

    πεινώ – I am hungry

    γελώ – I laugh

    αγαπώ – I love

    πηδώ – I jump

Group 3 – It contains verbs ending also in –**ώ** (with an accent). The verbs in this group have the same ending as the verbs in the second group but are conjugated slightly differently. Ex.:

    μπορώ – I can, I am able

    ζω – I live

    φιλώ – I kiss

    κατοικώ – I inhabit

Group 4 – Verbs in this group end in –**ομαι** or –**ιέμαι**. They are the middle and passive voice of the transitive verbs. Ex.:

    σκοτώνομαι – I am killed - (passive voice of σκοτώνω – I kill)

    γυμνάζομαι – I exercise myself - (passive voice of γυμνάζω – I exercise)

    πλένομαι – I am being washed, I wash myself - (passive of πλένω – I wash)

    χτυπιέμαι – I am hit - (passive of χτυπώ – I hit)

    αγαπιέμαι – I am loved - (passive of αγαπώ – I love)

    δένομαι – I am tied - (passive of δένω – I tie)

Group four contains also the deponent verbs, those verbs which do not have an active form ending in –**ω**. They end in –**μαι**.

    φαίνομαι – I seem, I look

    κάθομαι – I sit

    γίνομαι – I become

    έρχομαι – I come

    χρειάζομαι – I need

C. Transitive and Intransitive Verbs

Verbs requiring an object are called **transitive**. Ex.:

Χτυπώ το ζώο. - I hit the animal.

Έχω ένα βιβλίο. - I have a book.

Αγαπώ τον πατέρα. - I love the father.

Πλένω τα χέρια μου. - I wash my hands.

Γράφω ένα γράμμα. - I write a letter.

Τρώω ένα μήλο. - I eat an apple.

Verbs that do not require an object are called **intransitive**.

τρέχω – I run

παίζω – I play

γελώ – I laugh

είμαι – I am

κάθομαι – I sit

γίνομαι – I become

ζω – I live

Transitive verbs have active and middle or passive voice.

Το αυτοκίνητο σκότωσε τον σκύλο. (active voice)
The car killed the dog.

Ο σκύλος σκοτώθηκε από ένα αυτοκίνητο. (passive voice)
The dog was killed by a car.

Οι μαθητές έγραψαν το γράμμα. (active voice)
The pupils wrote the letter.

Το γράμμα γράφτηκε από τους μαθητές. (passive voice)
The letter was written by the pupils.

Ο πατέρας αγαπά το παιδί του. (active voice)
Father loves his child.

Το παιδί αγαπιέται από τον πατέρα του. (passive voice)
The child is loved by his father.

Η μητέρα ντύνει το παιδί. (active voice)
The mother dresses the child.

Το παιδί ντύνεται. (middle voice)
The child dresses himself.

Το παιδί ντύνεται από τη μητέρα. (passive voice)
The child is dressed by the mother.

D. The Tenses

There are 9 tenses:

1. *Ενεστώτας* – Present - γράφω – I write
2. *Παρατατικός* – Past Continuous **or** Imperfect - έγραφα – I was writing
3. *Αόριστος* – Past Simple (Aorist) - έγραψα – I wrote
4. *Εξακολουθητικός Μέλλοντας* – Future Continuous - θα γράφω – I will be writing
5. *Στιγμιαίος Μέλλοντας* – Future Simple - θα γράψω – I will write
6. *Παρακείμενος* – Present Perfect - έχω γράψει – I have written
7. *Υπερσυντέλικος* – Past Perfect - είχα γράψει – I had written

8. *Τετελεσμένος Μέλλοντας* – Future Present Perfect - θα έχω γράψει – I will have written
9. *Υποθετική* – Conditional - θα έγραφα – I would have written

The tenses are divided into three groups:
1. Those showing present time: The Present and the Present Perfect.
2. Those showing past time: The Past Continuous, the Past Simple and the Past Perfect.
3. Those showing futurity: The Future Continuous, the Future Simple and the Future Present Perfect.

E. Formation of the Tenses

Most verbs have two stems from which the tenses are formed: the present tense stem and the past simple tense stem. For example:
The two stems of the verb **τρώγω (τρώω)** - I eat are:
τρωγ- for the present tense and **φαγ-** for the past tense
For the verb **βλέπω** - (I see) are: **βλεπ-** and **ειδ-** (**ιδ**)
For **λέγω (λέω)** - I say: **λεγ-** and **ειπ-**

Some verbs have the same stem for the present and the past. When we add the suffix of the past simple tense which is **–σα**, the stem changes. Ex.:
The verb **γράφω** – stem **γραφ-** past simple tense ending **–σα**
γραφ+σα (with the past simple augment ε- έγραφ-σα (φ+σ become –ψ) – *έγραψα*
Therefore the stem of the past simple tense is – **γραψ-**
For **τρέχω** (I run) is **τρεξ-** (τρεχ+σα = τρεξα – έτρεξα)

Some verbs have the same stem for the present and the past simple tense:
πολεμώ (I fight, I am at war) stem **πολεμ-**, **αγαπώ** (I love) stem **αγαπ-**

The Present Tense, Active Voice

It is formed from the present tense stem and the ending **–ω**.
The **passive voice** is formed from the same stem and the endings **–ομαι**, **–μαι** or **–ιέμαι**.

	stem	*ending*	*verb*	
Active	τρωγ	-ω	τρώγω (τρώω)	I eat, I am eating
	γραφ-	-ω	γράφω	I write, I am writing
	αγαπ-	-ω	αγαπώ	I love, I am loving
Passive	δεν-	-ομαι	δένομαι	I am tied, I am being tied
	αγαπ-	-ιέμαι	αγαπιέμαι	I am loved, I am being loved
	χτυπ	-ιέμαι	χτυπιέμαι	I am hit, I am being hit

Conjugation of the present tense

active voice		*passive voice*	
δένω	I tie	δένομαι	I am tied, I am being tied
δένεις	you tie	δένεσαι	you are tied
δένει	he, she, it ties	δένεται	he, she, it is tied
δένουμε	we tie	δενόμαστε	we are tied
δένετε	you tie	δένεστε	you are tied
δένουν	they tie	δένονται	they are tied

3

The Past Continuous Tense, Active Voice

It is formed from the present tense stem and the suffix –**α**. For the verbs of the second and third groups it is –**ούσα**.

Verbs which start with a consonant and have two syllables take a syllabic augment consisting of one **ε**. This increases the number of the syllables by one, hence the name "syllabic augment" (αύξηση). The augment is dropped when it is not accented.

Ex.: **γράφω** a two syllable verb (γρά-φω) starting with a consonant, in the past continuous and past simple tenses it takes an augment: έ-γραφα, έ-γραψα

In the first person plural the augment is dropped: γράφαμε

(Greek words may not be accented beyond the third syllable - the antepenult)

γρά	-φα-	με
antepenult	penult	final syllable

syllabic augment	stem	ending	past continuous tense
ε	τρέχ-	-α	έτρεχα
ε	γραφ-	-α	έγραφα
(no syllabic augment	αγαπ	-ούσα	αγαπούσα
since the verb starts	ευχαριστ-	-ούσα	ευχαριστούσα
with a vowel)			
(no augment, the	διαβάζ-	-α	διάβαζα
verbs have three	πίστευ-	-α	πίστευα
syllables)			

The Past Continuous Tense, Middle and Passive Voice

Is formed by adding the endings –**ομουν** for the verbs in the first group and the deponent verbs, and –**ιόμουν** for the other groups.

έρχομαι	I come	**ερχόμουν**	I was coming
χτυπώ	I hit	**χτυπιόμουν**	I was being hit
δένομαι	I am tied	**δενόμουν**	I was being tied
αγαπιέμαι	I am loved	**αγαπιόμουν**	I was being loved

Conjugation of the past continuous tense

active voice		passive voice	
έδενα	I was tying	**δενόμουν**	I was being tied
έδενες	you were tying	**δενόσουν**	you were being tied
έδενε	he, she, it was tying	**δενόταν**	he, she, it was being tied
δέναμε	we were tying	**δενόμαστε**	we were being tied
δένατε	you were tying	**δενόσαστε**	you were being tied
έδεναν	they were tying	**δένονταν**	they were being tied

The Past Simple Tense, Active Voice

It is formed from the past simple tense stem and the suffix –**σα** (the regular past simple tense suffix). The suffix –**σα** takes different forms (-ησα, -ασα, -ηκα, -ψα, -ξα, -κα) after combining with the last letter of the stem of the verb.

augment	stem	suffix	verb		
ε	τρέχ-	-σα	έτρεχ-σα	έτρεξα	I ran
ε	γράφ-	-σα	έγραφ-σα	έγραψα	I wrote
	νομίζ-	-σα	νόμιζ-σα	νόμισα	I thought
	αγαπ-	-ησα		αγάπησα	I loved
	κατέβ	-ηκα		κατέβηκα	I came down

The Past Simple Tense, Passive Voice

It is formed from the stem and an ending which takes different forms (**-τηκα, -φηκα, -θηκα, -χτηκα, -στηκα**) as a result of the combination of the suffix with the last letter of the stem.

δένομαι	I am tied	**δέθηκα**	I was tied
διηγιέμαι	I relate	**διηγήθηκα**	I was related *or* I related
γράφομαι	I am written	**γράφτηκα**	I was written
χτίζομαι	I am built	**χτίστηκα**	I was built

Conjugation of the past simple tense

active voice		passive voice	
έδεσα	I tied	**δέθηκα**	I was tied
έδεσες	you tied	**δέθηκες**	you were tied
έδεσε	he, she, it tied	**δέθηκε**	he, she, it was tied
δέσαμε	we tied	**δεθήκαμε**	we were tied
δέσατε	you tied	**δεθήκατε**	you were tied
έδεσαν	they tied	**δέθηκαν**	they were tied

The Future Continuous Tense, Active and Passive Voice

It is formed with the particle **θα** and the present tense.

γράφω	I write	**θα γράφω**	I will be writing
αγαπώ	I love	**θα αγαπώ**	I will be loving
αγαπιέμαι	I am loved	**θα αγαπιέμαι**	I will be (being) loved
δένω	I tie	**θα δένω**	I will be tying
δένομαι	I am tied	**θα δένομαι**	I will be (being) tied

Conjugation of the future continuous tense

active voice		passive voice	
θα δένω	I will be tying	**θα δένομαι**	I will be being tied
θα δένεις	you will be tying	**θα δένεσαι**	you will be being tied
θα δένει	he, she, it will be tying	**θα δένεται**	he, she, it will be being tied
θα δένουμε	we will be tying	**θα δενόμαστε**	we will be being tied
θα δένετε	you will be tying	**θα δένεστε**	you will be being tied
θα δένουν	they will be tying	**θα δένονται**	they will be being tied

The Future Simple Tense, Active and Passive Voice

It is formed with the particle **θα** and the past simple tense subjunctive (past simple tense subjunctive is formed from past simple indicative without the augment and with present tense suffixes).

παίζω	I play	**έπαιξα**	I played	**θα παίξω**	I will play
λέγω	I say	**είπα**	I said	**θα πω**	I will say
βλέπω	I see	**είδα**	I saw	**θα δω**	I will see
κάθομαι	I sit	**κάθισα**	I sat	**θα καθίσω**	I will sit
πηδώ	I jump	**πήδηξα**	I jumped	**θα πηδήξω**	I will jump

Conjugation of the future simple tense

active voice		passive voice	
θα δέσω	I will tie	**θα δεθώ**	I will be tied
θα δέσεις	you will tie	**θα δεθείς**	you will be tied
θα δέσει	he, she, it will tie	**θα δεθεί**	he, she, it will be tied
θα δέσουμε	we will tie	**θα δεθούμε**	we will be tied
θα δέσετε	you will tie	**θα δεθείτε**	you will be tied
θα δέσουν	they will tie	**θα δεθούν**	they will be tied

5

The Present Perfect Tense, Active and Passive Voice

It is formed with the auxiliary verb έχω and the infinitive. (The infinitive is the same as the third person of the subjunctive - τρέχω (present), - έτρεξα (past simple), - τρέξω (subjunctive), - τρέξει (third person of the subjunctive), infinitive τρέξει.

παίζω	I play	έχω παίξει	I have played
τρώω	I eat	έχω φάει	I have eaten
λέ(γ)ω	I say	έχω πει	I have said
κάθομαι	I sit	έχω καθίσει	I have sat
αγαπώ	I love	έχω αγαπήσει	I have loved
αγαπιέμαι	I am loved	έχω αγαπηθεί	I have been loved

Conjugation of the present perfect tense

active voice		passive voice	
έχω δέσει	I have tied	έχω δεθεί	I have been tied
έχεις δέσει	you have tied	έχεις δεθεί	you have been tied
έχει δέσει	he, she, it has tied	έχει δεθεί	he, she, it has been tied
έχουμε δέσει	we have tied	έχουμε δεθεί	we have been tied
έχετε δέσει	you have tied	έχετε δεθεί	you have been tied
έχουν δέσει	they have tied	έχουν δεθεί	they have been tied

The Past Perfect Tense, Active and Passive Voice

It is formed with the past tense of έχω – είχα and the infinitive.

τρώω	I eat	είχα φάει	I had eaten
περπατώ	I walk	είχα περπατήσει	I had walked
αισθάνομαι	I feel	είχα αισθανθεί	I had felt
τραγουδώ	I sing	είχα τραγουδήσει	I had sung

Conjugation of the past perfect tenses

active voice		passive voice	
είχα δέσει	I had tied	είχα δεθεί	I had been tied
είχες δέσει	you had tied	είχες δεθεί	you had been tied
είχε δέσει	he, she, it had tied	είχε δεθεί	he, she, it had been tied
είχαμε δέσει	we had tied	είχαμε δεθεί	we had been tied
είχατε δέσει	you had tied	είχατε δεθεί	you had been tied
είχαν δέσει	they had tied	είχαν δεθεί	they had been tied

The Future Perfect Tense, Active and Passive Voice

It is formed with the particle θα and the present perfect tense.

πλένω	I wash	θα έχω πλύνει	I will have washed
κολυμπώ	I swim	θα έχω κολυμπήσει	I will have swam
χτυπιέμαι	I am hit	θα έχω χτυπηθεί	I will have been hit
χρειάζομαι	I need	θα έχω χρειαστεί	I will have been in need

Conjugation of the future perfect tenses

active voice		passive voice	
θα έχω δέσει	I will have tied	θα έχω δεθεί	I will have been tied
θα έχεις δέσει	you will have tied	θα έχεις δεθεί	you will have been tied
θα έχει δέσει	he, she, it will have tied	θα έχει δεθεί	he, she, it will have been tied
θα έχουμε δέσει	we will have tied	θα έχουμε δεθεί	we will have been tied
θα έχετε δέσει	you will have tied	θα έχετε δεθεί	you will have been tied
θα έχουν δέσει	they will have tied	θα έχουν δεθεί	they will have been tied

The Conditional

Is formed with the particle **θα** and the past perfect tense.

γράφω	I write	**θα είχα γράψει**	I would have written
τρώω	I eat	**θα είχα φάει**	I would have eaten
αγαπώ	I love	**θα είχα αγαπήσει**	I would have loved
αγαπιέμαι	I am loved	**θα έχω αγαπηθεί**	I would have been loved
μιλώ	I talk	**θα είχα μιλήσει**	I would have talked

Conjugation of the conditional tenses

active voice		*passive voice*	
θα είχα δέσει	I would have tied	**θα είχα δεθεί**	I would have been tied
θα είχες δέσει	you would have tied	**θα είχες δεθεί**	you would have been tied
θα είχε δέσει	he would have tied	**θα είχε δεθεί**	he would have been tied
θα είχαμε δέσει	we would have tied	**θα είχαμε δεθεί**	we would have been tied
θα είχατε δέσει	you would have tied	**θα είχατε δεθεί**	you would have been tied
θα είχαν δέσει	they would have tied	**θα είχαν δεθεί**	they would have been tied

F. Use of the Tenses

The Present Tense – Ενεστώτας

It denotes an action taking place at the present time. It also describes habit or custom.

Ο Πέτρος γράφει ένα γράμμα. – Peter is writing a letter. (now, at the present moment)
Σηκώνομαι στις οχτώ το πρωί. – I get up at eight o'clock in the morning. (custom)
Την Κυριακή τρώμε έξω σε ένα εστιατόριο. – On Sundays we eat out at restaurant. (custom)
Μου αρέσει να φοράω καπέλο. – I like to wear a hat. (habit)

The present tense is also used to denote a universal truth:

Ο ήλιος ανατέλλει στην ανατολή. – The sun rises in the East.
Η γη στρέφεται γύρω από τον ήλιο. – The earth revolves around the sun.

Translation of the present tense using as example the verb **γράφω**:
γράφω – I write, I do write, I am writing   **γράφομαι** – I am written, I am being written

The Past Continuous Tense (Imperfect) – Παρατατικός

It describes a continuous action in the past.

Πήγαινα περίπατο, όταν άρχισε να βρέχει. – I was taking a walk, when it started raining.
Διάβαζα ένα βιβλίο, όταν ήρθε ο φίλος μου. – I was reading a book, when my friend came.

It can also denote a repeated or customary action of the past.

Όταν ήμουν στην Ελλάδα τηλεφωνούσα στην οικογένειά μου στην Αμερική κάθε Κυριακή.
When I was in Greece I used to call my family in America every Sunday.
Οι αρχαίοι Έλληνες έτρωγαν ακουμπισμένοι σε καναπέδες.
The ancient Greeks used to eat reclining on couches.

The past continuous tense translated:
έγραφα – I was writing   **γραφόμουν** – I was being written

The Past Simple Tense (Aorist) – Αόριστος

It is used to describe events in the past which are complete in themselves.

Οι Έλληνες νίκησαν τους Πέρσες στον Μαραθώνα.
The Greeks defeated the Persians in Marathon.
Οι Πέρσες νικήθηκαν από τους Έλληνες στον Μαραθώνα.
The Persians were defeated by the Greeks in Marathon.
Πέρισυ αγόρασα ένα καινούργιο αυτοκίνητο. – Last year I bought a new car.

The past simple tense translated:
έγραψα – I wrote   **γράφτηκα** – I was written

The Future Continuous Tense – Μέλλοντας Εξακολουθητικός
It describes a continuous or repeated action taking place in the future.

Θα σου γράφω ένα γράμμα κάθε μέρα. – I will be writing you a letter every day.

Θα διαβάζω όλη μέρα αύριο. – I will be studying all day long tomorrow.

Θα του δίνει δέκα δολλάρια την ώρα. – He will be giving him ten dollars per hour.

Οι εργάτες θα πληρώνονται με τον μήνα. – The workers will be paid monthly.

The future continuous tense translated:

θα γράφω – I will be writing

θα γράφομαι – I will (continued to) be written

The Future Simple Tense – Μέλλοντας Στιγμιαίος
It describes an action that will take place in the future.

Θα σου γράψω.	I will write you.
Αύριο θα πάμε ψάρεμα.	We will go fishing tomorrow.
Θα μου τηλεφωνήσει την Κυριακή.	He will call me on Sunday.
Θα δεχτούν τους ξένους αύριο.	They will receive the guests tomorrow.

The future simple tense translated:

θα γράψω – I will write   **θα γραφτώ** – I will be written

The Present Perfect Tense – Παρακείμενος
It is used to describe recent actions.

Το κουδούνι έχει χτυπήσει.	The bell has rung.
Έχουν έρθει.	They have come.
Το αεροπλάνο έχει φτάσει.	The airplane has arrived.
Το παιχνίδι έχει αρχίσει.	The game has started.

The present perfect translated:

Έχουμε γράψει την έκθεση.	We have written the essay.
Η έκθεση έχει γραφτεί.	The essay has been written.

The Past Perfect Tense – Υπερσυντέλικος
It describes an event or action which happened before some other event.

Σου είχα γράψει ένα γράμμα πριν πάρω το δικό σου.	I had written a letter before I received yours.
Ο ήλιος είχε ανατείλει πριν φτάσουμε στην κορυφή του βουνού.	The sun had risen before we reached the summit.
Το βιβλίο είχε τυπωθεί, πριν γίνουν οι τελικές διορθώσεις.	The book had been printed before the final corrections were made.

The past perfect tense translated:

Είχαμε γράψει την έκθεση, πριν τις οδηγίες της δασκάλας μας.	We had written the essay before our teacher's instructions.
Η έκθεση είχε γραφτεί πριν τις οδηγίες της δασκάλας.	The essay had been written before the teacher's instructions.

The Future Perfect Tense – Μέλλοντας Συντελεσμένος
It shows an action which will be completed in the future.

Θα έχω περάσει τις εξετάσεις τον ερχόμενο Ιούνιο.	I will have passed the examinations by next June.
Θα έχουμε φτάσει στην κορυφή του βουνού πριν τις πέντε.	We will have reached the top of the mountain before five o'clock.

The future perfect tense translated:

θα έχω γράψει – I will have written   **θα έχω γραφτεί** – I will have been written

8

G. Moods – Εγκλίσεις

Modern Greek has five moods (εγκλίσεις):

Indicative - **Οριστική**
Subjunctive - **Υποτακτική**
Imperative - **Προστακτική**
Infinitive - **Απαρέμφατο**
Participle - **Μετοχή**

The Indicative denotes a fact or reality:

Ο ήλιος λάμπει.	The sun shines.
Τρώω δυο αβγά κάθε μέρα.	I eat two eggs every day.
Το κουδούνι χτύπησε.	The bell has rung.
Παίξαμε ποδόσφαιρο.	We played soccer.
Έχει βρέξει.	It has rained.
Πέντε στρατιώτες σκοτώθηκαν στη μάχη.	Five soldiers were killed in the battle.
Θα έρθει αύριο.	He/she will come tomorrow.

The Subjunctive expresses wish, possibility, doubt, etc.

Ο καιρός ίσως να είναι καλός αύριο.	The weather may be fine tomorrow.
Θέλω να παίξω με τον φίλο μου.	I wish to play with my friend.
Υπογράψαμε πριν φύγουμε.	We signed before we left.
Όταν φύγαμε, ο καιρός ήταν καλός.	When we left, the weather was fine.
Πιθανόν να σε δω στην Ελλάδα.	Maybe, I will see you in Greece.
Θα ήθελα να έχω πολλά λεφτά.	I would like to have much money.

There are three subjunctives:

Present Tense Subjunctive

It is the same as the indicative but it is preceded by one of the conjunctions **να, για να, αν, όταν**, etc.

να παίζω	that I may be playing, that I may play
να πηγαίνω	that I may be going
να τρώει	that he/she may be eating
να ντυνόμαστε	that we may be dressed

Past Simple Tense Subjunctive

να παίξω	that I might play
να πάω	that I might go
να φάει	that he/she might eat
να ντυθούμε	that we might be dressed

Present Perfect Tense Subjunctive

να έχω παίξει	that I may have played
να έχω πάει	that I may have gone
να έχει φάει	that he/she may have eaten
να έχουμε ντυθεί	that we may have dressed

H. The Imperative

There are two imperatives: The Present Tense and the Past Simple Imperative
The Present Tense Imperative shows a continuous action, the Past Simple a temporary action:

Present

τρώγε	be eating (sing.)
ας τρώει	let him/her be eating
τρώτε	be eating (pl.)
ας τρώνε	let them be eating

Past

φάγε (φάε)	eat (sing.)

9

ας φάει	let him/her eat
φάτε	eat (pl.)
άς φάνε	let them eat

Present

γράφε	be writing (sing.)
ας γράφει	let him/her be writing
γράφετε	be writing (pl.)
ας γράφουν	let them be writing

Past

γράψε	write (sing.)
ας γράψει	let him/her write
γράψετε	write (pl.)
ας γράψουν	let them write

Present

αγάπα	be loving (sing.)
ας αγαπά	let him/her be loving
αγαπάτε	be loving (pl.)
ας αγαπούν	let them be loving

Past

αγάπησε	love (sing.)
ας αγαπήσει	let him/her love
αγαπήστε	love (pl.)
ας αγαπήσουν	let them love

Present

ντύνου	be dressing yourself (sing.)
ας ντύνεται	let him/her be dressing himself/herself
ντύνεστε	be dressing yourselves (pl.)
ας ντύνονται	let them be dressing themselves

Past

ντύσου	dress (sing.)
ας ντυθεί	let him/her dress
ντυθείτε	dress (pl.)
ας ντυθούν	let them dress

Present

δένε	be tying (sing.)
ας δένει	let him/her be tying
δένετε	be tying (sing.)
ας δένουν	let them be tying

Past

δέσε	tie (sing.)
ας δέσει	let him/her tie
δέστε	tie (pl.)
ας δέσουν	let them tie

Passive Present

δέσου	tie yourself
ας δεθεί	let him/her tie himself/herself
δεθείτε	tie yourselves
ας δεθούν	let them tie themselves

10

I. The Infinitive

The Infinitive is an indeclinable form of the verb. It comes from the past simple tense, third person of the subjunctive:

Present tense	Past simple tense	Subjunctive	Infinitive	
δένω	έδεσα	να δέσω	δέσει	to tie
γράφω	έγραψα	να γράψω	γράψει	to write
αγαπώ	αγάπησα	να αγαπήσω	αγαπήσει	to love
τρέχω	έτρεξα	να τρέξω	τρέξει	to run
τρώω	έφαγα	να φάω - να φάγω	φάει - φάγει	to eat
ντύνομαι	ντύθηκα	να ντυθώ	ντυθεί	to dress
χρειάζομαι	χρειάστηκα	να χρειαστώ	χρειαστεί	to be needed

J. The Participle

There is one participle for the active voice and one for the passive voice:

Active Voice

δένω	δένοντας	tying
τρώ(γ)ω	τρώγοντας	eating
παίζω	παίζοντας	playing
αγαπώ	αγαπώντας	loving
χτυπώ	χτυπώντας	hitting, striking
ακούω	ακούοντας	hearing, listening

Passive Voice

χτυπιέμαι	χτυπημέν-ος, -η, -ο	wounded, hit
αγαπιέμαι	αγαπημέν-ος -η, -ο	loved
ευχαριστιέμαι	ευχαριστημέν-ος, -η, -ο	satisfied
ντύνομαι	ντυμέν-ος, -η, -ο	dressed
έρχομαι	ερχόμεν-ος, -η, -ο	coming
κάθομαι	καθισμέν-ος, -η, -ο	sitting
τρώγομαι	φαγωμέν-ος, -η, -ο	eaten, *also* one who has eaten and he is satiated
πίνω	πιομέν-ος, -η, -ο	drunk
διαβάζω	διαβασμέν-ος, -η, -ο	a well read person
		ένας διαβασμένος άνθρωπος

ABBREVIATIONS USED IN THE BOOK

P.	Present tense
P. C.	Past Continuous tense
P. S.	Past Simple tense
F. C.	Future Continuous tense
F. S.	Future Simple tense
Pr. P.	Present Perfect tense
P. P.	Past Perfect tense
F. P.	Future Perfect tense
F. P. P.	Future Past Perfect tense
sing.	singular
pl.	plural

Marking the Verbs

Verbs in the First Group, First Conjugation are marked by the number 1

τρέχω (1)   παίζω (1)   γράφω (1)

Verbs in the Second Group or Conjugation are marked by the number 2

αγαπώ (2)   χτυπώ (2)   τιμώ (2)

Verbs in the Third Group or Conjugation are marked by the number 3

ζω (3)   μπορώ (3)   οδηγώ (3)

Verbs in the Fourth Group or Conjugation are marked by the number 4

χρειάζομαι (4)   ντύνομαι (4)   ονομάζομαι (4)   δένομαι (4)

1. **A verb may have more than one meanings. In the conjugation we use one of the meanings, the most common.**

2. **The future continuous tense is formed with the particle θα and the present tense.**
   Παίζω – present tense - I play
   Θα παίζω – future continuous - I will be playing
   We do not give the complete future tense conjugation since it is the same as the present tense.

   The passive, future continuous tense is translated with **I will be being**…
   In some verbs the translation to English will sound strange.
   Ex: ακούω – I hear, ακούομαι - I am heard
   Passive future continuous – θα ακούομαι - I will be (being) heard
   "Being" is redundant and sounds strange. We will use **"I will continue to be heard"**, and also **"being"**.

3. **The imperative mood has no tense**. We use the present tense imperative to show continuous action, and the past simple imperative to show temporary action:
   Ex.: παίζε – be playing, continue to play (from the present tense παίζω)
       παίξε – play (from the past simple tense έπαιξα – I played)

4. Use of "**shall**" and "**will**" for the future tenses.
   Shall in the first person denotes future fact: I shall be there.
   In the second and third persons, **shall** denotes obligation: He shall be there.
   Will in the first person denotes the intention or purpose of the speaker. "I will go" means that I intend to go.
   In the second and third persons "will" expresses simple future action.
   In this book we will use "will" for the future tense.
   Depending on the intentions of the speaker the student can substitute "will" for "shall" and "shall" for "will".

5. **In the past continuous tense of verbs in the second conjugation we may have these forms.** Ex.: αποτελούμαι – I am composed of

   Past Continuous: αποτελούμουν – I was being composed of

   Conjugation:

αποτελούμουν	αποτελούμαστε - αποτελούμασταν
αποτελούσουν	αποτελούσαστε - αποτελούσασταν
αποτελούνταν	αποτελούνταν

   τοποθετώ – I place – I was being placed

τοποθετούμουν	τοποθετούμαστε - τοποθετούμασταν
τοποθετούσουν	τοποθετούσαστε - τοποθετούσασταν
τοποθετούνταν	τοποθετούνταν

   πληροφορούμαι – I am informed, I was being informed

πληροφορούμουν	πληροφορούμαστε - πληροφορούμασταν
πληροφορούσουν	πληροφορούσαστε - πληροφορούσασταν
πληροφορούνταν	πληροφορούνταν

6. **Verbs of the second conjugation ending in –ώ have another form ending in –άω:**

αγαπώ	αγαπάω
χτυπώ	χτυπάω
περπατώ	περπατάω
σταματώ	σταματάω

Declension:

αγαπάω	I love
αγαπάς	you love
αγαπάει	he, she, it loves
αγαπάμε	we love
αγαπάτε	you love
αγαπούν, αγαπάνε	they love

7. **The subjunctive is conjugated as the indicative:**

να αγαπώ – that I may love
να αγαπάς
να αγαπά   etc.

να αγαπήσω – that I might love
να αγαπήσεις
να αγαπήσει   etc.

να έχω αγαπήσει – that I may have loved
να έχεις αγαπήσει
να έχει αγαπήσει   etc.

8. **Some verbs may have two forms for some tenses:**

ήρθα and ήλθα – I came   θα έρθω and θα έλθω – I will come
επισκέφτηκα and επισκέφθηκα – I visited
παραδέχτηκα and παραδέχθηκα – I accepted, I admitted

9. **The imperative of the passive voice, continuous form (present tense) in some verbs is not common.**

10. **In addition to the eight tenses there is also the future past perfect tense (conditional):**

αγαπώ – I love
θα είχα αγαπήσει – I would have loved
μιλώ – I speak
θα είχα μιλήσει – I would have spoken
τρώω – I eat
θα είχα φάει – I would have eaten

14

αγαπώ (2) (of persons) – to be fond of, to love dearly,
(of things) to like to, to delight in

	Active voice - Indicative		*Passive voice - Indicative*	
	I love		**I am loved, I am being loved**	
P.	αγαπώ	αγαπάμε (αγαπούμε)	αγαπιέμαι	αγαπιόμαστε
	αγαπάς	αγαπάτε	αγαπιέσαι	αγαπιέστε
	αγαπά	αγαπούν (αγαπάνε)	αγαπιέται	αγαπιούνται
P. C.	**I was loving**		**I was being loved**	
	αγαπούσα	αγαπούσαμε	αγαπιόμουν	αγαπιόμαστε
	αγαπούσες	αγαπούσατε	αγαπιόσουν	αγαπιόσαστε
	αγαπούσε	αγαπούσαν	αγαπιόταν	αγαπιόνταν
P. S.	**I loved**		**I was loved**	
	αγάπησα	αγαπήσαμε	αγαπήθηκα	αγαπηθήκαμε
	αγάπησες	αγαπήσατε	αγαπήθηκες	αγαπηθήκατε
	αγάπησε	αγάπησαν	αγαπήθηκε	αγαπήθηκαν
F. C.	**I will be loving**		**I will be being loved**	
	θα αγαπώ	θα αγαπούμε	θα αγαπιέμαι	θα αγαπιόμαστε
	θα αγαπάς	θα αγαπάτε	θα αγαπιέσαι	θα αγαπιέστε
	θα αγαπά	θα αγαπούν	θα αγαπιέται	θα αγαπιούνται
F. S.	**I will love**		**I will be loved**	
	θα αγαπήσω	θα αγαπήσουμε	θα αγαπηθώ	θα αγαπηθούμε
	θα αγαπήσεις	θα αγαπήσετε	θα αγαπηθείς	θα αγαπηθείτε
	θα αγαπήσει	θα αγαπήσουν	θα αγαπηθεί	θα αγαπηθούν
Pr. P.	**I have loved**		**I have been loved**	
	έχω αγαπήσει		έχω αγαπηθεί	
	έχεις αγαπήσει	etc.	έχεις αγαπηθεί	etc.
P. P.	**I had loved**		**I had been loved**	
	είχα αγαπήσει		είχα αγαπηθεί	
	είχες αγαπήσει	etc.	είχες αγαπηθεί	etc.
F. P.	**I will have loved**		**I will have been loved**	
	θα έχω αγαπήσει		θα έχω αγαπηθεί	
	θα έχεις αγαπήσει	etc.	θα έχεις αγαπηθεί	etc.

Subjunctive   (with να, όταν, για να, etc.)

P.	να αγαπώ	that I may be loving	να αγαπιέμαι	that I may be being loved
P. S.	να αγαπήσω	that I may love	να αγαπηθώ	that I may be loved
Pr. P.	να έχω αγαπήσει	that I may have loved	να έχω αγαπηθεί	that I may have been loved

Imperative

P.	αγάπα (sing.)	be loving	-	
	αγαπάτε (pl.)	be loving	-	
P. S.	αγάπησε (sing.)	love	αγαπήσου (sing.)	be loved
	αγαπήστε (pl.)	love	αγαπηθείτε (pl.)	be loved

Infinitive

	να αγαπήσει	to love	να αγαπηθεί	to be loved

Participle

	αγαπώντας	loving	αγαπημέν-ος, -η, -ο	loved
			(For examples see p. 62)	

	Active voice, Indicative		*Passive voice, Indicative*	
P.	**I touch**		**I am touched, I am being touched**	
	αγγίζω	αγγίζουμε	αγγίζομαι	αγγιζόμαστε
	αγγίζεις	αγγίζετε	αγγίζεσαι	αγγίζεστε
	αγγίζει	αγγίζουν	αγγίζεται	αγγίζονται
P. C.	**I was touching**		**I was being touched**	
	άγγιζα	αγγίζαμε	αγγιζόμουν	αγγιζόμαστε
	άγγιζες	αγγίζατε	αγγιζόσουν	αγγιζόσαστε
	άγγιζε	άγγιζαν	αγγιζόταν	αγγίζονταν
P. S.	**I touched**		**I was touched**	
	άγγιξα	αγγίξαμε	αγγίχτηκα	αγγιχτήκαμε
	άγγιξες	αγγίξατε	αγγίχτηκες	αγγιχτήκατε
	άγγιξε	άγγιξαν	αγγίχτηκε	αγγίχτηκαν
F. C.	**I will be touching**		**I will be being touched**	
	θα αγγίζω	θα αγγίζουμε	θα αγγίζομαι	θα αγγιζόμαστε
	θα αγγίζεις	θα αγγίζετε	θα αγγίζεσαι	θα αγγίζεστε
	θα αγγίζει	θα αγγίζουν	θα αγγίζεται	θα αγγίζονται
F. S.	**I will touch**		**I will be touched**	
	θα αγγίξω	θα αγγίξουμε	θα αγγιχτώ	θα αγγιχτούμε
	θα αγγίξεις	θα αγγίξετε	θα αγγιχτείς	θα αγγιχτείτε
	θα αγγίξει	θα αγγίξουν	θα αγγιχτεί	θα αγγιχτούν
Pr. P.	**I have touched**		**I have been touched**	
	έχω αγγίξει		έχω αγγιχτεί	
	έχεις αγγίξει	etc.	έχεις αγγιχτεί	etc.
P. P.	**I had touched**		**I had been touched**	
	είχα αγγίξει		είχα αγγιχτεί	
	είχες αγγίξει	etc.	είχες αγγιχτεί	etc.
F. P.	**I will have touched**		**I will have been touched**	
	θα έχω αγγίξει		θα έχω αγγιχτεί	
	θα έχεις αγγίξει	etc.	θα έχεις αγγιχτεί	etc.

Subjunctive

(with να, όταν, για να, etc.)

P.	να αγγίζω	that I may be touching	να αγγίζομαι	that I may be being touched
P.S.	να αγγίξω	that I may touch	να αγγιχτώ	that I may be touched
Pr. P.	να έχω αγγίξει	that I may have touched	να έχω αγγιχτεί	that I may have been touched

Imperative

P.	άγγιζε (sing.)	be touching	-	
	αγγίζετε (pl.)	be touching	αγγίζεστε	be being touched
P. S.	άγγιξε (sing.)	touch	αγγίξου (sing.)	be touched
	αγγίξετε (pl.)	touch	αγγιχτείτε (pl.)	be touched

Infinitive

να αγγίξει	to touch	να αγγιχτεί	to be touched

Participle

αγγίζοντας	touching	αγγιγμέν-ος, -η, -ο	touched

(Examples on page 62)

	Active voice, Indicative		*Passive voice, Indicative*	
P.	**I embrace, I am embracing**		**I am embraced, I am being embraced**	
	αγκαλιάζω	αγκαλιάζουμε	αγκαλιάζομαι	αγκαλιαζόμαστε
	αγκαλιάζεις	αγκαλιάζετε	αγκαλιάζεσαι	αγκαλιάζεστε
	αγκαλιάζει	αγκαλιάζουν	αγκαλιάζεται	αγκαλιάζονται
P. C.	**I was embracing**		**I was being embraced**	
	αγκάλιαζα	αγκαλιάζαμε	αγκαλιαζόμουν	αγκαλιαζόμαστε
	αγκάλιαζες	αγκαλιάζατε	αγκαλιαζόσουν	αγκαλιαζόσαστε
	αγκάλιαζε	αγκάλιαζαν	αγκαλιαζόταν	αγκαλιάζονταν
P. S.	**I embraced**		**I was embraced**	
	αγκάλιασα	αγκαλιάσαμε	αγκαλιάστηκα	αγκαλιαστήκαμε
	αγκάλιασες	αγκαλιάσατε	αγκαλιάστηκες	αγκαλιαστήκατε
	αγκάλιασε	αγκάλιασαν	αγκαλιάστηκε	αγκαλιάστηκαν
F. C.	**I will be embracing**		**I will be being embraced**	
	θα αγκαλιάζω		θα αγκαλιάζομαι	
	θα αγκαλιάζεις	etc.	θα αγκαλιάζεσαι	etc.
F. S.	**I will embrace**		**I will be embraced**	
	θα αγκαλιάσω	θα αγκαλιάσουμε	θα αγκαλιαστώ	θα αγκαλιαστούμε
	θα αγκαλιάσεις	θα αγκαλιάσετε	θα αγκαλιαστείς	θα αγκαλιαστείτε
	θα αγκαλιάσει	θα αγκαλιάσουν	θα αγκαλιαστεί	θα αγκαλιαστούν
Pr. P.	**I have embraced**		**I have been embraced**	
	έχω αγκαλιάσει		έχω αγκαλιαστεί	
	έχεις αγκαλιάσει	etc.	έχεις αγκαλιαστεί	etc.
P. P.	**I had embraced**		**I had been embraced**	
	είχα αγκαλιάσει		είχα αγκαλιαστεί	
	είχες αγκαλιάσει	etc.	είχες αγκαλιαστεί	etc.
F. P.	**I will have embraced**		**I will have been embraced**	
	θα έχω αγκαλιάσει		θα έχω αγκαλιαστεί	
	θα έχεις αγκαλιάσει	etc.	θα έχεις αγκαλιαστεί	etc.

Subjunctive (with να, όταν, για να, etc.)

P.	να αγκαλιάζω	that I may be embracing	να αγκαλιάζομαι	that I may be being embraced
P. S.	να αγκαλιάσω	that I may embrace	να αγκαλιαστώ	that I may be embraced
Pr. P.	να έχω αγκαλιάσει	that I may have embraced	να έχω αγκαλιαστεί	that I may have been embraced

Imperative

P.	αγκάλιαζε (sing.)	be embracing	-	
	αγκαλιάζετε (pl.)	be embracing	-	
P.S.	αγκάλιασε (sing.)	embrace	αγκαλιάστου (sing.)	be embraced
	αγκαλιάστε (pl.)	embrace	αγκαλιαστείτε (pl.)	be embraced, embrace each other

Infinitive

να αγκαλιάσει	to embrace	να αγκαλιαστεί	to be embraced

Participle

αγκαλιάζοντας	embracing	αγκαλιασμέν-ος, -η, -ο	embraced
		(Examples on page 62)	

	Active voice, Indicative		Passive voice, Indicative	
P.	**I buy, I am buying**		**I am bought, I am being bought**	
	αγοράζω	αγοράζουμε	αγοράζομαι	αγοραζόμαστε
	αγοράζεις	αγοράζετε	αγοράζεσαι	αγοράζεστε
	αγοράζει	αγοράζουν	αγοράζεται	αγοράζονται
P. C.	**I was buying**		**I was being bought**	
	αγόραζα	αγοράζαμε	αγοραζόμουν	αγοραζόμαστε
	αγόραζες	αγοράζατε	αγοραζόσουν	αγοραζόσαστε
	αγόραζε	αγόραζαν	αγοραζόταν	αγοράζονταν
P. S.	**I bought**		**I was bought**	
	αγόρασα	αγοράσαμε	αγοράστηκα	αγοραστήκαμε
	αγόρασες	αγοράσατε	αγοράστηκες	αγοραστήκατε
	αγόρασε	αγόρασαν	αγοράστηκε	αγοράστηκαν
F. C.	**I will be buying**		**I will be being bought**	
	θα αγοράζω	θα αγοράζουμε	θα αγοράζομαι	θα αγοραζόμαστε
	θα αγοράζεις	θα αγοράζετε	θα αγοράζεσαι	θα αγοράζεστε
	θα αγοράζει	θα αγοράζουν	θα αγοράζεται	θα αγοράζονται
F. S.	**I will buy**		**I will be bought**	
	θα αγοράσω	θα αγοράσουμε	θα αγοραστώ	θα αγοραστούμε
	θα αγοράσεις	θα αγοράσετε	θα αγοραστείς	θα αγοραστείτε
	θα αγοράσει	θα αγοράσουν	θα αγοραστεί	θα αγοραστούν
Pr. P.	**I have bought**		**I have been bought**	
	έχω αγοράσει		έχω αγοραστεί	
	έχεις αγοράσει	etc.	έχεις αγοραστεί	etc.
P. P.	**I had bought**		**I had been bought**	
	είχα αγοράσει		είχα αγοραστεί	
	είχες αγοράσει	etc.	είχες αγοραστεί	etc.
F. P.	**I will have bought**		**I will have been bought**	
	θα έχω αγοράσει		θα έχω αγοραστεί	
	θα έχεις αγοράσει	etc.	θα έχεις αγοραστεί	etc.

Subjunctive (with να, όταν, για να, etc.)

P.	να αγοράζω	that I may be buying	να αγοράζομαι	that I may be bought
P. S.	να αγοράσω	that I may buy	να αγοραστώ	that I may be bought
Pr. P.	να έχω αγοράσει	that I may have bought	να έχω αγοραστεί	that I may have been bought

Imperative

P.	αγόραζε (sing.)	be buying	αγοράζου (sing.)	be being bought
	αγοράζετε (pl.)	be buying	αγοράζεστε (pl.)	be being bought
P. S.	αγόρασε (sing.)	buy	αγοράσου (sing.)	be bought
	αγοράστε (pl.)	buy	αγοραστείτε (pl.)	be bought

Infinitive

	να αγοράσει	to buy	να αγοραστεί	to be bought

Participle

	αγοράζοντας	buying	αγορασμέν-ος, -η, -ο	bought
			(Examples on page 62)	

αγρυπνώ (2) – to sit up at night; not to sleep; to suffer of insomnia; to be awake, to stay up   5
(This is an intransitive verb. No passive voice.)

	Indicative	
P.	**I am awake**	
	αγρυπνώ	αγρυπνούμε
	αγρυπνάς	αγρυπνάτε
	αγρυπνά	αγρυπνούν

	P. C.	**I was awake**	
		αγρυπνούσα	αγρυπνούσαμε
		αγρυπνούσες	αγρυπνούσατε
		αγρυπνούσε	αγρυπνούσαν

P. S.	**I was awake**	
	αγρύπνησα	αγρυπνήσαμε
	αγρύπνησες	αγρυπνήσατε
	αγρύπνησε	αγρύπνησαν

F. C.	**I will (continue to) be awake**	
	θα αγρυπνώ	θα αγρυπνούμε
	θα αγρυπνάς	θα αγρυπνάτε
	θα αγρυπνά	θα αγρυπνούν

F. S.	**I will be awake**	
	θα αγρυπνήσω	θα αγρυπνήσουμε
	θα αγρυπνήσεις	θα αγρυπνήσετε
	θα αγρυπνήσει	θα αγρυπνήσουν

Pr. P.	**I have been awake**	
	έχω αγρυπνήσει	έχουμε αγρυπνήσει
	έχεις αγρυπνήσει	έχετε αγρυπνήσει
	έχει αγρυπνήσει	έχουν αγρυπνήσει

P. P.	**I had been awake**	
	είχα αγρυπνήσει	είχαμε αγρυπνήσει
	είχες αγρυπνήσει	είχατε αγρυπνήσει
	είχε αγρυπνήσει	είχαν αγρυπνήσει

F. P.	**I will have been awake**	
	θα έχω αγρυπνήσει	
	θα έχεις αγρυπνήσει	etc.

Subjunctive
(with να, όταν, για να, etc.)

P.	να αγρυπνώ	that I may be being awake
P. S.	να αγρυπνήσω	that I may be awake
Pr. P.	να έχω αγρυπνήσει	that I may have been awake

Imperative

P.	αγρύπνα (sing.)	be being awake
	αγρυπνάτε (pl.)	be being awake
P. S.	αγρύπνησε (sing.)	be awake
	αγρυπνήστε (pl.)	be awake

Infinitive

P.S.	να αγρυπνήσει	to be awake

Participle

αγρυπνώντας	being awake

Examples:

Χτες τη νύχτα αγρύπνησα.	Last night I stayed up.
Κάθε νύχτα αγρυπνούμε.	Every night we stay up.
Ο φύλακας αγρυπνά.	The watchman stays awake.
Πολλά ζώα αγρυπνούν τη νύχτα	Many animals stay awake at night
για να πιάσουν την τροφή τους.	so they can catch their prey.
Είναι άγρυπνος.	He is watchful.

αγωνίζομαι (4) – to strive; to fight; to struggle; to take part in a contest (deponent verb)

6

Indicative

P. **I strive, I fight**

αγωνίζομαι	αγωνιζόμαστε
αγωνίζεσαι	αγωνίζεστε
αγωνίζεται	αγωνίζονται

P. C. **I was striving, fighting**

αγωνιζόμουν	αγωνιζόμαστε
αγωνιζόσουν	αγωνιζόσαστε
αγωνιζόταν	αγωνίζονταν

P. S. **I strived, fought**

αγωνίστηκα	αγωνιστήκαμε
αγωνίστηκες	αγωνιστήκατε
αγωνίστηκε	αγωνίστηκαν

F. C. **I will be striving, fighting**

θα αγωνίζομαι	θα αγωνιζόμαστε
θα αγωνίζεσαι	θα αγωνίζεστε
θα αγωνίζεται	θα αγωνίζονται

F. S. **I will strive, fight**

θα αγωνιστώ	θα αγωνιστούμε
θα αγωνιστείς	θα αγωνιστείτε
θα αγωνιστεί	θα αγωνιστούν

Pr. P. **I have strived, fought**

έχω αγωνιστεί	έχουμε αγωνιστεί
έχεις αγωνιστεί	έχετε αγωνιστεί
έχει αγωνιστεί	έχουν αγωνιστεί

P. P. **I had strived, fought**

είχα αγωνιστεί	
είχες αγωνιστεί	etc.

F. P. **I will have strived, fought**

θα έχω αγωνιστεί	
θα έχεις αγωνιστεί	etc.

Subjunctive
(with να, όταν, για να, etc.)

P.	να αγωνίζομαι	that I may be striving
P. S.	να αγωνιστώ	that I may strive
Pr. P.	να έχω αγωνιστεί	that I may have strived

Imperative

P.	αγωνίζου (sing.)	be striving
	αγωνίζεστε (pl.)	be striving
P. S.	αγωνίσου (sing.)	strive
	αγωνιστείτε (pl.)	strive

Infinitive

να αγωνιστεί	to strive, to fight

Participle

αγωνιζόμεν-ος, -η, -ο	striving fighting

Examples:

Αγωνίζομαι για την ελευθερία.	I fight for freedom.
Ο πατέρας αγωνίζεται νύχτα μέρα για το ψωμί μας.	Father strives day and night for our living.
Οι Έλληνες αγωνίστηκαν για την ελευθερία τους.	The Greeks fought for their freedom.
Αγωνίστηκε στους Ολυμπιακούς Αγώνες.	He participated in the Olympic games.
Έχουμε αγωνιστεί σκληρά στη ζωή μας.	We have struggled hard all our life.

Active voice, Indicative		*Passive voice, Indicative*	
P. **I wrong**		**I am wronged, I am being wronged**	
αδικώ	αδικούμε	αδικούμαι	αδικούμαστε
αδικείς	αδικείτε	αδικείσαι	αδικείστε
αδικεί	αδικούν	αδικείται	αδικούνται
P. C. **I was doing wrong**		**I was being wronged**	
αδικούσα	αδικούσαμε	αδικούμουν	αδικούμαστε
αδικούσες	αδικούσατε	αδικούσουν	αδικούσαστε
αδίκούσε	αδικούσαν	αδικούνταν	αδικούνταν
P. S. **I wronged**		**I was wronged**	
αδίκησα	αδικήσαμε	αδικήθηκα	αδικηθήκαμε
αδίκησες	αδικήσατε	αδικήθηκες	αδικηθήκατε
αδίκησε	αδίκησαν	αδικήθηκε	αδικήθηκαν
F. C. **I will be doing wrong**		**I will be being wronged**	
θα αδικώ	θα αδικούμε	θα αδικούμαι	θα αδικούμαστε
θα αδικείς	θα αδικείτε	θα αδικείσαι	θα αδικείστε
θα αδικεί	θα αδικούν	θα αδικείται	θα αδικούνται
F. S. **I will wrong**		**I will be wronged**	
θα αδικήσω	θα αδικήσουμε	θα αδικηθώ	θα αδικηθούμε
θα αδικήσεις	θα αδικήσετε	θα αδικηθείς	θα αδικηθείτε
θα αδικήσει	θα αδικήσουν	θα αδικηθεί	θα αδικηθούν
Pr. P. **I have wronged**		**I have been wronged**	
έχω αδικήσει		έχω αδικηθεί	
έχεις αδικήσει	etc.	έχεις αδικηθεί	etc.
P. P. **I had wronged**		**I had been wronged**	
είχα αδικήσει		είχα αδικηθεί	
είχες αδικήσει	etc.	είχες αδικηθεί	etc.
F. P. **I will have wronged**		**I will have been wronged**	
θα έχω αδικήσει		θα έχω αδικηθεί	
θα έχεις αδικήσει	etc.	θα έχεις αδικηθεί	etc.

Subjunctive (with να, για να, όταν, etc.)

P.	να αδικώ	that I may be doing wrong	να αδικούμαι	that I may be wronged
P. S.	να αδικήσω	that I may wrong	να αδικηθώ	that I may be wronged
Pr. P.	να έχω αδικήσει	that I may have wronged	να έχω αδικηθεί	that I may have been wronged

Imperative

P.	αδίκει (sing.)	be doing wrong	-	
	αδικείτε (pl.)	be doing wrong	-	
P. S.	αδίκησε (sing.)	do wrong	αδικήσου (sing.)	be wronged
	αδικείστε (pl).	do wrong	αδικηθείτε (pl.)	be wronged

Infinitive

P.S.	να αδικήσει	to wrong	να αδικηθεί	to be wronged

Participle

αδικώντας	doing wrong	αδικημέν-ος, -η, -ο	wronged	

(For examples see page 63)

21

Active voice, Indicative		*Subjunctive*		
P. **I feel**		(with να, για να, όταν, etc.)		
αισθάνομαι	αισθανόμαστε	P.	να αισθάνομαι	that I may be feeling
αισθάνεσαι	αισθάνεστε	P. S.	να αισθανθώ	that I may feel
αισθάνεται	αισθάνονται	Pr. P.	να έχω αισθανθεί	that I may have felt

P. C. **I was feeling**		**Imperative**		
αισθανόμουν	αισθανόμαστε	P.	-	
αισθανόσουν	αισθανόσαστε		αισθάνεστε (pl.)	be feeling
αισθανόταν	αισθάνονταν	P. S.	αισθάνθου (sing.)	feel
			αισθανθείτε (pl.)	feel

P. S. **I felt**		**Infinitive**		
αισθάνθηκα	αισθανθήκαμε	P. S.	να αισθανθεί	to feel
αισθάνθηκες	αισθανθήκατε			
αισθάνθηκε	αισθάνθηκαν			

P. C. **I will be feeling**		**Participle**		
θα αισθάνομαι	θα αισθανόμαστε		αισθανόμεν-ος, -η, -ο	feeling
θα αισθάνεσαι	θα αισθάνεστε			
θα αισθάνεται	θα αισθάνονται			

F. S. **I will feel**	
θα αισθανθώ	θα αισθανθούμε
θα αισθανθείς	θα αισθανθείτε
θα αισθανθεί	θα αισθανθούν

Pr. P. **I have felt**	
έχω αισθανθεί	
έχεις αισθανθεί	etc.

P. P. **I had felt**	
είχα αισθανθεί	
είχες αισθανθεί	etc.

F. P. **I will have felt**	
θα έχω αισθανθεί	
θα έχεις αισθανθεί	etc.

Examples:

Αισθάνομαι καλά.	I feel well.
Αισθανόμαστε κρύο.	We feel cold.
Αισθάνεται ντροπή.	He feels ashamed.
Τι αισθάνεσαι;	What do you feel?
Τι αισθάνθηκες όταν σε χτύπησε το αυτοκίνητο;	What did you feel when the car struck you?
Δεν αισθάνεται.	He is insensitive (apathetic).
Δεν αισθάνεται τι του γίνεται.	He does not know what he is doing.
Αισθάνομαι πολύ άσχημα γι' αυτό που έγινε.	I feel very bad for what has happened.

	Active voice		*Passive voice*	
P.	**I follow**		**I am followed, I am being followed**	
	ακολουθώ	ακολουθούμε	ακολουθούμαι	ακολουθούμαστε
	ακολουθείς	ακολουθείτε	ακολουθείσαι	ακολουθείστε
	ακολουθεί	ακολουθούν	ακολουθείται	ακολουθούνται
P. C.	**I was following**		**I was being followed**	
	ακολουθούσα	ακολουθούσαμε	ακολουθούμουν	ακολουθούμ-αστε, -ασταν
	ακολουθούσες	ακολουθούσατε	ακολουθούσουν	ακολουθούσ-αστε, -ασταν
	ακολουθούσε	ακολουθούσαν	ακολουθούνταν	ακολουθούνταν
P. S.	**I followed**		**I was followed**	
	ακολούθησα	ακολουθήσαμε	ακολουθήθηκα	ακολουθηθήκαμε
	ακολούθησες	ακολουθήσατε	ακολουθήθηκες	ακολουθηθήκατε
	ακολούθησε	ακολούθησαν	ακολουθήθηκε	ακολουθήθηκαν
F. C.	**I will be following**		**I will be being followed**	
	θα ακολουθώ	θα ακολουθούμε	θα ακολουθούμαι	θα ακολουθούμαστε
	θα ακολουθείς	θα ακολουθείτε	θα ακολουθείσαι	θα ακολουθείστε
	θα ακολουθεί	θα ακολουθούν	θα ακολουθείται	θα ακολουθούνται
F. S.	**I will follow**		**I will be followed**	
	θα ακολουθήσω	θα ακολουθήσουμε	θα ακολουθηθώ	θα ακολουθηθούμε
	θα ακολουθήσεις	θα ακολουθήσετε	θα ακολουθηθείς	θα ακολουθηθείτε
	θα ακολουθήσει	θα ακολουθήσουν	θα ακολουθηθεί	θα ακολουθηθούν
Pr. P.	**I have followed**		**I have been followed**	
	έχω ακολουθήσει		έχω ακολουθηθεί	
	έχεις ακολουθήσει	etc.	έχεις ακολουθηθεί	etc.
P. P.	**I had followed**		**I had been followed**	
	είχα ακολουθήσει	etc.	είχα ακολουθηθεί	etc.
	είχες ακολουθήσει		είχες ακολουθηθεί	
F. P.	**I will have followed**		**I will have been followed**	
	θα έχω ακολουθήσει		θα έχω ακολουθηθεί	
	θα έχεις ακολουθήσει	etc.	θα έχεις ακολουθηθεί	etc.

		Subjunctive	(with να, για να, όταν, etc.)	
P.	να ακολουθώ	that I may be following	να ακολουθούμαι	that I may be followed
P. S.	να ακολουθήσω	that I may follow	να ακολουθηθώ	that I may be followed
Pr. P.	να έχω ακολουθήσει	that I may have followed	να έχω ακολουθηθεί	that I may have been followed

		Imperative		
P.	ακολούθει (sing.)	be following	-	
	ακολουθείτε (pl.)	be following	-	
P. S.	ακολούθησε (sing.)	follow	-	
	ακολουθείστε (pl.)	follow	ακολουθηθείτε (pl.)	be followed

		Infinitive		
p.	να ακολουθήσει	to follow	να ακολουθηθεί	to be followed

		Participle		
p.	ακολουθώντας	following	ακολουθημέν-ος, -η, -ο	followed
			(For examples see page 63)	

23

ακούω (1) – to hear, to listen to, to obey 10

Active voice, Indicative		*Passive voice, Indicative*	
P.	**I hear**		**I am heard, I am being heard**	
ακούω	ακούμε	ακούομαι	ακουόμαστε
ακούς	ακούτε	ακούεσαι	ακούεστε
ακούει	ακούν(ε)	ακούεται	ακούονται
P. C. **I was hearing**		**I was being heard**	
άκουα	ακούαμε	ακουόμουν	ακουόμαστε
άκουες	ακούατε	ακουόσουν	ακουόσαστε
άκουε	άκουαν	ακουόταν	ακούονταν
P. S. **I heard**		**I was heard**	
άκουσα	ακούσαμε	ακούστηκα	ακουστήκαμε
άκουσες	ακούσατε	ακούστηκες	ακουστήκατε
άκουσε	άκουσαν	ακούστηκε	ακούστηκαν
F. C. **I will be hearing**		**I will be being heard**	
θα ακούω	θα ακούμε	θα ακούομαι	θα ακουόμαστε
θα ακούς	θα ακούτε	θα ακούεσαι	θα ακούεστε
θα ακούει	θα ακούν, ακούνε	θα ακούεται	θα ακούονται
F. S. **I will hear**		**I will be heard**	
θα ακούσω	θα ακούσουμε	θα ακουστώ	θα ακουστούμε
θα ακούσεις	θα ακούσετε	θα ακουστείς	θα ακουστείτε
θα ακούσει	θα ακούσουν	θα ακουστεί	θα ακουστούν
Pr. P. **I have heard**		**I have been heard**	
έχω ακούσει		έχω ακουστεί	
έχεις ακούσει	etc	έχεις ακουστεί	etc.
P. P. **I had heard**		**I had been heard**	
είχα ακούσει		είχα ακουστεί	
είχες ακούσει	etc.	είχες ακουστεί	etc.
F. P. **I will have heard**		**I will have been heard**	
θα έχω ακούσει		θα έχω ακουστεί	
θα έχεις ακούσει	etc.	θα έχεις ακουστεί	etc.

		Subjunctive	(with να, για να, όταν, etc.)	
P.	να ακούω	that I may be hearing	να ακούομαι	that I may be heard
P. S.	να ακούσω	that I may hear	να ακουστώ	that I may be heard
Pr. P.	να έχω ακούσει	that I may have heard	να έχω ακουστεί	that I may have been heard

		Imperative		
P.	άκου (sing.)	be listening	-	
	ακούτε (pl.)	be listening	ακούγεστε (pl.)	be being heard
P. S.	άκουσε (sing.)	listen, hear	-	
	ακούστε (pl.)	listen, hear	ακουστείτε (pl.)	be heard

	Infinitive		
να ακούσει	to hear	να ακουστεί	to be heard

	Participle		
ακούοντας	hearing	ακουσμέν-ος, -η, -ο	heard
		(For examples see page 63)	

	Active voice, Indicative		**Passive voice, Indicative**	
P.	**I change**		**I am changed, I am being changed**	
	αλλάζω	αλλάζουμε	αλλάζομαι	αλλαζόμαστε
	αλλάζεις	αλλάζετε	αλλάζεσαι	αλλάζεστε
	αλλάζει	αλλάζουν	αλλάζεται	αλλάζονται
P. C.	**I was changing**		**I was being changed**	
	άλλαζα	αλλάζαμε	αλλαζόμουν	αλλαζόμαστε
	άλλαζες	αλλάζατε	αλλαζόσουν	αλλαζόσαστε
	άλλαζε	άλλαζαν	αλλαζόταν	αλλάζονταν
P. S.	**I changed**		**I was changed**	
	άλλαξα	αλλάξαμε	αλλάχτηκα	αλλαχτήκαμε
	άλλαξες	αλλάξατε	αλλάχτηκες	αλλαχτήκατε
	άλλαξε	άλλαξαν	αλλάχτηκε	αλλάχτηκαν
F. C.	**I will be changing**		**I will be being changed**	
	θα αλλάζω	θα αλλάζουμε	θα αλλάζομαι	θα αλλαζόμαστε
	θα αλλάζεις	θα αλλάζετε	θα αλλάζεσαι	θα αλλάζεστε
	θα αλλάζει	θα αλλάζουν	θα αλλάζεται	θα αλλάζονται
F. S.	**I will change**		**I will be changed**	
	θα αλλάξω	θα αλλάξουμε	θα αλλαχτώ	θα αλλαχτούμε
	θα αλλάξεις	θα αλλάξετε	θα αλλαχτείς	θα αλλαχτείτε
	θα αλλάξει	θα αλλάξουν	θα αλλαχτεί	θα αλλαχτούν
Pr. P.	**I have changed**		**I have been changed**	
	έχω αλλάξει		έχω αλλαχτεί	
	έχεις αλλάξει	etc.	έχεις αλλαχτεί	etc.
P. P.	**I had changed**		**I had been changed**	
	είχα αλλάξει		είχα αλλαχτεί	
	είχες αλλάξει	etc.	είχες αλλαχτεί	etc.
F. P.	**I will have changed**		**I will have been changed**	
	θα έχω αλλάξει		θα έχω αλλαχτεί	
	θα έχεις αλλάξει	etc.	θα έχεις αλλαχτεί	etc.

Subjunctive (with να, για να, όταν, etc.)

P.	να αλλάζω	that I may be changing	να αλλάζομαι	that I may be being changed
P. S.	να αλλάξω	that I may change	να αλλαχτώ	that I may be changed
Pr. P.	να έχω αλλάξει	that I may have changed	να έχω αλλαχτεί	that I may have been changed

Imperative

P.	άλλαζε (sing.)	be changing	αλλάζου (sing.)	be being changed
	αλλάζετε (pl.)	be changing	αλλάζεστε (pl.)	be being changed
P. S.	άλλαξε (sing.)	change	αλλάξου (sing.)	be changed
	αλλάξετε (pl.)	change	αλλαχτείτε (pl.)	be changed

Infinitive

να αλλάξει	to change	να αλλαχτεί	to be changed

Participle

αλλάζοντας	changing	αλλαγμέν-ος, -η, -ο	changed

(For examples see page 63)

25

αμφιβάλλω (1) – to be doubtful, to doubt   (The verb has no passive voice).

	Indicative		*Subjunctive*	
			(with να, για να, όταν, etc.)	
P.	**I doubt**			
	αμφιβάλλω	αμφιβάλλουμε	P. να αμφιβάλλω	that I may be doubting
	αμφιβάλλεις	αμφιβάλλετε	P. S. να αμφιβάλω	that I may doubt
	αμφιβάλλει	αμφιβάλλουν	Pr. P. να έχω αμφιβάλει	that I may have doubted

P. C.   I was doubting

αμφέβαλλα   αμφιβάλλαμε
αμφέβαλλες   αμφιβάλλατε
αμφέβαλλε   αμφέβαλλαν

Imperative

P.	αμφέβαλλε (sing.)		be doubting
	αμφιβάλλετε (pl.)		be doubting
P. S.	αμφέβαλε (sing.)		be doubtful
	αμφιβάλετε (pl.)		be doubtful

P. S.   I doubted

αμφέβαλα   αμφιβάλαμε
αμφέβαλες   αμφιβάλατε
αμφέβαλε   αμφέβαλαν

Infinitive

να αμφιβάλει   to doubt

F. C.   I will be doubting

θα αμφιβάλλω   θα αμφιβάλλουμε
θα αμφιβάλλεις   θα αμφιβάλλετε
θα αμφιβάλλει   θα αμφιβάλλουν

Participle

αμφιβάλλοντας   doubting

F. S.   I will doubt

θα αμφιβάλω   θα αμφιβάλουμε
θα αμφιβάλεις   θα αμφιβάλετε
θα αμφιβάλει   θα αμφιβάλουν

Pr. P.   I have doubted

έχω αμφιβάλει
έχεις αμφιβάλει   etc.

P. P.   I had doubted

είχα αμφιβάλει
είχες αμφιβάλει   etc.

F. P.   I will have doubted

θα έχω αμφιβάλει
θα έχεις αμφιβάλει   etc.

Examples:

Αμφιβάλλω αν θα έρθει.	I doubt if he comes.
Αμφέβαλε για το αποτέλεσμα των εκλογών.	He doubted the result of the elections.
Αμφιβάλλουν για την ειλικρίνειά του.	They doubt his sincerity.
Αμφιβάλλεις για τα λόγια μου;	Do you doubt my words?

αναβάλλω (1) – to postpone; to delay; to procrastinate; to adjourn 13

Active voice, Indicative		*Passive voice, Indicative*	
P. **I postpone**		**I am postponed, I am being postponed**	
αναβάλλω	αναβάλλουμε	αναβάλλομαι	αναβαλλόμαστε
αναβάλλεις	αναβάλλετε	αναβάλλεσαι	αναβάλλεστε
αναβάλλει	αναβάλλουν	αναβάλλεται	αναβάλλονται
P. C. **I was postponing**		**I was being postponed**	
ανέβαλλα	αναβάλλαμε	αναβαλλόμουν	αναβαλλόμαστε
ανέβαλλες	αναβάλλατε	αναβαλλόσουν	αναβαλλόσαστε
ανέβαλλε	ανέβαλλαν	αναβαλλόταν	αναβάλλονταν
P. S. **I postponed**		**I was postponed**	
ανέβαλα	αναβάλαμε	αναβλήθηκα	αναβληθήκαμε
ανέβαλες	αναβάλατε	αναβλήθηκες	αναβληθήκατε
ανέβαλε	ανέβαλαν	αναβλήθηκε	αναβλήθηκαν
F. C. **I will be postponing**		**I will be being postponed**	
θα αναβάλλω		θα αναβάλλομαι	
θα αναβάλλεις	etc.	θα αναβάλλεσαι	etc.
F. S. **I will postpone**		**I will be postponed**	
θα αναβάλω	θα αναβάλουμε	θα αναβληθώ	θα αναβληθούμε
θα αναβάλεις	θα αναβάλετε	θα αναβληθείς	θα αναβληθείτε
θα αναβάλει	θα αναβάλουν	θα αναβληθεί	θα αναβληθούν
Pr. P. **I have postponed**		**I have been postponed**	
έχω αναβάλει		έχω αναβληθεί	
έχεις αναβάλει	etc.	έχεις αναβληθεί	etc.
P.P. **I had postponed**		**I had been postponed**	
είχα αναβάλει		είχα αναβληθεί	
είχες αναβάλει	etc.	είχες αναβληθεί	etc.
F. P. **I will have postponed**		**I willl have been postponed**	
θα έχω αναβάλει		θα έχω αναβληθεί	
θα έχεις αναβάλει	etc.	θα έχεις αναβληθεί	etc.

Subjunctive
(with να, για να, όταν, etc.)

P.	να αναβάλλω	that I may be postponing	να αναβάλλομαι	that I may be postponed
P. S.	να αναβάλω	that I may postpone	να αναβληθώ -	that I may be postponed
Pr. P.	να έχω αναβάλει	that I may have postponed	να έχω αναβληθεί	that I may have been postponed

Imperative

P.	ανάβαλλε (sing.)	be postponing	αναβάλλου (sing.)	be being postponed
	αναβάλλετε (pl.)	be postponing	αναβάλλεστε (pl.)	be being postponed
P. S.	ανάβαλε (sing.)	postpone	αναβάλου (sing.)	be postponed
	αναβάλετε (pl.)	postpone	αναβληθείτε (pl.)	be postponed

Infinitive

να αναβάλει	to postpone	να αναβληθεί	to be postponed

Participle

αναβάλλοντας	postponing	ανα(βε)βλημέν-ος, -η, -ο	postponed

(For examples see page 64)

	Active voice, Indicative		*Passive voice, Indicative*	
P.	**I light**		**I am lighted, I am being lighted**	
	ανάβω	ανάβουμε	ανάβομαι	αναβόμαστε
	ανάβεις	ανάβετε	ανάβεσαι	ανάβεστε
	ανάβει	ανάβουν	ανάβεται	ανάβονται
P. C.	**I was lighting**		**I was being lighted**	
	άναβα	ανάβαμε	αναβόμουν	αναβόμαστε
	άναβες	ανάβατε	αναβόσουν	αναβόσαστε
	άναβε	άναβαν	αναβόταν	αναβόνταν
P. S.	**I lighted**		**I was lighted**	
	άναψα	ανάψαμε	ανάφτηκα	αναφτήκαμε
	άναψες	ανάψατε	ανάφτηκες	αναφτήκατε
	άναψε	άναψαν	ανάφτηκε	ανάφτηκαν
F. C.	**I will be lighting**		**I will be being lighted**	
	θα ανάβω		θα ανάβομαι	
	θα ανάβεις	etc.	θα ανάβεσαι	etc.
F. S.	**I will light**		**I will be lighted**	
	θα ανάψω	θα ανάψουμε	θα αναφτώ	θα αναφτούμε
	θα ανάψεις	θα ανάψετε	θα αναφτείς	θα αναφτείτε
	θα ανάψει	θα ανάψουν	θα αναφτεί	θα αναφτούν
Pr. P.	**I have lighted**		**I have been lighted**	
	έχω ανάψει		έχω αναφτεί	
	έχεις ανάψει	etc.	έχεις αναφτεί	etc.
P. P.	**I had lighted**		**I had been lighted**	
	είχα ανάψει		είχα αναφτεί	
	είχες ανάψει	etc.	είχες αναφτεί	etc.
F. P.	**I will have lighted**		**I will have been lighted**	
	θα έχω ανάψει		θα έχω αναφτεί	
	θα έχεις ανάψει	etc.	θα έχεις αναφτεί	etc.

Subjunctive (with να, για να, όταν, etc.)

P.	να ανάβω	that I may be lightinh	να ανάβομαι	that I may be lighted
P. S.	να ανάψω	that I may light	να αναφτώ	that I may be lighted
Pr. P.	να έχω ανάψει	that I may have lighted	να έχω αναφτεί	that I may have been lighted

Imperative

P.	άναβε (sing.)	be lighting	-	
	ανάβετε (pl.)	be lighting	-	
P. S.	άναψε (sing.)	light	ανάψου (sing.)	be lighted
	ανάψτε (pl.)	light	αναφτείτε (pl.)	be lighted

Infinitive

να ανάψει	to light	να αναφτεί	to be lighted

Participle

ανάβοντας	lighting	αναμμέν-ος, -η, -ο	lighted

(For examples see page 64)

	Active voice, Indicative		*Passive voice, Indicative*	
P.	**I announce**		**I am announced, I am being announced**	
	αναγγέλλω	αναγγέλλουμε	αναγγέλλομαι	αναγγελλόμαστε
	αναγγέλλεις	αναγγέλλετε	αναγγέλλεσαι	αναγγέλλεστε
	αναγγέλλει	αναγγέλλουν	αναγγέλλεται	αναγγέλλονται
P. C.	**I was announcing**		**I was being announced**	
	ανάγγελνα	αναγγέλναμε	αναγγελλόμουν	αναγγελλόμαστε
	ανάγγελνες	αναγγέλνατε	αναγγελλόσουν	αναγγελλόσαστε
	ανάγγελνε	ανάγγελναν	αναγγελλόταν	αναγγέλλονταν
P. S.	**I announced**		**I was announced**	
	ανάγγειλα	αναγγείλαμε	αναγγέλθηκα	αναγγελθήκαμε
	ανάγγειλες	αναγγείλατε	αναγγέλθηκες	αναγγελθήκατε
	ανάγγειλε	ανάγγειλαν	ἀναγγέλθηκε	αναγγέλθηκαν
F. C.	**I will be announcing**		**I will be being announced**	
	θα αναγγέλλω		θα αναγγέλλομαι	
	θα αναγγέλλεις etc.		θα αναγγέλλεσαι	etc.
F. S.	**I will announce**		**I will be announced**	
	θα αναγγείλω	θα αναγγείλουμε	θα αναγγελθώ	θα αναγγελθούμε
	θα αναγγείλεις	θα αναγγείλετε	θα αναγγελθείς	θα αναγγελθείτε
	θα αναγγείλει	θα αναγγείλουν	θα αναγγελθεί	θα αναγγελθούν
Pr. P.	**I have announced**		**I have been announced**	
	έχω αναγγείλει		έχω αναγγελθεί	
	έχεις αναγγείλει	etc.	έχεις αναγγελθεί	etc.
P. P.	**I had announced**		**I had been announced**	
	είχα αναγγείλει		είχα αναγγελθεί	
	είχες αναγγείλει	etc.	είχες αναγγελθεί	etc.
F. P.	**I will have announced**		**I will have been announced**	
	θα έχω αναγγείλει		θα έχω αναγγελθεί	
	θα έχεις αναγγείλει	etc.	θα έχεις αναγγελθεί	etc.

Subjunctive (with να, για να, όταν, etc.)

P.	να αναγγέλλω	that I may be announcing	να αναγγέλλομαι	that I may be being announced
P. S.	να αναγγείλω	that I may announce	να αναγγελθώ	that I may be announced
Pr. P.	να έχω αναγγείλει	that I may have announced	να έχω αναγγελθεί	that I may have been announced

Imperative

P.	ανάγγελλε (sing.)	be announcing	αναγγέλλου (sing.)	be being announced
	αναγγέλλετε (pl.)	be announcing	αναγγέλλεστε (pl.)	be being announced
P. S.	ανάγγειλε (sing.)	announce	αναγγείλου (sing.)	be announced
	αναγγείλετε (pl.)	announce	αναγγελθείτε (pl.)	be announced

Infinitive

	να αναγγείλει	to announce	να αναγγελθεί	to be announced

Participle

	αναγγέλλοντας	announcing	αναγγελμέν-ος, -η, -ο	announced

(For examples see page 64)

	Active voice, Indicative		*Passive voice, Indicative*	
P.	**I compel**		**I am compelled, I am being compelled**	
	αναγκάζω	αναγκάζουμε	αναγκάζομαι	αναγκαζόμαστε
	αναγκάζεις	αναγκάζετε	αναγκάζεσαι	αναγκάζεστε
	αναγκάζει	αναγκάζουν	αναγκάζεται	αναγκάζονται
P. C.	**I was compelling**		**I was being compelled**	
	ανάγκαζα	αναγκάζαμε	αναγκαζόμουν	αναγκαζόμαστε
	ανάγκαζες	αναγκάζατε	αναγκαζόσουν	αναγκαζόσαστε
	ανάγκαζε	ανάγκαζαν	αναγκαζόταν	αναγκάζονταν
P. S.	**I compelled**		**I was compelled**	
	ανάγκασα	αναγκάσαμε	αναγκάστηκα	αναγκαστήκαμε
	ανάγκασες	αναγκάσατε	αναγκάστηκες	αναγκαστήκατε
	ανάγκασε	ανάγκασαν	αναγκάστηκε	αναγκάστηκαν
F. C.	**I will be compelling**		**I will be being compelled**	
	θα αναγκάζω	θα αναγκάζουμε	θα αναγκάζομαι	θα αναγκαζόμαστε
	θα αναγκάζεις	θα αναγκάζετε	θα αναγκάζεσαι	θα αναγκάζεστε
	θα αναγκάζει	θα αναγκάζουν	θα αναγκάζεται	θα αναγκάζονται
F. S.	**I will compel**		**I will be compelled**	
	θα αναγκάσω	θα αναγκάσουμε	θα αναγκαστώ	θα αναγκαστούμε
	θα αναγκάσεις	θα αναγκάσετε	θα αναγκαστείς	θα αναγκαστείτε
	θα αναγκάσει	θα αναγκάσουν	θα αναγκαστεί	θα αναγκαστούν
Pr. P.	**I have compelled**		**I have been compelled**	
	έχω αναγκάσει		έχω αναγκαστεί	
	έχεις αναγκάσει	etc.	έχεις αναγκαστεί	etc.
P. P.	**I had compelled**		**I had been compelled**	
	είχα αναγκάσει	etc.	είχα αναγκαστεί	etc.
	είχες αναγκάσει		είχες αναγκαστεί	
F. P.	**I will have compelled**		**I will have been compelled**	
	θα έχω αναγκάσει		θα έχω αναγκαστεί	
	θα έχεις αναγκάσει	etc.	θα έχεις αναγκαστεί	etc.

Subjunctive (with να, για να, όταν, etc.)

P.	να αναγκάζω	that I may be obliging	να αναγκάζομαι	that I may be being obliged
P. S.	να αναγκάσω	that I may oblige	να αναγκαστώ	that I may be obliged
Pr. P.	να έχω αναγκάσει	that I may have obliged	να έχω αναγκαστεί	that I may have been obliged

Imperative

P.	ανάγκαζε (sing.)	be compelling	αναγκάζου (sing.)	be being obliged
	αναγκάζετε (pl.)	be compelling	αναγκάζεστε (pl.)	be being obliged
P. S.	ανάγκασε (sing.)	compel	αναγκάσου (sing.)	be obliged
	αναγκάστε	compel	αναγκαστείτε (pl.)	be obliged

Infinitive

να αναγκάσει	to compel	να αναγκαστεί	to be compelled

Participle

αναγκάζοντας	obliging, compelling	αναγκασμέν-ος, -η, -ο	obliged, compelled

(For examples see page 64)

	Active voice, Indicative		*Passive voice, Indicative*	
P.	**I recognize**		**I am recognized, I am being recognized**	
	αναγνωρίζω	αναγνωρίζουμε	αναγνωρίζομαι	αναγνωριζόμαστε
	αναγνωρίζεις	αναγνωρίζετε	αναγνωρίζεσαι	αναγνωρίζεστε
	αναγνωρίζει	αναγνωρίζουν	αναγνωρίζεται	αναγνωρίζονται
P. C.	**I was recognizing**		**I was being recognized**	
	αναγνώριζα	αναγνωρίζαμε	αναγνωριζόμουν	αναγνωριζόμαστε
	αναγνώριζες	αναγνωρίζατε	αναγνωριζόσουν	αναγνωριζόσαστε
	αναγνώριζε	αναγνώριζαν	αναγνωριζόταν	αναγνωρίζονταν
P. S.	**I recognized**		**I was recognized**	
	αναγνώρισα	αναγνωρίσαμε	αναγνωρίστηκα	αναγνωριστήκαμε
	αναγνώρισες	αναγνωρίσατε	αναγνωρίστηκες	αναγνωριστήκατε
	αναγνώρισε	αναγνώρισαν	αναγνωρίστηκε	αναγνωρίστηκαν
F. C.	**I will be recognizing**		**I will be being recognized**	
	θα αναγνωρίζω		θα αναγνωρίζομαι	
	θα αναγνωρίζεις	etc.	θα αναγνωρίζεσαι	etc.
F. S.	**I will recognize**		**I will be recognized**	
	θα αναγνωρίσω	θα αναγνωρίσουμε	θα αναγνωριστώ	θα αναγνωριστούμε
	θα αναγνωρίσεις	θα αναγνωρίσετε	θα αναγνωριστείς	θα αναγνωριστείτε
	θα αναγνωρίσει	θα αναγνωρίσουν	θα αναγνωριστεί	θα αναγνωριστούν
Pr. P.	**I have recognized**		**I have been recognized**	
	έχω αναγνωρίσει		έχω αναγνωριστεί	
	έχεις αναγνωρίσει	etc.	έχεις αναγνωριστεί	etc.
P. P.	**I had recognized**		**I had been recognized**	
	είχα αναγνωρίσει		είχα αναγνωριστεί	
	είχες αναγνωρίσει	etc.	είχες αναγνωριστεί	etc.
F. P.	**I will have recognized**		**I will have been recognized**	
	θα έχω αναγνωρίσει		θα έχω αναγνωριστεί	
	θα έχεις αναγνωρίσει	etc.	θα έχεις αναγνωριστεί	etc.

		Subjunctive	(with να, όταν, για να, etc.)	
P.	να αναγνωρίζω	that I may be recognizing	να αναγνωρίζομαι	that I may be being recognized
P. S.	να αναγνωρίσω	that I may recognize	να αναγνωριστώ	that I may be recognized
Pr. P.	να έχω αναγνωρίσει	that I may have recognized	να έχω αναγνωριστεί	that I may have been recognized

		Imperative		
p.	αναγνώριζε (sing.)	be recognizing	αναγνωρίζου (sing.)	be being recognized
	αναγνωρίζετε (pl.)	be recognizing	αναγνωρίζεστε (pl.)	be being recognized
P. S.	αναγνώρισε (sing.)	recognize	αναγνωρίσου (sing.)	be recognized
	αναγνωρίστε (pl.)	recognize	αναγνωριστείτε (pl.)	be recognized

		Infinitive		
	να αναγνωρίσει	to recognize	να αναγνωριστεί	to be recognized

		Participle		
	αναγνωρίζοντας	recognizing	αναγνωρισμέν-ος, -η, -ο	recognized
			(Examples on page 64)	

αναζητώ (2, 3) – to seek; to search for; to look for

18

	Active voice, Indicative		*Passive voice, Indicative*	
P.	**I seek**		**I am sought, I am being sought**	
	αναζητώ	αναζητ-ούμε, -άμε	αναζητ-ούμαι, -ιέμαι	αναζητούμαστε
	αναζητ-είς, -άς	αναζητ-είτε, -άτε	αναζητ-είσαι, -ιέσαι	αναζητείστε
	αναζητ-εί, -ά	αναζητούν	αναζητ-είται, -ιέται	αναζητούνται
P. C.	**I was seeking**		**I was being sought**	
	αναζητούσα	αναζητούσαμε	αναζητιόμουν	αναζητιόμαστε
	αναζητούσες	αναζητούσατε	αναζητιόσουν	αναζητιόσαστε
	αναζητούσε	αναζητούσαν	αναζητιόταν	αναζητιόνταν
P. S.	**I sought**		**I was sought**	
	αναζήτησα	αναζητήσαμε	αναζητήθηκα	αναζητηθήκαμε
	αναζήτησες	αναζητήσατε	αναζητήθηκες	αναζητηθήκατε
	αναζήτησε	αναζήτησαν	αναζητήθηκε	αναζητήθηκαν
F. C.	**I will be seeking**		**I will be being sought**	
	θα αναζητώ	θα αναζητούμε	θα αναζητούμαι	θα αναζητούμαστε
	θα αναζητείς	θα αναζητείτε	θα αναζητείσαι	θα αναζητείστε
	θα αναζητεί	θα αναζητούν	θα αναζητείται	θα αναζητούνται
F. S.	**I will seek**		**I will be sought**	
	θα αναζητήσω	θα αναζητήσουμε	θα αναζητηθώ	θα αναζητηθούμε
	θα αναζητήσεις	θα αναζητήσετε	θα αναζητηθείς	θα αναζητηθείτε
	θα αναζητήσει	θα αναζητήσουν	θα αναζητηθεί	θα αναζητηθούν
Pr. P.	**I have sought**		**I have been sought**	
	έχω αναζητήσει		έχω αναζητηθεί	
	έχεις αναζητήσει	etc.	έχεις αναζητηθεί	etc.
P. P.	**I had sought**		**I had been sought**	
	είχα αναζητήσει	etc.	είχα αναζητηθεί	etc.
	είχες αναζητήσει		είχες αναζητηθεί	
F. P.	**I will have sought**		**I will have been sought**	
	θα έχω αναζητήσει		θα έχω αναζητηθεί	
	θα έχεις αναζητήσει	etc.	θα έχεις αναζητηθεί	etc.

Subjunctive (with να, για να, όταν, etc.)

P.	να αναζητώ	that I may be seeking	να αναζητιέμαι	that I may be being sought
P. S.	να αναζητήσω	that I may seek	να αναζητηθώ	that I may be sought
Pr. P.	να έχω αναζητήσει	that I may have sought	να έχω αναζητηθεί	that I may have been sought

Imperative

P.	αναζήτει (sing.)	be seeking	-	
	αναζητείτε (pl.)	be seeking	-	
P. S.	αναζήτησε (sing.)	seek	αναζητήσου (sing.)	be sought
	αναζητείστε (pl.)	seek	αναζητηθείτε (pl.)	be sought

Infinitive

να αναζητήσει	to seek	να αναζητηθεί	to be sought

Participle

αναζητώντας	seeking	αναζητημέν-ος, -η, -ο	sought

(For examples see page 65)

32

	Active voice, Indicative		*Passive voice, Indicative*	
P.	**I discover, I invent**		**I am discovered, invented**	
	ανακαλύπτω	ανακαλύπτουμε	ανακαλύπτομαι	ανακαλυπτόμαστε
	ανακαλύπτεις	ανακαλύπτετε	ανακαλύπτεσαι	ανακαλύπτεστε
	ανακαλύπτει	ανακαλύπτουν	ανακαλύπτεται	ανακαλύπτονται
P. C.	**I was discovering, inventing**		**I was being discovered, invented**	
	ανακάλυπτα	ανακαλύπταμε	ανακαλυπτόμουν	ανακαλυπτόμαστε
	ανακάλυπτες	ανακαλύπτατε	ανακαλυπτόσουν	ανακαλυπτόσαστε
	ανακάλυπτε	ανακάλυπταν	ανακαλυπτόταν	ανακαλύπτονταν
P. S.	**I discovered, invented**		**I was discovered, invented**	
	ανακάλυψα	ανακαλύψαμε	ανακαλύφθηκα	ανακαλυφθήκαμε
	ανακάλυψες	ανακαλύψατε	ανακαλύφθηκες	ανακαλυφθήκατε
	ανακάλυψε	ανακάλυψαν	ανακαλύφθηκε	ανακαλύφθηκαν
F. C.	**I will be discovering, inventing**		**I will be being discovered, invented**	
	θα ανακαλύπτω		θα ανακαλύπτομαι	
	θα ανακαλύπτεις	etc.	θα ανακαλύπτεσαι	etc.
F. S.	**I will discover, invent**		**I will be discovered, invented**	
	θα ανακαλύψω	θα ανακαλύψουμε	θα ανακαλυφθώ	θα ανακαλυφθούμε
	θα ανακαλύψεις	θα ανακαλύψετε	θα ανακαλυφθείς	θα ανακαλυφθείτε
	θα ανακαλύψει	θα ανακαλύψουν	θα ανακαλυφθεί	θα ανακαλυφθούν
Pr. P.	**I have discovered, invented**		**I have been discovered, invented**	
	έχω ανακαλύψει		έχω ανακαλυφθεί	
	έχεις ανακαλύψει	etc.	έχεις ανακαλυφθεί	etc.
P. P.	**I had discovered, invented**		**I had been discovered, invented**	
	είχα ανακαλύψει		είχα ανακαλυφθεί	
	είχες ανακαλύψει	etc.	είχες ανακαλυφθεί	etc.
F. P.	**I will have discovered, invented**		**I will have been discovered, invented**	
	θα έχω ανακαλύψει		θα έχω ανακαλυφθεί	
	θα έχεις ανακαλύψει	etc.	θα έχεις ανακαλυφθεί	etc.

Subjunctive (with να, για να, όταν, etc.)

P.	να ανακαλύπτω	that I may be discovering	να ανακαλύπτομαι	that I may be being discovered
P. S.	να ανακαλύψω	that I may discover	να ανακαλυφθώ	that I may be discovered
P. P.	να έχω ανακαλύψει	that I may have discovered	να έχω ανακαλυφθεί	that I may have been discovered

Imperative

P.	ανακάλυπτε (sing.)	be discovering	-	
	ανακαλύπτετε (pl.)	be discovering	-	
P. S.	ανακάλυψε (sing.)	discover	ανακαλύψου (sing.)	be discovered
	ανακαλύψετε (pl.)	discover	ανακαλυφτείτε (pl.)	be discovered

Infinitive

	να ανακαλύψει	to discover	να ανακαλυφθεί	to be discovered

Participle

	ανακαλύπτοντας	discovering	ανακαλυφθ-είς, -είσα, -έν	discovered
			(classical) (For examples see page 65)	

	Active voice, Indicative		*Passive voice, Indicative*	
P.	**I mix**		**I am mixed, I am being mixed**	
	ανακατεύω	ανακατεύουμε	ανακατεύομαι	ανακατευόμαστε
	ανακατεύεις	ανακατεύετε	ανακατεύεσαι	ανακατεύεστε
	ανακατεύει	ανακατεύουν	ανακατεύεται	ανακατεύονται
P. C.	**I was mixing**		**I was being mixed**	
	ανακάτευα	ανακατεύαμε	ανακατευόμουν	ανακατευόμαστε
	ανακάτευες	ανακατεύατε	ανακατευόσουν	ανακατευόσαστε
	ανακάτευε	ανακάτευαν	ανακατευόταν	ανακατεύονταν
P. S.	**I mixed**		**I was mixed**	
	ανακάτεψα	ανακατέψαμε	ανακατεύτηκα	ανακατευτήκαμε
	ανακάτεψες	ανακατέψατε	ανακατεύτηκες	ανακατευτήκατε
	ανακάτεψε	ανακάτεψαν	ανακατεύτηκε	ανακατεύτηκαν
F. C.	**I will be mixing**		**I will be being mixed**	
	θα ανακατεύω	θα ανακατεύουμε	θα ανακατεύομαι	θα ανακατευόμαστε
	θα ανακατεύεις	θα ανακατεύετε	θα ανακατεύεσαι	θα ανακατεύεστε
	θα ανακατεύει	θα ανακατεύουν	θα ανακατεύεται	θα ανακατεύονται
F. S.	**I will mix**		**I will be mixed**	
	θα ανακατέψω	θα ανακατέψουμε	θα ανακατευθώ	θα ανακατευθούμε
	θα ανακατέψεις	θα ανακατέψετε	θα ανακατευθείς	θα ανακατευθείτε
	θα ανακατέψει	θα ανακατέψουν	θα ανακατευθεί	θα ανακατευθούν
Pr. P.	**I have mixed**		**I have been mixed**	
	έχω ανακατέψει		έχω ανακατευθεί	
	έχεις ανακατέψει	etc.	έχεις ανακατευθεί	etc.
P. P.	**I had mixed**		**I had been mixed**	
	είχα ανακατέψει		είχα ανακατευθεί	
	είχες ανακατέψει	etc.	είχες ανακατευθεί	etc.
F. P.	**I will have mixed**		**I will have been mixed**	
	θα έχω ανακατέψει		θα έχω ανακατευθεί	
	θα έχεις ανακατατέψει	etc.	θα έχεις ανακατευθεί	etc.

	Subjunctive		(with να, για να, όταν, etc.)	
P.	να ανακατεύω	that I may be mixing	να ανακατεύομαι	that I may be being mixed
P. S.	να ανακατέψω	that I may mix	να ανακατευθώ	that I may be mixed
Pr. P.	να έχω ανακατέψει	that I may have mixed	να έχω ανακατευθεί	that I may have been mixed
	Imperative			
P.	ανακάτευε (sing.)	be mixing	ανακατεύου (sing.)	be being mixed
	ανακατεύετε (pl.)	be mixing	ανακατεύεστε (pl.)	be being mixed
P. S.	ανακάτεψε (sing.)	mix	ανακατέψου (sing.)	be mixed
	ανακατέψετε (pl.)	mix	ανακατευθείτε (pl.)	be mixed
	Infinitive			
	να ανακατέψει	to mix	να ανακατευθεί	to be mixed
	Participle			
	ανακατεύοντας	mixing	ανακατεμέν-ος, -η, -ο	mixed
			(For examples see page 65)	

(The passive voice is not common)

Active Voice, Indicative

P.   **I undertake**

αναλαμβάνω	αναλαμβάνουμε
αναλαμβάνεις	αναλαμβάνετε
αναλαμβάνει	αναλαμβάνουν

P. C.   **I was undertaking**

ανελάμβανα	αναλαμβάναμε
ανελάμβανες	αναλαμβάνατε
ανελάμβανε	ανελάμβαναν

P. S.   **I undertook**

ανέλαβα	ανελάβαμε
ανέλαβες	ανελάβατε
ανέλαβε	ανέλαβαν

F. C.   **I will be undertaking**

θα αναλαμβάνω	θα αναλαμβάνουμε
θα αναλαμβάνεις	θα αναλαμβάνετε
θα αναλαμβάνει	θα αναλαμβάνουν

F. S.   **I will undertake**

θα αναλάβω	θα αναλάβουμε
θα αναλάβεις	θα αναλάβετε
θα αναλάβει	θα αναλάβουν

Pr. P.   **I have undertaken**

έχω αναλάβει	έχουμε αναλάβει
έχεις αναλάβει	έχετε αναλάβει
έχει αναλάβει	έχουν αναλάβει

P. P.   **I had undertaken**

είχα αναλάβει	
είχες αναλάβει	etc.

F. P.   **I will have undertaken**

θα έχω αναλάβει	etc.

Subjunctive

(with να, για να, όταν, etc.)

P.	να αναλαμβάνω	that I may be undertaking
P. S.	να αναλάβω	that I may undertake
Pr. P.	να έχω αναλάβει	that I may have undertaken

Imperative

P.	αναλάμβανε (sing.)	be undertaking
	αναλαμβάνετε (pl.)	be undertaking
P. S.	ανάλαβε (sing.)	undertake
	αναλάβετε (pl.)	undertake

Infinitive

να αναλάβει	to undertake

Participle

αναλαμβάνοντας	undertaking

Examples:

Αναλαμβάνω την ευθύνη για ό,τι έγινε.	I assume responsibility of what happened.
Ανέλαβε από την αρρώστια του.	He recovered from his illness.
Η εταιρεία ανέλαβε να χτίσει νέο ουρανοξύστη.	The company undertook to build a new skyscraper.
Θα αναλάβει τα νέα του καθήκοντα αύριο.	He will assume his new duties tomorrow.
Έχετε αναλάβει δύσκολο έργο.	You have undertaken a difficult job.
Αναλαμβάνω εγώ τα έξοδα.	I assume responsibility for the expenses.

	Indicative		*Subjunctive*		

P. **I rest**

αναπαύομαι	αναπαυόμαστε
αναπαύεσαι	αναπαύεστε
αναπαύεται	αναπαύονται

P. C. **I was resting**

αναπαυόμουν	αναπαυόμαστε
αναπαυόσουν	αναπαυόσαστε
αναπαυόταν	αναπαύονταν

P. S. **I rest**

αναπαύτηκα	αναπαυτήκαμε
αναπαύτηκες	αναπαυτήκατε
αναπαύτηκε	αναπαύτηκαν

F. C. **I will be resting**

θα αναπαύομαι	θα αναπαυόμαστε
θα αναπαύεσαι	θα αναπαύεστε
θα αναπαύεται	θα αναπαύονται

F. S. **I will rest**

θα αναπαυθώ	θα αναπαυθούμε
θα αναπαυθείς	θα αναπαυθείτε
θα αναπαυθεί	θα αναπαυθούν

Pr. P. **I have rest**

έχω αναπαυθεί	έχουμε αναπαυθεί
έχεις αναπαυθεί	έχετε αναπαυθεί
έχει αναπαυθεί	έχουν αναπαυθεί

P. P. **I had rest**

είχα αναπαυθεί	
είχες αναπαυθεί	etc.

F. P. **I will have rest**

θα έχω αναπαυθεί	etc.

Subjunctive
(with να, για να, όταν, etc.)

P.	να αναπαύομαι	that I may be resting
P. S.	να αναπαυθώ	that I may rest
Pr. P.	να έχω αναπαυθεί	that I may have rest

Imperative

P.	αναπαύου (sing.)	be resting
	αναπαύεστε (pl.)	be resting
P. S.	αναπαύσου (sing.)	rest
	αναπαυθείτε (pl.)	rest

Infinitive

να αναυπαυθεί	to rest

Participle

αναπαυμέν-ος, -η, -ο	rested

The verb occurs also as a transitive.
αναπαύω as: Αναπαύω τα πόδια μου. – I rest my feet.
The tenses are: αναπαύω, ανέπαυα, ανέπαυσα, θα αναπαύω, θα αναπαύσω,
έχω αναπαύσει, είχα αναπαύσει, θα έχω αναπαύσει, θα είχα αναπαύσει

Examples:

Αναπαύτηκα από τη δουλειά μου.	I rest from my work.
Πότε αναπαύεσαι;	When do you rest?
Δεν έχουμε ώρα να αναπαυθούμε.	We do not have time to rest.
Αναπαύτηκε (από τη ζωή).	(He took leave from life): He died.
Κάθε μεσημέρι αναπαύομαι.	I rest every noon.

	Indicative			*Subjunctive*	
P.	**I breathe**			(with να, όταν, για να, etc.)	
	αναπνέω	αναπνέ-ομε, -ουμε	**P.**	να αναπνέω	that I may be breathing
	αναπνέεις	αναπνέετε	**P. S.**	να αναπνεύσω	that I may breathe
	αναπνέει	αναπνέουν	**P. P.**	να έχω αναπνεύσει	that I may have breathed

P. C.	**I was breathing**		**Imperative**		
	ανάπνεα – ανέπνεα	αναπνέαμε	**P.**	ανάπνεε (sing.)	be breathing
	ανάπνεες – ανέπνεες	αναπνέατε		αναπνέετε (pl.)	be breathing
	ανάπνεε – ανέπνεε	ανάπνεαν	**P. S.**	ανάπνευσε (sing.)	breathe
				αναπνεύστε (pl.)	breathe

P. S.	**I breathed**		**Infinitive**		
	ανάπνευσα – ανέπνευσα	αναπνεύσαμε		να αναπνεύσει	to breathe
	ανάπνευσες	αναπνεύσατε			
	ανάπνευσε	ανάπνευσαν			

F. C.	**I will be breathing**		**Participle**		
	θα αναπνέω	θα αναπνέουμε		αναπνέοντας	breathing
	θα αναπνέεις	θα αναπνέετε			
	θα αναπνέει	θα αναπνέουν			

F. S. **I will breathe**
θα αναπνεύσω   θα αναπνεύσουμε
θα αναπνεύσεις   θα αναπνεύσετε
θα αναπνεύσει   θα αναπνεύσουν

Pr. P. **I have breathed**
έχω αναπνεύσει   έχουμε αναπνεύσει
έχεις αναπνεύσει   έχετε αναπνεύσει
έχει αναπνεύσει   έχουν αναπνεύσει

P. P. **I had breathed**
είχα αναπνεύσει   είχαμε αναπνεύσει
είχες αναπνεύσει   είχατε αναπνεύσει
είχε αναπνεύσει   είχαν αναπνεύσει

F. P. **I will have breathed**
θα έχω αναπνεύσει   etc.

Examples:

Αναπνέει σιγά.	He breathes slowly.
Το νήπιο αναπνέει γρήγορα.	The infant breathes fast.
Αναπνεύσαμε τον καθαρό αέρα της εξοχής.	We breathed the pure country air.
Θα αναπνεύσουμε τον αέρα της θάλασσας.	We will breathe the sea air.
Έπαψε να αναπνέει.	He stopped breathing.

αναστενάζω (1) – to sigh; to groan (The verb occurs only in the active voice.) 24

	Indicative	
P.	**I sigh**	
	αναστενάζω	αναστενάζουμε
	αναστενάζεις	αναστενάζετε
	αναστενάζει	αναστενάζουν

P. C.	**I was sighing**

	αναστέναζα	αναστενάζαμε
	αναστέναζες	αναστενάζατε
	αναστέναζε	αναστέναζαν

P. S.	**I sighed**

	αναστέναξα	αναστενάξαμε
	αναστέναξες	αναστενάξατε
	αναστέναξε	αναστέναξαν

F. C.	**I will be sighing**

	θα αναστενάζω	θα αναστενάζουμε
	θα αναστενάζεις	θα αναστενάζετε
	θα αναστενάζει	θα αναστενάζουν

Pr. P.	**I have sighed**

	έχω αναστενάξει	έχουμε αναστενάξει
	έχεις αναστενάξει	έχετε αναστενάξει
	έχει αναστενάξει	έχουν αναστενάξει

P. P.	**I had sighed**

	είχα αναστενάξει	είχαμε αναστενάξει
	είχες αναστενάξει	είχατε αναστενάξει
	είχε αναστενάξει	είχαν αναστενάξει

F. P.	**I will have sighed**

	θα έχω αναστενάξει
	θα έχεις αναστενάξει etc.

Subjunctive
(with να, για να, όταν, etc.)

P.	να αναστενάζω	that I may be sighing
P. S.	να αναστενάξω	that I may sigh
P. P.	να έχω αναστενάξει	that I may have sighed

Imperative

P.	αναστέναζε (sing.)	be sighing
	αναστενάζετε (pl.)	be sighing
P. S.	αναστέναξε (sing.)	sigh
	αναστενάξετε (pl.)	sigh

Infinitive

να αναστενάξει	to sigh

Participle

αναστενάζοντας	sighing

Examples:

Αναστενάζει μέρα νύχτα.	Day and night he (she) sighs.
Αναστέναξε βαθειά.	He (she) sighed deeply.
Είχε τόσα πολλά βάσανα	He (she) had so many troubles
ώστε αναστέναζε συνεχώς.	that he (she) was continuously sighing.
Γιατί αναστενάζεις;	Why do you sigh?

αναφέρω (1) – to relate; to report; to tell; to mention
αναφέρομαι (4) – to be referred; to be reported

	Active Voice, Indicative		*Passive Voice, Indicative*	
P.	**I mention, I refer**		**I refer to, I am referred, I am being referred**	
	αναφέρω	αναφέρουμε	αναφέρομαι	αναφερόμαστε
	αναφέρεις	αναφέρετε	αναφέρεσαι	αναφέρεστε
	αναφέρει	αναφέρουν	αναφέρεται	αναφέρονται
P. C.	**I was mentioning, referring**		**I was referring to, I was being referred**	
	ανέφερνα	αναφέρναμε	αναφερόμουν	αναφερόμαστε
	ανέφερνες	αναφέρνατε	αναφερόσουν	αναφερόσαστε
	ανέφερνε	ανέφερναν	αναφερόταν	αναφέρονταν
P. S.	**I mentioned, I referred**		**I referred to, I was referred**	
	ανέφερα	αναφέραμε	αναφέρθηκα	αναφερθήκαμε
	ανέφερες	αναφέρατε	αναφέρθηκες	αναφερθήκατε
	ανέφερε	ανέφεραν	αναφέρθηκε	αναφέρθηκαν
F. C.	**I will be mentioning, referring**		**I will be being referring, referred**	
	the future continuous and		θα αναφέρομαι	
	the future simple have the same forms.		θα αναφέρεσαι	etc.
F. S.	**I will mention, refer**		**I will refer to, I will be referred**	
	θα αναφέρω	θα αναφέρουμε	θα αναφερθώ	θα αναφερθούμε
	θα αναφέρεις	θα αναφέρετε	θα αναφερθείς	θα αναφερθείτε
	θα αναφέρει	θα αναφέρουν	θα αναφερθεί	θα αναφερθούν
Pr. P.	**I have mentioned**		**I have been referred to**	
	έχω αναφέρει		έχω αναφερθεί	
	έχεις αναφέρει	etc.	έχεις αναφερθεί	etc.
P. P.	**I had mentioned**		**I had been referred to**	
	είχα αναφέρει		είχα αναφερθεί	
	είχες αναφέρει	etc.	είχες αναφερθεί	etc.
F. P.	**I will have mentioned**		**I will have been mentioned**	
	θα έχω αναφέρει		θα έχω αναφερθεί	
	θα έχεις αναφέρει	etc.	θα έχεις αναφερθεί	etc.

Subjunctive (with να, για να, όταν, etc.)

P.	να αναφέρω	that I may be mentioning	να αναφέρομαι	that I may be being mentioned
P. S.	να αναφέρω	that I may mention	να αναφερθώ	that I may be mentioned
Pr. P.	να έχω αναφέρει	that I may have mentioned	να έχω αναφερθεί	that I may have been mentioned

Imperative

P.	ανάφερε (sing.)	be refering	-	
	αναφέρετε (pl.)	be refering	αναφέρεστε (pl.)	be being referred
P. S.	ανάφερε (sing.)	refer, mention	-	
	αναφέρατε (pl.)	refer, mention	αναφερθείτε (pl.)	be referred to

Infinitive

να αναφέρει	to refer, to mention	να αναφερθεί	to be referred, mentioned

Participle

αναφέροντας	referring, mentioning	αναφερθείς, αναφερθείσα, αναφερθέν	mentioned *(classical)*

(For examples see page 65)

ανεβαίνω (1) – to ascend; to rise; to mount; to go up, to climb (intransitive verb)   26
(The verb has no passive voice.)

	Indicative			*Subjunctive*		

Indicative

P.   I go up, climb

ανεβαίνω	ανεβαίνουμε
ανεβαίνεις	ανεβαίνετε
ανεβαίνει	ανεβαίνουν

P. C.   I was going up, I was climbing

ανέβαινα	ανεβαίναμε
ανέβαινες	ανεβαίνατε
ανέβαινε	ανέβαιναν

P. S.   I went up, I climbed

ανέβηκα	ανεβήκαμε
ανέβηκες	ανεβήκατε
ανέβηκε	ανέβηκαν

F. C.   I will be going up, climbing

θα ανεβαίνω	θα ανεβαίνουμε
θα ανεβαίνεις	θα ανεβαίνετε
θα ανεβαίνει	θα ανεβαίνουν

F. S.   I will go up, I will climb

θα ανεβώ	θα ανεβούμε
θα ανεβείς	θα ανεβείτε
θα ανεβεί	θα ανεβούν

Pr. P.   I have gone up, climbed

έχω ανεβεί*	έχουμε ανεβεί
έχεις ανεβεί	έχετε ανεβεί
έχει ανεβεί	έχουν ανεβεί

*also: έχω ανέβει

P. P.   I had gone up, climbed

είχα ανεβεί (είχα ανέβει)
είχες ανεβεί   etc.

F. P.   I will have gone up

θα έχω ανεβεί
θα έχεις ανεβεί   etc.

Subjunctive
(with να, για να, όταν, etc.)

P.	να ανεβαίνω	that I may be going up
P. S.	να ανεβώ	that I may go up, climb
Pr. P.	να έχω ανεβεί	that I may have climbed (gone up)

Imperative

P.	ανέβαινε (sing.)	be going up
	ανεβαίνετε (pl.)	be going up
P. S.	ανέβα (sing.)	go up, climb
	ανεβείτε (pl.)	go up, climb

Infinitive

να ανεβεί	to go up, to climb

Participle

ανεβαίνοντας	going up, climbing

Passive Participle

ανεβασμένος, ανεβασμένη, ανεβασμένος
one who has climbed up,
one who has gone up

Examples:

Ανεβαίνουμε τη σκάλα.	We climb the ladder.
Ο ποταμός ανέβηκε.	The river rose (flooded).
Πέρυσι ανεβήκαμε στον Όλυμπο.	We climbed Mt. Olympus last year.
Ο καπνός ανεβαίνει στον ουρανό.	The smoke rises into the sky.
Ανέβηκε στο άλογο και έφυγε.	He mounted the horse and left.
Οι τιμές έχουν ανέβει πολύ.	The prices have risen much.
Το θερμόμετρο ανέβηκε δέκα βαθμούς από χτες.	The thermometer has climbed ten degrees since yesterday.

ανήκω (1) – to belong; to be property of (intransitive verb; no passive voice)

	Indicative			*Subjunctive*	
P.	**I belong**			(With να, όταν, για να, etc.)	
	ανήκω	ανήκουμε	**P. and P. S.**	να ανήκω	that I may be belonging
	ανήκεις	ανήκετε			that I might belong
	ανήκει	ανήκουν			

				Infinitive	
P. C.	**I was belonging**				
P. S.	**I belonged**			να ανήκει	to belong
	ανήκα	ανήκαμε			
	ανήκες	ανήκατε			
	ανήκε	ανήκαν			

				Participle	
F. C.	**I will be belonging**				
F. S.	**I will belong**				
	θα ανήκω	θα ανήκουμε		ανήκοντας	belonging
	θα ανήκεις	θα ανήκετε			
	θα ανήκει	θα ανήκουν			

The other tenses are not common

Examples:

Σε ποιον ανήκει αυτό το σπίτι;	To whom does this house belong?
Το βιβλίο ανήκει στον κύριο Ιωαννίδη.	The book belongs to Mr. Ioannides.
Δε σου ανήκε το βραβείο.	You did not deserve the prize.
Του ανήκει ο έπαινος.	He deserves the praise.
Δεν του ανήκει τίποτε.	Nothing belongs to him. (He has no possessions).
Τι ανήκει σε μας;	What belongs to us?
Οι δούλοι ανήκαν στους Ρωμαίους.	The slaves belonged to the Romans.

ανησυχώ (3) – (as a transitive verb) – to disturb; to trouble   28
               (as an intransitive) – to trouble; to worry; to concern oneself
               (The verb does not occur in the passive voice.)

	Indicative			*Subjunctive*		
P.	**I worry**			(with να, για να, όταν, etc.)		
	ανησυχώ	ανησυχούμε		**P.**	να ανησυχώ	that I may be worrying
	ανησυχείς	ανησυχείτε		**P. S.**	να ανησυχήσω	that I may worry
	ανησυχεί	ανησυχούν		**Pr. P.**	να έχω ανησυχήσει	that I may have worried
P. C.	**I was worrying**			**Imperative**		
	ανησυχούσα	ανησυχούσαμε		**P.**	ανησύχει (sing.)	be worrying
	ανησυχούσες	ανησυχούσατε			ανησυχείτε (pl.)	be worrying
	ανησυχούσε	ανησυχούσαν		**P. S.**	ανησύχησε (sing.)	worry
					ανησυχείστε (pl.)	worry
P. S.	**I worried**					
	ανησύχησα	ανησυχήσαμε		**Infinitive**		
	ανησύχησες	ανησυχήσατε			να ανησυχήσει	to worry
	ανησύχησε	ανησύχησαν				
F. C.	**I will be worrying**					
	θα ανησυχώ	θα ανησυχούμε		**Participle**		
	θα ανησυχείς	θα ανησυχείτε			ανησυχώντας	worrying
	θα ανησυχεί	θα ανησυχούν				
F. S.	**I will worry**					
	θα ανησυχήσω	θα ανησυχήσουμε				
	θα ανησυχήσεις	θα ανησυχήσετε				
	θα ανησυχήσει	θα ανησυχήσουν				
Pr. P.	**I have worried**					
	έχω ανησυχήσει	έχουμε ανησυχήσει				
	έχεις ανησυχήσει	έχετε ανησυχήσει				
	έχει ανησυχήσει	έχουν ανησυχήσει				
P. P.	**I had worried**					
	είχα ανησυχήσει					
	είχες ανησυχήσει	etc.				
F. P.	**I will have worried**					
	θα έχω ανησυχήσει	etc.				

Examples:

Ανησυχώ για την υγεία μου.	I worry about my health.
Τα νέα μάς ανησυχούν πολύ.	The news troubles us much.
Μην ανησυχείτε τον άρρωστο.	Do not disturb the sick man.
Μην ανησυχείτε, όλα θα πάνε καλά.	Do not worry, everything will be fine.
Τα λόγια του μάς ανησύχησαν.	His words disturbed us.
Είχαμε ανησυχήσει, γιατί δε μάθαμε	We had worried because we did not
νέα σας για πολύ καιρό.	have news from you for a long time.
	(More examples on page 65)

(More examples on page 65)

	Active Voice, Indicative		*Passive Voice, Indicative*	
P.	**I open**		**I am opened, I am being opened**	
	ανοίγω	ανοίγουμε	ανοίγομαι	ανοιγόμαστε
	ανοίγεις	ανοίγετε	ανοίγεσαι	ανοίγεστε
	ανοίγει	ανοίγουν	ανοίγεται	ανοίγονται
P. C.	**I was opening**		**I was being opened**	
	άνοιγα	ανοίγαμε	ανοιγόμουν	ανοιγόμαστε
	άνοιγες	ανοίγατε	ανοιγόσουν	ανοιγόσαστε
	άνοιγε	άνοιγαν	ανοιγόταν	ανοίγονταν
P. S.	**I opened**		**I was opened**	
	άνοιξα	ανοίξαμε	ανοίχτηκα	ανοιχτήκαμε
	άνοιξες	ανοίξατε	ανοίχτηκες	ανοιχτήκατε
	άνοιξε	άνοιξαν	ανοίχτηκε	ανοίχτηκαν
F. C.	**I will be opening**		**I will be being opened**	
	θα ανοίγω	θα ανοίγουμε	θα ανοίγομαι	θα ανοιγόμαστε
	θα ανοίγεις	θα ανοίγετε	θα ανοίγεσαι	θα ανοίγεστε
	θα ανοίγει	θα ανοίγουν	θα ανοίγεται	θα ανοίγονται
F. S.	**I will open**		**I will be opened**	
	θα ανοίξω	θα ανοίξουμε	θα ανοιχτώ	θα ανοιχτούμε
	θα ανοίξεις	θα ανοίξετε	θα ανοιχτείς	θα ανοιχτείτε
	θα ανοίξει	θα ανοίξουν	θα ανοιχτεί	θα ανοιχτούν
Pr. P.	**I have opened**		**I have been opened**	
	έχω ανοίξει		έχω ανοιχτεί	
	έχεις ανοίξει	etc.	έχεις ανοιχτεί	etc.
P. P.	**I had opened**		**I had been opened**	
	είχα ανοίξει	etc.	είχα ανοιχτεί	etc.
	είχες ανοίξει		είχες ανοιχτεί	
F. P.	**I will have opened**		**I will have been opened**	
	θα έχω ανοίξει		θα έχω ανοιχτεί	etc.
	θα έχεις ανοίξει	etc.	θα έχεις ανοιχτεί	etc.

.

		Subjunctive	(with να, για να, όταν, etc.)	
P.	να ανοίγω	that I may be opening	να ανοίγομαι	that I may be being opened
P. S.	να ανοίξω	that I may open	να ανοιχτώ	that I may be opened
Pr. P.	να έχω ανοίξει	that I may have opened	να έχω ανοιχτεί	that I may have been opened
		Imperative		
P.	άνοιγε (sing.)	be opening	ανοίγου (sing.)	be being opened
	ανοίγετε (pl.)	be opening	ανοίγεστε (pl.)	be being opened
P. S.	άνοιξε (sing.)	open	ανοίξου (sing.)	be opened
	ανοίξτε (pl.)	open	ανοιχτείτε (pl.)	be opened
		Infinitive		
	να ανοίξει	to open	να ανοιχτεί	to be opened
		Participle		
	ανοίγοντας	opening	ανοιγμέν-ος, -η, -ο	opened
			(For examples see page 66)	

αντέχω (1) – to endure; to hold out; to resist; to withstand; to bear; to hold one's ground
(intransitive verb, no passive voice)

Indicative			*Subjunctive*		
P.	**I endure**		(with να, για να, όταν, etc.)		
αντέχω	αντέχουμε		P.	να αντέχω	that I may be enduring
αντέχεις	αντέχετε		P. S.	να αντέξω	that I may endure
αντέχει	αντέχουν		Pr. P.	να έχω αντέξει	that I may have endured

P. C.	**I was enduring**		**Imperative**		
άντεχα	αντέχαμε		P.	άντεχε (sing.)	be enduring
άντεχες	αντέχατε			αντέχετε (pl.)	be enduring
άντεχε	άντεχαν		P. S.	άντεξε (sing.)	endure
				αντέξετε (pl.)	endure

P. S.	**I endured**		**Indfinitive**		
άντεξα	αντέξαμε			να αντέξει	to endure
άντεξες	αντέξατε				
άντεξε	άντεξαν				

F. C.	**I will be enduring**		**Participle**		
θα αντέχω	θα αντέχουμε			αντέχοντας	enduring
θα αντέχεις	θα αντέχετε				
θα αντέχει	θα αντέχουν				

F. S.	**I will endure**
θα αντέξω	θα αντέξουμε
θα αντέξεις	θα αντέξετε
θα αντέξει	θα αντέξουν

Pr. P.	**I have endured**
έχω αντέξει	έχουμε αντέξει
έχεις αντέξει	έχετε αντέξει
έχει αντέξει	έχουν αντέξει

P. P.	**I had endured**		**F. P.**	**I will have endured**	
είχα αντέξει			θα έχω αντέξει		
είχες αντέξει	etc.		θα έχεις αντέξει	etc.	

Examples:

Αντέχω το κρύο (αντέχω στο κρύο).	I can endure (take) cold weather.
Αντέχει τους κόπους.	He can endure pain (toil).
Το παιδί δεν άντεξε την πείνα και πέθανε.	The child could not endure hunger and he died.
Ο άγιος αντέχει τον πειρασμό.	The saint resists temptation.
Αντέχει η τσέπη του.	He is rich. (Lit. His pocket can endure).
Το πάτωμα αντέχει.	The floor is strong.
Δεν αντέχω πια.	I cannot take it anymore.
Άντεξε ακόμα λίγο.	Endure an little more. (Imperative) *or* He/she endured a little more. (Past tense).

	Active Voice, Indicative		*Passive Voice, Indicative*	
P.	**I copy**		**I am copied, I am being copied**	
	αντιγράφω	αντιγράφουμε	αντιγράφομαι	αντιγραφόμαστε
	αντιγράφεις	αντιγράφετε	αντιγράφεσαι	αντιγράφεστε
	αντιγράφει	αντιγράφουν	αντιγράφεται	αντιγράφονται
P. C.	**I was copying**		**I was being copied**	
	αντέγραφα	αντιγράφαμε	αντιγραφόμουν	αντιγραφόμαστε
	αντέγραφες	αντιγράφατε	αντιγραφόσουν	αντιγραφόσαστε
	αντέγραφε	αντέγραφαν	αντιγραφόταν	αντιγράφονταν
P. S.	**I copied**		**I was copied**	
	αντέγραψα	αντιγράψαμε	αντιγράφτηκα	αντιγραφτήκαμε
	αντέγραψες	αντιγράψατε	αντιγράφτηκες	αντιγραφτήκατε
	αντέγραψε	αντέγραψαν	αντιγράφτηκε	αντιγράφτηκαν
F. C.	**I will be copying**		**I will (continue to) be copied**	
	θα αντιγράφω	θα αντιγράφουμε	θα αντιγράφομαι	θα αντιγραφόμαστε
	θα αντιγράφεις	θα αντιγράφετε	θα αντιγράφεσαι	θα αντιγράφεστε
	θα αντιγράφει	θα αντιγράφουν	θα αντιγράφεται	θα αντιγράφονται
F. S.	**I will copy**		**I will be copied**	
	θα αντιγράψω	θα αντιγράψουμε	θα αντιγραφώ	θα αντιγραφούμε
	θα αντιγράψεις	θα αντιγράψετε	θα αντιγραφείς	θα αντιγραφείτε
	θα αντιγράψει	θα αντιγράψουν	θα αντιγραφεί	θα αντιγραφούν
Pr. P.	**I have copied**		**I have been copied**	
	έχω αντιγράψει		έχω αντιγραφεί	
	έχεις αντιγράψει	etc.	έχεις αντιγραφεί	etc.
P. P.	**I had copied**		**I had been copied**	
	είχα αντιγράψει		είχα αντιγραφεί	
	είχες αντιγράψει	etc.	είχες αντιγραφεί	etc.
F. P.	**I will have copied**		**I will have been copied**	
	θα έχω αντιγράψει		θα έχω αντιγραφεί	
	θα έχεις αντιγράψει	etc.	θα έχεις αντιγραφεί	etc.

	Subjunctive		(with να, για να, όταν, etc.)	
P.	να αντιγράφω	that I may be copying	να αντιγράφομαι - that I may be being copied	
P. S.	να αντιγράψω	that I may copy	να αντιγραφώ	that I may be copied
P. P.	να έχω αντιγράψει	that I may have copied	να έχω αντιγραφεί	that I may have been
	Imperative			copied
P.	αντέγραφε (sing.)	be copying	-	
	αντιγράφετε (pl.)	be coping	αντιγράφεστε (pl.)	be being copied
P. S.	αντέγραψε (sing.)	copy	αντιγράψου (sing.)	be copied
	αντιγράψετε (pl.)	copy	αντιγραφτείτε (pl.)	be copied
	Infinitive			
	να αντιγράψει	to copy	να αντιγραφεί	to be copied
	Participle			
	αντιγράφοντας	copying	αντιγραμμέν-ος, -η, -ο	copied
			(For examples see page 66)	

(The verb occurs only in the active voice.)

	Indicative			*Subjunctive*	
P.	**I face**			(with να, για να, όταν, etc.)	
	αντικρίζω	αντικρίζουμε	**P.**	να αντικρίζω	that I may be facing
	αντικρίζεις	αντικρίζετε	**P. S.**	να αντικρίσω	that I may face
	αντικρίζει	αντικρίζουν	**Pr. P.**	να έχω αντικρίσει	that I may have faced

P. C.	**I was facing**			**Imperative**	
	αντίκριζα	αντικρίζαμε	**P.**	αντίκριζε (sing.)	be facing
	αντίκριζες	αντικρίζατε		αντικρίζετε (pl.)	be facing
	αντίκριζε	αντίκριζαν	**P. S.**	αντίκρισε (sing.)	face
				αντικρίστε (pl.)	face

P. S.	**I faced**			**Infinitive**	
	αντίκρισα	αντικρίσαμε		να αντικρίσει	to face
	αντίκρισες	αντικρίσατε			
	αντίκρισε	αντίκρισαν			

F. C.	**I will be facing**			**Participle**	
	θα αντικρίζω	θα αντικρίζουμε		αντικρίζοντας	facing
	θα αντικρίζεις	θα αντικρίζετε			
	θα αντικρίζει	θα αντικρίζουν			

F. S.	**I will face**	
	θα αντικρίσω	θα αντικρίσουμε
	θα αντικρίσεις	θα αντικρίσετε
	θα αντικρίσει	θα αντικρίσουν

Pr. P.	**I have faced**	
	έχω αντικρίσει	έχουμε αντικρίσει
	έχεις αντικρίσει	έχετε αντικρίσει
	έχει αντικρίσει	έχουν αντικρίσει

P. P.	**I had faced**	
	είχα αντικρίσει	είχαμε αντικρίσει
	είχες αντικρίσει	είχατε αντικρίσει
	είχε αντικρίσει	είχαν αντικρίσει

F. P	**I will have faced**	
	θα έχω αντικρίσει	
	θα έχεις αντικρύσει	etc.

Examples:

Αντικρίσαμε τον κίνδυνο με θάρρος.	We faced the danger with courage.
Το σπίτι μου αντικρίζει τη θάλασσα.	My house is facing the sea.
Ταξιδεύαμε όλο το βράδυ και το πρωί αντικρίσαμε στεριά.	We travelled all night and in the morning we saw land.
Στάθηκε αντικρίζοντας το βουνό.	He stood looking at the mountain.

	Indicative		*Subjunctive*	
P.	**I understand**		(with να, για να, όταν, etc.)	
	αντιλαμβάνομαι	αντιλαμβανόμαστε	P. να αντιλαμβάνομαι	that I may be understanding
	αντιλαμβάνεσαι	αντιλαμβάνεστε		
	αντιλαμβάνεται	αντιλαμβάνονται	P. S. να αντιληφθώ	that I may understand

P. C.	**I was understanding**		**Imperative** (not common)
	αντιλαμβανόμουν	αντιλαμβανόμαστε	
	αντιλαμβανόσουν	αντιλαμβανόσαστε	
	αντιλαμβανόταν	αντιλαμβάνονταν	

P. S. **I understood, I perceived**

αντιλήφθηκα	αντιληφθήκαμε
αντιλήφθηκες	αντιληφθήκατε
αντιλήφθηκε	αντιλήφθηκαν

F. S. **I will understand, perceive**

θα αντιληφθώ	θα αντιληφθούμε
θα αντιληφθείς	θα αντιληφθείτε
θα αντιληφθεί	θα αντιληφθούν

Pr. P. **I have perceived**

έχω αντιληφθεί	έχουμε αντιληφθεί
έχεις αντιληφθεί	έχετε αντιληφθεί
έχει αντιληφθεί	έχουν αντιληφθεί

P. P. **I had perceived**

είχα αντιληφθεί	είχαμε αντιληφθεί
είχες αντιληφθεί	είχατε αντιληφθεί
είχε αντιληφθεί	είχαν αντιληφθεί

F. P. **I will have perceived**

θα έχω αντιληφθεί   etc.

Examples:

Δεν αντιλαμβάνεται.	He does not understand.
Αντιλήφθηκες τι σου είπα;	Did you understand what I told you?
Αντιλαμβάνομαι το πρόβλημα.	I understand the problem.
Τι έχετε αντιληφθεί;	What did you notice? (perceived?)
Πρέπει να αντιληφθείτε τι λέμε.	It is important that you understand what we say.

αξίζω (1) – to be worth; to cost; to merit; to deserve
(The verb occurs in the present, past and future tense of the active voice.)

	Indicative			*Subjunctive*	
P.	**I am worth, I cost**			(with να, για να, όταν, etc.)	
	αξίζω	αξίζουμε		να αξίζω	that I may be worth
	αξίζεις	αξίζετε			
	αξίζει	αξίζουν			

	P. S.	**I was worth, I cost**			**Imperative**	
		άξιζα	αξίζαμε			
		άξιζες	αξίζατε		**P. S.**	άξιζε (sing.)	be worth
		άξιζε	άξιζαν			αξίζετε (pl.)	be worth

	F. S.	**I will be worth, I will cost**			**Infinitive**	
		θα αξίζω	θα αξίζουμε			να αξίζει	to be worth
		θα αξίζεις	θα αξίζετε				
		θα αξίζει	θα αξίζουν				

Participle

αξίζοντας   being worth

No other tenses.

Examples:

Πόσο αξίζει αυτό το βιβλίο;	How much does this book cost?
	How much is this book worth?
Αξίζει τον κόπο;	Is is worthwhile?
Αυτό το σπίτι αξίζει πεντακόσιες χιλιάδες ευρώ.	This house costs five hundred thousand euros.
Αυτό το πράγμα δεν αξίζει τίποτα.	This thing is worthless.
Δεν αξίζει τον κόπο να πας.	It is not worthwhile for you to go.
Πόσο αξίζει αυτό το αυτοκίνητο;	How much does this car cost?

	Active Voice, Indicative		*Passive Voice, Indicative*	
P.	**I prohibit**		**I am prohibited, I am being prohibited**	
	απαγορεύω	απαγορεύουμε	απαγορεύομαι	απαγορευόμαστε
	απαγορεύεις	απαγορεύετε	απαγορεύεσαι	απαγορεύεστε
	απαγορεύει	απαγορεύουν	απαγορεύεται	απαγορεύονται
P. C.	**I was prohibiting**		**I was being prohibited**	
	απαγόρευα	απαγορεύαμε	απαγορευόμουν	απαγορευόμαστε
	απαγόρευες	απαγορεύατε	απαγορευόσουν	απαγορευόσαστε
	απαγόρευε	απαγόρευαν	απαγορευόταν	απαγορεύονταν
P. S.	**I prohibited**		**I was prohibited**	
	απαγόρεψα	απαγορέψαμε	απαγορεύτηκα	απαγορευτήκαμε
	απαγόρεψες	απαγορέψατε	απαγορεύτηκες	απαγορευτήκατε
	απαγόρεψε	απαγόρεψαν	απαγορεύτηκε	απαγορεύτηκαν
F. C.	**I will be prohibiting**		**I will be being prohibited**	
	θα απαγορεύω		θα απαγορεύομαι	
	θα απαγορεύεις	etc.	θα απαγορεύεσαι	etc.
F. S.	**I will prohibit**		**I will be prohibited**	
	θα απαγορέψω	θα απαγορέψουμε	θα απαγορευτώ	θα απαγορευτούμε
	θα απαγορέψεις	θα απαγορέψετε	θα απαγορευτείς	θα απαγορευτείτε
	θα απαγορέψει	θα απαγορέψουν	θα απαγορευτεί	θα απαγορευτούν
Pr. P.	**I have prohibited**		**It has been prohibited**	
	έχω απαγορέψει		έχει απαγορευτεί	
	έχεις απαγορέψει	etc.	έχουν απαγορευτεί	they have been prohibited
P. P.	**I had prohibited**		**It had been prohibited**	
	είχα απαγορέψει		είχε απαγορευτεί	
			είχαν απαγορευτεί	they had been prohibited
F. P.	**I will have prohibited**		**It will have been prohibited**	
	θα έχω απαγορέψει		θα έχει απαγορευτεί (with να, για να, όταν, etc.)	

Subjunctive

P.	να απαγορεύω	that I may be prohibiting	να απαγορεύεται	that it may be being prohibited
P. S.	να απαγορέψω	that I may prohibit	να απαγορευτεί	that it may be prohibited
Pr. P.	να έχω απαγορέψει	that I may have prohibited	να έχει απαγορευτεί	that it may have been prohibited

Imperative

P.	απαγόρευε (sing.)	be prohibiting	-	
	απαγορεύετε (pl.)	be prohibiting	-	
P. S.	απαγόρεψε (sing.)	prohibit	απαγορέψου (sing.)	be prohibited
	απαγορέψετε (pl.)	prohibit	απαγορευτείτε (pl.)	be prohibited

Infinitive

	να απαγορέψει	to prohibit	να απαγορευτεί	to be prohibited

Participle

	απαγορεύοντας	prohibiting	απαγορευμέν-ος, -η, -ο	prohibited
			ο απαγορευμένος καρπός	the prohibited fruit

(For examples see page 66)

	Active Voice, Indicative		*Few forms of the passive voice are common:*	
P.	**I demand**		**P.**	**it is required**
	απαιτώ	απαιτούμε		απαιτείται
	απαιτείς	απαιτείτε		**they are required**
	απαιτεί	απαιτούν		απαιτούνται

P. C. **I was demanding**

απαιτούσα   απαιτούσαμε
απαιτούσες   απαιτούσατε
απαιτούσε   απαιτούσαν

P. S. **I demanded**

απαίτησα   απαιτήσαμε
απαίτησες   απαιτήσατε
απαίτησε   απαίτησαν

F. C. **I will be demanding**

θα απαιτώ   θα απαιτούμε
θα απαιτείς   θα απαιτείτε
θα απαιτεί   θα απαιτούν   **they will be required**
                                               θα απαιτηθούν

F. S. **I will demand**

θα απαιτήσω   θα απαιτήσουμε
θα απαιτήσεις   θα απαιτήσετε
θα απαιτήσει   θα απαιτήσουν

Pr. P. **I have demanded**   **they have been required**

έχω απαιτήσει   έχουν απαιτηθεί
έχεις απαιτήσει   etc.

P. P. **I had demanded**   **they had been required**

είχα απαιτήσει   είχαν απαιτηθεί
είχες απαιτήσει etc.

F. P. **I will have demanded**   **they will have been required**

θα έχω απαιτήσει   θα έχουν απαιτηθεί
θα έχεις απαιτήσει   etc.

Subjunctive   (with να, για να, όταν, etc.)

P.   να απαιτώ   that I may be demanding
P. S.   να απαιτήσω   that I may demand
Pr. P. να έχω απαιτήσει   that I may have demanded

Imperative

P. S.   απαίτησε (sing.)   demand
        απαιτείστε (pl.)   demand

Infinitive

να απαιτήσει   to demand   να απαιτηθεί   to be demanded

Participle

απαιτώντας   demanding   απαιτούμεν-ος, -η, -ο   required,
                                                                demanded

(For examples see page 66)

	Indicative	
P.	**I answer**	
	απαντώ	απαντούμε
	απαντάς	απαντάτε
	απαντά	απαντούν

P. C.	**I was answering**	
	απαντούσα	απαντούσαμε
	απαντούσες	απαντούσατε
	απαντούσε	απαντούσαν

P. S.	**I answered, I met**	
	απάντησα	απαντήσαμε
	απάντησες	απαντήσατε
	απάντησε	απάντησαν

F. C.	**I will be answering**	
	θα απαντώ	θα απαντούμε
	θα απαντάς	θα απαντάτε
	θα απαντά	θα απαντούν

F. S.	**I will answer, I will meet**	
	θα απαντήσω	θα απαντήσουμε
	θα απαντήσεις	θα απαντήσετε
	θα απαντήσει	θα απαντήσουν

Pr. P.	**I have answered, I have met**	
	έχω απαντήσει	έχουμε απαντήσει
	έχεις απαντήσει	έχετε απαντήσει
	έχει απαντήσει	έχουν απαντήσει

P. P.	**I had answered, I had met**	
	είχα απαντήσει	
	είχες απαντήσει	etc.

F. P.	**I will have answered**	
	θα έχω απαντήσει	
	θα έχεις απαντήσει	etc.

Subjunctive
(with να, για να, όταν, etc.)

P.	να απαντώ	that I may be answering
P. S.	να απαντήσω	that I may answer
Pr. P.	να έχω απαντήσει	that I may have answered

Imperative

P.	απάντα (sing.)	be answering
	απαντάτε (pl.)	be answering
P. S.	απάντησε (sing.)	answer
	απαντήστε (pl.)	answer

Infinitive

να απαντήσει	to answer

Participle

απαντώντας	answering

Examples:

Απάντησέ μου.	Answer me.
Ξέρεις ποιον απάντησα στον δρόμο;	Do you know whom I met in the street?
Θα απαντήσουν στο ερώτημά μας.	They will answer our question.
Τον απάντησα κάπου.	I met him somewhere.
Δεν έχει απαντήσει.	He has not answered.
Σας έχουμε απαντήσει.	We have answered you.

	Active Voice, Indicative		*Passive Voice, Indicative*	
P.	**I spread**		**I am spread, I am being spread**	
	απλώνω	απλώνουμε	απλώνομαι	απλωνόμαστε
	απλώνεις	απλώνετε	απλώνεσαι	απλώνεστε
	απλώνει	απλώνουν	απλώνεται	απλώνονται
P. C.	**I was spreading**		**I was being spread**	
	άπλωνα	απλώναμε	απλωνόμουν	απλωνόμαστε
	άπλωνες	απλώνατε	απλωνόσουν	απλωνόσαστε
	άπλωνε	άπλωναν	απλωνόταν	απλώνονταν
P. S.	**I spread**		**I was spread**	
	άπλωσα	απλώσαμε	απλώθηκα	απλωθήκαμε
	άπλωσες	απλώσατε	απλώθηκες	απλωθήκατε
	άπλωσε	άπλωσαν	απλώθηκε	απλώθηκαν
F. C.	**I will be spreading**		**I will be being spread**	
	θα απλώνω	θα απλώνουμε	θα απλώνομαι	θα απλωνόμαστε
	θα απλώνεις	θα απλώνετε	θα απλώνεσαι	θα απλώνεστε
	θα απλώνει	θα απλώνουν	θα απλώνεται	θα απλώνονται
F. S.	**I will spread**		**I will be spread**	
	θα απλώσω	θα απλώσουμε	θα απλωθώ	θα απλωθούμε
	θα απλώσεις	θα απλώσετε	θα απλωθείς	θα απλωθείτε
	θα απλώσει	θα απλώσουν	θα απλωθεί	θα απλωθούν
Pr. P.	**I have spread**		**I have been spread**	
	έχω απλώσει		έχω απλωθεί	
	έχεις απλώσει	etc.	έχεις απλωθεί	etc.
P. P.	**I had spread**		**I had been spread**	
	είχα απλώσει		είχα απλωθεί	
	είχες απλώσει	etc.	είχες απλωθεί	etc.
F. P	**I will have spread**		**I will have been spread**	
	θα έχω απλώσει		θα έχω απλωθεί	
	θα έχεις απλώσει	etc.	θα έχεις απλωθεί	etc.

		Subjunctive	(with να, για να, όταν, etc.)	
P.	να απλώνω	that I may be spreading	να απλώνομαι	that I may be being spread
P. S.	να απλώσω	that I may spread	να απλωθώ	that I may be spread
Pr. P.	να έχω απλώσει	that I may have spread	να έχω απλωθεί	that I may have been spread
		Imperative		
P.	άπλωνε (sing.)	be spreading	απλώνου (sing.)	be being spread
	απλώνετε (pl.)	be spreading	απλώνεστε (pl.)	be being spread
P. S.	άπλωσε (sing.)	spread	απλώσου (sing.)	be spread
	απλώστε (pl.)	spread	απλωθείτε (pl.)	be spread
		Infinitive		
	να απλώσει	to spread	να απλωθεί	to be spread
		Participle		
	απλώνοντας	spreading	απλωμέν-ος, -η, -ο	spread

(For examples see page 66)

	Active Voice, Indicative		*Passive Voice, Indicative*	
P.	**I disappoint**		**I am disappointed, I am being disappointed**	
	απογοητεύω	απογοητεύουμε	απογοητεύομαι	απογοητευόμαστε
	απογοητεύεις	απογοητεύετε	απογοητεύεσαι	απογοητευόσαστε
	απογοητεύει	απογοητεύουν	απογοητεύεται	απογοητεύονται
P. C.	**I was disappointing**		**I was being disappointed**	
	απογοήτευα	απογοητεύαμε	απογοητευόμουν	απογοητευόμαστε
	απογοήτευες	απογοητεύατε	απογοητευόσουν	απογοητευόσαστε
	απογοήτευε	απογοήτευαν	απογοητευόταν	απογοητεύονταν
P. S.	**I disappointed**		**I was disappointed**	
	απογοήτευσα	απογοητεύσαμε	απογοητεύθηκα	απογοητευθήκαμε
	απογοήτευσες	απογοητεύσατε	απογοητεύθηκες	απογοητευθήκατε
	απογοήτευσε	απογοήτευσαν	απογοητεύθηκε	απογοητεύθηκαν
F. C.	**I will be disappointing**		**I will be being disappointed**	
	θα απογοητεύω		θα απογοητεύομαι	
	θα απογοητεύεις	etc.	θα απογοητεύεσαι	etc.
F. S.	**I will disappoint**		**I will be disappointed**	
	θα απογοητεύσω	θα απογοητεύσουμε	θα απογοητευθώ	θα απογοητευθούμε
	θα απογοητεύσεις	θα απογοητεύσετε	θα απογοητευθείς	θα απογοητευθείτε
	θα απογοητεύσει	θα απογοητεύσουν	θα απογοητευθεί	θα απογοητευθούν
Pr. P.	**I have disappointed**		**I have been disappointed**	
	έχω απογοητεύσει		έχω απογοητευθεί	
	έχεις απογοητεύσει	etc.	έχεις απογοητευθεί	etc.
P. P.	**I had disappointed**		**I had been disappointed**	
	είχα απογοητεύσει	.	είχα απογοητευθεί	
	είχες απογοητεύσει	etc.	είχες απογοητευθεί	etc.
F. P.	**I will have disappointed**		**I will have been disappointed**	
	θα έχω απογοητεύσει		θα έχω απογοητευθεί	
	θα έχεις απογοητεύσει	etc.	θα έχεις απογοητευθεί	etc.

Subjunctive (with να, για να, όταν, etc,)

P.	να απογοητεύω	that I may be disappointing	να απογοητεύομαι	that I may be being disappointed
P. S.	να απογοητεύσω	that I may disappoint	να απογοητευθώ	that I may be disappointed
Pr. P.	να έχω απογοητεύσει	that I may have disappointed	να έχω απογοητευθεί	that I may have been disappointed

Imperative

P	απογοήτευε (sing.)	be disappointing	απογοητεύου (sing.)	be being disappointed
	απογοητεύετε (pl.)	be disappointing	απογοητεύεστε (pl.)	be disappointed
P. S.	απογοήτευσε (sing.)	disappoint	απογοητεύσου (sing.)	be disappointed
	απογοητεύσετε (pl.)	disappoint	απογοητευθείτε (pl.)	be disappointed

Infinitive

να απογοητεύσει	to disappoint	να απογοητευθεί	to be disappointed

Participle

απογοητεύοντας	disappointing	απογοητευμέν-ος, -η, -ο	disappointed

(For examples see page 67)

	Active Voice, Indicative		*Passive Voice, Indicative*	
P.	**I acquire, I obtain**		**I am acquired, I am being required**	
	αποκτώ	αποκτ-ούμε, -άμε	αποκτιέμαι	αποκτιόμαστε
	αποκτάς	αποκτάτε	αποκτιέσαι	αποκτιέστε
	αποκτά	αποκτούν	αποκτιέται	αποκτιούνται
P. C.	**I was acquiring, obtaining**			
	αποκτούσα	αποκτούσαμε	αποκτιόμουν	αποκτιόμαστε
	αποκτούσες	αποκτούσατε	αποκτιόσουν	αποκιόσαστε
	αποκτούσε	αποκτούσαν	αποκτιόταν	αποκτιόνταν
P. S.	**I aquired, obtained**		**I was acquired**	
	απέκτησα	αποκτήσαμε	αποκτήθηκα	αποκτηθήκαμε
	απέκτησες	αποκτήσατε	αποκτήθηκες	αποκτηθήκατε
	απέκτησε	απέκτησαν	αποκτήθηκε	αποκτήθηκαν
F. C.	**I will be acquiring, obtaining**		**Participle**	
	θα αποκτώ	θα αποκτούμε	αποκτημέν-ος, -η, -ο	acquired
	θα αποκτάς	θα αποκτάτε		
	θα αποκτά	θα αποκτούν		
F. S.	**I will acquire, obtain**			
	θα αποκτήσω	θα αποκτήσουμε		
	θα αποκτήσεις	θα αποκτήσετε		
	θα αποκτήσει	θα αποκτήσουν		
Pr. P.	**I have acquired, obtained**			
	έχω αποκτήσει	έχουμε αποκτήσει		
	έχεις αποκτήσει	έχετε αποκτήσει		
	έχει αποκτήσει	έχουν αποκτήσει		
P. P.	**I had acquired**			
	είχα αποκτήσει	είχαμε αποκτήσει		
	είχες αποκτήσει	είχατε αποκτήσει		
	είχε αποκτήσει	είχαν αποκτήσει		
F. P.	**I will have acquired**			
	θα έχω αποκτήσει			
	θα έχεις αποκτήσει	etc.		

	Subjunctive		**Imperative**		
p.	να αποκτώ	that I may be acquiring	**P.S.**	απόκτησε (sing.)	acquire
P. S.	να αποκτήσω	that I may acquire		αποκτήστε (pl.)	acquire
Pr. P.	να έχω αποκτήσει	that I may have acquired			

	Infinitive		**Participle**	
	να αποκτήσει	to acquire	αποκτώντας	acquiring

(For examples see page 67)

	Indicative	
P.	**I am left, I remain**	
	απομένω	απομένουμε
	απομένεις	απομένετε
	απομένει	απομένουν

	P. C.	**I was being left**	
	απέμενα	απομέναμε
	απέμενες	απομένατε
	απέμενε	απέμεναν

P. S.	**I was left**	
	απέμεινα	απομείναμε
	απέμεινες	απομείνατε
	απέμεινε	απέμειναν

F. C.	**I will be remaining**	
	θα απομένω	θα απομένουμε
	θα απομένεις	θα απομένετε
	θα απομένει	θα απομένουν

F. S.	**I will remain**	
	θα απομείνω	θα απομείνουμε
	θα απομείνεις	θα απομείνετε
	θα απομείνει	θα απομείνουν

Pr. P.	**I have remained**	
	έχω απομείνει	έχουμε απομείνει
	έχεις απομείνει	έχετε απομείνει
	έχει απομείνει	έχουν απομείνει

P. P.	**I had remained**	
	είχα απομείνει	
	είχες απομείνει	etc.

F. P.	**I will have remained**	
	θα έχω απομείνει	
	θα έχεις απομείνει	etc.

Subjunctive
(with να, όταν, για να, etc.)

P.	να απομένω	that I may be remaining
P. S.	να απομείνω	that I may remain
Pr. P.	να έχω απομείνει	that I may have remained

Imperative

P.	απόμενε (sing.)	be remaining
	απομένετε (pl.)	be remaining
P. S.	απόμεινε (sing.)	remain
	απομείνατε (pl.)	remain

Infinitive

	να απομείνει	to be left
		to remain

Participle

	απομένοντας	remaining

Examples:

Απέμεινε στους πέντε δρόμους.	(Lit. He has been left on the five roads.) He became a pauper. He lost all he had.
Θα απομείνει τελευταίος.	He will be last.
Μόνο τρία σπίτια απομένουν απούλητα.	Only three houses remain unsold.
Μου απέμειναν μόνο πέντε χιλιάδες.	I have only five thousand left.
Πόσος καιρός σου απομένει;	How much more time you have?

	Active Voice, Indicative		*Passive Voice, Indicative*	
P.	**I form**		**I am composed of**	
	αποτελώ	αποτελούμε	αποτελούμαι	αποτελούμαστε
	αποτελείς	αποτελείτε	αποτελείσαι	αποτελείστε
	αποτελεί	αποτελούν	αποτελείται	αποτελούνται
P. C.	**I was forming**		**I was being composed**	
	αποτελούσα	αποτελούσαμε	αποτελούμουν	αποτελούμ-αστε, -ασταν
	αποτελούσες	αποτελούσατε	αποτελούσουν	αποτελούσ-αστε, -ασταν
	αποτελούσε	αποτελούσαν	αποτελούνταν	αποτελούνταν
P. S.	**I formed**		**I was composed of**	
	αποτέλεσα	αποτελέσαμε	αποτελέστηκα	αποτελεστήκαμε
	αποτέλεσες	αποτελέσατε	αποτελέστηκες	αποτελεστήκατε
	αποτέλεσε	αποτέλεσαν	αποτελέστηκε	αποτελέστηκαν
F. C.	**I will be forming**		**I will be being composed of**	
	θα αποτελώ		θα αποτελούμαι	
	θα αποτελείς	etc.	θα αποτελείσαι	etc.
F. S.	**I will form**		**I will be composed of**	
	θα αποτελέσω	θα αποτελέσουμε	θα αποτελεστώ	θα αποτελεστούμε
	θα αποτελέσεις	θα αποτελέσετε	θα αποτελεστείς	θα αποτελεστείτε
	θα αποτελέσει	θα αποτελέσουν	θα αποτελεστεί	θα αποτελεστούν
Pr. P.	**I have formed**		**I have been composed of**	
	έχω αποτελέσει		έχω αποτελεστεί	
	έχεις αποτελέσει	etc.	έχεις αποτελεστεί	etc.
P. P.	**I had formed**		**I had been composed of**	
	είχα αποτελέσει		είχα αποτελεστεί	
	είχες αποτελέσει	etc.	είχες αποτελεστεί	etc.
F. P.	**I will have formed**		**I will have been composed of**	
	θα έχω αποτελέσει		θα έχω αποτελεστεί	
	θα έχεις αποτελέσει	etc.	θα έχεις αποτελεστεί	etc.

Subjunctive (with να, όταν, για να, etc.)

P.	να αποτελώ	that I may be forming	να αποτελούμαι	that I may be being composed
P. S.	να αποτελέσω	that I may form	να αποτελεστώ	that I may be composed
Pr. P.	να έχω αποτελέσει	that I may have formed	να έχω αποτελεστεί	that I may have been composed

Imperative

P.	αποτέλει (sing.)	be forming	-
	αποτελείτε (pl.)	be forming	-
P. S.	αποτέλεσε (sing.)	form	-
	αποτελέστε (pl.)	form	-

Infinitive

να αποτελέσει	to form	να αποτελεστεί	to be composed of

Participle

αποτελώντας	forming	αποτελούμεν-ος, -η, -ο	composed of

(For examples see page 67)

	Active Voice, Indicative		*Passive Voice, Indicative*
P.	**I decide**		**It is being decided**
	αποφασίζω	αποφασίζουμε	αποφασίζεται*
	αποφασίζεις	αποφασίζετε	
	αποφασίζει	αποφασίζουν	
P. C.	**I was deciding**		**It was being decided**
	αποφάσιζα	αποφασίζαμε	αποφασιζόταν*
	αποφάσιζες	αποφασίζατε	
	αποφάσιζε	αποφάσιζαν	
P. S.	**I decided**		**It was decided**
	αποφάσισα	αποφασίσαμε	αποφασίστηκε*
	αποφάσισες	αποφασίσατε	
	αποφάσισε	αποφάσισαν	
F. C.	**I will be deciding**		**It will be being decided**
	θα αποφασίζω		θα αποφασίζεται*
	θα αποφασίζεις	etc.	
F. S.	**I will decide**		**It will be decided**
	θα αποφασίσω	θα αποφασίσουμε	θα αποφασιστεί*
	θα αποφασίσεις	θα αποφασίσετε	
	θα αποφασίσει	θα αποφασίσουν	
Pr. P.	**I have decided**		**It has been decided**
	έχω αποφασίσει		έχει αποφασιστεί*
	έχεις αποφασίσει	etc.	
P. P.	**I had decided**		**It had been decided**
	είχα αποφασίσει	etc.	είχε αποφασιστεί*
	είχες αποφασίσει		
F. P.	**I will have decided**		**It will have been decided**
	θα έχω αποφασίσει		θα έχει αποφασιστεί*
	θα έχεις αποφασίσει	etc.	

* Most common the third person.
(with να, για να, όταν, etc.)

		Subjunctive
P.	να αποφασίζω	that I may be deciding
P. S.	να αποφασίσω	that I may decide
Pr. P.	να έχω αποφασίσει	that I may have decided

Imperative

P.	αποφάσιζε (sing.)	be deciding	(no forms)
	αποφασίζετε (pl.)	be deciding	
P. S.	αποφάσισε (sing.)	decide	
	αποφασίστε (pl.)	decide	

Infinitive

να αποφασίσει	to decide	να αποφασιστεί	to be decided

Participle

αποφασίζοντας	deciding	αποφασισμέν-ος, -η, -ο decided
		(For examples see page 67)

αποφεύγω (1) – to avoid; to keep clear of; to shun; to escape
(In the passive voice only the Past Simple tense is common.)

Indicative

P. **I avoid**

αποφεύγω	αποφεύγουμε
αποφεύγεις	αποφεύγετε
αποφεύγει	αποφεύγουν

P. C. **I was avoiding**

απέφευγα	αποφεύγαμε
απέφευγες	αποφεύγατε
απέφευγε	απέφευγαν

P. S. **I avoided**

απέφυγα	αποφύγαμε
απέφυγες	αποφύγατε
απέφυγε	απέφυγαν

F. C. **I will be avoiding**

θα αποφεύγω	θα αποφεύγουμε
θα αποφεύγεις	θα αποφεύγετε
θα αποφεύγει	θα αποφεύγουν

F. S. **I will avoid**

θα αποφύγω	θα αποφύγουμε
θα αποφύγεις	θα αποφύγετε
θα αποφύγει	θα αποφύγουν

Pr. P. **I have avoided**

έχω αποφύγει	
έχεις αποφύγει	etc.

P. P. **I had avoided**

είχα αποφύγει	
είχες αποφύγει	etc.

F. P. **I will have avoided**

θα έχω αποφύγει	
θα έχεις αποφύγει	etc.

Subjunctive

(with να, για να, όταν, etc.)

P.	να αποφεύγω	that I may be avoiding
P. S.	να αποφύγω	that I may avoid
Pr. P.	να έχω αποφύγει	that I may have avoided

Imperative

P.	απόφευγε (sing.)	be avoiding
	αποφεύγετε (pl.)	be avoiding
P. S.	απόφυγε (sing.)	avoid
	αποφύγετε (pl.)	avoid

It was avoided (passive past tense)

αποφεύχθηκε

Infinitive

να αποφύγει	to avoid

Participle

αποφεύγοντας	avoiding

Examples:

Απέφυγε τον κίνδυνο.	He escaped danger.
Δεν μπορώ να τον αποφύγω.	I cannot avoid him.
Θα αποφύγω να απαντήσω στις κατηγορίες του.	I will refrain from answering to his accusations.
Τον αποφεύγω, γιατί δεν μου αρέσει η παρέα του.	I avoid him because I do not like his company.
Αποφεύγει τη δημοσιότητα.	He shuns publicity.

αρέσω (1) – to like (intransitive)
αρέσκομαι (4) – to like; to take pleasure in; to be liked, to be pleased with

	Active Voice, Indicative		*Passive Voice, Indicative*	
P.	**I am pleasing**		**I take pleasure in**	
	αρέσω	αρέσουμε	αρέσκομαι	αρεσκόμαστε
	αρέσεις	αρέσετε	αρέσκεσαι	αρέσκεστε
	αρέσει	αρέσουν	αρέσκεται	αρέσκονται

P. C. &
P. S.   I was pleasing   **I was taking pleasure in**

	άρεσα	αρέσαμε	αρεσκόμουν	αρεσκόμαστε
	άρεσες	αρέσατε	αρεσκόσουν	αρεσκόσαστε
	άρεσε	άρεσαν	αρεσκόταν	αρέσκονταν

F. C. &
F. S.   I will please   **The other tenses are not common.**

θα αρέσω	θα αρέσουμε
θα αρέσεις	θα αρέσετε
θα αρέσει	θα αρέσουν

Pr. P.   I have pleased, I have been pleasing   **Conjugation of «μου αρέσει»**

έχω αρέσει	έχουμε αρέσει	μου αρέσει	I like
έχεις αρέσει	έχετε αρέσει	σου αρέσει	you like
έχει αρέσει	έχουν αρέσει	του, της, του αρέσει	he, she, it likes
		μας αρέσει	we like

P. P.   I had pleased
σας αρέσει   you like
είχα αρέσει
τους αρέσει   they like
είχες αρέσει   etc.

P. C & P. C.

F. P.   I will have pleased   μου άρεσε   I liked
θα έχω αρέσει   σου άρεσε   you liked   etc.
θα έχεις αρέσει   etc.

Subjunctive (with να, για να, όταν, etc,)   **F. C. & F.S.**

P. & P. S.	να αρέσω	that I may be pleasing	θα μου αρέσει	I will like
			θα σου αρέσει	you will like etc.
Pr. P.	να έχω αρέσει	that I may have pleased		

Pr. P.

Imperative   μου έχει αρέσει   I have liked
άρεσε (sing.)   be pleasing   σου έχει αρέσει   you have liked etc.
αρέσετε (pl.)   be pleasing

Infinitive   **P. P.**
να αρέσει   to be pleasing   μου είχε αρέσει   I had liked
σου είχε αρέσει   you had liked etc.

Participle
αρέσκοντας   pleasing

F. P.
θα μου έχει αρέσει   I will have liked etc.

μου αρέσουν (when the subject is in the plural number)
Μου αρέσουν τα μήλα. – I like apples.

(For examples see page 68)

αρχίζω (1) – to begin; to commence; to start 46

	Indicative		**Subjunctive**	
			(with να, για να, όταν, etc)	

	Indicative			**Subjunctive**		
P.	**I begin**			(with να, για να, όταν, etc)		
	αρχίζω	αρχίζουμε	**P.**	να αρχίζω	that I may be beginning	
	αρχίζεις	αρχίζετε	**P. S.**	να αρχίσω	that I may begin	
	αρχίζει	αρχίζουν	**Pr. P.**	να έχω αρχίσει	that I may have begun	
P. C.	**I was beginning**		**Imperative**			
	άρχιζα	αρχίζαμε	**P.**	άρχιζε (sing.)	be starting, beginning	
	άρχιζες	αρχίζατε		αρχίζετε (pl.)	be starting, beginning	
	άρχιζε	άρχιζαν	**P. S.**	άρχισε (sing.)	begin, start	
				αρχίστε (pl.)	begin, start	
P. S.	**I began**		**Infinitive**			
	άρχισα	αρχίσαμε		να αρχίσει	to begin, to start	
	άρχισες	αρχίσατε				
	άρχισε	άρχισαν				
F. C.	**I will be beginning**		**Participle**			
	θα αρχίζω	θα αρχίζουμε		αρχίζοντας	beginning, starting	
	θα αρχίζεις	θα αρχίζετε				
	θα αρχίζει	θα αρχίζουν				

F. S.   I will begin

θα αρχίσω   θα αρχίσουμε
θα αρχίσεις   θα αρχίσετε
θα αρχίσει   θα αρχίσουν

Pr. P.   I have begun

έχω αρχίσει   έχουμε αρχίσει
έχεις αρχίσει   έχετε αρχίσει
έχει αρχίσει   έχουν αρχίσει

P. P.   I had begun

είχα αρχίσει   είχαμε αρχίσει
είχες αρχίσει   είχατε αρχίσει
είχε αρχίσει   είχαν αρχίσει

F. P.   I will have begun

θα έχω αρχίσει
θα έχεις αρχίσει   etc.

Examples:

Το παιχνίδι αρχίζει στις οχτώ.	The game starts at eight.
Το παιδί άρχισε να μιλάει, όταν ήταν δυο χρονών.	The child began talking, when it was two years old.
Θα αρχίσουμε τα μαθήματα σε ένα μήνα.	We will begin the lessons in one month.
Το παιχνίδι θα αρχίσει σε μισή ώρα.	The game will start in half an hour.
Θα κάνω δίαιτα αρχίζοντας από σήμερα.	I will go on diet beginning today.

αφήνω (1) – to leave; to let; to abandon

	Active Voice, Indicative			*Passive Voice, Indicative*	
P.	**I leave**			**I am left**	
	αφήνω	αφήνουμε		αφήνομαι	αφηνόμαστε
	αφήνεις	αφήνετε		αφήνεσαι	αφήνεστε
	αφήνει	αφήνουν		αφήνεται	αφήνονται
P. C.	**I was leaving**			**I was being left**	
	άφηνα	αφήναμε		αφηνόμουν	αφηνόμαστε
	άφηνες	αφήνατε		αφηνόσουν	αφηνόσαστε
	άφηνε	άφηναν		αφηνόταν	αφήνονταν
P. S.	**I left, I abandoned**			**I was left, abandoned**	
	άφησα	αφήσαμε		αφέθηκα	αφεθήκαμε
	άφησες	αφήσατε		αφέθηκες	αφεθήκατε
	άφησε	άφησαν		αφέθηκε	αφέθηκαν
F. C.	**I will be leaving, abandoning**			**I will be being left, abandoned**	
	θα αφήνω			θα αφήνομαι	
	θα αφήνεις	etc.		θα αφήνεσαι	etc.
F. S.	**I will leave**			**I will be left**	
	θα αφήσω	θα αφήσουμε		θα αφεθώ	θα αφεθούμε
	θα αφήσεις	θα αφήσετε		θα αφεθείς	θα αφεθείτε
	θα αφήσει	θα αφήσουν		θα αφεθεί	θα αφεθούν
Pr. P.	**I have left**			**I have been left**	
	έχω αφήσει	έχουμε αφήσει		έχω αφεθεί	έχουμε αφεθεί
	έχεις αφήσει	έχετε αφήσει		έχεις αφεθεί	έχετε αφεθεί
	έχει αφήσει	έχουν αφήσει		έχει αφεθεί	έχουν αφεθεί
P. P.	**I had left**			**I had been left**	
	είχα αφήσει			είχα αφεθεί	
	είχες αφήσει	etc.		είχες αφεθεί	etc.
F. P	**I will have left**			**I will have been left**	
	θα έχω αφήσει			θα έχω αφεθεί	
	θα έχεις αφήσει	etc.		θα έχεις αφεθεί	etc.

Subjnunctive (with να, για να, όταν, etc.)

P.	να αφήνω	that I may be leaving	να αφήνομαι	that I may be being left
P. S.	να αφήσω	that I mayt leave	να αφεθώ	that I may be left
Pr. P.	να έχω αφήσει	that I may have left	να έχω αφεθεί	that I may have been left

Imperative

P.	άφηνε (sing.)	be leaving	-	
	αφήνετε (pl.)	be leaving	-	
P. S.	άφησε – άσε (sing.)	leave	αφέθου (sing.)	be left
	αφήστε (pl.) - άστε	leave	αφεθείτε (pl.)	be left

Infinitive

να αφήσει	to leave	να αφεθεί	to be left

Participle

αφήνοντας	leaving	αφημέν-ος, -η, -ο	left
		(For examples see page 68)	

61

Examples of uses of verbs beginning with **α**

αγαπώ

Σ' αγαπώ.	I love you.
Αγαπούμε τον πατέρα μας.	We love our father.
Την αγαπά πολύ.	He loves her very much.
Αγαπήθηκαν από μικροί.	They fell in love with each other from their youth.
Τι αγαπάς;	What do you love? What do you like?
Αγαπάμε πολύ τη θάλασσα.	We love (like) the sea very much.
Αγαπώ τα γράμματα.	I love (like) education.
Αγάπησε πολύ τη μουσική.	He loved music very much.
Θα αγαπιόμαστε όσο ζούμε.	We will love each other as long as we live.
Τι αγαπάτε πιο πολύ στη ζωή;	What do you love most in life?
Πες μου πως μ' αγαπάς.	Tell me that you love me.
Έζησε αγαπώντας τον κόσμο.	He lived loving all people.

αγγίζω

Μην αγγίζεις.	Do not touch.
Χωρίς να τον αγγίξω άρχισε να φωνάζει.	Without touching him, he started shouting.
Το αυτοκίνητο άγγιξε στον τοίχο μα δεν έπαθε ζημιά.	The car touched the wall, but it did not sustain any damage.
Μη μ' αγγίζεις!	Do not touch me!
Δεν αγγίζει ούτε χρυσάφι.	He does not touch (steal) even gold. (He is honest).
Κάποιος άγγιξε τα χρήματα.	Someone helped himself to the money. (Soneone stole the money).
Τα χρήματα αγγίχτηκαν.	The money was stolen.

αγκαλιάζω

Η μητέρα αγκάλιασε το παιδί.	The mother embraced the child.
Αγκαλιάστηκαν σφιχτά και έμειναν αγκαλιασμένοι για πολλή ώρα.	They embraced tightly and remained embraced for a long time.
Αγκάλιασε το παιδί σου.	Take your child in your arms. (Embrace your child).
Αγκαλιάστηκαν.	They embraced each other.

αγοράζω

Χτες αγόρασα μια καινούργια φορεσιά.	Yesterday I bought a new suit.
Πρέπει να αγοράσω άλλο αυτοκίνητο.	I have to buy another car.
Το αγόρασε για δέκα δολάρια.	He bought it for ten dollars.
Το κτίριο αγοράστηκε για δυο εκατομμύρια ευρώ.	The building was bought for 2 million euros.
Αυτός σε πουλάει και σ' αγοράζει.	He sells and buys you. (Idiom meaning: He is very smart).
Αυτός δεν αγοράζεται.	He cannot be bought (bribed). He is so rich (or honest) that money cannot buy him.

αδικώ

Μας αδίκησαν.
Ο φτωχός πολλές φορές αδικιέται από τον πλούσιο.
Αδικήθηκαν από την απόφαση του δικαστηρίου.
Το δικαστήριο τους αδίκησε.
Οι δυνατοί, πολλές φορές, αδικούν τους αδύνατους.
Δεν πρέπει να αδικούμε τους συνανθρώπους μας.

They wronged us.
Many times the poor is (are) wronged by the rich.
They were wronged by the court decision.
The court did injustice to them.
The powerful, many times, wrong the weak.
We must never wrong our fellowmen.

ακολουθώ

Με ακολουθεί όπου πάω.
Μας ακολούθησαν για πολλά μίλια.
Γιατί με ακολουθείς;
Το ένα αυτοκίνητο ακολουθεί το άλλο.
Ακολούθα με.
Ένα δεύτερο γράμμα θα ακολουθήσει το πρώτο.

Wherever I go, he (she) follows me.
They followed us for many miles.
Why do you follow me?
The one car follows the other.

Follow me.
A second letter will follow the first one.

ακούω

Σε ακούω (Σ' ακούω).
Με ακούς;
Δεν άκουσε τι είπα.
Άκουσες;
Τα παιδιά δεν ακούνε τους γονείς τους.
Άκουσα τι είπες.
Αυτός ακούεται πολύ.
Δεν ακούεται πια.
Αυτά δεν τα ακούω.
Η φωνή της πατρίδας είχε ακουστεί σ' όλο τον κόσμο.
Το ραδιοφωνικό πρόγραμμα ακούεται καλά.

I hear you. I listen to you.
Do you hear me? Do you listen?
He did not hear what I said.
Did you hear?
The children do not listen to their parents.
I heard what you said. (I was informed).
His name is heard much. (He is heard of).
He is not heard anymore.
I do not hear (listen to) anything of this kind.
The voice of the fatherland had been heard all over the world.
The radio program is heard well.

αλλάζω

Πρέπει να αλλάξω τα ρούχα μου γιατί είναι βρεγμένα.
Άλλαξε και έγινε άλλος άνθρωπος.
Αλλάξαμε γνώμη και δε θα έλθουμε.
Ο καιρός φαίνεται πως θα αλλάξει.
Θα αλλάξουμε αεροπλάνο στην Αθήνα.
Το χωριό μου φαίνεται αλλαγμένο.
Έχω να το δω δεκαπέντε χρόνια.
Άλλαξε θέση με τον φίλο σου.
Έχεις αλλάξει από τότε που σε είδα.

I must change my clothes because they are wet.
He changed and became a different man.
We changed our mind and we will not come.
It seems that the weather will change.
We will change airplane in Athens.

My village seems changed.
I haven't seen it for fifteen years.
Change place with your friend.
You have changed since I saw you.

63

αναβάλλω

Η συνεδρίαση αναβλήθηκε για αύριο.
Θα αναβάλουμε το ταξίδι μας για
την Ελλάδα για τον άλλο χρόνο.
Μην αναβάλλεις για αύριο ό,τι
μπορείς να κάνεις σήμερα.

The meeting was postponed for tomorrow.
We will postpone our trip to Greece
until next year.
Do not postpone for tomorrow
what you can do today.

ανάβω

Άναψε το φως.
Τα φώτα του δρόμου άναψαν νωρίς.
Τα φώτα του σπιτιού είναι αναμμένα.
Θα ανάψουμε φωτιά, γιατί κάνει κρύο.
Ο φίλος μου άναψε από τον θυμό του,
όταν άκουσε αυτά τα λόγια.
Θύμωσε τόσο πολύ ώστε του άναψε μια.

Άναψαν τα αίματά του.
Άναψαν τα τσιγάρα τους μα, όταν είδαν
την επιγραφή «απαγορεύεται το κάπνισμα»,
τα έσβησαν.

Turn on the light.
The street lights were turned on early.
The lights of the house are on.
We will make a fire because it is cold.
My friend became indignant when he heard
these words.
He was so angry that he struck him (slapped
him).
(His blood boiled). He was very angry.
They lighted their cigarettes but when they saw
the sign "No smoking" they put them out.

αναγγέλλω

Ο Γιάννης και η Μαρία ανάγγειλαν τους
αρραβώνες τους.
Ο θάνατος του προέδρου αναγγέλθηκε
πριν μια ώρα από το ραδιόφωνο.
Η κυβέρνηση ανάγγειλε ότι ο κίνδυνος
πέρασε.
Τι έχετε να μας αναγγείλετε;
Η απόφαση του δικαστηρίου θα
αναγγελθεί αύριο.

John and Maria announced their
engagement.
The President's death was announced
over the radio one hour ago.
The government announced that the
danger has passed.
What do you have to announce to us?
The court decision will be announced
tomorrow.

αναγκάζω

Με αναγκάζει να μιλήσω.
Το αεροπλάνο αναγκάστηκε να προσγει-
ωθεί, γιατί μια από τις μηχανές του είχε
πάθει βλάβη.
Αναγκάζομαι κάθε μέρα να περπατώ από
το σπίτι μου στη δουλειά μου, γιατί δεν
έχω αυτοκίνητο.
Θα σε αναγκάσω να πεις την αλήθεια.
Αναγκαστήκαμε να πληρώσουμε νέους
φόρους λόγω του πολέμου.

He forces me to talk.
The airplane was forced to land because
one of its engines was damaged.

I am obliged to walk every day from my
house to my work because I do not
have a car.
I will make (force) you to tell the truth.
We were compelled to pay new taxes
because of the war.

αναγνωρίζω

Μόλις τον είδαμε τον αναγνωρίσαμε.
Σε αναγνώρισα.
Το θύμα αναγνώρισε τον εγκληματία
από τα μαλλιά του.
Η Αμερική αναγνώρισε τη νέα
κυβέρνηση της Κίνας.
Αναγνωρίζουμε τον Όμηρο ως τον
μεγαλύτερο ποιητή του κόσμου.
Οι υπηρεσίες του αναγνωρίστηκαν.

As soon as we saw him we recognized him.
I recognized you.
The victim recognized the criminal by
his hair.
America recognized the new government
of China.
We recognize Homer as the greatest poet
of the world.
His services were recognized.

αναζητώ

Αναζητούμε όλοι να βρούμε την ευτυχία.
Για μια εβδομάδα οι γονείς αναζητούν
να βρουν το χαμένο παιδί τους.
Τον αναζήτησα παντού, μα δεν τον
βρήκα πουθενά.
Σε αναζητούσαμε.

We all seek to find happiness.
For one week the parents are searching
for their lost child.
I looked for him every place but I
could not find him anywhere.
We were looking for you.

ανακαλύπτω

Ανακαλύψαμε ένα καινούργιο μονοπάτι
μέσα στο δάσος.
Πότε ανακαλύφθηκε η ατμομηχανή;
Ο Κολόμβος ανακάλυψε την Αμερική.
Οι μηχανικοί προσπαθούν να ανακαλύ-
ψουν πιο οικονομικά αυτοκίνητα.
Η τράπεζα ανακάλυψε ότι ένας υπάλληλος
έκλεβε λεφτά.
Νέα άστρα θα ανακαλυφθούν στο
μέλλον.

We discovered a new path through
the forest.
When was the steam engine invented?
Columbus discovered America.
Engineers try to invent more economical
cars.
The bank discovered that one employee
was stealing money.
New stars will be discovered in the future.

ανακατεύω

Ανακατεύω το φαγητό, τη σούπα.
Τα παιδιά ανακάτεψαν τα βιβλία τους
και δεν μπορούσαν να τα ξεχωρίσουν.
Επειδή το κρασί είναι δυνατό, το
ανακατεύουμε με νερό.
Μη με ανακατεύετε σ' αυτή την υπόθεση.
Ο φίλος μου ανακατεύετε σε ξένες
υποθέσεις.
Ανακάτεψε τους λογαριασμούς.

I stir the food, the soup.
The children mixed up their books and
could not separate them.
Since the wine is strong we mix it with
water.
Do not get me involved in this affair.
My friend inteferes in other people's
affairs.
He mixed up his calculations (bills).

αναφέρω

Ανέφερα το ζήτημα στον διευθυντή.
Θα αναφέρουμε στην αστυνομία τι
συνέβη.
Αναφερόμαστε στον Πλάτωνα και
τον Αριστοτέλη σχετικά με τη ζωή
στην αρχαία Ελλάδα.
Δεν έχουν αναφέρει τίποτε.
Σας παρακαλώ μην αναφέρετε τίποτα
ως προς το παρόν.

I reported the matter to the director.
We will report to the police what
happened.
We refer to Plato and Aristole about
life in ancient Greece.

They have not mentioned anything.
Please, do not mention anything for the
time being.

ανησυχώ

Ανησυχώ για την υγεία του αδελφού μου.
Τα νέα με ανησυχούν πολύ.
Μην ανησυχείτε τον άρρωστο.
Μην ανησυχείτε, όλα θα πάνε καλά.
Τα λόγια του με ανησύχησαν.
Είχαμε ανησυχήσει, γιατί δεν είχαμε
νέα τους για πολύ καιρό.

I worry about my brother's health.
The news trouble me much.
Do not disturb the sick man.
Do not worry, everything will be fine.
His words disturbed me.
We had been disturbed because we had
not had news from them for a long time.

ανοίγω

Άνοιξε το παράθυρο.	Open the window. *or* He opened the window.
Τα δέντρα άνοιξαν.	The trees blossomed.
Το πουλί ανοίγει τα φτερά του.	The bird opens his wings.
Του άνοιξε τα μάτια.	He opened his eyes. (He could see now, he could understand.)
Άνοιξε η όρεξή του.	He acquired an appetite.
Τα λουλούδια ανοίγουν την άνοιξη.	The flowers bloom in the spring.
Θα ανοίξω την καρδιά μου στον φίλο μου.	I will (open my heart) confess to my friend.
Του άνοιξε τον δρόμο.	He opened the way for him.
Δυο μαγαζιά ανοίχτηκαν χτες το βράδυ από κλέφτες.	Two shops were broken in (were burglarized) by thieves last night.
Άνοιξα τα μάτια μου.	I opened my eyes. (I perceived).
Άνοιξε τα αυτιά του.	He opened his ears. (Now he could understand).
Η διαθήκη του θα ανοιχτεί αύριο.	His last will will be opened tomorrow.

αντιγράφω

Αντέγραψε δυο σελίδες.	He copied two pages.
Στον διαγωνισμό αντέγραψα από τον φίλο μου.	During the test I copied from my friend.
Τα αρχαία συγγράμματα αντιγράφτηκαν από μοναχούς στα μοναστήρια της Ανατολής και της Δύσης.	The ancient literary works were copied by monks in the monasteries of the East and West.

απαγορεύω

Απαγορεύεται το κάπνισμα.	Smoking is prohibited. No smoking.
Ο γιατρός μού έχει απαγορεύσει να τρώω γλυκίσματα.	The doctor has forbitten me to eat sweets.
Για ένα μήνα έχει απαγορευτεί στα αυτοκίνητα να περνούν από αυτόν τον δρόμο.	The cars have been forbitten for a month to pass through this street.
Σου απαγορεύω να περνάς από την αυλή μου.	I forbid you to pass through my yard.

απαιτώ

Απαιτεί να πληρωθεί πριν αρχίσει τη δουλειά.	He demands to be paid before he starts working.
Απαίτησε πολλά λεφτά.	He asked for too much money.
Το να είναι κάποιος αθλητής απαιτείται κόπος, χρόνος και θέληση.	Toil, time and will is required from some one who desires to be an athlete.
Ήλθε απαιτώντας να του ζητήσουμε συγγνώμη.	He came demanding that we apologize.

απλώνω

Η Μαρία απλώνει το τραπεζομάντηλο στο τραπέζι.	Maria spreads the table cloth on the table.
Η μητέρα άπλωσε τα ρούχα στον ήλιο να στεγνώσουν.	The mother hanged the clothes out in the sun to dry.

66

Ένα σύννεφο απλώθηκε από τη μια
στην άλλη άκρη του ουρανού.
Απλώσαμε τα χέρια μας και ζητήσαμε
βοήθεια.
Η αρρώστεια είχε απλωθεί σ' όλη τη χώρα.
Ο άντρας άπλωσε χέρι στη γυναίκα.

A cloud spread from one end of the sky
to the other.
We stretched our hands and sought
help.
The illness had spread to the whole land.
The husband (raised his hand) threatened
his wife.

απογοητεύω

Απογοητευθήκαμε από το παιχνίδι
της ομάδας μας.
Δεν πρέπει να απογοητεύεστε
από τη ζωή.
Θα απογοητευθούμε αν ο γιος
μας δεν μπει στο πανεπιστήμιο.

We were disappointed with our team's
game.
You must not be disappointed in your
life.
We will be disappointed if our son
is not accepted to the university.

αποκτώ

Ο κύριος και η κυρία Αγγελίδη
απέκτησαν κοριτσάκι.
Ο φίλος μου απέκτησε πολλά λεφτά
στο χρηματιστήριο.
Πολύ σύντομα θα αποκτήσουμε
κι εμείς ομάδα ποδοσφαίρου.
Οι Έλληνες απέκτησαν την ελευθερία
τους ύστερα από πόλεμο εννιά
χρόνων.
Απέκτησε δυο παιδιά από την πρώτη
του γυναίκα.
Από αυτή τη δουλειά θα αποκτήσουμε
πολλά χρήματα.
Απέκτησε φήμη καλού δασκάλου.

A girl was born to Mr. and Mrs.
Angelides.
My friend aquired much money
in the stocks.
Soon we will acquire ourselves
a soccer team.
The Greeks achieved their freedom
fighting a war for nine years.

He had two children from his
first wife.
We will obtain much money from this
job.
He became famous as a good teacher.

αποτελώ

Η επιτροπή αποτελείται από δέκα
μέλη.
Το σπίτι αποτελείται από οκτώ
δωμάτια.
Αυτό αποτελεί παράβαση του νόμου.
Το νερό αποτελείται από υδρογόνο
και οξυγόνο.
Αυτοί οι στύλοι θα αποτελέσουν τη
βάση της γέφυρας.

The committee is composed of ten
members.
The house is composed of eight rooms.

This constitutes a violation of the law.
The water is composed of hydrogen and
oxygen.
These pillars will form the foundation
(base) of the bridge.

αποφασίζω

Τι αποφάσισες να κάνεις;
Αποφασίσαμε να φύγουμε αύριο.
Η τύχη του είχε αποφασιστεί πριν
από τη δίκη.
Οι γιατροί τον αποφάσισαν.
Είμαι αποφασισμένος να κάνω
αυτό που θέλω.

What have you decided to do?
We have decided to leave tomorrow.
His fate had been decided before the
trial.
The doctors have no hope for him.
I am determined to do what I want.

αρέσω, αρέσκομαι, μου αρέσει

Ο ηθοποιός αυτός αρέσει στις γυναίκες.

Η νέα μόδα άρεσε πολύ.

Αρέσκομαι πολύ (μου αρέσει) να ακούω
καλά λόγια για τα παιδιά μου.

Μου αρέσουν αυτά τα βιβλία.

Τα φρούτα, που μας στείλατε, μας
άρεσαν πολύ.

Το καινούργιο έργο δεν άρεσε καθόλου.

This actor is liked by women.

The new fashion was very much liked.

I like to hear good words about my
children.

I like these books.

We liked very much the fruit you sent us.

The new film was not very well received.

αφήνω

Άφησέ με. Άσε με.

Ο πατέρας άφησε την οικογένειά του
και έφυγε.

Θα σε αφήσουμε να φύγεις αν πληρώ-
σεις το χρέος σου.

Άφησε το βιβλίο να πέσει στο πάτωμα.

Τα ζώα αφέθηκαν ελεύθερα στη φάρμα.

Έχω αφήσει τα χρήματά μου στο σπίτι.

Αφήνει τη δουλειά του και τρέχει εδώ
κι εκεί.

Άφησε τη γυναίκα του στον δρόμο με
τρία παιδιά.

Άφησέ με να περάσω.

Leave me. Leave me alone.

The father abandoned his family and left.

We will let you leave if you pay
your debt.

He let the book fall on the floor.

The animals were let free on the farm.

I have left my money home.

He neglects his work and runs here
and there.

He left (abandoned) his wife and his
three children.

Let me pass.

68

βάζω – (1) to put; to set; to place; to lay

P.　　*Indicative, I put, I lay*

βάζω	βάζουμε
βάζεις	βάζετε
βάζει	βάζουν

P. C.　　**I was putting, I was laying**

έβαζα	βάζαμε
έβαζες	βάζατε
έβαζε	έβαζαν

P. S.　　**I put, I laid**

έβαλα	βάλαμε
έβαλες	βάλατε
έβαλε	έβαλαν

F. C.　　**I will be putting, I will be laying**

θα βάζω	θα βάζουμε
θα βάζεις	θα βάζετε
θα βάζει	θα βάζουν

F. S.　　**I will put, I will lay**

θα βάλω	θα βάλουμε
θα βάλεις	θα βάλετε
θα βάλει	θα βάλουν

Pr. P.　　**I have put**

έχω βάλει	
έχεις βάλει	etc.

P. P.　　**I had put**

είχα βάλει	
είχες βάλει	etc.

F. P.　　**I will have put**

θα έχω βάλει	
θα έχεις βάλει	etc.

Subjunctive (with να, για να, όταν, etc.)

P.	να βάζω	that I may be putting
P. S.	να βάλω	that I may put
Pr. P.	να έχω βάλει	that I may have put

Imperative

P.	βάζε (sing.)	be putting
	βάζετε (pl.)	be putting
P. S.	βάλε (sing.)	put
	βάλετε, βάλτε (pl.)	put

Infinitive

να βάλει	to put

Participle

βάζοντας	putting

In the Passive voice only the Past Simple
tense, and the Passive Participle are common.

P. S.　　**βάλθηκα - I was placed, put**

βάλθηκες
βάλθηκε
βαλθήκαμε
βαλθήκατε
βάλθηκαν

Passive participle: βαλμέν-ος, -η, -ο　　placed

Examples:

Βάζω τα ρούχα μου.	I put on my clothes.
Τον έβαλαν φυλακή.	They put him in jail.
Βάζω νερό στο κρασί μου.	I put water in my wine. (I compromise).
Βάζω το χέρι στη τσέπη μου.	I offer money.
Βάζω χέρι.	I take possession. I take something.
Βάζω πόδι.	I set foot. I am stubborn.
Τον έβαλε στη θέση του.	He put him in his place.
Βάλε μπρος.	Start. (the car). Go ahead.
Βάζω τις φωνές.	I scream, I shout.
Σας βάζω στον κόπο.	I put you in trouble.

P. **Indicative - I take off**

βγάζω	βγάζουμε
βγάζεις	βγάζετε
βγάζει	βγάζουν

Subjunctive - (with να, για να, όταν, etc.)

P.	να βγάζω	that I may be taking off
P. S.	να βγάλω	that I may take off
Pr. P.	να έχω βγάλει	that I may have taken off

P. C. **I was taking off**

έβγαζα	βγάζαμε
έβγαζες	βγάζατε
έβγαζε	έβγαζαν

Imperative

P.	βγάζε (sing.)	be taking off
	βγάζετε (pl.)	be taking off
P. S.	βγάλε (sing.)	take off
	βγάλετε, βγάλτε (pl.)	take off

P. S. **I took off**

έβγαλα	βγάλαμε
έβγαλες	βγάλατε
έβγαλε	έβγαλαν

Infinitive

να βγάλει	to take off

F. C. **I will be taking off**

θα βγάζω	θα βγάζουμε
θα βγάζεις	θα βγάζετε
θα βγάζει	θα βγάζουν

Participle

βγάζοντας	taking off

F. S. **I will take off**

θα βγάλω	θα βγάλουμε
θα βγάλεις	θα βγάλετε
θα βγάλει	θα βγάλουν

Passive Past Tense

βγάλθηκα	I was taken off
βγάλθηκες	
βγάλθηκε	
βγαλθήκαμε	
βγαλθήκατε	
βγάλθηκαν	

Pr. P. **I have taken off**

έχω βγάλει	
έχεις βγάλει	etc.

Passive Participle

βγαλμέν-ος, -η, -ο	extracted, taken off

P. P. **I had taken off**

είχα βγάλει	
είχες βγάλει	etc.

F. P. **I will have taken off**

θα έχω βγάλει	
θα έχεις βγάλει	etc.

Examples:

Βγάζω το καπέλο μου.	I take off my hat. (I greet).
Βγάζουμε τα ρούχα μας.	We take off our clothes.
Το παιδί βγάζει δόντια.	The child is cutting teeth.
Πού βγάζει αυτός ο δρόμος;	Where does this road lead?
Τα δέντρα την άνοιξη βγάζουν φύλλα.	The trees in the spring sprout leaves.
Βγάζει μια εφημερίδα.	He publishes a newspaper.
Βγάζουμε πολλά λεφτά από τη δουλειά μας.	Through our work we earn much money.
Έβγαλα ένα δόντι.	I had a tooth extracted.

βγαίνω (1) – to get out; to come out (The verb does not have passive voice).

	Indicative			*Subjunctive*		
P.	**I go out**			(with να, για να, όταν, etc.)		
	βγαίνω	βγαίνουμε		**P.**	να βγαίνω	that I may be going out
	βγαίνεις	βγαίνετε		**P. S.**	να βγω	that I mayt go out
	βγαίνει	βγαίνουν		**Pr. P.**	να έχω βγει	that I may have gone out

P. C.	**I was getting out**			**Imperative**		
	έβγαινα	βγαίναμε		**P.**	βγαίνε (sing.)	be going out
	έβγαινες	βγαίνατε			βγαίνετε (pl.)	be going out
	έβγαινε	έβγαιναν		**P. S.**	βγες – έβγα (sing.)	get out
					βγείτε – βγάτε (pl.)	get out

P. S.	**I went out**	
	βγήκα	βγήκαμε
	βγήκες	βγήκατε
	βγήκε	βγήκαν

Infinitive

να βγει   to get out

F. C.	**I will be getting out**	
	θα βγαίνω	θα βγαίνουμε
	θα βγαίνεις	θα βγαίνετε
	θα βγαίνει	θα βγαίνουν

Participle

βγαίνοντας   getting out

F. S.	**I will get out**	
	θα βγω	θα βγούμε
	θα βγεις	θα βγείτε
	θα βγει	θα βγουν

Pr. P.   I have gotten out

έχω βγει

έχεις βγει   etc.

P. P.   I had gotten out

είχα βγει

είχες βγει   etc.

F. P.   I will have gotten out

θα έχω βγει

θα έχεις βγει   etc.

Examples:

Τον είδα όταν έβγαινε από το σπίτι.	I saw him coming out of the house.
Ο ήλιος έχει βγει.	The sun has risen.
Βγαίνω από τα λογικά μου.	I lose my mind.
Κάλλιο να σου βγει το μάτι παρά το όνομα.	It is better for one to lose his eye than his reputation.
Τα λόγια μου βγήκαν αληθινά.	My words have come true.
Μου βγήκε η πίστη.	(My faith has come out.) I am exhausted.
Το όνειρό μου βγήκε.	My dream has come true.
Βγήκε ο μήνας.	The month is out.
Η εφημερίδα βγαίνει μια φορά την εβδομάδα.	The newspaper is published once a week.
Το νερό βγαίνει από το βουνό.	The water comes from the mountain.
Δε βγήκαν ακόμα τα φρούτα.	The fruit are not yet ripe.

	Active Voice, Indicative		**Passive Voice, Indicative**	
P.	**I assure**		**I am assured, I am being assured**	
	βεβαιώνω	βεβαιώνουμε	βεβαιώνομαι	βεβαιωνόμαστε
	βεβαιώνεις	βεβαιώνετε	βεβαιώνεσαι	βεβαιώνεστε
	βεβαιώνει	βεβαιώνουν	βεβαιώνεται	βεβαιώνονται
P. C.	**I was assuring**		**I was being assured**	
	βεβαίωνα	βεβαιώναμε	βεβαιωνόμουν	βεβαιωνόμαστε
	βεβαίωνες	βεβαιώνατε	βεβαιωνόσουν	βεβαιωνόσαστε
	βεβαίωνε	βεβαίωναν	βεβαιωνόταν	βεβαιώνονταν
P. S.	**I assured**		**I was assured**	
	βεβαίωσα	βεβαιώσαμε	βεβαιώθηκα	βεβαιωθήκαμε
	βεβαίωσες	βεβαιώσατε	βεβαιώθηκες	βεβαιωθήκατε
	βεβαίωσε	βεβαίωσαν	βεβαιώθηκε	βεβαιώθηκαν
F. C.	**I will be assuring**		**I will be being assured**	
	θα βεβαιώνω	θα βεβαιώνουμε	θα βεβαιώνομαι	θα βεβαιωνόμαστε
	θα βεβαιώνεις	θα βεβαιώνετε	θα βεβαιώνεσαι	θα βεβαιώνεστε
	θα βεβαιώνει	θα βεβαιώνουν	θα βεβαιώνεται	θα βεβαιώνονται
F. S.	**I will assure**		**I will be assured**	
	θα βεβαιώσω	θα βεβαιώσουμε	θα βεβαιωθώ	θα βεβαιωθούμε
	θα βεβαιώσεις	θα βεβαιώσετε	θα βεβαιωθείς	θα βεβαιωθείτε
	θα βεβαιώσει	θα βεβαιώσουν	θα βεβαιωθεί	θα βεβαιωθούν
Pr. P.	**I have assured**		**I have been assured**	
	έχω βεβαιώσει		έχω βεβαιωθεί	
	έχεις βεβαιώσει	etc.	έχεις βεβαιωθεί	etc.
P. P.	**I had assured**		**I had been assured**	
	είχα βεβαιώσει		είχα βεβαιωθεί	
	είχες βεβαιώσει	etc.	είχες βεβαιωθεί	etc.
F. P.	**I will have assured**		**I will have been assured**	
	θα έχω βεβαιώσει		θα έχω βεβαιωθεί	
	θα έχεις βεβαιώσει	etc.	θα έχεις βεβαιωθεί	etc.

Subjunctive (with να, για να, όταν, αν, etc.)

P.	να βεβαιώνω	that I may be assuring	να βεβαιώνομαι	that I may be being assured
P. S.	να βεβαιώσω	that I may assure	να βεβαιωθώ	that I may be assured
P. P.	να έχω βεβαιώσει	that I may have assured	να έχω βεβαιωθεί	that I may have been assured

Imperative

P.	βεβαίωνε (sing.)	be assuring	βεβαιώνου (sing.)	be being assured
	βεβαιώνετε (pl.)	be assuring	βεβαιώνεστε (pl.)	be being assured
P. S.	βεβαίωσε (sing.)	assure	βεβαιώσου (sing.)	be assured
	βεβαιώστε (pl.)	assure	βεβαιωθείτε (pl.)	be assured

Infinitive

να βεβαιώσει	to assure	να βεβαιωθεί	to be assured

Participle

βεβαιώνοντας	assuring	βεβαιωμέν-ος, -η, -ο	assured

(Examples on page 79)

	Active Voice, Indicative		*Passive Voice, Indicative*	
P.	**I see**		**I am seen**	
	βλέπω	βλέπουμε	βλέπομαι	βλεπόμαστε
	βλέπεις	βλέπετε	βλέπεσαι	βλέπεστε
	βλέπει	βλέπουν	βλέπεται	βλέπονται
P. C.	**I was seeing**		**I was being seen**	
	έβλεπα	βλέπαμε	βλεπόμουν	βλεπόμαστε
	έβλεπες	βλέπατε	βλεπόσουν	βλεπόσαστε
	έβλεπε	έβλεπαν	βλεπόταν	βλέπονταν
P. S.	**I saw**		**I was seen**	
	είδα	είδαμε	ειδώθηκα	ειδωθήκαμε
	είδες	είδατε	ειδώθηκες	ειδωθήκατε
	είδε	είδαν	ειδώθηκε	ειδώθηκαν
F. C.	**I will be seeing**		**I will be being seen**	
	θα βλέπω		θα βλέπομαι	
	θα βλέπεις	etc.	θα βλέπεσαι	etc.
F. S.	**I will see**		**I will be seen**	
	θα δω	θα δούμε	θα ιδωθώ	θα ιδωθούμε
	θα δεις	θα δείτε	θα ιδωθείς	θα ιδωθείτε
	θα δει	θα δουν	θα ιδωθεί	θα ιδωθούν
Pr. P.	**I have seen**		**I have been seen**	
	έχω δει		έχω ιδωθεί	
	έχεις δει		έχεις ιδωθεί	
P. P.	**I had seen**		**I had been seen**	
	είχα δει		είχα ιδωθεί	
	είχες δει	etc.	είχες ιδωθεί	etc.
F. P.	**I will have seen**		**I will have been seen**	
	θα έχω δει		θα έχω ιδωθεί	
	θα έχεις δει	etc.	θα έχεις ιδωθεί	etc.

Subjunctive (with να, για να, όταν, etc,)

P.	να βλέπω	that I may be seeing	να βλέπομαι	that I may be being seen
P. S.	να δω	that I may see	να ιδωθώ	that I may be seen
Pr. P.	να έχω δει	that I may have seen	να έχω ιδωθεί	that I may have been seen

Imperative

P.	βλέπε (sing.)	be seeing	-	
	βλέπετε (pl.)	be seeing	-	
	δες (sing.)	see	-	
	δέστε – δείτε	see (pl.)	ιδωθείτε (pl.)	be seen

Infinitive

να δει	to see	να ιδωθεί	to be seen

Participle

βλέποντας	seeing	ιδωμέν-ος, -η, -ο	seen

(Examples on page 79)

Active Voice, Indicative		*Passive Voice, Indicative*	
P. **I help**		**I am being helped**	
βοηθ-ώ, -άω	βοηθ-άμε, -ούμε	βοηθιέμαι	βοηθιόμαστε
βοηθ-άς, -είς	βοηθ-άτε, -είτε	βοηθιέσαι	βοηθιέστε
βοηθ-ά, -άει	βοηθ-ούν, -άνε	βοηθιέται	βοηθιούνται
P. C. **I was helping**		**I was being helped**	
βοηθούσα	βοηθούσαμε	βοηθιόμουν	βοηθιόμαστε
βοηθούσες	βοηθούσατε	βοηθιόσουν	βοηθιόσαστε
βοηθούσε	βοηθούσαν	βοηθιόταν	βοηθιόνταν
P. S. **I helped**		**I was helped**	
βοήθησα	βοηθήσαμε	βοηθήθηκα	βοηθηθήκαμε
βοήθησες	βοηθήσατε	βοηθήθηκες	βοηθηθήκατε
βοήθησε	βοήθησαν	βοηθήθηκε	βοηθήθηκαν
F. C. **I will be helping**		**I will be being helped**	
θα βοηθώ	θα βοηθούμε	θα βοηθιέμαι	θα βοηθιόμαστε
θα βοηθάς	θα βοηθάτε	θα βοηθιέσαι	θα βοηθιέστε
θα βοηθά	θα βοηθούν	θα βοηθιέται	θα βοηθιούνται
F. S. **I will help**		**I will be helped**	
θα βοηθήσω	θα βοηθήσουμε	θα βοηθηθώ	θα βοηθηθούμε
θα βοηθήσεις	θα βοηθήσετε	θα βοηθηθείς	θα βοηθηθείτε
θα βοηθήσει	θα βοηθήσουν	θα βοηθηθεί	θα βοηθηθούν
Pr. P. **I have helped**		**I have been helped**	
έχω βοηθήσει		έχω βοηθηθεί	
έχεις βοηθήσει	etc.	έχεις βοηθηθεί	etc.
P. P. **I had helped**		**I had been helped**	
είχα βοηθήσει		είχα βοηθηθεί	
είχες βοηθήσει	etc.	είχες βοηθηθεί	etc.
F. P. **I will have helped**		**I will have been helped**	
θα έχω βοηθήσει		θα έχω βοηθηθεί	
θα έχεις βοηθήσει	etc.	θα έχεις βοηθηθεί	etc.

Subjunctive (with να, για να, όταν, αν, etc.

P.	να βοηθώ	that I may be helping	να βοηθιέμαι	that I may be being helped
P. S.	να βοηθήσω	that I may help	να βοηθηθώ	that I may be helped
Pr. P.	να έχω βοηθήσει	that I may have helped	να έχω βοηθηθεί	that I may have been helped

Imperative

P.	βοήθα (sing.)	be helping	-	
	βοηθάτε (pl.)	be helping	-	
P. S.	βοήθησε (sing.)	help	βοηθήσου (sing.)	be helped
	βοηθείστε (pl.)	help	βοηθηθείτε (pl.)	be helped

Infinitive

να βοηθήσει	to help	να βοηθηθεί	to be helped

Participle

βοηθώντας	helping	βοηθημέν-ος, -η, -ο	helped

(Examples on page 79)

	Active Voice, Indicative		*Passive Voice, Indicative*	
P.	**I brush**		**I am brushed, I brush myself**	
	βουρτσίζω	βουρτσίζουμε	βουρτσίζομαι	βουρτσιζόμαστε
	βουρτσίζεις	βουρτσίζετε	βουρτσίζεσαι	βουρτσίζεστε
	βουρτσίζει	βουρτσίζουν	βουρτσίζεται	βουρτσίζονται
P. C.	**I was brushing**		**I was being brushed, I was brushing myself**	
	βούρτσιζα	βουρτσίζαμε	βουτσιζόμουν	βουρτσιζόμαστε
	βούρτσιζες	βουρτσίζατε	βουρτσιζόσουν	βουρτσιζόσαστε
	βούρτσιζε	βούρτσιζαν	βουρτσιζόταν	βουρτσίζονταν
P. S.	**I brushed**		**I was brushed, I brushed myself**	
	βούρτσισα	βουρτσίσαμε	βουρτσίστηκα	βουρτσιστήκαμε
	βούρτσισες	βουρτσίσατε	βουρτσίστηκες	βουρτσιστήκατε
	βούρτσισε	βούρτσισαν	βουρτσίστηκε	βουρτσίστηκαν
F. C.	**I will be brushing**		**I will be being brushed, brushing myself**	
	θα βουρτσίζω	θα βουρτσίζουμε	θα βουρτσίζομαι	θα βουρτσιζόμαστε
	θα βουρτσίζεις	θα βουρτσίζετε	θα βουρτσίζεσαι	θα βουρτσίζεστε
	θα βουρτσίζει	θα βουρτσίζουν	θα βουρτσίζεται	θα βουρτσίζονται
F. S.	**I will brush**		**I will be brushed, I will brush myself**	
	θα βουρτσίσω	θα βουρτσίσουμε	θα βουρτσιστώ	θα βουρτσιστούμε
	θα βουρτσίσεις	θα βουρτσίσετε	θα βουρτσιστείς	θα βουρτσιστείτε
	θα βουρτσίσει	θα βουρτσίσουν	θα βουρτσιστεί	θα βουρτσιστούν
Pr. P.	**I have brushed**		**I have been brushed, I have brushed myself**	
	έχω βουρτσίσει		έχω βουρτσιστεί	
	έχεις βουρτσίσει	etc.	έχεις βουρτσιστεί	etc.
P. P.	**I had brushed**		**I had been brushed, I had brushed myself**	
	είχα βουρτσίσει		είχα βουρτσιστεί	
	είχες βουρτσίσει	etc.	είχες βουρτσιστεί	etc.
F. P.	**I will have brushed**		**I will have been brushed, brushed myself**	
	θα έχω βουρτσίσει		θα έχω βουρτσιστεί	
	θα έχεις βουρτσίσει	etc.	θα έχεις βουρτσιστεί	etc.

Subjunctive (with να, για να, όταν, etc.)

P.	να βουρτσίζω	that I may be brushing	να βουρτσίζομαι	that I may be being brushed
P. S.	να βουρτσίσω	that I may brush	να βουρτσιστώ	that I may be brushed
Pr. P.	να έχω βουρτσίσει	that I may have brushed	να έχω βουρτσιστεί	that I may have been brushed

Imperative

P.	βούρτσιζε (sing.)	be brushing	βουρτσίζου (sing.)	be brushing yourself
	βουρτσίζετε (pl.)	be brushing	βουρτσίζεστε (pl.)	be brushing yourselves
P. S.	βούρτσισε (sing.)	brush	βουρτσίσου (sing.)	brush yourself
	βουρτσίστε (pl.)	brush	βουρτσιστείτε (pl.)	brush yourselves

Infinitive

να βουρτσίσει	to brush	να βουρτσιστεί	to be brushed

Participle

βουρτσίζοντας	brushing	βουρτσισμέν-ος, -η, -ο	brushed

(Examples on Page 79)

βρέχω (1) – to water; to wet; to moisten
βρέχει – it rains (impersonal verb) (see conjugation next page)

	Active voice, Indicative		*Passive Voice, Indicative*	
P.	**I water**		**I am watered, I am wet**	
	βρέχω	βρέχουμε	βρέχομαι	βρεχόμαστε
	βρέχεις	βρέχετε	βρέχεσαι	βρέχεστε
	βρέχει	βρέχουν	βρέχεται	βρέχονται
P. C.	**I was watering**		**I was being watered, I was being wet**	
	έβρεχα	βρέχαμε	βρεχόμουν	βρεχόμαστε
	έβρεχες	βρέχατε	βρεχόσουν	βρεχόσαστε
	έβρεχε	έβρεχαν	βρεχόταν	βρέχονταν
P. S.	**I watered**		**I was watered, I was wet**	
	έβρεξα	βρέξαμε	βράχηκα	βραχήκαμε
	έβρεξες	βρέξατε	βράχηκες	βραχήκατε
	έβρεξε	έβρεξαν	βράχηκε	βράχηκαν
F. C.	**I will be watering**		**I will be being watered, I will be being wet**	
	θα βρέχω	θα βρέχουμε	θα βρέχομαι	θα βρεχόμαστε
	θα βρέχεις	θα βρέχετε	θα βρέχεσαι	θα βρέχεστε
	θα βρέχει	θα βρέχουν	θα βρέχεται	θα βρέχονται
F. S.	**I will water**		**I will be watered, I will be wet**	
	θα βρέξω	θα βρέξουμε	θα βραχώ	θα βραχούμε
	θα βρέξεις	θα βρέξετε	θα βραχείς	θα βραχείτε
	θα βρέξει	θα βρέξουν	θα βραχεί	θα βραχούν
Pr. P.	**I have watered**		**I have been watered, I have been wet**	
	έχω βρέξει		έχω βραχεί	
	έχεις βρέξει	etc.	έχεις βραχεί	etc.
P. P.	**I had watered**		**I had been watered, I had been wet**	
	είχα βρέξει		είχα βραχεί	
	είχες βρέξει	etc.	είχες βραχεί	etc.
F. P.	**I will have watered**		**I will have been watered, wet**	
	θα έχω βρέξει		θα έχω βραχεί	
	θα έχεις βρέξει	etc.	θα έχεις βραχεί	etc.

Subjunctive (with να, για να, όταν, etc.)

P.	να βρέχω	that I may be watering	να βρέχομαι	that I may be being watered
P. S.	να βρέξω	that I may water	να βραχώ	that I may be watered
Pr. P.	να έχω βρέξει	that I may have watered	να έχω βραχεί	that I may have been watered

Imperative

P.	βρέχε (sing.)	be watering	βρέχου (sing.)	be watered
	βρέχετε (pl.)	be watering	βρέχεστε (pl.)	be watered
P.S.	βρέξε (sing.)	water	*(not common)*	
	βρέξετε (pl.)	water	βραχείτε (pl.)	be wet, be watered

Infinitive

	να βρέξει	to water	να βραχεί	to be watered, wet

Participle

	βρέχοντας	watering	βρεγμέν-ος, -η, -ο	wet
			(Examples next page)	

The impersonal verb <u>βρέχει</u>:

P.	βρέχει	It is raining
P. C.	έβρεχε	It was raining
P. S	έβρεξε	It rained
F. C.	θα βρέχει	It will be raining
F. S.	θα βρέξει	It will rain
Pr. P.	έχει βρέξει	It has rained
P. P.	είχε βρέξει	It had rained
F. P.	θα έχει βρέξει	It will have rained

Examples:

Βραχήκαμε από τη βροχή.	We were soaked to the skin by the rain.
Βρέξε το χορτάρι.	Water the grass.
Αύριο θα βρέξει.	It will rain tomorrow.
Βρέχει κάθε μέρα.	It rains every day.
Το καλοκαίρι βρέχουμε το χορτάρι συχνά.	In summer we water the grass often.
Δεν έχει βρέξει.	It has not rained.
Τώρα δε βρέχει.	Now it is not raining.
Σήμερα δε θα βρέξει.	It will not rain today.

βρίσκω (1) – to find; to discover; to detect; to get; to guess
βρίσκομαι (4) – (passive voice) I am found; I am situated; I am located

Active Voice, Indicative		*Passive Voice, Indicative*	
P. **I find**		**I am found, I am situated, I am being found**	
βρίσκω	βρίσκουμε	βρίσκομαι	βρισκόμαστε
βρίσκεις	βρίσκετε	βρίσκεσαι	βρίσκεστε
βρίσκει	βρίσκουν	βρίσκεται	βρίσκονται
P. C. **I was finding**		**I was being found, situated**	
έβρισκα	βρίσκαμε	βρισκόμουν	βρισκόμαστε
έβρισκες	βρίσκατε	βρισκόσουν	βρισκόσαστε
έβρισκε	έβρισκαν	βρισκόταν	βρίσκονταν
P. S. **I found**		**I was found**	
βρήκα	βρήκαμε	βρέθηκα	βρεθήκαμε
βρήκες	βρήκατε	βρέθηκες	βρεθήκατε
βρήκε	βρήκαν	βρέθηκε	βρέθηκαν
F. C. **I will be finding**		**I will be being found**	
θα βρίσκω	θα βρίσκουμε	θα βρίσκομαι	θα βρισκόμαστε
θα βρίσκεις	θα βρίσκετε	θα βρίσκεσαι	θα βρίσκεστε
θα βρίσκει	θα βρίσκουν	θα βρίσκεται	θα βρίσκονται
F. S. **I will find**		**I will be found**	
θα βρω	θα βρούμε	θα βρεθώ	θα βρεθούμε
θα βρεις	θα βρείτε	θα βρεθείς	θα βρεθείτε
θα βρει	θα βρουν	θα βρεθεί	θα βρεθούν
Pr. P. **I have found**		**I have been found**	
έχω βρει		έχω βρεθεί	
έχεις βρει	etc.	έχεις βρεθεί	etc.
P. P. **I had found**		**I had been found**	
είχα βρει		είχα βρεθεί	
είχες βρει	etc.	είχες βρεθεί	etc.
F. P. **I will have found**		**I will have been found**	
θα έχω βρει		θα έχω βρεθεί etc.	
θα έχεις βρει	etc.	θα έχεις βρεθεί	etc.

Subjunctive (with να, για να, όταν, etc.)

P.	να βρίσκω	that I may be finding	να βρίσκομαι	that I may be being found
P.S.	να βρω	that I may find	να βρεθώ	that I may be found
Pr. P.	να έχω βρει	that I may have found	να έχω βρεθεί	thay I may have been found

Imperative

P.	βρίσκε (sing.)	be finding	βρίσκου (sing.)	be being found
	βρίσκετε (pl.)	be finding	βρίσκεστε (pl.)	be being found
P. S.	βρες (sing.)	find	βρέθου (sing.)	be found
	βρείτε (pl.)	find	βρεθείτε (pl.)	be found

Infinitive

	να βρει	to find	να βρεθεί	to be found

Participle

	βρίσκοντας	finding	βρεθ-είς, -είσα, -έν	found (classical forms)
			(Examples page 79)	

Examples of uses of verbs beginning with **β**

βεβαιώνω

Με βεβαίωσε ότι θα έλθει.	He assured me that he will come.
Βεβαιωθήκαμε για την ειλικρίνειά του.	We were assured of his sincerity.
Πριν φύγεις, βεβαιώσου ότι θα βρεις δωμάτιο.	Before you leave make sure that you will find room.

βλέπω

Σε βλέπω.	I see you.
Δε βλέπω μακριά.	I cannot see far.
Δε βλέπει μακρύτερα από τη μύτη του.	He cannot see further than his nose. (He cannot plan ahead.)
Έχω χρόνια να τον δω.	I have not seen him for many years.
Δε βλέπει καθόλου.	He cannot see at all. (Totally blind.)
Πώς με βλέπετε έτσι;	Why do you look at me this way?
Όλα τα βλέπει μαύρα.	He sees everything black. (He is a pessimist.)
Τέλειωσε και τότε βλέπουμε.	Finish and then we will see.
Δε βλέπω άσπρη μέρα.	I never have a good day.
Ποιος γιατρός τον βλέπει;	Which doctor is treating him?
Βλέπε τα παιδιά, μέχρις ότου γυρίσω.	Look after the children until I come back.
Έχουμε να ιδωθούμε δυο χρόνια.	We haven't seen each other in two years.
Δες ποιος είναι.	See who that is.
Βλεπόμαστε τακτικά.	We see each other often.
Πότε θα σε δούμε;	When we will see you?
Βλέπεις τι έκανες;	Do you see what you have done?

βοηθώ

Βοήθησέ με.	Help me.
Με βοηθά στη δουλειά μου.	He/she helps me in my work.
Θα βοηθήσουμε τους φτωχούς.	We will help the poor.
Η Αμερική βοήθησε τους συμμάχους στον πόλεμο.	America helped the allies in the war.
Τα παιδιά βοηθήθηκαν από τους φίλους τους.	The children were helped by their friends.

βουρτσίζω

Βουρτσίζω τα παπούτσια μου. και τα ρούχα μου.	I brush my shoes and my clothes.
Το παιδί βουρτσίζει τα δόντια του πριν κοιμηθεί.	The child brushes his teeth before going to bed.
Βούρτσισε τα δόντια σου.	Brush your teeth.

βρίσκω

Βρήκα το βιβλίο που θέλω.	I found the book I want.
Έχασα τα κλειδιά μου και δεν μπορώ να τα βρω.	I lost my keys and I cannot find them.
Στο Αιγαίο βρέθηκαν κοιτάσματα πετρελαίου.	Deposits of oil have been found in the Aegean Sea.
Τι με βρήκε τον καημένο!	Oh, what has befallen poor me!
Στο μαγαζί θα βρούμε αυτό που θέλουμε.	In the store we will find what we want.
Θα βρεθούμε πάλι το καλοκαίρι.	We will meet again in the summer.

	Active Voice, Indicative		*Passive Voice, Indicative*	
P.	**I laugh**		**I am deceived, I am being deceived**	
	γελ-ώ, -άω	γελ-ούμε, -άμε	γελιέμαι	γελιόμαστε
	γελάς	γελάτε	γελιέσαι	γελιέστε
	γελ-ά, -άει	γελ-ούν, -άνε	γελιέται	γελιούνται
P. C.	**I was laughing**		**I was being deceived**	
	γελούσα	γελούσαμε	γελιόμουν	γελιόμαστε
	γελούσες	γελούσατε	γελιόσουν	γελιόσαστε
	γελούσε	γελούσαν	γελιόταν	γελιόνταν
P. S.	**I laughed**		**I was deceived**	
	γέλασα	γελάσαμε	γελάστηκα	γελαστήκαμε
	γέλασες	γελάσατε	γελάστηκες	γελαστήκατε
	γέλασε	γέλασαν	γελάστηκε	γελάστηκαν
F. C.	**I will be laughing**		**I will be being deceived**	
	θα γελ-ώ, -άω	θα γελ-ούμε, -άμε	θα γελιέμαι	θα γελιόμαστε
	θα γελάς	θα γελάτε	θα γελιέσαι	θα γελιέστε
	θα γελ-ά, -άει	θα γελ-ούν, -άνε	θα γελιέται	θα γελιούνται
F. S.	**I will laugh**		**I will be deceived**	
	θα γελάσω	θα γελάσουμε	θα γελαστώ	θα γελαστούμε
	θα γελάσεις	θα γελάσετε	θα γελαστείς	θα γελαστείτε
	θα γελάσει	θα γελάσουν	θα γελαστεί	θα γελαστούν
Pr. P.	**I have laughed**		**I have been deceived**	
	έχω γελάσει		έχω γελαστεί	
	έχεις γελάσει	etc.	έχεις γελαστεί	etc.
P. P.	**I had laughed**		**I had been deceived**	
	είχα γελάσει		είχα γελαστεί	
	είχες γελάσει	etc.	είχες γελαστεί	etc.
F. P.	**I will have laughed**		**I will have been deceived**	
	θα έχω γελάσει		θα έχω γελαστεί	
	θα έχεις γελάσει	etc.	θα έχεις γελαστεί	etc.

	Subjunctive	(with να, για να, όταν, αν, etc.)		
P.	να γελώ	that I may be laughing	να γελιέμαι	that I may be deceived
P. S.	να γελάσω	that I may laugh	να γελαστώ	that I might be deceived
Pr. P.	να έχω γελάσει	that I may have laughed	να έχω γελαστεί	that I may have been
	Imperative			deceived
P.	γέλα (sing.)	be laughing	-	
	γελάτε (pl.)	be laughing	γελιέστε (pl.)	be being deceived
P. S.	γέλασε (sing.)	laugh	-	
	γελάστε (pl.)	laugh	γελαστείτε (pl.)	be deceived
	Infinitive			
	να γελάσει	to laugh	να γελαστεί	to be deceived
	Participle			
	γελώντας	laughing	γελασμέν-ος, -η, -ο	deceived
			(Examaples on age 88)	

	Active Voice, Indicative		*Passive Voice, Indicative*	
P.	**I fill**		**I am filled, I am being filled**	
	γεμίζω	γεμίζουμε	γεμίζομαι	γεμιζόμαστε
	γεμίζεις	γεμίζετε	γεμίζεσαι	γεμίζεστε
	γεμίζει	γεμίζουν	γεμίζεται	γεμίζονται
P. C.	**I was filling**		**I was being filled**	
	γέμιζα	γεμίζαμε	γεμιζόμουν	γεμιζόμαστε
	γέμιζες	γεμίζατε	γεμιζόσουν	γεμιζόσαστε
	γέμιζε	γέμιζαν	γεμιζόταν	γεμίζονταν
P. S.	**I filled**		**I was filled**	
	γέμισα	γεμίσαμε	γεμίστηκα	γεμιστήκαμε
	γέμισες	γεμίσατε	γεμίστηκες	γεμιστήκατε
	γέμισε	γέμισαν	γεμίστηκε	γεμίστηκαν
F. C.	**I will be filling**		**I will be being filled**	
	θα γεμίζω	θα γεμίζουμε	θα γεμίζομαι	θα γεμιζόμαστε
	θα γεμίζεις	θα γεμίζετε	θα γεμίζεσαι	θα γεμίζεστε
	θα γεμίζει	θα γεμίζουν	θα γεμίζεται	θα γεμίζονται
F. S.	**I will fill**		**I will be filled**	
	θα γεμίσω	θα γεμίσουμε	θα γεμιστώ	θα γεμιστούμε
	θα γεμίσεις	θα γεμίσετε	θα γεμιστείς	θα γεμιστείτε
	θα γεμίσει	θα γεμίσουν	θα γεμιστεί	θα γεμιστούν
Pr. P.	**I have filled**		**I have been filled**	
	έχω γεμίσει		έχω γεμιστεί	
	έχεις γεμίσει	etc.	έχεις γεμιστεί	etc.
P. P.	**I had filled**		**I had been filled**	
	είχα γεμίσει		είχα γεμιστεί	
	είχες γεμίσει	etc.	είχες γεμιστεί	etc.
F. P.	**I will have filled**		**I will have been filled**	
	θα έχω γεμίσει		θα έχω γεμιστεί	
	θα έχεις γεμίσει	etc.	θα έχεις γεμιστεί	etc.

		Subjunctive	(with να, για να, όταν, etc.)	
P.	να γεμίζω	that I may be filling	να γεμίζομαι	that I may be being filled
P. S.	να γεμίσω	that I may fill	να γεμιστώ	that I may be filled
Pr. P.	να έχω γεμίσει	that I may have filled	να έχω γεμιστεί	that I may have been filled
		Imperative		
P.	γέμιζε (sing.)	be filling	γεμίζου (sing.)	be being filled
	γεμίζετε (pl.)	be filling	γεμίζεστε (pl.)	be being filled
P. S.	γέμισε (sing.)	fill	γεμίσου (sing.)	be filled
	γεμίστε (pl.)	fill	γεμιστείτε (pl.)	be filled
		Infinitive		
	να γεμίσει	to fill	να γεμιστεί	to be filled
		Participle		
	γεμίζοντας	filling	γεμισμέν-ος, -η, -ο	filled
			(Examples on page 88	

	Active Voice, Indicative		*Passive Voice, Indicative*	
P.	**I give birth**		**I am born, I am being born**	
	γενν-ώ, -άω	γενν-ούμε, -άμε	γεννιέμαι	γεννιόμαστε
	γεννάς	γεννάτε	γεννιέσαι	γεννιέστε
	γενν-ά, -άει	γενν-ούν, -άνε	γεννιέται	γεννιούνται
P. C.	**I was giving birth**		**I was being born**	
	γεννούσα	γεννούσαμε	γεννιόμουν	γεννιόμαστε
	γεννούσες	γεννούσατε	γεννιόσουν	γεννιόσαστε
	γεννούσε	γεννούσαν	γεννιόταν	γεννιόνταν
P. S.	**I gave birth**		**I was born**	
	γέννησα	γεννήσαμε	γεννήθηκα	γεννηθήκαμε
	γέννησες	γεννήσατε	γεννήθηκες	γεννηθήκατε
	γέννησε	γέννησαν	γεννήθηκε	γεννήθηκαν
F. C.	**I will be giving birth**		**I will be being born**	
	θα γενν-ώ, -άω	θα γενν-ούμε, -άμε	θα γεννιέμαι	θα γεννιόμαστε
	θα γεννάς	θα γεννάτε	θα γεννιέσαι	θα γεννιέστε
	θα γενν-ά, -άει	θα γενν-ούν, -άνε	θα γεννιέται	θα γεννιούνται
F. S.	**I will give birth**		**I will be born**	
	θα γεννήσω	θα γεννήσουμε	θα γεννηθώ	θα γεννηθούμε
	θα γεννήσεις	θα γεννήσετε	θα γεννηθείς	θα γεννηθείτε
	θα γεννήσει	θα γεννήσουν	θα γεννηθεί	θα γεννηθούν
Pr. P.	**I have given birth**		**I have been born**	
	έχω γεννήσει		έχω γεννηθεί	
	έχεις γεννήσει	etc.	έχεις γεννηθεί	etc.
P. P.	**I had given birth**		**I had been born**	
	είχα γεννήσει		είχα γεννηθεί	
	είχες γεννήσει	etc.	είχες γεννηθεί	etc.
F. P.	**I will have given birth**		**I will have been born**	
	θα έχω γεννήσει		θα έχω γεννηθεί	
	θα έχεις γεννήσει	etc.	θα έχεις γεννηθεί	etc.

Subjunctive

(with να, για να, όταν, etc.)

P.	να γεννώ	that I may be giving birth	να γεννιέμαι	that I may be being born
P. S.	να γεννήσω	that I may give birth	να γεννηθώ	that I may be born
Pr. P.	να έχω γεννήσει	that I may have given birth	να έχω γεννηθεί	that I may have been born

Imperative

P.	γέννα (sing.)	be giving birth	-	
	γεννάτε (pl.)	be giving birth	-	
P. S.	γέννησε (sing.)	give birth	γεννήσου (sing.)	be born
	γεννήστε (pl.)	give birth	γεννηθείτε (pl.)	be born

Infinitive

να γεννήσει	to give birth	να γεννηθεί	to be born

Participle

γεννώντας	giving birth	γεννημέν-ος, -η, -ο	born

(Examples on page 88)

γίνομαι (4) – to become; to turn (rich, poor, good, bad etc.)
to take place; to happen; to come to pass; to occur (deponent verb)

	Indicative	
P.	**I become**	
	γίνομαι	γινόμαστε
	γίνεσαι	γίνεστε
	γίνεται	γίνονται

P. C.	**I was becoming**	
	γινόμουν	γινόμαστε
	γινόσουν	γινόσαστε
	γινόταν	γίνονταν

P. S.	**I became**	
	έγινα	γίναμε
	έγινες	γίνατε
	έγινε	έγιναν

F. C.	**I will be becoming**	
	θα γίνομαι	θα γινόμαστε
	θα γίνεσαι	θα γίνεστε
	θα γίνεται	θα γίνονται

F. S.	**I will become**	
	θα γίνω	θα γίνουμε
	θα γίνεις	θα γίνετε
	θα γίνει	θα γίνουν

Pr. P.	**I have become**	
	έχω γίνει	
	έχεις γίνει	etc.

P. F.	**I had become**	
	είχα γίνει	
	είχες γίνει	etc.

Subjunctive
(with να, για να, όταν, etc.)

P.	να γίνομαι	that I may be becoming
	να γίνω	that I may become
	να έχω γίνει	that I may have become

Imperative

P.	γίνου (sing.)	be becoming
	γίνεστε (pl.)	be becoming
P.S.	-	
	γίνετε (pl.)	become

Infinitive

	να γίνει	to become

Participle

	γινωμέν-ος, -η, -ο	done

F. P.	**I will have become**	
	θα έχω γίνει	
	θα έχεις γίνει	etc.

Examples:

Έγινε πλούσιος.	He became rich.
Ό,τι έγινε έγινε.	What happened has happened. (No use to cry over spilt milk).
Έγινε γελοίος.	He became ridiculous.
Τι να γίνει;	What can be done? (What can one do?)
Τα σταφύλια είναι γινωμένα.	The grapes are ripe.
Το φαγητό έγινε.	The meal is cooked.
Αυτό το φόρεμα δε μου γίνεται.	This dress does not fit me.
Η μάχη έγινε στον Μαραθώνα.	The battle took place in Marathon.
Αυτό γίνεται κάθε μέρα.	This happens every day.
Γενήτε καλοί άνθρωποι!	Become good men!
Τι έγινε χτες;	What happened yesterday?
Δεν ξέρει τι του γίνεται.	He does not know what he is doing.
Γενηθήτω το θέλημά σου!	Thou will be done!

	Active Voice, Indicative		*Passive Voice, Indicative*	
P.	**I know**		**I am known, recognized, I am being known**	
	γνωρίζω	γνωρίζουμε	γνωρίζομαι	γνωριζόμαστε
	γνωρίζεις	γνωρίζετε	γνωρίζεσαι	γνωρίζεστε
	γνωρίζει	γνωρίζουν	γνωρίζεται	γνωρίζονται
P. C.	**I knew, I used to know**		**I was acquainted with**	
	γνώριζα	γνωρίζαμε	γνωριζόμουν	γνωριζόμαστε
	γνώριζες	γνωρίζατε	γνωριζόσουν	γνωριζόσαστε
	γνώριζε	γνώριζαν	γνωριζόταν	γνωρίζονταν
P. S.	**I met, I became acquainted**		**I met, I became acquainted with**	
	γνώρισα	γνωρίσαμε	γνωρίστηκα	γνωριστήκαμε
	γνώρισες	γνωρίσατε	γνωρίστηκες	γνωριστήκατε
	γνώρισε	γνώρισαν	γνωρίστηκε	γνωρίστηκαν
F. C.	**I will be knowing**		**I will be being known**	
	θα γνωρίζω	θα γνωρίζουμε	θα γνωρίζομαι	θα γνωριζόμαστε
	θα γνωρίζεις	θα γνωρίζετε	θα γνωρίζεσαι	θα γνωρίζεστε
	θα γνωρίζει	θα γνωρίζουν	θα γνωρίζεται	θα γνωρίζονται
F. S.	**I will know**		**I will make acquaintance with**	
	θα γνωρίσω	θα γνωρίσουμε	θα γνωριστώ	θα γνωριστούμε
	θα γνωρίσεις	θα γνωρίσετε	θα γνωριστείς	θα γνωριστείτε
	θα γνωρίσει	θα γνωρίσουν	θα γνωριστεί	θα γνωριστούν
Pr. P.	**I have known, I have met**		**I have been acquainted with, I have met**	
	έχω γνωρίσει		έχω γνωριστεί	
	έχεις γνωρίσει	etc.	έχεις γνωριστεί	etc.
P. P.	**I had known, I had met**		**I had been acquainted with, I had met**	
	είχα γνωρίσει		είχα γνωριστεί	
	είχες γνωρίσει	etc.	είχες γνωριστεί	etc.
F. P.	**I will have met**		**I will have been acquainted with**	
	θα έχω γνωρίσει		θα έχω γνωριστεί	
	θα έχεις γνωρίσει	etc.	θα έχεις γνωριστεί	etc.

		Subjunctive	(with να, για να, όταν, etc.)	
P.	να γνωρίζω	that I may be knowing	να γνωρίζομαι	that I may be being known
P. S.	να γνωρίσω	that I may know	να γνωριστώ	that I may be known
Pr. P.	να έχω γνωρίσει	that I may have known	να έχω γνωριστεί	that I may have been known
		Imperative		
P.	γνώριζε (sing.)	be knowing	γνωρίζου (sing.)	be being acquainted
	γνωρίζετε (pl.)	be knowing	γνωρίζεστε (pl.)	be being acquainted
P. S.	γνώρισε (sing.)	know	γνωρίσου (sing.)	be acquainted
	γνωρίστε (pl.)	know	γνωριστείτε (pl.)	be acquainted
		Infinitive		
	να γνωρίσει	to know, to meet	να γνωριστεί	to get acquainted
		Participle		
	γνωρίζοντας	knowing	γνωρισμέν-ος, -η, -ο	known
			(Examples on page 88)	

	Active Voice, Indicative		*Passive Voice, Indicative*	
P.	**I write**		**I am written, I am being written**	
	γράφω	γράφουμε	γράφομαι	γραφόμαστε
	γράφεις	γράφετε	γράφεσαι	γράφεστε
	γράφει	γράφουν	γράφεται	γράφονται
P. C.	**I was writing**		**I was being written**	
	έγραφα	γράφαμε	γραφόμουν	γραφόμαστε
	έγραφες	γράφατε	γραφόσουν	γραφόσαστε
	έγραφε	έγραφαν	γραφόταν	γράφονταν
P. S.	**I wrote**		**I was written**	
	έγραψα	γράψαμε	γράφτηκα	γραφτήκαμε
	έγραψες	γράψατε	γράφτηκες	γραφτήκατε
	έγραψε	έγραψαν	γράφτηκε	γράφτηκαν
F. C.	**I will be writing**		**I will be being written**	
	θα γράφω	θα γράφουμε	θα γράφομαι	θα γραφόμαστε
	θα γράφεις	θα γράφετε	θα γράφεσαι	θα γράφεστε
	θα γράφει	θα γράφουν	θα γράφεται	θα γράφονται
F. S.	**I will write**		**I will be written**	
	θα γράψω	θα γράψουμε	θα γραφτώ	θα γραφτούμε
	θα γράψεις	θα γράψετε	θα γραφτείς	θα γραφτείτε
	θα γράψει	θα γράψουν	θα γραφτεί	θα γραφτούν
Pr. P.	**I have written**		**I have been written**	
	έχω γράψει		έχω γραφτεί	
	έχεις γράψει	etc.	έχεις γραφτεί	etc.
P. P.	**I had written**		**I had been written**	
	είχα γράψει		είχα γραφτεί	
	είχες γράψει	etc.	είχες γραφτεί	etc.
F. P.	**I will have written**		**I will have been written**	
	θα έχω γράψει		θα έχω γραφτεί	
	θα έχεις γράψει	etc.	θα έχεις γραφτεί	etc.

Subjunctive (with να, για να, όταν, αν, etc.)

P.	να γράφω	that I may be writing	να γράφομαι	that I may be being written
P. S.	να γράψω	that I may write	να γραφτώ	that I may be written
Pr. P.	να έχω γράψει	that I may have written	να έχω γραφτεί	that I may have been written

Imperative

P.	γράφε (sing.)	be writing	γράφου (sing.)	be being written
	γράφετε (pl.)	be writing	γράφεστε (pl.)	be being written
P. S.	γράψε (sing.)	write	γράψου (sing.)	be written
	γράψετε (γράψτε) (pl.)	write	γραφτείτε (pl.)	be written

Infinitive

να γράψει	to write	να γραφτεί	to be written

Participle

γράφοντας	writing	γραμμέν-ος, -η, -ο	written

(For examples on page 88)

	Indicative			*Subjunctive*	
P.	**I seek**			(with να, για να, όταν, etc.)	

P. **I seek**

γυρεύω	γυρεύουμε
γυρεύεις	γυρεύετε
γυρεύει	γυρεύουν

P. C. **I was seeking**

γύρευα	γυρεύαμε
γύρευες	γυρεύατε
γύρευε	γύρευαν

P. S. **I sought**

γύρεψα	γυρέψαμε
γύρεψες	γυρέψατε
γύρεψε	γύρεψαν

F. C. **I will be seeking**

θα γυρεύω	θα γυρεύουμε
θα γυρεύεις	θα γυρεύετε
θα γυρεύει	θα γυρεύουν

F. S. **I will seek**

θα γυρέψω	θα γυρέψουμε
θα γυρέψεις	θα γυρέψετε
θα γυρέψει	θα γυρέψουν

Pr. P. **I have sought**

έχω γυρέψει
έχεις γυρέψει   etc.

P. P. **I had sought**

είχα γυρέψει
είχες γυρέψει   etc.

F. P. **I will have sought**

θα έχω γυρέψει
θα έχεις γυρέψει   etc.

Subjunctive

(with να, για να, όταν, etc.)

P.	να γυρεύω	that I may be seeking
P. S.	να γυρέψω	that I may seek
Pr. P.	να έχω γυρέψει	that I may have sought

Imperative

P.	γύρευε (sing.)	be seeking
	γυρεύετε (pl.)	be seeking
P. S.	γύρεψε (sing.)	seek
	γυρέψετε - γυρέψτε (pl.)	seek

Infinitive

να γυρέψει	to seek

Participle

γυρεύοντας	seeking

Passive Participle

γυρεμέν-ος, -η, -ο	sought

Examples:

Σε γυρεύω.	I am looking for you.
Γυρεύει τον άντρα της.	She is looking for her husband.
Θα γυρέψουμε να βρούμε αυτό που θέλουμε.	We are going to look and find what we want.
Σε γύρευα όλη τη μέρα.	I was looking for you all day long.
Τι γυρεύεις;	What are you looking for?
Με γύρεψε κανένας;	Did anybody ask for me?
Μη γυρεύετε εδώ. Δεν υπάρχει τίποτα.	Do not look here. There is nothing.
Τον γυρέψαμε παντού μα δεν τον βρήκαμε.	We looked for him everywhere, but we did not find him.

γυρίζω (1) – to turn; to return; to change; to resolve; to change mind;

P.	***Indicative***		***Subjunctive***		
	I return		(with να, για να, όταν, etc.)		
	γυρίζω	γυρίζουμε	P.	να γυρίζω	that I may be returning
	γυρίζεις	γυρίζετε	P. S.	να γυρίσω	that I may return
	γυρίζει	γυρίζουν	Pr. P.	να έχω γυρίσει	that I may have returned

P. C.	**I was returning**		**Imperative**		
	γύριζα	γυρίζαμε	P.	γύριζε (sing.)	be returning
	γύριζες	γυρίζατε		γυρίζετε (pl.)	be returning
	γύριζε	γύριζαν	P. S.	γύρισε (sing.)	return
				γυρίστε (pl.)	return

P. S.	**I returned**		**Infinitive**		
	γύρισα	γυρίσαμε		να γυρίσει	to return
	γύρισες	γυρίσατε			
	γύρισε	γύρισαν	**Participle**		

F. C.	**I will be returning**			γυρίζοντας	returning
	θα γυρίζω	θα γυρίζουμε			
	θα γυρίζεις	θα γυρίζετε			
	θα γυρίζει	θα γυρίζουν			

In the passive Voice only the Past Simple Tense, third person is common:
γυρίστηκε – it was filmed
The movie was filmed in Greece.
Η ταινία γυρίστηκε στην Ελλάδα.

F. S.	**I will return**	
	θα γυρίσω	θα γυρίσουμε
	θα γυρίσεις	θα γυρίσετε
	θα γυρίσει	θα γυρίσουν

Pr. P.	**I have returned**	
	έχω γυρίσει	
	έχεις γυρίσει	etc.

P. P.	**I had returned**	
	είχα γυρίσει	
	είχες γυρίσει	etc.

F. P.	**I will have returned**	
	θα έχω γυρίσει	
	θα έχεις γυρίσει	etc.

(Examples on page 89)

Examples of uses of verbs beginning with γ

γελώ

Μας έκανε να γελάσουμε.	He made us laugh.
Με γέλασε.	He tricked me. He fooled me.
Οι φίλοι μου είχαν γελαστεί.	My friends had been tricked.
Γελάτε όσο θέλετε. Κάνει καλό.	Laugh as much as you want. It does good.
Γελάσαμε πολύ με την κωμωδία.	We laughed a lot listening to the comedy.
Η τύχη μου γελά.	Fortune smiles at me. (I am lucky).
Γέλασε με την καρδιά του.	He laughted to his heart content.

γεμίζω

Γεμίσαμε τα ποτήρια με κρασί.	We filled the glasses with wine.
Το θέατρο γέμισε από κόσμο.	The theater was filled with people.
Η απόφασή σου με γεμίζει από χαρά.	Your decision gives me great pleasure.
Τα μπαλόνια γεμίστηκαν με αέρα.	The balloons were filled with air.
Τα μάτια του γέμισαν δάκρυα.	His eyes filled with tears.
Γέμισε με χρήματα.	He is full with money. (He is rich).

γεννώ

Η μητέρα γέννησε δίδυμα.	Mother gave birth to twins.
Γεννήθηκα στην Ελλάδα.	I was born in Greece.
Έχει γεννηθεί Σάββατο.	He was born on Saturday.
Καινούργια άστρα γεννιούνται συνεχώς στο σύμπαν.	New stars are being born continuously in the universe.
Τα παιδιά είναι γεννημένα στην Αμερική.	The children were born in America.

γνωρίζω

Γνωρίζω τον Γιάννη.	I know John.
Γνωρίζει ελληνικά καλά.	He knows Greek well.
Δε γνωρίζω τίποτα γι' αυτό το ζήτημα.	I do not know anything about this matter.
Γνωρίζει πολλά πράγματα.	He (she) knows many things.
Δεν τον γνώρισα.	I did not recognize him. (I have not met him).
Γνωρίζει τον καιρό.	He knows the weather. (He/she can broadcast the weather).
Τον γνωρίσαμε πριν δυο χρόνια.	We met him two years ago.
Τον έχουμε γνωρίσει από τη φωνή του.	We have recognized him by his voice.
Γνωρίζομαι με τον κύριο Βασιλειάδη.	I am acquainted with Mr. Vasiliades. (We know each other.)

γράφω

Έγραψα ένα γράμμα στον θείο μου στην Ελλάδα.	I wrote a letter to my uncle in Greece.
Έγραψε ένα μυθιστόρημα που το διαβάζει όλος ο κόσμος.	He wrote a novel which is read by all people.
Αυτή η πένα δε γράφει.	This pen does not write.
Οι αρχαίοι έγραφαν πάνω σε περγαμηνές και δέρματα.	The ancients used to write on parchments and hides.
Οι νόμοι του Σόλωνα γράφτηκαν πεντακόσια εβδομήντα χρόνια π. Χ. (προ Χριστού).	Solon's laws were written about five hundred and seventy years B.C.

Ο αστυνομικός τον έγραψε, γιατί έτρεχε πολύ.	The officer gave him a ticket for speeding.
Η Καινή Διαθήκη γράφτηκε στην ελληνική γλώσσα.	The New Testament was written in the Greek language.
Σε γράφω στα παλιά μου παπούτσια.	(Lit. I write you on my old shoes.) I do not esteem you. I disregard you.

γυρίζω

Γυρίσαμε από το ταξίδι μας χτες.	We returned from our trip yesterday.
Θα γυρίσει ο τροχός.	The wheel will turn. (The fortune will change.)
Το αυτοκίνητο γύρισε ανάποδα.	The car overturned.
Του γύρισε την πλάτη.	He despised him. (Lit. He turned his back to him.)
Γυρίζει τα λόγια του τώρα.	Now he is changing his words.
Δε γυρίζει το κεφάλι του εύκολα.	He does not change his mind easily.
Πες, πες, τού γύρισε τα μυαλά.	By his continuous talk he made him change his mind.
Ο φίλος μου γυρίζει νύχτα μέρα.	My friend roams around day and night. (Either for work or to have a good time.)
Γύρισε πίσω.	He returned. *or* He came back.
Γύρισα το βιβλίο στον Γιάννη.	I returned the book to John.
Ακόμα δε μου γύρισε τα λεφτά που μου χρωστά.	He has not as yet returned the money he owes me.
Αυτή η ταινία γυρίστηκε στην Ελλάδα.	This film was made in Greece.
Ο θείος μου γυρίζει αύριο.	My uncle returns tomorrow.
Έχουν γυρίσει από το ταξίδι τους.	They have returned from their journey.
Οι τροχοί του αυτοκινήτου γυρίζουν πολύ γρήγορα.	The wheels of the car are turning very fast.

89

	Indicative		
P.	**I show**		
	δείχνω	δείχνουμε	
	δείχνεις	δείχνετε	
	δείχνει	δείχνουν	

P. C.	**I was showing**	
	έδειχνα	δείχναμε
	έδειχνες	δείχνατε
	έδειχνε	έδειχναν

P. S.	**I showed**	
	έδειξα	δείξαμε
	έδειξες	δείξατε
	έδειξε	έδειξαν

F. C.	**I will be showing**	
	θα δείχνω	θα δείχνουμε
	θα δείχνεις	θα δείχνετε
	θα δείχνει	θα δείχνουν

F. S.	**I will show**	
	θα δείξω	θα δείξουμε
	θα δείξεις	θα δείξετε
	θα δείξει	θα δείξουν

Pr. P.	**I have shown**	
	έχω δείξει	
	έχεις δείξει	etc.

P. P.	**I had shown**	
	είχα δείξει	
	είχες δείξει	etc.

F. P.	**I will have shown**	
	θα έχω δείξει	
	θα έχεις δείξει	etc.

Subjunctive
(with να, για να, όταν, etc.)

P.	να δείχνω	that I may be showing
P. S.	να δείξω	that I may show
Pr. P.	να έχω δείξει	that I may have shown

Imperative

P.	δείχνε (sing.)	be showing
	δείχνετε (pl.)	be showing
P. S.	δείξε (sing.)	show
	δείξετε – δείξτε (pl.)	show

Infinitive

	να δείξει	to show

Participle

	δείχνοντας	showing

Examples:

Μου δείχνει το βιβλίο του.	He shows me his book.
Η φωτογραφία σε δείχνει παχύ.	The photograph makes you appear fat.
Ο σκύλος δείχνει τα δόντια του.	The dog threatens by showing his teeth.
Σου δείχνω την αγάπη μου με τα δώρα μου.	I show you my love through my gifts.
Δείξε μου τον δρόμο.	Show me the way.
Δείχνει πως θα έχουμε βροχή.	It seems that we will have rain.
Έδειξε τη χαρά του.	He showed his joy.
Ποιος θα μας δείξει τον δρόμο;	Who is going to show us the way?

	Active Voice, Indicative		*Passive Voice, Indicative*	
P.	**I tie**		**I am tied**	
	δένω	δένουμε	δένομαι	δενόμαστε
	δένεις	δένετε	δένεσαι	δένεστε
	δένει	δένουν	δένεται	δένονται
P. C.	**I was tying**		**I was being tied**	
	έδενα	δέναμε	δενόμουν	δενόμαστε
	έδενες	δένατε	δενόσουν	δενόσαστε
	έδενε	έδεναν	δενόταν	δένονταν
P. S.	**I tied**		**I was tied**	
	έδεσα	δέσαμε	δέθηκα	δεθήκαμε
	έδεσες	δέσατε	δέθηκες	δεθήκατε
	έδεσε	έδεσαν	δέθηκε	δέθηκαν
F. C.	**I will be tying**		**I will be being tied**	
	θα δένω	θα δένουμε	θα δένομαι	θα δενόμαστε
	θα δένεις	θα δένετε	θα δένεσαι	θα δένεστε
	θα δένει	θα δένουν	θα δένεται	θα δένονται
F. S.	**I will tie**		**I will be tied**	
	θα δέσω	θα δέσουμε	θα δεθώ	θα δεθούμε
	θα δέσεις	θα δέσετε	θα δεθείς	θα δεθείτε
	θα δέσει	θα δέσουν	θα δεθεί	θα δεθούν
Pr. P.	**I have tied**		**I have been tied**	
	έχω δέσει		έχω δεθεί	
	έχεις δέσει	etc.	έχεις δεθεί	etc.
P. P.	**I had tied**		**I had been tied**	
	είχα δέσει		είχα δεθεί	
	είχες δέσει	etc.	είχες δεθεί	etc.
F. P.	**I will have tied**		**I will have been tied**	
	θα έχω δέσει		θα έχω δεθεί	
	θα έχεις δέσει	etc.	θα έχεις δεθεί	etc.

Subjunctive (with να, για να, όταν, αν, etc.)

P.	να δένω	that I may be tying	να δένομαι	that I may be being tied
P. S.	να δέσω	that I may tie	να δεθώ	that I may be tied
Pr. P.	να έχω δέσει	that I may have tied	να έχω δεθεί	that I may have been tied

Imperative

P.	δένε (sing.)	be tying	δένου (sing.)	be being tied
	δένετε (pl.)	be tying	δένεστε (pl.)	be being tied
P. S.	δέσε (sing.)	tie	δέσου (sing.)	be tied
	δέσετε – δέστε (pl.)	tie	δεθείτε (pl.)	be tied

Infinitive

να δέσει	to tie	να δεθεί	to be tied

Participle

δένοντας	tying	δεμέν-ος, -η, -ο	tied
		(examples on age 102)	

	Active Voice, Indicative		Passive Voice, Indicative	
P.	**I beat**		**I am beaten, I am being beaten**	
	δέρνω	δέρνουμε	δέρνομαι	δερνόμαστε
	δέρνεις	δέρνετε	δέρνεσαι	δέρνεστε
	δέρνει	δέρνουν	δέρνεται	δέρνονται
P. C.	**I was beating**		**I was being beaten**	
	έδερνα	δέρναμε	δερνόμουν	δερνόμαστε
	έδερνες	δέρνατε	δερνόσουν	δερνόσαστε
	έδερνε	έδερναν	δερνόταν	δέρνονταν
P. S.	**I beat**		**I was beaten**	
	έδειρα	δείραμε	δάρθηκα	δαρθήκαμε
	έδειρες	δείρατε	δάρθηκες	δαρθήκατε
	έδειρε	έδειραν	δάρθηκε	δάρθηκαν
F. C.	**I will be beating**		**I will be being beaten**	
	θα δέρνω	θα δέρνουμε	θα δέρνομαι	θα δερνόμαστε
	θα δέρνεις	θα δέρνετε	θα δέρνεσαι	θα δέρνεστε
	θα δέρνει	θα δέρνουν	θα δέρνεται	θα δέρνονται
F. S.	**I will beat**		**I will be beaten**	
	θα δείρω	θα δείρουμε	θα δαρθώ	θα δαρθούμε
	θα δείρεις	θα δείρετε	θα δαρθείς	θα δαρθείτε
	θα δείρει	θα δείρουν	θα δαρθεί	θα δαρθούν
Pr. P.	**I have beaten**		**I have been beaten**	
	έχω δείρει		έχω δαρθεί	
	έχεις δείρει	etc.	έχεις δαρθεί	etc.
P. P.	**I had beaten**		**I had been beaten**	
	είχα δείρει		είχα δαρθεί	
	είχες δείρει	etc.	είχες δαρθεί	etc.
F. P.	**I will have beaten**		**I will have been beaten**	
	θα έχω δείρει		θα έχω δαρθεί	
	θα έχεις δείρει	etc.	θα έχεις δαρθεί	etc.

Subjunctive

(with να, για να, όταν, etc.)

P.	να δέρνω	that I may be beating	να δέρνομαι	that I may be being beaten
P. S.	να δείρω	that I may beat	να δαρθώ	that I may be beaten
Pr. P.	να έχω δείρει	that I may have beaten	να έχω δαρθεί	that I may have been beaten

Imperative

P.	δέρνε (sing.)	be beating	δέρνου (sing.)	be being beaten
	δέρνετε (pl.)	be beating	δέρνεστε (pl.)	be being beaten
P. S.	δείρε (sing.)	beat	δάρσου (sing.)	be beaten
	δείρετε (pl.)	beat	δαρθείτε (pl.)	be beaten

Infinitive

	να δείρει	to beat	να δαρθεί	to be beaten

Participle

	δέρνοντας	beating	δαρμέν-ος, -η, -ο	beaten

(Examples on page 102)

	Indicative	
P.	**I accept**	
	δέχομαι	δεχόμαστε
	δέχεσαι	δέχεστε
	δέχεται	δέχονται

P. C.	**I was accepting**	
	δεχόμουν	δεχόμαστε
	δεχόσουν	δεχόσαστε
	δεχόταν	δέχονταν

P. S.	**I accepted**	
	δέχτηκα	δεχτήκαμε
	δέχτηκες	δεχτήκατε
	δέχτηκε	δέχτηκαν

F. C.	**I will be accepting**	
	θα δέχομαι	θα δεχόμαστε
	θα δέχεσαι	θα δέχεστε
	θα δέχεται	θα δέχονται

F. S.	**I will accept**	
	θα δεχτώ	θα δεχτούμε
	θα δεχτείς	θα δεχτείτε
	θα δεχτεί	θα δεχτούν

Pr. P.	**I have accepted**	
	έχω δεχτεί	
	έχεις δεχτεί	etc.

P. P.	**I had accepted**	
	είχα δεχτεί	
	είχες δεχτεί	etc.

F. P.	**I will have accepted**	
	θα έχω δεχτεί	
	θα έχεις δεχτεί	etc.

Subjunctive
(With να, για να, όταν, etc.)

P.	να δέχομαι	that I may be accepting
P. S.	να δεχτώ	that I mayt accept
Pr. P.	να έχω δεχτεί	that I may have accepted

Imperative

P.	δέχου (sing.)	be accepting
	δέχεστε (pl.)	be accepting
P. S.	δέξου (sing.)	accept
	δεχτείτε (pl.)	accept

Infinitive

	να δεχτεί	to accept

Participle

	δεχούμεν-ος, -η, -ο	accepted *or*
	(the classical form)	
	δεχθείς – δεχθείσα – δεχθέν	accepted

Examples:

Δέχτηκε το δώρο μου με μεγάλη χαρά.	He accepted my gift with great joy.
Αύριο θα δεχτούμε τους ξένους μας από την Ελλάδα.	Tomorrow we will welcome our guests from Greece.
Δέχτηκε να πληρώσει για το δυστύχημα που προκάλεσε.	He agreed to pay for the accident he caused.
Δεχτήκαμε την πρόσκλησή τους στον γάμο της κόρης τους.	We accepted the invitation to their daughter's wedding.
Δέχομαι την απολογία σου.	I accept your apology.

	Active Voice, Indicative		*Passive Voice, Indicative*	
P.	**I read**		**I am read, I am being read**	
	διαβάζω	διαβάζουμε	διαβάζομαι	διαβαζόμαστε
	διαβάζεις	διαβάζετε	διαβάζεσαι	διαβάζεστε
	διαβάζει	διαβάζουν	διαβάζεται	διαβάζονται
P. C.	**I was reading**		**I was being read**	
	διάβαζα	διαβάζαμε	διαβαζόμουν	διαβαζόμαστε
	διάβαζες	διαβάζατε	διαβαζόσουν	διαβαζόσαστε
	διάβαζε	διάβαζαν	διαβαζόταν	διαβάζονταν
P. S.	**I read**		**I was read**	
	διάβασα	διαβάσαμε	διαβάστηκα	διαβαστήκαμε
	διάβασες	διαβάσατε	διαβάστηκες	διαβαστήκατε
	διάβασε	διάβασαν	διαβάστηκε	διαβάστηκαν
F. C.	**I will be reading**		**I will be being read**	
	θα διαβάζω	θα διαβάζουμε	θα διαβάζομαι	θα διαβαζόμαστε
	θα διαβάζεις	θα διαβάζετε	θα διαβάζεσαι	θα διαβάζεστε
	θα διαβάζει	θα διαβάζουν	θα διαβάζεται	θα διαβάζονται
F. S.	**I will read**		**I will be read**	
	θα διαβάσω		θα διαβαστώ	
	θα διαβάσεις	etc.	θα διαβαστείς	etc.
Pr. P.	**I have read**		**I have been read**	
	έχω διαβάσει		έχω διαβαστεί	
	έχεις διαβάσει	etc.	έχεις διαβαστεί	etc.
P. P.	**I had read**		**I had been read**	
	είχα διαβάσει		είχα διαβαστεί	
	είχες διαβάσει	etc.	είχες διαβαστεί	etc.
F. P.	**I will have read**		**I will have been read**	
	θα έχω διαβάσει		θα έχω διαβαστεί	
	θα έχεις διαβάσει	etc.	θα έχεις διαβαστεί	etc.

Subjunctive (with να, για να, όταν, etc.)

P.	να διαβάζω	that I may be reading	να διαβάζομαι	that I may be being read
P. S.	να διαβάσω	that I may read	να διαβαστώ	that I may be read
Pr. P.	να έχω διαβάσει	that I may have read	να έχω διαβαστεί	that I may have been read

Imperative

P.	διάβαζε (sing.)	be reading	διαβάζου (sing.)	be being read
	διαβάζετε (pl.)	be reading	διαβάζεστε (pl.)	be being read
P. S.	διάβασε (sing.)	read	διαβάσου (sing.)	be read
	διαβάστε (pl.)	read	διαβαστείτε (pl.)	be read

Infinitive

	να διαβάσει	to read	να διαβαστεί	to be read

Participle

	διαβάζοντας	reading	διαβασμέν-ος, -η, -ο	read

(Examples on page 102)

	Active Voice, Indicative		*Passive Voice, Indicative*	
P.	**I choose**		**I am chosen, I am being chosen**	
	διαλέγω	διαλέγουμε	διαλέγομαι	διαλεγόμαστε
	διαλέγεις	διαλέγετε	διαλέγεσαι	διαλέγεστε
	διαλέγει	διαλέγουν	διαλέγεται	διαλέγονται
P. C.	**I was choosing**		**I was being chosen**	
	διάλεγα	διαλέγαμε	διαλεγόμουν	διαλεγόμαστε
	διάλεγες	διαλέγατε	διαλεγόσουν	διαλεγόσαστε
	διάλεγε	διάλεγαν	διαλεγόταν	διαλέγονταν
P. S.	**I chose**		**I was chosen**	
	διάλεξα	διαλέξαμε	διαλέχτηκα	διαλεχτήκαμε
	διάλεξες	διαλέξατε	διαλέχτηκες	διαλεχτήκατε
	διάλεξε	διάλεξαν	διαλέχτηκε	διαλέχτηκαν
F. C.	**I will be choosing**		**I will be being chosen**	
	θα διαλέγω	θα διαλέγουμε	θα διαλέγομαι	θα διαλεγόμαστε
	θα διαλέγεις	θα διαλέγετε	θα διαλέγεσαι	θα διαλέγεστε
	θα διαλέγει	θα διαλέγουν	θα διαλέγεται	θα διαλέγονται
F. S.	**I will choose**		**I will be chosen**	
	θα διαλέξω	θα διαλέξουμε	θα διαλεχτώ	θα διαλεχτούμε
	θα διαλέξεις	θα διαλέξετε	θα διαλεχτείς	θα διαλεχτείτε
	θα διαλέξει	θα διαλέξουν	θα διαλεχτεί	θα διαλεχτούν
Pr. P.	**I have chosen**		**I have been chosen**	
	έχω διαλέξει		έχω διαλεχτεί	
	έχεις διαλέξει	etc.	έχεις διαλεχτεί	etc.
P. P.	**I had chosen**		**I had been chosen**	
	είχα διαλέξει		είχα διαλεχτεί	
	είχες διαλέξει	etc.	είχες διαλεχτεί	etc.
F. P.	**I will have chosen**		**I will have been chosen**	
	θα έχω διαλέξει		θα έχω διαλεχτεί	
	θα έχεις διαλέξει	etc.	θα έχεις διαλεχτεί	etc.

		Subjunctive	(with να, για να, όταν, etc.)	
P.	να διαλέγω	that I may be choosing	να διαλέγομαι	than I may be being chosen
P. S.	να διαλέξω	that I may choose	να διαλεχτώ	that I may be chosen
Pr. P	να έχω διαλέξει	that I may have chosen	να έχω διαλεχτεί	that I may have been chosen
		Imperative		
P.	διάλεγε (sing.)	be choosing	διαλέγου (sing.)	be being chosen
	διαλέγετε (pl.)	be choosing	διαλέγεστε (pl.)	be being chosen
P. S.	διάλεξε (sing.)	choose	διαλέξου (sing.)	be chosen
	διαλέξτε (pl.)	choose	διαλεχτείτε (pl.)	be chosen
		Infinitive		
	να διαλέξει	to choose	να διαλεχτεί	to be chosen
		Participle		
	διαλέγοντας	choosing	διαλεγμέν-ος, -η, -ο	chosen
			(Examples on page 102)	

	Indicative	
P.	**I enjoy myself**	
	διασκεδάζω	διασκεδάζουμε
	διασκεδάζεις	διασκεδάζετε
	διασκεδάζει	διασκεδάζουν
P. C.	**I was enjoying myself**	
	διασκέδαζα	διασκεδάζαμε
	διασκέδαζες	διασκεδάζατε
	διασκέδαζε	διασκέδαζαν
P. S.	**I enjoyed myself**	
	διασκέδασα	διασκεδάσαμε
	διασκέδασες	διασκεδάσατε
	διασκέδασε	διασκέδασαν
F. C.	**I will be enjoying myself**	
	θα διασκεδάζω	θα διασκεδάζουμε
	θα διασκεδάζεις	θα διασκεδάζετε
	θα διασκεδάζει	θα διασκεδάζουν
F. S.	**I will enjoy myself**	
	θα διασκεδάσω	θα διασκεδάσουμε
	θα διασκεδάσεις	θα διασκεδάσετε
	θα διασκεδάσει	θα διασκεδάσουν
Pr. P.	**I have enjoyed myself**	
	έχω διασκεδάσει	
	έχεις διασκεδάσει	etc.
P. P.	**I had enjoyed myself**	
	είχα διασκεδάσει	
	είχες διασκεδάσει	etc.
F. P.	**I will have enjoyed myself**	
	θα έχω διασκεδάσει	
	θα έχεις διασκεδάσει	etc.

Subjunctive
(with να, για να, όταν, etc.)

P.	να διασκεδάζω	that I may be enjoying myself
P. S.	να διασκεδάσω	that I may enjoy myself
Pr. P.	να έχω διασκεδάσει	that I may have enjoyed myself

Imperative

P.	διασκέδαζε (sing.)	be enjoying yourself
	διασκεδάζετε (pl.)	be enjoying yourselves
P. S.	διασκέδασε (sing.)	enjoy yourself
	διασκεδάστε (pl.)	enjoy yourselves

Infinitive

να διασκεδάσει	to enjoy oneself

Participle

διασκεδάζοντας	enjoying oneself

Examples:

Χτες διασκεδάζαμε όλη την ημέρα.	Yesterday we were enjoying ourselves all day long.
Η μουσική με διασκεδάζει.	I enjoy music.
Στα μπουζούκια διασκεδάσαμε ωραία.	We had a good time at the bouzoukia.
Στον γάμο θα διασκεδάσουμε.	We will have a good time at the wedding.
Διασκεδάζει κάθε νύχτα.	Every night he has a good time.

	Active Voice, Indicative		*Passive Voice, Indicative*	
P.	**I teach**		**I am taught, I am being taught**	
	διδάσκω	διδάσκουμε	διδάσκομαι	διδασκόμαστε
	διδάσκεις	διδάσκετε	διδάσκεσαι	διδάσκεστε
	διδάσκει	διδάσκουν	διδάσκεται	διδάσκονται
P. C.	**I was teaching**		**I was being taught**	
	δίδασκα	διδάσκαμε	διδασκόμουν	διδασκόμαστε
	δίδασκες	διδάσκατε	διδασκόσουν	διδασκόσαστε
	δίδασκε	δίδασκαν	διδασκόταν	διδάσκονταν
P. S.	**I taught**		**I was taught**	
	δίδαξα	διδάξαμε	διδάχτηκα	διδαχτήκαμε
	δίδαξες	διδάξατε	διδάχτηκες	διδαχτήκατε
	δίδαξε	δίδαξαν	διδάχτηκε	διδάχτηκαν
F. C.	**I will be teaching**		**I will be being taught**	
	θα διδάσκω	θα διδάσκουμε	θα διδάσκομαι	θα διδασκόμαστε
	θα διδάσκεις	θα διδάσκετε	θα διδάσκεσαι	θα διδάσκεστε
	θα διδάσκει	θα διδάσκουν	θα διδάσκεται	θα διδάσκονται
F. S.	**I will teach**		**I will be taught**	
	θα διδάξω	θα διδάξουμε	θα διδαχθώ	θα διδαχθούμε
	θα διδάξεις	θα διδάξετε	θα διδαχθείς	θα διδαχθείτε
	θα διδάξει	θα διδάξουν	θα διδαχθεί	θα διδαχθούν
Pr. P.	**I have taught**		**I have been taught**	
	έχω διδάξει		έχω διδαχθεί	
	έχεις διδάξει	etc.	έχεις διδαχθεί	etc.
P. P.	**I had taught**		**I had been taught**	
	είχα διδάξει		είχα διδαχθεί	
	είχες διδάξει	etc.	είχες διδαχθεί	etc.
F. P.	**I will have taught**		**I will have been taught**	
	θα έχω διδάξει		θα έχω διδαχθεί	
	θα έχεις διδάξει	etc.	θα έχεις διδαχθεί	etc.

Subjunctive (with να, για να, όταν, etc.)

P.	να διδάσκω	that I may be teaching	να διδάσκομαι	that I may be being taught
P. S.	να διδάξω	that I may teach	να διδαχθώ	that I may be taught
Pr. P.	να έχω διδάξει	that I may have taught	να έχω διδαχθεί	that I may have been taught

Imperative

P.	δίδασκε (sing.)	be teaching	διδάσκου (sing.)	be being taught
	διδάσκετε (pl.)	be teaching	διδάσκεσθε (pl.)	be being taught
P. S.	δίδαξε (sing.)	teach	διδάξου (sing.)	be taught
	διδάξετε (pl.)	teach	διδαχθείτε (pl.)	be taught

Infinitive

να διδάξει	to teach	να διδαχτεί	to be taught

Participle

διδάσκοντας	teaching	διδαγμέν-ος, -η, -ο	taught
		διδαχθείς – διδαχθείσα – διδαχθέν – taught *(classical form)*	
		(for examples, see p.102)	

97

δίνω **(1)** – to give

	Active Voice, Indicative		*Passive Voice, Indicative*	
P.	**I give**		**I am given**	
	δίνω	δίνουμε	δίνομαι	δινόμαστε
	δίνεις	δίνετε	δίνεσαι	δίνεστε
	δίνει	δίνουν	δίνεται	δίνονται
P. C.	**I was giving**		**I was being given**	
	έδινα	δίναμε	δινόμουν	δινόμαστε
	έδινες	δίνατε	δινόσουν	δινόσαστε
	έδινε	έδιναν	δινόταν	δίνονταν
P. S.	**I gave**		**I was given**	
	έδωσα	δώσαμε	δόθηκα	δοθήκαμε
	έδωσες	δώσατε	δόθηκες	δοθήκατε
	έδωσε	έδωσαν	δόθηκε	δόθηκαν
F. C.	**I will be giving**		**I will be being given**	
	θα δίνω	θα δίνουμε	θα δίνομαι	θα δινόμαστε
	θα δίνεις	θα δίνετε	θα δίνεσαι	θα δίνεστε
	θα δίνει	θα δίνουν	θα δίνεται	θα δίνονται
F. S.	**I will give**		**I will be given**	
	θα δώσω	θα δώσουμε	θα δοθώ	θα δοθούμε
	θα δώσεις	θα δώσετε	θα δοθείς	θα δοθείτε
	θα δώσει	θα δώσουν	θα δοθεί	θα δοθούν
Pr. P.	**I have given**		**I have been given**	
	έχω δώσει		έχω δοθεί	
	έχεις δώσει	etc.	έχεις δοθεί	etc.
P. P.	**I had given**		**I had been given**	
	είχα δώσει		είχα δοθεί	
	είχες δώσει	etc.	είχες δοθεί	etc.
F. P.	**I will have given**		**I will have been given**	
	θα έχω δώσει		θα έχω δοθεί	
	θα έχεις δώσει	etc.	θα έχεις δοθεί	etc.

Subjunctive (wih να, για να, όταν, etc.)

P.	να δίνω	that I may be giving	να δίνομαι	that I may be being given
P. S.	να δώσω	that I may give	να δοθώ	that I may be given
Pr. P.	να έχω δώσει	that I may have given	να έχω δοθεί	that I may have been given

Imperative

P.	δίνε (sing.)	be giving	δίνου (sing.)	be being given
	δίνετε (pl.)	be giving	δίνεστε (pl.)	be being given
P. S.	δώσε, δος (sing.)	give	δόσου (sing.)	be given
	δώσετε, δώστε (pl.)	give	δοθείτε (pl.)	be given

Infinitive

	να δώσει	to give	να δοθεί	to be given

Participle

	δίνοντας	giving	δοσμέν-ος, -η, -ο	given

(Examples on page 103)

98

	Indicative	
P.	**I am thirsty**	
	διψ-ώ, -άω	διψ-ούμε, -άμε
	διψάς	διψάτε
	διψ-ά, -άει	διψ-ούν, -άνε

	P. C.	**I was being thirsty**	
		διψούσα	διψούσαμε
		διψούσες	διψούσατε
		διψούσε	διψούσαν

	P. S.	**I was thirsty**	
		δίψασα	διψάσαμε
		δίψασες	διψάσατε
		δίψασε	δίψασαν

	F. C.	**I will continue being thirsty**	
		θα διψ-ώ, -άω	θα διψ-ούμε, -άμε
		θα διψάς	θα διψάτε
		θα διψ-ά, -άει	θα διψ-ούν, -άνε

	F. S.	**I will be thirsty**	
		θα διψάσω	θα διψάσουμε
		θα διψάσεις	θα διψάσετε
		θα διψάσει	θα διψάσουν

	Pr. P.	**I have been thirsty**	
		έχω διψάσει	
		έχεις διψάσει	etc.

	P. P.	**I had been thirsty**	
		είχα διψάσει	
		είχες διψάσει	etc.

	F. P.	**I will have been thirsty**	
		θα έχω διψάσει	
		θα έχεις διψάσει	etc.

Subjunctive
(with να, για να, όταν, etc)

P.	να διψώ	that I may be being thirsty
P. S.	να διψάσω	that I may be thirsty
Pr. P.	να έχω διψάσει	that I may have been thirsty

Imperative

P.	δίψα (sing.)	be being thirsty
	διψάτε (pl.)	be being thirsty
P. S.	δίψασε (sing.)	be thirsty
	διψάστε (pl.)	be thirsty

Infinitive

	να διψάσει	to be thirsty

Participle

	διψώντας	being thirsty

Passive participle

	διψασμέν-ος, -η, -ο	thirsty

Examples:

Διψώ πολύ.	I am very thirsty.
Διψά για μάθηση.	He is thirsty for knowledge.
Η μέρα ήταν ζεστή και είχαμε διψάσει.	The day was hot and we became thirsty.
Τα χωράφια διψούν για βροχή.	The fields are thirsty for rain.
Τα ζώα δίψασαν και έτρεξαν στην πηγή.	The animals were thirsty and ran to the spring.

	Active Voice, Indicative		*Passive Voice, Indicative*	
P.	**I try**		**I am being tested, I am tested**	
	δοκιμάζω	δοκιμάζουμε	δοκιμάζομαι	δοκιμαζόμαστε
	δοκιμάζεις	δοκιμάζετε	δοκιμάζεσαι	δοκιμάζεστε
	δοκιμάζει	δοκιμάζουν	δοκιμάζεται	δοκιμάζονται
P. C.	**I was trying**		**I was being tested**	
	δοκίμαζα	δοκιμάζαμε	δοκιμαζόμουν	δοκιμαζόμαστε
	δοκίμαζες	δοκιμάζατε	δοκιμαζόσουν	δοκιμαζόσαστε
	δοκίμαζε	δοκίμαζαν	δοκιμαζόταν	δοκιμάζονταν
P. S.	**I tried**		**I was tried**	
	δοκίμασα	δοκιμάσαμε	δοκιμάστηκα	δοκιμαστήκαμε
	δοκίμασες	δοκιμάσατε	δοκιμάστηκες	δοκιμαστήκατε
	δοκίμασε	δοκίμασαν	δοκιμάστηκε	δοκιμάστηκαν
F. C.	**I will be trying**		**I will be being tested**	
	θα δοκιμάζω	θα δοκιμάζουμε	θα δοκιμάζομαι	θα δοκιμαζόμαστε
	θα δοκιμάζεις	θα δοκιμάζετε	θα δοκιμάζεσαι	θα δοκιμάζεστε
	θα δοκιμάζει	θα δοκιμάζουν	θα δοκιμάζεται	θα δοκιμάζονται
F. S.	**I will try**		**I will be tested**	
	θα δοκιμάσω	θα δοκιμάσουμε	θα δοκιμαστώ	θα δοκιμαστούμε
	θα δοκιμάσεις	θα δοκιμάσετε	θα δοκιμαστείς	θα δοκιμαστείτε
	θα δοκιμάσει	θα δοκιμάσουν	θα δοκιμαστεί	θα δοκιμαστούν
Pr. P.	**I have tried**		**I have been tested**	
	έχω δοκιμάσει		έχω δοκιμαστεί	
	έχεις δοκιμάσει	etc.	έχεις δοκιμαστεί	etc.
P. P.	**I had tried**		**I had been tested**	
	είχα δοκιμάσει		είχα δοκιμαστεί	
	είχες δοκιμάσει	etc.	είχες δοκιμαστεί	etc.
F. P.	**I will have tried**		**I will have been tested**	
	θα έχω δοκιμάσει		θα έχω δοκιμαστεί	
	θα έχεις δοκιμάσει	etc.	θα έχεις δοκιμαστεί	etc.

Subjunctive

P.	να δοκιμάζω	that I may be trying	να δοκιμάζομαι	that I may be being tested
P. S.	να δοκιμάσω	that I may try	να δοκιμαστώ	that I may be tested
Pr. P.	να έχω δοκιμάσει	that I may have tried	να έχω δοκιμαστεί	that I may have been tested

Imperative

P.	δοκίμαζε (sing.)	be trying	δοκιμάζου (sing.)	be being tested
	δοκιμάζετε (pl.)	be trying	δοκιμάζεστε (pl.)	be being tested
P. S.	δοκίμασε (sing.)	try	δοκιμάσου (sing.)	be tested
	δοκιμάστε (pl.)	try	δοκιμαστείτε (pl.)	be tested

Infinitive

να δοκιμάσει	to try	να δοκιμαστεί	to be tested

Participle

δοκιμάζοντας	trying	δοκιμασμέν-ος, -η, -ο	tested

(Examples on page 103)

Indicative

P.   **I work**

δουλεύω	δουλεύουμε
δουλεύεις	δουλεύετε
δουλεύει	δουλεύουν

P. C.   **I was working**

δούλευα	δουλεύαμε
δούλευες	δουλεύατε
δούλευε	δούλευαν

P. S.   **I worked**

δούλεψα	δουλέψαμε
δούλεψες	δουλέψατε
δούλεψε	δούλεψαν

F. C.   **I will be working**

θα δουλεύω	θα δουλεύουμε
θα δουλεύεις	θα δουλεύετε
θα δουλεύει	θα δουλεύουν

F. S.   **I will work**

θα δουλέψω	θα δουλέψουμε
θα δουλέψεις	θα δουλέψετε
θα δουλέψει	θα δουλέψουν

Pr. P.   **I have worked**

έχω δουλέψει	
έχεις δουλέψει	etc.

P. P.   **I had worked**

είχα δουλέψει	
είχες δουλέψει	etc.

F. P.   **I will have worked**

θα έχω δουλέψει	
θα έχεις δουλέψει	etc.

Subjunctive
(with να, για να, όταν, etc.)

P.	να δουλεύω	that I may be working
P. S.	να δουλέψω	that I may work
Pr. P.	να έχω δουλέψει	that I may have worked

Imperative

P.	δούλευε (sing.)	be working
	δουλεύετε (pl.)	be working
P. S.	δούλεψε (sing.)	work
	δουλέψτε (pl.)	work

Infinitive

να δουλέψει	to work

Participle

δουλεύοντας	working

Passive Participle

δουλεμέν-ος, -η, -ο	worked

Examples:

Δουλεύει σκληρά.	He works hard.
Δούλεψα τρία χρόνια σαν μάγειρας.	I worked as a cook for three years.
Το μυαλό του δουλεύει γρήγορα.	His mind works quickly. (He has a quick mind).
Το ρολόι δε δουλεύει.	The clock (watch) does not work.
Το καλοκαίρι τα θέατρα δε δουλεύουν.	During the summer the theaters are closed.
Φέτος δουλέψαμε καλά.	This year we had good business.
Με δουλεύει.	He is teasing me.
Τρώει από τα δουλεμένα.	He uses the money he has earned.
Δε θέλει να δουλεύει.	He does not wish to work.

Examples of uses of verbs beginning with **δ**

δένω

Του έδεσαν τα χέρια.	They tied his hands.
Ο βοσκός έδεσε το αρνί κοντά σ' ένα δέντρο.	The shepherd tied the lamb close to a tree.
Το αρνί δέθηκε από τον βοσκό κοντά στο δέντρο.	The lamb was tied by the shepherd close to the tree.
Η απεργία μού έχει δέσει τα χέρια.	The strike has tied my hands. (The strike is hindering my work).
Ο βιβλιοπώλης έδεσε τα βιβλία με δέρμα.	The bookseller bound the books in leather.
Δέσαμε την πληγή για να σταματήσει το αίμα.	We bandaged the wound so that the blood would stop.
Τα άλογα είχαν δεθεί στον στάβλο.	The horses had been tied in the stable.
Δέσε τα παπούτσια σου.	Tie your shoes.

δέρνω

Ο οδηγός έδειρε το ζώο.	The driver beat the animal.
Ο πατέρας έδειρε τον Γιάννη που έκανε αταξίες.	Father spanked John who was unruly.
Οι φύλακες δέρνουν τους φυλακισμένους.	The guards beat the prisoners.
Δάρθηκε από τους κλέφτες.	He was beaten by the thieves.
Ο πατέρας μου ποτέ δε με έδειρε.	My father never spanked me.
Οι δάσκαλοι δεν μπορούν να δέρνουν τα παιδιά στο σχολείο.	The teachers cannot beat the children at school.

διαβάζω

Κάθε βράδυ διαβάζω τα μαθήματα της επόμενης μέρας.	Every evening I study the lessons of the next day.
Διάβασα ένα ωραίο μυθιστόρημα.	I read a nice novel.
Αυτό το παιδί ποτέ δε διαβάζει.	This child never studies.
Διάβασα στα μάτια σου τι έχεις.	I read in your eyes what is wrong with you. (I detected …)
Θα τον διαβάσω καλά, όταν γυρίσει.	I will scold him severely when he returns.
Οι όροι του συμβολαίου διαβάστηκαν από όλους.	The terms of the contract were read by all.
Πάντοτε έρχεται στο σχολείο διαβασμένος.	He always comes to school prepared.

διαλέγω

Διαλέξαμε ό,τι θέλαμε.	We chose what we wanted.
Την πήρε πολλή ώρα για να διαλέξει καπέλο.	She took a long time to choose a hat.
Διάλεξαν τον Δημήτρη για αρχηγό τους.	They chose Jimmy as their leader.
Διάλεξε και πάρε.	Choose and take.
Έπρεπε να διαλέξει μεταξύ θανάτου και ατιμίας.	He had to choose between death and dishonor.

διδάσκω

Η Καινή Διαθήκη μας διδάσκει να αγαπάμε τους εχθρούς μας.	The New Testament teaches us to love our enemies.
Αυτός ο καθηγητής διδάσκει χημεία.	This professor teaches chemistry.
Στο σχολείο φέτος διδαχτήκαμε την ιστορία της Ελλάδας.	This year at school we were taught the history of Greece.

Ο Σωκράτης δίδασκε ότι το ιερότερο πράγμα στη ζωή είναι η πατρίδα.
Socrates used to teach that the most sacred thing in life is fatherland.

Ο Χριστός δίδασκε με παραβολές.
Christ used to teach in parables.

Διδάσκει τρεις ώρες συνεχώς.
He has been teaching continuously for three hours.

Ποιος διδάσκει μαθηματικά;
Who teaches mathematics?

Ό,τι ξέρω το διδάχτηκα στο γυμνάσιο.
Whatever I know I learned it in high school.

δίνω

Πόσα δίνεις γι' αυτή τη δουλειά;
How much you offer for this job?

Αυτός ο άνθρωπος μου δίνει στα νεύρα.
This man makes me nervous.

Σου δίνω τον λόγο μου.
I promise. (I give you my word).

Δίνω στο παιδί να καταλάβει.
I make the child understand.

Έδωσαν τα χέρια.
(They joined their hands.) They became friends.

Όλοι έδωσαν χέρι στον φτωχό άνθρωπο για να ξαναχτίσει το σπίτι του.
Everybody helped the poor man to rebuild his house.

Του έδωσε αέρα.
He gave him too much freedom.

Δίνε του.
Get out of here.

Ακόμη δίνω και το κεφάλι μου.
I even bet my life.

Η διάλεξη δόθηκε χτες βράδυ.
The lecture was given last night.

Θα δοθεί μεγάλο δείπνο.
A big dinner will be given.

δοκιμάζω

Δοκίμασαν να δραπετεύσουν από τη φυλακή.
They tried to escape from the prison.

Έχετε δοκιμάσει αυτό το φαγητό;
Have you tasted this food?

Δοκιμαστήκαμε πολύ σ' αυτό το ταξίδι.
We suffered much during this trip.

Το παιδί δοκιμάζει να περπατήσει μα δεν μπορεί.
The child tries to walk but he cannot.

Δοκίμασε ακόμα μια φορά.
Try once more.

Αυτή η μηχανή είναι δοκιμασμένη.
This engine has been tested.

Τα λάστιχα των αυτοκινήτων δοκιμάζονται πριν χρησιμοποιηθούν.
The tires of the cars are tested before they are used.

Δοκίμασε πολλές ατυχίες στη ζωή του.
He had many misfortunes in life.

Δοκίμασε αυτό το φαγητό να δούμε αν σου αρέσει.
Try this food to see if you like it.

ειδοποιώ **(3)** – to notify; to let one know; to inform

	Active Voice, Indicative		*Passive Voice, Indicative*	
P.	**I notify**		**I am notified**	
	ειδοποιώ	ειδοποιούμε	ειδοποιούμαι	ειδοποιούμαστε
	ειδοποιείς	ειδοποιείτε	ειδοποιείσαι	ειδοποιείστε
	ειδοποιεί	ειδοποιούν	ειδοποιείται	ειδοποιούνται
P. C.	**I was notifying**		**I was being notified**	
	ειδοποιούσα	ειδοποιούσαμε	ειδοποιούμουν	ειδοποιούμαστε
	ειδοποιούσες	ειδοποιούσατε	ειδοποιούσουν	ειδοποιούσαστε
	ειδοποιούσε	ειδοποιούσαν	ειδοποιούνταν	ειδοποιούνταν
P. S.	**I notified**		**I was notified**	
	ειδοποίησα	ειδοποιήσαμε	ειδοποιήθηκα	ειδοποιηθήκαμε
	ειδοποίησες	ειδοποιήσατε	ειδοποιήθηκες	ειδοποιηθήκατε
	ειδοποίησε	ειδοποίησαν	ειδοποιήθηκε	ειδοποιήθηκαν
F. C.	**I will be notifying**		**I will be being notified**	
	θα ειδοποιώ	θα ειδοποιούμε	θα ειδοποιούμαι	θα ειδοποιούμαστε
	θα ειδοποιείς	θα ειδοποιείτε	θα ειδοποιείσαι	θα ειδοποιείστε
	θα ειδοποιεί	θα ειδοποιούν	θα ειδοποιείται	θα ειδοποιούνται
F. S.	**I will notify**		**I will be notified**	
	θα ειδοποιήσω	θα ειδοποιήσουμε	θα ειδοποιηθώ	θα ειδοποιηθούμε
	θα ειδοποιήσεις	θα ειδοποιήσετε	θα ειδοποιηθείς	θα ειδοποιηθείτε
	θα ειδοποιήσει	θα ειδοποιήσουν	θα ειδοποιηθεί	θα ειδοποιηθούν
Pr. P.	**I have notified**		**I have been notified**	
	έχω ειδοποιήσει	etc.	έχω ειδοποιηθεί	etc.
	έχεις ειδοποιήσει		έχεις ειδοποιηθεί	
P. P.	**I had notified**		**I had been notified**	
	είχα ειδοποιήσει		είχα ειδοποιηθεί	
	είχες ειδοποιήσει	etc.	είχες ειδοποιηθεί	etc.
F. P.	**I will have notified**		**I will have been notified**	
	θα έχω ειδοποιήσει		θα έχω ειδοποιηθεί	
	θα έχεις ειδοποιήσει	etc.	θα έχεις ειδοποιηθεί	etc.

Subjunctive (with να, για να, όταν, etc.)

P.	να ειδοποιώ	that I may be notifying	να ειδοποιούμαι	that I may be being notified
P. S.	να ειδοποιήσω	that I may notify	να ειδοποιηθώ	that I may be notified
Pr. P.	να έχω ειδοποιήσει	that I may have notified	να έχω ειδοποιηθεί	that I may have been notified

Imperative

P.	ειδοποίει (sing.)	be notifying	ειδοποιού (sing.)	be being notified
	ειδοποιείτε (pl.)	be notifying	ειδοποιείστε (pl.)	be being notified
P. S.	ειδοποίησε (sing.)	notify	ειδοποιήσου (sing.)	be notified
	ειδοποιήστε (pl.)	notify	ειδοποιηθείτε (pl.)	be notified

Infinitive

να ειδοποιήσει	to notify	να ειδοποιηθεί	to be notified

Participle

ειδοποιώντας	notifying	ειδοποιημέν-ος, -η, -ο	notified

(Examples on page 119)

104

είμαι (4) – to be; to exist   (auxiliary verb)

Present	*Past Continous*	*Future*
Indicative – I am	**I was**	**I will be**
είμαι	ήμουν	θα είμαι
είσαι	ήσουν	θα είσαι
είναι	ήταν	θα είναι
είμαστε	ήμαστε	θα είμαστε
είστε	ήσαστε	θα είστε
είναι	ήταν	θα είναι

The verb has no forms for past simple and perfect tenses.
It borrows the forms from the verb υπάρχω:

Past Simple – I was – I existed

υπήρξα	υπήρξαμε
υπηρξες	υπήρξατε
υπήρξε	υπήρξαν

Sunjunctive   that I may be

να είμαι	να είμαστε
να είσαι	να είστε
να είναι	να είναι

Present perfect - I have been

έχω υπάρξει	έχουμε υπάρξει
έχεις υπάρξει	έχετε υπάρξει
έχει υπάρξει	έχουν υπάρξει

Imperative

να είσαι (sing.)	that you may be
να είστε (pl.)	that you may be

Past Perfet - I had been

είχα υπάρξει	
είχες υπάρξει	etc.

Infinitive   να είναι   to be

Future Perfect - I will have been

θα έχω υπάρξει	
θα έχεις υπάρξει	etc.

Participle   όντας   being

Examples:

Ποιος είναι αυτός;	Who is he?
Είναι καλός άνθρωπος.	He is a good man.
Ποιοι είστε εσείς;	Who are you?
Πόσοι ήσαστε στο θέατρο χτες;	How many of you were at the theater yesterday?
Ποιοι ήταν αυτοί;	Who were they?
Πού θα είσαι αύριο;	Where are you going to be tomorrow?
Αύριο θα είναι καλή μέρα.	Tomorrow will be good day.
Είναι από την Αθήνα.	He/she is from Athens.
Είμαι της γνώμης.	I am of the opinion.
Είναι καλός καιρός.	It is good weather.
Είναι πρωί, μεσημέρι, βράδυ.	It is morning, noon, afternoon.
Είναι ώρα να φύγουμε.	It is time for us to leave.
Όντας χειμώνας κάνει κρύο.	Being (since it is) winter it is cold.
Ίσως αύριο να είναι καλός καιρός.	Perhaps tomorrow will be good weather.

	Active Voice, Indicative		*Passive Voice, Indicative*	
P.	**I esteem**		**I am esteemed, I am being esteemed**	
	εκτιμ-ώ, -άω	εκτιμ-ούμε, -άμε	εκτιμούμαι	εκτιμούμαστε
	εκτιμάς	εκτιμάτε	εκτιμάσαι	εκτιμάστε
	εκτιμ-ά, -άει	εκτιμ-ούν, -άνε	εκτιμάται	εκτιμούνται
P. C.	**I was esteeming**		**I was being esteemed**	
	εκτιμούσα	εκτιμούσαμε	εκτιμούμουν	εκτιμούμ-αστε, -ασταν
	εκτιμούσες	εκτιμούσατε	εκτιμούσουν	εκτιμούσ-αστε, -ασταν
	εκτιμούσε	εκτιμούσαν	εκτιμούνταν	εκτιμούνταν
P. S.	**I esteemed**		**I was esteemed**	
	εκτίμησα	εκτιμήσαμε	εκτιμήθηκα·	εκτιμηθήκαμε
	εκτίμησες	εκτιμήσατε	εκτιμήθηκες	εκτιμηθήκατε
	εκτίμησε	εκτίμησαν	εκτιμήθηκε	εκτιμήθηκαν
F. C.	**I will be esteeming**		**I will be being esteemed**	
	θα εκτιμ-ώ, -άω	θα εκτιμ-ούμε, -άμε	θα εκτιμούμαι	θα εκτιμούμαστε
	θα εκτιμάς	θα εκτιμάτε	θα εκτιμάσαι	θα εκτιμάστε
	θα εκτιμ-ά, -άει	θα εκτιμ-ούν, -άνε	θα εκτιμάται	θα εκτιμούνται
F. S.	**I will esteem**		**I will be esteemed**	
	θα εκτιμήσω	θα εκτιμήσουμε	θα εκτιμηθώ	θα εκτιμηθούμε
	θα εκτιμήσεις	θα εκτιμήσετε	θα εκτιμηθείς	θα εκτιμηθείτε
	θα εκτιμήσει	θα εκτιμήσουν	θα εκτιμηθεί	θα εκτιμηθούν
Pr. P.	**I have esteemed**		**I have been esteemed**	
	έχω εκτιμήσει		έχω εκτιμηθεί	
	έχεις εκτιμήσει	etc.	έχεις εκτιμηθεί	etc.
P. P.	**I had esteemed**		**I had been esteemed**	
	είχα εκτιμήσει		είχα εκτιμηθεί	
	είχες εκτιμήσει	etc.	είχες εκτιμηθεί	etc.
F. P.	**I will have esteemed**		**I will have been esteemed**	
	θα έχω εκτιμήσει		θα έχω εκτιμηθεί	
	θα έχεις εκτιμήσει	etc.	θα έχεις εκτιμηθεί	etc.

Subjunctive (with να, για να, όταν, etc.)

P.	να εκτιμώ	that I may be esteeming	να εκτιμούμαι	that I may be being esteemed
P. S.	να εκτιμήσω	that I may esteem	να εκτιμηθώ	that I may be esteemed
Pr. P.	να έχω εκτιμήσει	that I may have esteemed	να έχω εκτιμηθεί	that I may have been esteemed

Imperative

P.	εκτίμα (sing.)	be esteeming	εκτιμού (sing.)	be being esteemed
	εκτιμάτε (pl.)	be esteeming	εκτιμείστε (pl.)	be being esteemed
P. S.	εκτίμησε (sing.)	esteem	εκτιμήσου (sing.)	be esteemed
	εκτιμήστε (pl.)	esteem	εκτιμηθείτε (pl.)	be esteemed

Infinitive

να εκτιμήσει	to esteem	να εκτιμηθεί	to be esteemed

Participle

εκτιμώντας	esteeming	εκτιμημέν-ος, -η, -ο	esteemed

(For examples see page 119)

106

	Indicative	
P.	**I hope**	
	ελπίζω	ελπίζουμε
	ελπίζεις	ελπίζετε
	ελπίζει	ελπίζουν

P. C.	**I was hoping**	
	ήλπιζα - έλπιζα	ηλπίζαμε - ελπίζαμε
	ήλπιζες - έλπιζες	ηλπίζατε - ελπίζατε
	ήλπιζε - έλπιζε	ήλπιζαν - ελπίζανε

P. S	**I hoped**	
	έλπισα (also ήλπισα)	ελπίσαμε
	έλπισες	ελπίσατε
	έλπισε	έλπισαν

F. C.	**I will be hoping**	
	θα ελπίζω	θα ελπίζουμε
	θα ελπίζεις	θα ελπίζετε
	θα ελπίζει	θα ελπίζουν

F. S.	**I will hope**	
	θα ελπίσω	θα ελπίσουμε
	θα ελπίσεις	θα ελπίσετε
	θα ελπίσει	θα ελπίσουν

Pr. P.	**I have hoped**	
	έχω ελπίσει	
	έχεις ελπίσει	etc.

P. P.	**I had hoped**	
	είχα ελπίσει	
	είχες ελπίσει	etc.

F. P.	**I will have hoped**	
	θα έχω ελπίσει	
	θα έχεις ελπίσει	etc.

Subjunctive
(with να, για να, όταν, etc.)

P.	να ελπίζω	that I may be hoping
P. S.	να ελπίσω	that I may hope
Pr. P.	να έχω ελπίσει	that I may have hoped

Imperative

Pr.	έλπιζε (sing.)	be hoping
	ελπίζετε (pl.)	be hoping
P. S.	έλπισε (sing.)	hope
	ελπίσετε - ελπίστε (pl.)	hope

Infinitive

	να ελπίσει	to hope

Participle

	ελπίζοντας	hoping

Examples:

Ελπίζω να έρθω.	I hope to come.
Ελπίζουμε για κάτι καλύτερο.	We hope for something better.
Η ομάδα έλπιζε ότι θα νικούσε.	The team was hoping that it will win.
Ελπίζουν ότι τα παιδιά τους θα προοδέψουν.	They hope that their children will progress.
Πρέπει πάντοτε να ελπίζουμε.	We must always hope (have hope).

	Active Voice, Indicative		*Passive Voice, Indicative*	
P.	**I prevent**		**I am being prevented, hindered**	
	εμποδίζω	εμποδίζουμε	εμποδίζομαι	εμποδιζόμαστε
	εμποδίζεις	εμποδίζετε	εμποδίζεσαι	εμποδίζεστε
	εμποδίζει	εμποδίζουν	εμποδίζεται	εμποδίζονται
P. C.	**I was preventing**		**I was being prevented**	
	εμπόδιζα	εμποδίζαμε	εμποδιζόμουν	εμποδιζόμαστε
	εμπόδιζες	εμποδίζατε	εμποδιζόσουν	εμποδιζόσαστε
	εμπόδιζε	εμπόδιζαν	εμποδιζόταν	εμποδίζονταν
P. S.	**I prevented**		**I was prevented**	
	εμπόδισα	εμποδίσαμε	εμποδίστηκα	εμποδιστήκαμε
	εμπόδισες	εμποδίσατε	εμποδίστηκες	εμποδιστήκατε
	εμπόδισε	εμπόδισαν	εμποδίστηκε	εμποδίστηκαν
F. C.	**I will be preventing**		**I will be being prevented**	
	θα εμποδίζω		θα εμποδίζομαι	
	θα εμποδίζεις	etc.	θα εμποδίζεσαι	etc.
P. S.	**I will prevent**		**I will be prevented**	
	θα εμποδίσω	θα εμποδίσουμε	θα εμποδιστώ	θα εμποδιστούμε
	θα εμποδίσεις	θα εμποδίσετε	θα εμποδιστείς	θα εμποδιστείτε
	θα εμποδίσει	θα εμποδίσουν	θα εμποδιστεί	θα εμποδιστούν
Pr. P.	**I have prevented**		**I have been prevented**	
	έχω εμποδίσει		έχω εμποδιστεί	
	έχεις εμποδίσει	etc.	έχεις εμποδιστεί	etc.
P. P.	**I had prevented**		**I had been prevented**	
	είχα εμποδίσει		είχα εμποδιστεί	
	είχες εμποδίσει	etc.	είχες εμποδιστεί	etc.
F. P.	**I will have prevented**		**I will have been prevented**	
	θα έχω εμποδίσει		θα έχω εμποδιστεί	
	θα έχεις εμποδίσει	etc.	θα έχεις εμποδιστεί	etc.

		Subjunctive	(with να, για να, όταν, etc.)	
P.	να εμποδίζω	that I may be preventing	να εμποδίζομαι	that I may be being prevented
P. S.	να εμποδίσω	that I may prevent	να εμποδιστώ	that I may be prevented
Pr. P.	να έχω εμποδίσει	that I may have prevented	να έχω εμποδιστεί	that I may have been prevented

		Imperative		
P.	εμπόδιζε (sing.)	be preventing	εμποδίζου (sing.)	be being prevented
	εμποδίζετε (pl.)	be preventing	εμποδίζεστε (sing.)	be being prevented
P. S.	εμπόδισε (sing.)	prevent	εμποδίσου (pl.)	be prevented
	εμποδίστε (pl.)	prevent	εμποδιστείτε (sing.)	be prevented

		Infinitive		
	να εμποδίσει	to prevent	να εμποδιστεί	to be prevented

		Participle		
	εμποδίζοντας	preventing	εμποδισμέν-ος, -η, -ο	prevented
			(examples on page 119)	

	Active Voice, Indicative		*Passive Voice, Indicative*	
P.	**I join together, I unite**		**I am joined together, united**	
	ενώνω	ενώνουμε	ενώνομαι	ενωνόμαστε
	ενώνεις	ενώνετε	ενώνεσαι	ενώνεστε
	ενώνει	ενώνουν	ενώνεται	ενώνονται
P. C.	**I was joining together**		**I was being joined together**	
	ένωνα	ενώναμε	ενωνόμουν	ενωνόμαστε
	ένωνες	ενώνατε	ενωνόσουν	ενωνόσαστε
	ένωνε	ένωναν	ενωνόταν	ενώνονταν
P. S.	**I joined together**		**I was joined together, I was united**	
	ένωσα	ενώσαμε	ενώθηκα	ενωθήκαμε
	ένωσες	ενώσατε	ενώθηκες	ενωθήκατε
	ένωσε	ένωσαν	ενώθηκε	ενώθηκαν
F, C.	**I will be joining together, uniting**		**I will be being joined together, united**	
	θα ενώνω	θα ενώνουμε	θα ενώνομαι	θα ενωνόμαστε
	θα ενώνεις	θα ενώνετε	θα ενώνεσαι	θα ενώνεστε
	θα ενώνει	θα ενώνουν	θα ενώνεται	θα ενώνονται
F. S.	**I will join together, I will unite**		**I will be joined together, I will be united**	
	θα ενώσω	θα ενώσουμε	θα ενωθώ	θα ενωθούμε
	θα ενώσεις	θα ενώσετε	θα ενωθείς	θα ενωθείτε
	θα ενώσει	θα ενώσουν	θα ενωθεί	θα ενωθούν
Pr. P.	**I have joined together**		**I have been united, joined together**	
	έχω ενώσει		έχω ενωθεί	
	έχεις ενώσει	etc.	έχεις ενωθεί	etc.
P. P.	**I had united, joined**		**I had been united, joined together**	
	είχα ενώσει		είχα ενωθεί	
	είχες ενώσει	etc.	είχες ενωθεί	etc.
F. P.	**I will have united, joined**		**I will have been united, joined together**	
	θα έχω ενώσει		θα έχω ενωθεί	
	θα έχεις ενώσει	etc.	θα έχεις ενωθεί	etc.

	Subjunctive		(with να, για να, όταν, etc.)	
P.	να ενώνω	that I may be uniting	να ενώνομαι	that I may be being united
P. S.	να ενώσω	that I may unite	να ενωθώ	that I may be united. joined
Pr. P.	να έχω ενώσει	that I may have united	να έχω ενωθεί	that I may have been united, joined

	Imperative			
P.	ένωνε (sing.)	be uniting	ενώνου (sing.)	be being united
	ενώνετε (pl.)	be uniting	ενώνεστε (pl.)	be being united
P. S.	ένωσε (sing.)	unite	ενώσου (sing.)	be united
	ενώστε (pl.)	unite	ενωθείτε (pl.)	be united

	Infinitive			
	να ενώσει	to unite	να ενωθεί	to be united

	Participle			
	ενώνοντας	uniting	ενωμέν-ος, -η, -ο	united

(Examples on page 119)

	Indicative	
P.	**I continue, I am continuing**	
	εξακολουθώ	εξακολουθούμε
	εξακολουθείς	εξακολουθείτε
	εξακολουθεί	εξακολουθούν

P. C.	**I was continuing**	
	εξακολουθούσα	εξακολουθούσαμε
	εξακολουθούσες	εξακολουθούσατε
	εξακολουθούσε	εξακολουθούσαν

P. S.	**I continued**	
	εξακολούθησα	εξακολουθήσαμε
	εξακολούθησες	εξακολουθήσατε
	εξακολούθησε	εξακολούθησαν

F. C.	**I will be continuing**	
	θα εξακολουθώ	θα εξακολουθούμε
	θα εξακολουθείς	θα εξακολουθείτε
	θα εξακολουθεί	θα εξακολουθούν

F. S.	**I will continue**	
	θα εξακολουθήσω	θα εξακολουθήσουμε
	θα εξακολουθήσεις	θα εξακολουθήσετε
	θα εξακολουθήσει	θα εξακολουθήσουν

Pr. P.	**I have continued**	
	έχω εξακολουθήσει	
	έχεις εξακολουθήσει	etc.

P. P.	**I had continued**	
	είχα εξακολουθήσει	
	είχες εξακολουθήσει	etc.

F. P.	**I will have continued**	
	θα έχω εξακολουθήσει	
	θα έχεις εξακολουθήσει	etc.

Subjunctive
(With να, για να, όταν, etc.)

P.	να εξακολουθώ	that I may be continuing
P. S.	να εξακολουθήσω	that I may continue
Pr. P.	να έχω εξακολουθήσει	that I may have continued

Imperative

P.	εξακολούθει (sing.)	be continuing
	εξακολουθείτε (pl.)	be continuing
P. S.	εξακολούθησε (sing.)	continue
	εξακολουθείστε (pl.)	continue

Infinitive

	να εξακολουθήσει	to continue

Participle

	εξακολουθώντας	continuing

In the Passive Voice only the present tense is common

Present – I am being continued

εξακολουθούμαι	εξακολουθούμαστε
εξακολουθείσαι	εξακολουθείστε
εξακολουθείται	εξακολουθούνται

Examples:

Θα εξακολουθήσουμε το ταξίδι μας αύριο.	We will continue our trip tomorrow.
Ελπίζουμε αυτός ο κακός καιρός να μην εξακολουθήσει.	We hope that this bad weather will not continue.
Εξακολουθώ να μην αισθάνομαι καλά.	I continue not to feel well.
Εξακολούθει να διαβάζεις.	Continue to read.

	Active Voice, Indicative		*Passive voice, Indicative*	
P.	**I explain**		**I am explained, I am being explained**	
	εξηγώ	εξηγούμε	εξηγούμαι	εξηγούμαστε
	εξηγείς	εξηγείτε	εξηγείσαι	εξηγείστε
	εξηγεί	εξηγούν	εξηγείται	εξηγούνται
P. C.	**I was explaining**		**I was being explained**	
	εξηγούσα	εξηγούσαμε	εξηγούμουν	εξηγούμαστε
	εξηγούσες	εξηγούσατε	εξηγούσουν	εξηγούσαστε
	εξηγούσε	εξηγούσαν	εξηγούνταν	εξηγούνταν
P. S.	**I explained**		**I was explained**	
	εξήγησα	εξηγήσαμε	εξηγήθηκα	εξηγηθήκαμε
	εξήγησες	εξηγήσατε	εξηγήθηκες	εξηγηθήκατε
	εξήγησε	εξήγησαν	εξηγήθηκε	εξηγήθηκαν
F. C.	**I will be explaining**		**I will be being explained**	
	θα εξηγώ	θα εξηγούμε	θα εξηγούμαι	θα εξηγούμαστε
	θα εξηγείς	θα εξηγείτε	θα εξηγείσαι	θα εξηγείστε
	θα εξηγεί	θα εξηγούν	θα εξηγείται	θα εξηγούνται
F. S.	**I will explain**		**I will be explained**	
	θα εξηγήσω	θα εξηγήσουμε	θα εξηγηθώ	θα εξηγηθούμε
	θα εξηγήσεις	θα εξηγήσετε	θα εξηγηθείς	θα εξηγηθείτε
	θα εξηγήσει	θα εξηγήσουν	θα εξηγηθεί	θα εξηγηθούν
Pr. P.	**I have explained**		**I have been explained**	
	έχω εξηγήσει		έχω εξηγηθεί	
	έχεις εξηγήσει	etc.	έχεις εξηγηθεί	etc.
P. P.	**I had explained**		**I had been explained**	
	είχα εξηγήσει		είχα εξηγηθεί	
	είχες εξηγήσει	etc.	είχες εξηγηθεί	etc.
F. P.	**I will have explained**		**I will have been explained**	
	θα έχω εξηγήσει		θα έχω εξηγηθεί	
	θα έχεις εξηγήσει	etc.	θα έχεις εξηγηθεί	etc.

		Subjunctive	(with να, για να, όταν, etc.)	
P.	να εξηγώ	that I may be explaining	να εξηγούμαι	that I may be being explained
P. S.	να εξηγήσω	that I may explain	να εξηγηθώ	that I maybe explained
Pr. P.	να έχω εξηγήσει	that I may have explained	να έχω εξηγηθεί	that I may have been explained

		Imperative		
P. S.	εξήγησε (sing.)	explain	εξηγήσου (sing)	be explained
	εξηγήσετε - εξηγείστε (pl.)	explain	εξηγηθείτε (pl.)	be explained

	Infinitive		
να εξηγήσει	to explain	να εξηγηθεί	to be explained

	Participle		
εξηγώντας	explaining	εξηγημέν-ος, -η, -ο	explained
		(examples on page 119	

	Active Voice, Indicative		*Passive Voice, Indicative*	
P.	**I repeat**		**I am repeated, I am being repeated**	
	επαναλαμβάνω	επαναλαμβάνουμε	επαναλαμβάνομαι	επαναλαμβανόμαστε
	επαναλαμβάνεις	επαναλαμβάνετε	επαναλαμβάνεσαι	επαναλαμβάνεστε
	επαναλαμβάνει	επαναλαμβάνουν	επαναλαμβάνεται	επαναλαμβάνονται
P. C.	**I was repeating**		**I was being repeated**	
	επανελάμβανα	επαναλαμβάναμε	επαναλαμβανόμουν	επαναλαμβανόμαστε
	επανελάμβανες	επαναλαμβάνατε	επαναλαμβανόσουν	επαναλαμβανόσαστε
	επανελάμβανε	επανελάμβαναν	επαναλαμβανόταν	επαναλαμβάνονταν
P. S.	**I repeated**		**I was repeated**	
	επανέλαβα	επανελάβαμε	επαναλήφθηκα	επαναληφθήκαμε
	επανέλαβες	επανελάβατε	επαναλήφθηκες	επαναληφθήκατε
	επανέλαβε	επανέλαβαν	επαναλήφθηκε	επαναλήφθηκαν
F. C.	**I will be repeating**		**I will be being repeated**	
	θα επαναλαμβάνω		θα επαναλαμβάνομαι	
	θα επαναλαμβάνεις	etc.	θα επαναλαμβάνεσαι	etc.
F. S.	**I will repeat**		**I will be repeated**	
	θα επαναλάβω	θα επαναλάβουμε	θα επαναληφτώ	θα επαναληφθούμε
	θα επαναλάβεις	θα επαναλάβετε	θα επαναληφθείς	θα επαναληφθείτε
	θα επαναλάβει	θα επαναλάβουν	θα επαναληφθεί	θα επαναληφθούν
Pr. P.	**I have repeated**		**I have been repeated**	
	έχω επαναλάβει		έχω επαναληφθεί	
	έχεις επαναλάβει	etc.	έχεις επαναληφθεί	etc.
P. P.	**I had repeated**		**I had been repeated**	
	είχα επαναλάβει		είχα επαναληφθεί	
	είχες επαναλάβει	etc.	είχες επαναληφθεί	etc.
F. P.	**I will have repeated**		**I will have been repeated**	
	θα έχω επαναλάβει	etc.	θα έχω επαναληφθεί	etc.
	θα έχεις επαναλάβει		θα έχεις επαναληφθεί	

		Subjunctive	(with να, για να, όταν, etc.)	
P.	να επαναλαμβάνω	that I may be repeating	να επαναλαμβάνομαι	that I may be repeated
P. S.	να επαναλάβω	that I may repeat	να επαναληφθώ	that I may be repeated
Pr. P.	να έχω επαναλάβει	that I may have repeated	να έχω επαναληφθεί	that I may have been repeated

		Imperative		
P. S.	επανάλαβε (sing.)	repeat		
	επαναλάβετε (pl.)	repeat	επαναληφθείτε (pl.)	be repeated

		Infinitive		
	να επαναλάβει	to repeat	να επαναληφθεί	to be repeated

		Participle		
	επαναλαμβάνοντας	repeating	επανειλημμέν-ος, -η, -ο	repeated

(Examples on page 120)

Indicative			*Subjunctive*	
P.	**I wish**		(with να, για να, όταν, etc.)	
	επιθυμώ	επιθυμούμε	P.	να επιθυμώ - that I may be desiring
	επιθυμείς	επιθυμείτε	P. S.	να επιθυμήσω	that I may desire
	επιθυμεί	επιθυμούν	Pr. P	να έχω επιθυμήσει	that I may
					have desired

P. C.   I was wishing

επιθυμούσα	επιθυμούσαμε
επιθυμούσες	επιθυμούσατε
επιθυμούσε	επιθυμούσαν

Imperative

P.	επιθύμει (sing.)	be desiring
	επιθυμείτε (pl.)	be desiring
P. S.	επιθύμησε (sing.)	desire
	επιθυμείστε (pl.)	desire

P. S.   I wished

επιθύμησα	επιθυμήσαμε
επιθύμησες	επιθυμήσατε
επιθύμησε	επιθύμησαν

Infinite

να επιθυμήσει	to desire

F. C.   I will be wishing

θα επιθυμώ	θα επιθυμούμε
θα επιθυμείς	θα επιθυμείτε
θα επιθυμεί	θα επιθυμούν

Participle

επιθυμώντας	desiring

F. S.   I will desire

θα επιθυμήσω	θα επιθυμήσουμε
θα επιθυμήσεις	θα επιθυμήσετε
θα επιθυμήσει	θα επιθυμήσουν

Passive Voice, Present tense – I am desired

επιθυμούμαι	επιθυμούμαστε
επιθυμείσαι	επιθυμείστε
επιθυμείται	επιθυμούνται

Pr. P.   I have desired

έχω επιθυμήσει
έχεις επιθυμήσει   etc.

P. P.   I had desired

είχα επιθυμήσει
είχες επιθυμήσει   etc.

F. P.   I will have desired

θα έχω επιθυμήσει
θα έχεις επιθυμήσει   etc.

Examples:

Επιθυμώ να σε δω.	I wish to see you.
Επιθύμησε να δει την πατρίδα του.	He desired to see his fatherland.
Επιθυμούσε πολύ το χωριό του.	He wished to see his village.
Τι επιθυμείτε;	What do you like to have?
Έχουν επιθυμήσει να φάνε ελληνικό φαγητό.	They have desired to eat Greek food.

	Indicative		*Subjunctive*		
P.	**I visit**		(with να, για να, όταν, etc.)		
	επισκέπτομαι	επισκεπτόμαστε	P.	να επισκέπτομαι	that I may be visiting
	επισκέπτεσαι	επισκέπτεστε	P. S.	να επισκεφ-τώ, -θώ	that I may visit
	επισκέπτεται	επισκέπτονται	Pr. P.	να έχω επισκεφ-τεί, -θεί	that I may have visited

	P. C.	**I was visiting**		**Imperative**		
	επισκεπτόμουν	επισκεπτόμαστε		επισκέψου (sing.)	visit
	επισκεπτόσουν	επισκεπτόσαστε		επισκεφ-τείτε, -θείτε (pl.)	visit
	επισκεπτόταν	επισκέπτονταν			

P. S.   **I visited**

επισκέφ-τηκα, -θηκα	επισκεφ-ήκαμε, -θήκαμε
επισκέφ-τηκες, -θηκες	επισκεφ-τήκατε, -θήκατε
επισκέφ-τηκε, -θηκε	επισκέφ-τηκαν, -θηκαν

	F. C.	**I will be visiting**		**Infinitive**		
	θα επισκέπτομαι	θα επισκεπτόμαστε	να επισκεφ- τεί, -θεί	to visit
	θα επισκέπτεσαι	θα επισκέπτεστε		
	θα επισκέπτεται	θα επισκέπτονται		

	F. S.	**I will visit**		**Participle**		
	θα επισκεφθώ	θα επισκεφθούμε	επισκεπτόμεν-ος, -η, -ο	visiting
	θα επισκεφθείς	θα επισκεφθείτε		
	θα επισκεφθεί	θα επισκεφθούν		

Pr. P.   **I have visited**

έχω επισκεφθεί
έχεις επισκεφθτεί   etc.

P. P.   **I had visited**

είχα επισκεφθεί
είχες επισκεφθεί   etc.

F. P.   **I will have visited**

θα έχω επισκεφθεί
θα έχεις επισκεφτεί   etc.

Examples:

Με επισκέπτονται κάθε μέρα.	They visit me every day.
Επισκεφθήκαμε την Ελλάδα πολλές φορές.	We visited Greece many times.
Πότε θα μας επισκεφθείτε;	When will you visit us?
Μας έχουν επισκεφθεί πριν δέκα χρόνια.	They have visited us ten years ago.
Πρέπει κάποτε να σας επισκεφθούμε.	We must visit you sometime.
Είμαστε επισκεπτόμενοι.	We are visiting.
Επισκεφθείτε κάποτε το χωριό σας.	Sometime visit your village.

	Indicative		*Subjunctive*	
P.	**I come**		(with να, για να, όταν, etc.)	
	έρχομαι	ερχόμαστε	P. να έρχομαι	that I may be coming
	έρχεσαι	έρχεστε - ερχόσαστε	P. S. να έρθω	that I may come
	έρχεται	έρχονται	Pr. P. να έχω έρθει	that I may have come

P. C.	**I was coming**		**Imperative**	
	ερχόμουν	ερχόμαστε	έλα (sing.)	come
	ερχόσουν	ερχόσαστε	ελάτε (pl.)	come
	ερχόταν	έρχονταν		

P. S.	**I came**		**Infinitive**	
	ήλθα - ήρθα	ήλθαμε - ήρθαμε	να έλθει - να έρθει	to come
	ήλθες - ήρθες	ήλθατε - ήρθατε		
	ήλθε - ήρθε	ήλθαν - ήρθαν		

F. C.	**I will be coming**		**Participle**	
	θα έρχομαι	θα ερχόμαστε	ερχόμεν-ος, -η, -ο	coming
	θα έρχεσαι	θα έρχεστε, ερχόσαστε		
	θα έρχεται	θα έρχονται		

F. S.	**I will come**		
	θα έλθω - έρθω	θα έλθουμε	
	θα έλθεις	θα έλθετε	
	θα έλθει	θα έλθουν	etc.

Pr. P.	**I have come**	
	έχω έλθει - έρθει	
	έχεις έλθει	etc.

P. P.	**I had come**	
	είχα έλθει - έρθει	
	είχες έλθει	etc.

F. P.	**I will have come**	
	θα έχω έλθει - έρθει	
	θα έχεις έλθει	etc.

Examples:

Θα έρθω αύριο.	I will come tomorrow.
Μου έρχεται να βάλω τα κλάματα.	I feel like crying.
Ήρθε στο νου μου.	It occurred to me.
Έρχομαι σε λόγια με κάποιον.	I get into argument with someone.
Ήρθε πρώτος στις εξετάσεις.	He was first in the examinations.
Έλα, δίνε του. Έλα, δρόμο.	Get out of here.
Έλα, μη με παιδεύεις.	Come on, do not give me any trouble.
Ήρθαν στα χέρια.	They quarrelled. They came to blows.
Μου έρχεται να γελάσω.	I feel like laughing.
Ελάτε να παίξουμε μαζί.	Let's play together.
Καλώς ή(λ,ρ)θες!	Welcome!
Καλώς ή(λ,ρ)θατε!	Welcome!

	Active Voice, Indicative		*Passive Voice, Indicative*	
P.	**I prepare**		**I am prepared, I am being preparing**	
	ετοιμάζω	ετοιμάζουμε	ετοιμάζομαι	ετοιμαζόμαστε
	ετοιμάζεις	ετοιμάζετε	ετοιμάζεσαι	ετοιμάζεστε
	ετοιμάζει	ετοιμάζουν	ετοιμάζεται	ετοιμάζονται
P. C.	**I was preparing**		**I was being prepared**	
	ετοίμαζα	ετοιμάζαμε	ετοιμαζόμουν	ετοιμαζόμαστε
	ετοίμαζες	ετοιμάζατε	ετοιμαζόσουν	ετοιμαζόσαστε
	ετοίμαζε	ετοίμαζαν	ετοιμαζόταν	ετοιμάζονταν
P. S.	**I prepared**		**I prepared myself**	
	ετοίμασα	ετοιμάσαμε	ετοιμάστηκα	ετοιμαστήκαμε
	ετοίμασες	ετοιμάσατε	ετοιμάστηκες	ετοιμαστήκατε
	ετοίμασε	ετοίμασαν	ετοιμάστηκε	ετοιμάστηκαν
F. C.	**I will be preparing**		**I will be preparing myself**	
	θα ετοιμάζω	θα ετοιμάζουμε	θα ετοιμάζομαι	θα ετοιμαζόμαστε
	θα ετοιμάζεις	θα ετοιμάζετε	θα ετοιμάζεσαι	θα ετοιμάζεστε
	θα ετοιμάζει	θα ετοιμάζουν	θα ετοιμάζεται	θα ετοιμάζονται
F. S.	**I will prepare**		**I will prepare myself**	
	θα ετοιμάσω	θα ετοιμάσουμε	θα ετοιμαστώ	θα ετοιμαστούμε
	θα ετοιμάσεις	θα ετοιμάσετε	θα ετοιμαστείς	θα ετοιμαστείτε
	θα ετοιμάσει	θα ετοιμάσουν	θα ετοιμαστεί	θα ετοιμαστούν
Pr. P.	**I have prepared**		**I have prepared myself**	
	έχω ετοιμάσει		έχω ετοιμαστεί	
	έχεις ετοιμάσει	etc.	έχεις ετοιμαστεί	etc.
P. P.	**I had prepared**		**I had prepared myself**	
	είχα ετοιμάσει	etc.	είχα ετοιμαστεί	etc.
	είχες ετοιμάσει		είχες ετοιμαστεί	
F. P.	**I will have prepared**		**I will have been prepared**	
	θα έχω ετοιμάσει		θα έχω ετοιμαστεί	
	θα έχεις ετοιμάσει	etc.	θα έχεις ετοιμαστεί	etc.

Subjunctive (with να, για να, όταν, etc.)

P.	να ετοιμάζω	that I may be preparing	να ετοιμάζομαι	that I may be being prepared
P. S.	να ετοιμάσω	that I may prepare	να ετοιμαστώ	that I may be prepared
Pr. P.	να έχω ετοιμάσει	that I may have prepared	να έχω ετοιμαστεί	that I may have been prepared

Imperative

P.	ετοίμαζε (sing.)	be preparing	ετοιμάζου (sing.)	be preparing yourself
	ετοιμάζετε (pl.)	be preparing	ετοιμάζεστε (pl.)	be preparing yourselves
P. S.	ετοίμασε (sing.)	prepare	ετοιμάσου (sing.)	prepare yourself
	ετοιμάστε (pl.)	prepare	ετοιμαστείτε (pl.)	prepare yourselves

Infinitive

	να ετοιμάσει	to prepare	να ετοιμαστεί	to be prepared

Participle

	ετοιμάζοντας	preparing	prepared	ετοιμασμέν-ος, -η, -ο

(For examples see page 120)

ευχαριστώ (3) – to thank; to please; to give thanks
ευχαριστιέμαι (4) – to be contended; to be pleased

90

	Active Voice, Indicative		*Passive Voice, Indicative*	
P.	**I thank**		**I am contented, I am pleased**	
	ευχαριστώ	ευχαριστούμε	ευχαριστιέμαι	ευχαριστιόμαστε
	ευχαριστείς	ευχαριστείτε	ευχαριστιέσαι	ευχαριστιέστε
	ευχαριστεί	ευχαριστούν	ευχαριστιέται	ευχαριστιούνται
P. C.	**I was thanking**		**I was contented**	
	ευχαριστούσα	ευχαριστούσαμε	ευχαριστιόμουν	ευχαριστιόμαστε
	ευχαριστούσες	ευχαριστούσατε	ευχαριστιόσουν	ευχαριστιόσαστε
	ευχαριστούσε	ευχαριστούσαν	ευχαριστιόταν	ευχαριστιόνταν
P. S.	**I thanked**		**I was contented, pleased**	
	ευχαρίστησα	ευχαριστήσαμε	ευχαριστήθηκα	ευχαριστηθήκαμε
	ευχαρίστησες	ευχαριστήσατε	ευχαριστήθηκες	ευχαριστηθήκατε
	ευχαρίστησε	ευχαρίστησαν	ευχαριστήθηκε	ευχαριστήθηκαν
F. C.	**I will be being thanking**		**I will be being pleased, contented**	
	θα ευχαριστώ		θα ευχαριστιέμαι	
	θα ευχαριστείς	etc.	θα ευχαριστιέσαι	etc.
F. S.	**I will thank**		**I will be pleased, contented**	
	θα ευχαριστήσω	θα ευχαριστήσουμε	θα ευχαριστηθώ	θα ευχαριστηθούμε
	θα ευχαριστήσεις	θα ευχαριστήσετε	θα ευχαριστηθείς	θα ευχαριστηθείτε
	θα ευχαριστήσει	θα ευχαριστήσουν	θα ευχαριστηθεί	θα ευχαριστηθούν
Pr. P.	**I have thanked**		**I have been pleased, contented**	
	έχω ευχαριστήσει		έχω ευχαριστηθεί	
	έχεις ευχαριστήσει	etc.	έχεις ευχαριστηθεί	etc.
P. P.	**I had thanked**		**I had been contented, pleased**	
	είχα ευχαριστήσει		είχα ευχαριστηθεί	
	είχες ευχαριστήσει	etc.	είχες ευχαριστηθεί	etc.
F. P.	**I will have thanked**		**I will have been pleased, contented**	
	θα έχω ευχαριστήσει		θα έχω ευχαριστηθεί	
	θα έχεις ευχαριστήσει	etc.	θα έχεις ευχαριστηθεί	etc.

Subjunctive (with να, για να, όταν, etc.)

P.	να ευχαριστώ	that I may be thanking	να ευχαριστιέμαι	that I may be being pleased
P. S.	να ευχαριστήσω	that I may thank	να ευχαριστηθώ	that I may be pleased
Pr. P.	να έχω ευχαριστήσει	that I may have thanked	να έχω ευχαριστηθεί	that I may have been pleased

Imperative

P. S.	ευχαρίστησε (sing.)	thank	ευχαριστήσου (sing.)	be contented
	ευχαριστείστε (pl.)	thank	ευχαριστηθείτε (pl.)	be contented

Infinitive

να ευχαριστήσει	to thank	να ευχαριστηθεί	to be contented

Participle

ευχαριστώντας	thanking	ευχαριστημέν-ος, -η, -ο	contented, pleased
		(for examples see page 120)	

117

Present	Past	Future
I have	**I had**	**I will have**
έχω	είχα	θα έχω
έχεις	είχες	θα έχεις
έχει	είχε	θα έχει
έχουμε	είχαμε	θα έχουμε
έχετε	είχατε	θα έχετε
έχουν	είχαν	θα έχουν

Subjunctive να έχω that I may have

Infinitive να έχει to have

Participle έχοντας having

Examples:

Έχω κάτι στο νου μου.	I have something in mind.
Έχουμε καλοκαίρι τώρα.	It is summer now.
Πώς έχετε;	How do you do?
Έχε γεια.	Farewell.
Έχει ο θεός.	God is great. (Have faith).
Έχει ψωμί αυτή η δουλειά.	This business is profitable.
Πόσο έχει αυτό;	How much does this cost?
Είχε τρία παιδιά.	He had three children.
Έχει κακό μάτι.	He has an evil eye.
Έχω πονοκέφαλο, δίψα, πείνα.	I have a headache, I am thirsty, I am hungry.
Τι έχεις, παιδί μου;	What is the matter with you, my child? (What is wrong?)
Έχει τα νεύρα του.	He is very agitated.
Τα έχει με όλο τον κόσμο.	He blames the whole world.
Αν το κάνεις αυτό, θα έχεις να κάνεις με μένα.	If you do this you will have to deal with me.
Έχουμε ζέστη, κρύο.	It is hot, cold.
Έχουμε χειμώνα, καλοκαίρι.	It is winter, summer.
Τον έχουν για καλό.	They consider him as a good man.
Έχω κι εγώ να κάνω.	I am interested also.
Δεν έχει να κάνει.	It does not matter.
Έχω να διαβάσω.	I have to study. (I must study).
Δεν έχει άλλο πια.	There is nothing more. (That is enough).
Δεν έχεις να πας πουθενά.	You cannot go any place.
Έχω εδώ δέκα μέρες.	I have been here for ten days.

Examples of uses of verbs beginning with ε

ειδοποιώ

Με ειδοποίησε ότι θα έλθει.	He informed me that he will come.
Ειδοποίησα την αστυνομία.	I notified the police.
Ειδοποιηθήκαμε να αδειάσουμε το σπίτι.	We were notified to vacate the house.
Θα σε ειδοποιήσω, όταν μάθω νέα της.	I will let you know when I hear from her.
Ο κόσμος ειδοποιήθηκε για την καταιγίδα που έρχεται.	The people were informed about the approaching hurricane.

εκτιμώ

Εκτιμώ τον δάσκαλό μου.	I esteem my teacher.
Θα εκτιμήσουμε τη ζημιά που έγινε στο σπίτι.	We will assess the damage to the house.
Το σπίτι εκτιμήθηκε για διακόσιες χιλιάδες ευρώ.	The house was appraised at two hundred thousand euros.
Εκτιμούμε την κλασσική φιλολογία.	We admire (appreciate) the classical philology.

εμποδίζω

Με εμπόδισε να περάσω.	He prevented me from passing.
Γιατί με εμποδίζεις;	Why do you hinder me?
Το αυτοκίνητο στη μέση του δρόμου εμποδίζει την κυκλοφορία.	The car in the middle of the street obstructs traffic.
Εμποδίστηκαν να έλθουν από το πολύ χιόνι.	They were prevented from coming by the great amount of snow.
Το χιόνι τούς εμπόδισε να έρθουν.	The snow prevented them from coming.
Η είσοδος είναι εμποδισμένη από το πολύ νερό.	The entrance is obstructed by the great amount of water.

ενώνω

Μας ενώνει μια μεγάλη φιλία.	A great friendship binds us.
Πολλές πολιτείες ενώθηκαν και έκαναν τις Ηνωμένες Πολιτείες της Αμερικής.	Many states united and formed the United States of America.
Ενώστε τα χέρια σας.	Join your hands.
Ο δρόμος ενώνει την πόλη με το χωριό.	The road connects the city with the village.
Ο ισθμός ενώνει τις δυο ξηρές και ο πορθμός τις δυο θάλασσες.	The isthmus joins the two land masses and the canal the two bodies of water.
Ύστερα από πολλά χρόνια χωρισμού ενώθηκαν πάλι.	After many years of separation they were united again.
Το γεφύρι ενώνει το νησί με την ξηρά.	The bridge connects the island to the mainland.

εξηγώ

Ο δάσκαλος εξηγεί στα παιδιά τη σημασία της λέξης «πολιτισμός».	The teacher explains the meaning of the word "civilization" to the children.
Εξήγησε αυτή τη γαλλική ιστορία στα αγγλικά.	Explain this French story in English.
Ο ιερέας εξηγεί το ευαγγέλιο.	The priest explains the gospel.
Έχουμε εξηγήσει τους λόγους που ήρθαμε.	We have explained the reason why we did come.

επαναλαμβάνω

Το μάθημα θα επαναληφθεί αύριο.
Οι μαθητές επανέλαβαν το μάθημα
πολλές φορές.
Η ταινία επαναλαμβάνεται κάθε βράδυ.
Επανάλαβε αυτό που είπες.
Επαναλαμβάνοντας κάτι το μαθαίνουμε.

The lesson will be repeated tomorrow.
The pupils repeated the lesson many
times.
The film is repeated every evening.
Repeat what you have said.
We master something by repeating it.

ετοιμάζω

Η μητέρα ετοιμάζει το τραπέζι.
Ετοιμαζόμαστε για το ταξίδι μας.
Τα χαρτιά σας έχουν ετοιμαστεί.
Ετοιμαστείτε για τις γιορτές.

Mother is setting the table.
We are getting ready for our trip.
Your papers are ready.
Get ready for the holidays.

ευχαριστώ

Ευχαριστώ πολύ.
Μας ευχαρίστησαν για το δώρο μας.
Είμαστε ευχαριστημένοι με την πρόοδο
του παιδιού μας.
Ευχαριστηθήκαμε πολύ από το ταξίδι μας.
Σας ευχαριστούμε για τα καλά σας λόγια.
Ποτέ δεν ευχαριστιέται.

Thank you very much.
They thanked us for our gift.
We are pleased with our child's progress.

We were very pleased with our trip.
We thank you for your good words.
He is never satisfied (pleased).

	Active Voice, Indicative		*Middle Voice, Indicative*	
P.	**I make someone dizzy**		**I get dizzy, I am made dizzy**	
	ζαλίζω	ζαλίζουμε	ζαλίζομαι	ζαλιζόμαστε
	ζαλίζεις	ζαλίζετε	ζαλίζεσαι	ζαλίζεστε
	ζαλίζει	ζαλίζουν	ζαλίζεται	ζαλίζονται
P. C.	**I was making someone dizzy**		**I was getting dizzy**	
	ζάλιζα	ζαλίζαμε	ζαλιζόμουν	ζαλιζόμαστε
	ζάλιζες	ζαλίζατε	ζαλιζόσουν	ζαλιζόσαστε
	ζάλιζε	ζάλιζαν	ζαλιζόταν	ζαλίζονταν
P. S.	**I made someone dizzy**		**I got dizzy**	
	ζάλισα	ζαλίσαμε	ζαλίστηκα	ζαλιστήκαμε
	ζάλισες	ζαλίσατε	ζαλίστηκες	ζαλιστήκατε
	ζάλισε	ζάλισαν	ζαλίστηκε	ζαλίστηκαν
F. C.	**I will be making someone dizzy**		**I will be getting dizzy**	
	θα ζαλίζω	θα ζαλίζουμε	θα ζαλίζομαι	θα ζαλιζόμαστε
	θα ζαλίζεις	θα ζαλίζετε	θα ζαλίζεσαι	θα ζαλίζεστε
	θα ζαλίζει	θα ζαλίζουν	θα ζαλίζεται	θα ζαλίζονται
F. S.	**I will make someone dizzy**		**I will get dizzy**	
	θα ζαλίσω	θα ζαλίσουμε	θα ζαλιστώ	θα ζαλιστούμε
	θα ζαλίσεις	θα ζαλίσετε	θα ζαλιστείς	θα ζαλιστείτε
	θα ζαλίσει	θα ζαλίσουν	θα ζαλιστεί	θα ζαλιστούν
Pr. P.	**I have made someone dizzy**		**I have gotten dizzy**	
	έχω ζαλίσει		έχω ζαλιστεί	
	έχεις ζαλίσει	etc.	έχεις ζαλιστεί	etc.
P. P.	**I had made someone dizzy**		**I had gotten dizzy**	
	είχα ζαλίσει		είχα ζαλιστεί	
	είχες ζαλίσει	etc.	είχες ζαλιστεί	etc.
F. P.	**I will have made someone dizzy**		**I will have gotten dizzy**	
	θα έχω ζαλίσει		θα έχω ζαλιστεί	
	θα έχεις ζαλίσει	etc.	θα έχεις ζαλιστεί	etc.

	Subjunctive		(with να, για να, όταν, etc.)	
P.	να ζαλίζω	that I may be making dizzy	να ζαλίζομαι	that I may be being dizzy
P. S.	να ζαλίσω	that I may make dizzy	να ζαλιστώ	that I may be dizzy
Pr. P.	να έχω ζαλίσει	that I may have made dizzy	να έχω ζαλιστεί	that I may have been dizzy

	Imperative			
P.	ζάλιζε (sing.)	be making dizzy	ζαλίζου (sing.)	be being dizzy
	ζαλίζετε (pl.)	be making dizzy	ζαλίζεστε (pl.)	be being dizzy
P. S.	ζάλισε (sing.)	make dizzy	ζαλίσου (sing.)	be dizzy
	ζαλίστε (pl.)	make dizzy	ζαλιστείτε (pl.)	be dizzy

	Infinitive			
	να ζαλίσει	to make dizzy	να ζαλιστεί	to be dizzy

	Participle			
	ζαλίζοντας	making dizzy	ζαλισμέν-ος, -η, -ο	dizzy

(Examples on page 126)

ζεσταίνω (1) – to warm, to heat, to boil   ζεσταίνομαι (4) - to be warm

	Active Voice, Indicative			*Passive Voice, Indicative*	
P.	**I warm**			**I am warm, I am being warmed**	
	ζεσταίνω	ζεσταίνουμε		ζεσταίνομαι	ζεσταινόμαστε
	ζεσταίνεις	ζεσταίνετε		ζεσταίνεσαι	ζεσταίν-εστε, -όσαστε
	ζεσταίνει	ζεσταίνουν		ζεσταίνεται	ζεσταίνονται
P. C.	**I was warming**			**I was being warm, warmed**	
	ζέσταινα	ζεσταίναμε		ζεσταινόμουν	ζεσταινόμαστε
	ζέσταινες	ζεσταίνατε		ζεσταινόσουν	ζεσταινόσαστε
	ζέσταινε	ζέσταιναν		ζεσταινόταν	ζεσταίνονταν
P. S.	**I warmed**			**I was warmed, I was warm**	
	ζέστανα	ζεστάναμε		ζεστάθηκα	ζεσταθήκαμε
	ζέστανες	ζεστάνατε		ζεστάθηκες	ζεσταθήκατε
	ζέστανε	ζέσταναν		ζεστάθηκε	ζεστάθηκαν
F. C.	**I will be warming**			**I will (continue) being warm**	
	θα ζεσταίνω	θα ζεσταίνουμε		θα ζεσταίνομαι	θα ζεσταινόμαστε
	θα ζεσταίνεις	θα ζεσταίνετε		θα ζεσταίνεσαι	θα ζεσταίν-εστε, -όσαστε
	θα ζεσταίνει	θα ζεσταίνουν		θα ζεσταίνεται	θα ζεσταίνονται
F. S.	**I will warm**			**I will be warm, warmed**	
	θα ζεστάνω	θα ζεστάνουμε		θα ζεσταθώ	θα ζεσταθούμε
	θα ζεστάνεις	θα ζεστάνετε		θα ζεσταθείς	θα ζεσταθείτε
	θα ζεστάνει	θα ζεστάνουν		θα ζεσταθεί	θα ζεσταθούν
Pr. P.	**I have warmed**			**I have been warm, warmed**	
	έχω ζεστάνει			έχω ζεσταθεί	
	έχεις ζεστάνει	etc.		έχεις ζεσταθεί	etc.
P. P.	**I had warmed**			**I had been warm, warmed**	
	είχα ζεστάνει			είχα ζεσταθεί	
	είχες ζεστάνει	etc.		είχες ζεσταθεί	etc.
F. P.	**I will have warmed**			**I will have been warm, warmed**	
	θα έχω ζεστάνει	etc.		θα έχω ζεσταθεί	etc.
	θα έχεις ζεστάνει	etc.		θα έχεις ζεσταθεί	etc.

Subjunctive (with να, για να, όταν, etc.)

P.	να ζεσταίνω	that I may be warming	να ζεσταίνομαι	that I may be being warm
P. S.	να ζεστάνω	that I may warm	να ζεσταθώ	that I may be warm
Pr. P.	να έχω ζεστάνει	that I may have warmed	να έχω ζεσταθεί	that I may have been warm

Imperative

P.	ζέσταινε (sing.)	be warming	ζεσταίνου (sing.)	be being warm
	ζεσταίνετε (pl.)	be warming	ζεσταίνεστε (pl.)	be being warm
P. S.	ζέστανε (sing.)	warm	ζεστάθου (sing.)	be warm, be warmed
	ζεστάνετε (pl.)	warm	ζεσταθείτε (pl.)	be warm, be warmed

Infinitive

να ζεσταίνει	to warm	να ζεσταθεί	to be warm

Participle

ζεσταίνοντας	warming	ζεσταμέν-ος, -η, -ο	warmed

(Examples on page 126)

	Indicative	
P.	**I am jealous**	
	ζηλεύω	ζηλεύουμε
	ζηλεύεις	ζηλεύετε
	ζηλεύει	ζηλεύουν

P. C.	**I was being jealous**	
	ζήλευα	ζηλεύαμε
	ζήλευες	ζηλεύατε
	ζήλευε	ζήλευαν

P. S.	**I was jealous**	
	ζήλεψα	ζηλέψαμε
	ζήλεψες	ζηλέψατε
	ζήλεψε	ζήλεψαν

F. C.	**I will be jealous**	
	θα ζηλεύω	θα ζηλεύουμε
	θα ζηλεύεις	θα ζηλεύετε
	θα ζηλεύει	θα ζηλεύουν

F. S.	**I will be jealous**	
	θα ζηλέψω	θα ζηλέψουμε
	θα ζηλέψεις	θα ζηλέψετε
	θα ζηλέψει	θα ζηλέψουν

Pr. P. I have been jealous
έχω ζηλέψει
έχεις ζηλέψει   etc.

P. P. I had been jealous
είχα ζηλέψει
είχες ζηλέψει   etc.

F. P. I will have been jealous
θα έχω ζηλέψει
θα έχεις ζηλέψει   etc.

Subjunctive
(with να, για να, όταν, etc.)
P.	να ζηλεύω	that I may be being jealous
P. S,	να ζηλέψω	that I may be jealous
Pr. P.	να έχω ζηλέψει	that I may have been jealous

Imperative
P.	ζήλευε (sing.)	be being jealous
	ζηλεύετε (pl.)	be being jealous
P. S.	ζήλεψε (sing.)	be jealous
	ζηλέψετε – ζηλέψτε (pl.)	be jealous

Infinitive
να ζηλεύει   to be being jealous
να ζηλέψει   to be jealous

Participle
ζηλεύοντας   being jealous

Passive Participle
ζηλεμέν-ος, -η, -ο   envied

Examples:

Ζήλευε τη γυναίκα του. — He was jealous of his wife.
Με ζηλεύει. — He is jealous of me.
Ζήλευε τον φίλο του που ήταν πιο έξυπνος. — He was jealous of his friend who was smarter.
Μη με ζηλεύεις. — Do not be jealous of me.
Ζηλεύετε; — Are you jealous?
Όχι, εμείς δε ζηλεύουμε. — No, we are not jealous.

ζητώ (2) – to look for; to seek; to solicit; to demand; to claim

	Active Voice, Indicative		*Passive Voice, Indicative*	
P.	**I seek**		**I am sought, I am being sought**	
	ζητώ	ζητ-ούμε, - άμε	ζητιέμαι	ζητιόμαστε
	ζητ-άς, -είς	ζητάτε	ζητιέσαι	ζητι-έστε, -όσαστε
	ζητ-ά, -εί	ζητούν	ζητιέται	ζητιούνται
P. C.	**I was seeking**		**I was being sought**	
	ζητούσα	ζητούσαμε	ζητιόμουν	ζητι-όμαστε, -όμασταν
	ζητούσες	ζητούσατε	ζητιόσουν	ζητι-όσαστε, -όσασταν
	ζητούσε	ζητούσαν	ζητιόταν	ζητιόνταν
P. S.	**I sought**		**I was sought**	
	ζήτησα	ζητήσαμε	ζητήθηκα	ζητηθήκαμε
	ζήτησες	ζητήσατε	ζητήθηκες	ζητηθήκατε
	ζήτησε	ζήτησαν	ζητήθηκε	ζητήθηκαν
F. C.	**I will be seeking**		**I will be being sought**	
	θα ζητώ	θα ζητούμε	θα ζητιέμαι	θα ζητιόμαστε
	θα ζητάς	θα ζητάτε	θα ζητιέσαι	θα ζητι-έστε, όσαστε
	θα ζητά	θα ζητούν	θα ζητιέται	θα ζητιούνται
F. S.	**I will seek**		**I will be sought**	
	θα ζητήσω	θα ζητήσουμε	θα ζητηθώ	θα ζητηθούμε
	θα ζητήσεις	θα ζητήσετε	θα ζητηθείς	θα ζητηθείτε
	θα ζητήσει	θα ζητήσουν	θα ζητηθεί	θα ζητηθούν
Pr. P.	**I have sought**		**I have been sought**	
	έχω ζητήσει		έχω ζητηθεί	
	έχεις ζητήσει	etc.	έχεις ζητηθεί	etc.
P. P.	**I had sought**		**I had been sought**	
	είχα ζητήσει	etc.	είχα ζητηθεί	etc.
	είχες ζητήσει		είχες ζητηθεί	
F. P.	**I will have sought**		**I will have been sought**	
	θα έχω ζητήσει		θα έχω ζητηθεί	
	θα έχω ζητήσει	etc.	θα έχεις ζητηθεί	etc.

Subjunctive

P.	να ζητώ	that I may be seeking	να ζητιέμαι	that I may be being sought
P. S.	να ζητήσω	that I may seek	να ζητηθώ	that I may be sought
Pr. P.	να έχω ζητήσει	that I may have sought	να έχω ζητηθεί	that I may have been sought

Imperative

P.	ζήτα (sing.)	be asking		
	ζητάτε (pl.)	be asking	-	
P.S.	ζήτησε (sing.)	ask	ζητήσου (sing.)	be sought
	ζητήστε (pl.)	ask	ζητηθείτε (pl.)	be sought

Infinitive

	να ζητήσει	to seek, to ask	να ζητηθεί	to be sought

Participle

	ζητώντας	seeking	ζητημέν-ος, -η, -ο	sought

(Examples page 126)

95

Indicative

P. **I live**

ζω   ζούμε
ζεις   ζείτε
ζει   ζουν

P. S. **I was living**

ζούσα   ζούσαμε
ζούσες   ζούσατε
ζούσε   ζούσαν

P. S. **I lived**

έζησα   ζήσαμε
έζησες   ζήσατε
έζησε   έζησαν

F. C. **I will be living**

θα ζω   θα ζούμε
θα ζεις   θα ζείτε
θα ζει   θα ζουν

F. S. **I will live**

θα ζήσω   θα ζήσουμε
θα ζήσεις   θα ζήσετε
θα ζήσει   θα ζήσουν

Pr. P. **I have lived**

έχω ζήσει
έχεις ζήσει   etc.

P. P. **I had lived**

είχα ζήσει
είχες ζήσει   etc.

F. P. **I will have lived**

θα έχω ζήσει
θα έχεις ζήσει   etc.

Subjunctive

(with να, για να, όταν, etc.)

P.   να ζω   that I may be living
P.S.   να ζήσω   that I may live
Pr. P.   να έχω ζήσει   that I may have lived

Imperative

P.   ζήτω (sing.)   long live
            ζείτε (pl.)   long live
P. S.   ζήσε (sing.)   live
            ζήστε (pl.)   live

Infinitive

            να ζήσει   to live

Participle

            ζων – ζώσα – ζων   living
            (classical form)

Examples:

Ζει πλούσια.	He lives in luxury.
Ζήτω η Δημοκρατία!	Long live Democracy!
Έζησε εξήντα χρόνια.	He lived sixty years.
Ζω από τον μισθό μου.	I live on my salary.
Ζει σαν φτωχός.	He lives as a pauper.
Ζει χρόνια στην Αμερική.	He has been living in America for years.
Αυτός ξέρει να ζήσει.	He knows how to live.
Ζούμε στην Αθήνα.	We live in Athens.

Examples of uses of verbs beginning with ζ

ζαλίζω

Με ζάλισε με τα λόγια του.	His words gave me a headache.
Τα ταξίδι μάς ζάλισε.	The trip made us dizzy.
Σταματήσαμε να ξεκουραστούμε, γιατί είχαμε ζαλιστεί.	We stopped for some rest, because we were dizzy.
Αυτές οι φασαρίες με ζαλίζουν.	All this trouble gives me headache.
Είμαι ζαλισμένος.	I am dizzy. (I have a headache.)

ζεσταίνω

Κάθομαι κοντά στη φωτιά να ζεσταθώ.	I sit by the fire to warm myself.
Ζεσταίνομαι πολύ. Ξεστάθηκα πολύ.	I feel very warm. I felt very warm.
Είχαμε ζεσταθεί, γι' αυτό βγάλαμε τα παλτά μας.	We were warm, so we took off our coats.
Αυτό το καλοριφέρ ζεσταίνει καλά.	This radiator heats well.
Το νερό ζεστάθηκε.	The water has warmed up.
Μόλις ζεστάνει ο καιρός, πολλά ζώα βγαίνουν από τη χειμερινή τους νάρκη.	As soon as the weather is warm, many animals come out of their hibernation.
Ο καιρός ζέστανε.	The weather has become warm.
Η μητέρα ζεσταίνει νερό.	Mother is boiling water.

ζητώ

Κάποιος σε ζητά.	Someone is looking for you. (Asking for you).
Ζητά πολλά λεφτά για το σπίτι αυτό.	He asks too much money for this house.
Ποιος με ζήτησε;	Who asked for me?
Είχε ζητήσει να με δει.	He had asked to see me.
Αυτό το προϊόν ζητιέται πολύ.	This product is in great demand.
Ζητούμε τη βοήθειά σας.	We ask for your help.
Μου ζήτησε να φύγω αμέσως.	He demanded that I leave at once.
Έχουν ζητήσει εκατό δολάρια.	They had asked for one hundred dollars.
Θα ζητήσει από τον πατέρα του λεφτά. για να πληρώσει το ενοίκιο.	He will ask his father for some money so he can pay the rent.
Ζητάτε και θα βρείτε.	Ask (seek) and you will find.

	Indicative	
P.	**I rest, I relax**	
	ησυχάζω	ησυχάζουμε
	ησυχάζεις	ησυχάζετε
	ησυχάζει	ησυχάζουν
P. C.	**I was resting**	
	ησύχαζα	ησυχάζαμε
	ησύχαζες	ησυχάζατε
	ησύχαζε	ησύχαζαν
P. S.	**I rested**	
	ησύχασα	ησυχάσαμε
	ησύχασες	ησυχάσατε
	ησύχασε	ησύχασαν
F. C.	**I will be resting**	
	θα ησυχάζω	θα ησυχάζουμε
	θα ησυχάζεις	θα ησυχάζετε
	θα ησυχάζει	θα ησυχάζουν
F. S.	**I will rest**	
	θα ησυχάσω	θα ησυχάσουμε
	θα ησυχάσεις	θα ησυχάσετε
	θα ησυχάσει	θα ησυχάσουν
Pr. P.	**I have rested**	
	έχω ησυχάσει	
	έχεις ησυχάσει	etc.
P. P.	**I had rested**	
	είχα ησυχάσει	
	είχες ησυχάσει	etc.
F. P.	**I will have rested**	
	θα έχω ησυχάσει	
	θα έχεις ησυχάσει	etc.

Subjunctive
(with να, για να, όταν, etc.)

P.	να ησυχάζω	that I may be resting relaxing
P. S.	να ησυχάσω	that I may rest, relax
Pr. P.	να έχω ησυχάσει	that I may have rested, relaxed

Imperative

P.	ησύχαζε (sing.)	be resting
	ησυχάζετε (pl.)	be resting
P. S.	ησύχασε (sing.)	rest, relax
	ησυχάστε (pl.)	rest, relax

Infinitive

να ησυχάσει   to rest, to relax

Participle

ησυχάζοντας   resting, relaxing

Examples:

Ο άρρωστος ησυχάζει.	The patient is relaxing.
Ο άνεμος ξαφνικά ησύχασε.	The wind suddenly calmed down.
Πήρε ένα φάρμακο και ησύχασε.	He/she took some medicine and now feels comfortable.
Ησυχάστε, δεν είναι τίποτα.	Calm down, it is nothing.
Ύστερα από τη δουλειά, πηγαίνω σπίτι και ησυχάζω.	After work I go home and I relax.
Ο πατέρας μπόρεσε να ησυχάσει το παιδί που έκλαιε.	The father was able to quiet the child who was crying.

	Active Voice, Indicative		*Passive Voice, Indicative*	
P.	**I admire**		**I am admired, I am being admired**	
	θαυμάζω	θαυμάζουμε	θαυμάζομαι	θαυμαζόμαστε
	θαυμάζεις	θαυμάζετε	θαυμάζεσαι	θαυμάζεστε
	θαυμάζει	θαυμάζουν	θαυμάζεται	θαυμάζονται
P. C.	**I was admiring**		**I was being admired**	
	θαύμαζα	θαυμάζαμε	θαυμαζόμουν	θαυμαζ-όμαστε, -όμασταν
	θαύμαζες	θαυμάζατε	θαυμαζόσουν	θαυμαζ-όσαστε
	θαύμαζε	θαύμαζαν	θαυμαζόταν	θαυμάζονταν
P. S.	**I admired**		**I was admired**	
	θαύμασα	θαυμάσαμε	θαυμάστηκα	θαυμαστήκαμε
	θαύμασες	θαυμάσατε	θαυμάστηκες	θαυμαστήκατε
	θαύμασε	θαύμασαν	θαυμάστηκε	θαυμάστηκαν
F. C.	**I will be admiring**		**I will be being admired**	
	θα θαυμάζω	θα θαυμάζουμε	θα θαυμάζομαι	θα θαυμαζόμαστε
	θα θαυμάζεις	θα θαυμάζετε	θα θαυμάζεσαι	θα θαυμάζεστε
	θα θαυμάζει	θα θαυμάζουν	θα θαυμάζεται	θα θαυμάζονται
F. S.	**I will admire**		**I will be admired**	
	θα θαυμάσω	θα θαυμάσουμε	θα θαυμαστώ	θα θαυμαστούμε
	θα θαυμάσεις	θα θαυμάσετε	θα θαυμαστείς	θα θαυμαστείτε
	θα θαυμάσει	θα θαυμάσουν	θα θαυμαστεί	θα θαυμαστούν
Pr. P.	**I have admired**		**I have been admired**	
	έχω θαυμάσει		έχω θαυμαστεί	
	έχεις θαυμάσει	etc.	έχεις θαυμαστεί	etc.
P. P.	**I had admired**		**I had been admired**	
	είχα θαυμάσει		είχα θαυμαστεί	
	είχες θαυμάσει	etc.	είχες θαυμαστεί	etc.
F. P.	**I will have admired**		**I will have been admired**	
	θα έχω θαυμάσει		θα έχω θαυμαστεί	
	θα έχεις θαυμάσει	etc.	θα έχεις θαυμαστεί	etc.

		Subjunctive	(with να, για να, όταν, etc.)	
P.	να θαυμάζω	that I may be admiringing	να θαυμάζομαι	that I may be being admired
P. S.	να θαυμάσω	that I may admire	να θαυμαστώ	that I may be admired
Pr. P.	να έχω θαυμάσει	that I may have admired	να έχω θαυμαστεί	that I may have been admired
		Imperative		
P.	θαύμαζε (sing.)	be admiring	θαυμάζου (sing.)	be being admired
	θαυμάζετε (pl.)	be admiring	θαυμάζεστε (pl.)	be being admired
P. S.	θαύμασε (sing.)	admire	θαυμάσου (sing.)	be admired
	θαυμάστε (pl.)	admire	θαυμαστείτε (pl.)	be admired
		Infinitive		
	να θαυμάσει	to admire	να θαυμαστεί	to be admired
		Participle		
	θαυμάζοντας	admiring	(no form)	

(Examples on page 133)

	Indicative				*Subjunctive*		
P.	**I want**				(with να, για να, όταν, etc.)		
	θέλω	θέλουμε		**P.**	να θέλω		that I may be wanting
	θέλεις	θέλετε		**P. S.**	να θελήσω		that I may want
	θέλει	θέλουν		**Pr. P.**	να έχω θελήσει		that I may have wanted

	P. C.	**I wanted**			**Imperative**		
		ήθελα	θέλαμε	**P.**	θέλε (sing.)		be willing, be wanting
		ήθελες	θέλατε		θέλετε (pl.)		be willing, be wanting
		ήθελε	ήθελαν	**P. S.**	θέλησε (sing.)		have will
					θελήστε (pl.)		have will

P. S.   **I wanted, I was willing to, I willed**

θέλησα	θελήσαμε
θέλησες	θελήσατε
θέλησε	θέλησαν

Infinitive

να θελήσει	to be willing, to want

F. C.   **I will be wanting,**
I will be willing to

θα θέλω	θα θέλουμε
θα θέλεις	θα θέλετε
θα θέλει	θα θέλουν

Participle

θέλοντας	wanting, willing

F. S.   **I will want, I will be willing to,**
I will decide to

θα θελήσω	θα θελήσουμε
θα θελήσεις	θα θελήσετε
θα θελήσει	θα θελήσουν

Passive Participle

ηθελημέν-ος, -η, -ο	wanted

Pr. P.   **I have willed**

έχω θελήσει	
έχεις θελήσει	etc.

P. P.   **I had willed**

είχα θελήσει	
είχες θελήσει	etc.

F. P.   **I will have willed**

θα έχω θελήσει	
θα έχεις θελήσει	etc.

Examples:

Θέλω να φάω.	I want to eat.
Θέλει να πάει.	He wants to go.
Αν θέλει ο Θεός!	God willing!
Ας κάνει ό,τι θέλει.	Let him do whatever he wishes.
Τι θέλετε να πείτε;	What do you want to say?
Ποιος στραβός δε θέλει το φως του!	Which blind man would not want to gain his eyesight!
Κάποιος θέλει να μας κάνει κακό.	Someone wishes us evil.
Θέλω ακόμα δέκα δολάρια.	I need ten more dollars.
Το δέντρο θέλει νερό.	The tree needs water.
Θέλει ό,τι πει να γίνεται.	He wants everything he says to be done.

	Active Voice, Indicative		*Passive Voice, Indicative*	
P.	**I consider**		**I am considered, I am being considered**	
	θεωρώ	θεωρούμε	θεωρούμαι	θεωρούμαστε
	θεωρείς	θεωρείτε	θεωρείσαι	θεωρείστε
	θεωρεί	θεωρούν	θεωρείται	θεωρούνται
P. C.	**I was considering**		**I was being considered**	
	θεωρούσα	θεωρούσαμε	θεωρούμουν	θεωρούμαστε
	θεωρούσες	θεωρούσατε	θεωρούσουν	θεωρούσαστε
	θεωρούσε	θεωρούσαν	θεωρούνταν	θεωρούνταν
P. S.	**I considered**		**I was considered**	
	θεώρησα	θεωρήσαμε	θεωρήθηκα	θεωρηθήκαμε
	θεώρησες	θεωρήσατε	θεωρήθηκες	θεωρηθήκατε
	θεώρησε	θεώρησαν	θεωρήθηκε	θεωρήθηκαν
F. C.	**I will be considering**		**I will be being considered**	
	θα θεωρώ	θα θεωρούμε	θα θεωρούμαι	θα θεωρούμαστε
	θα θεωρείς	θα θεωρείτε	θα θεωρείσαι	θα θεωρείστε
	θα θεωρεί	θα θεωρούν	θα θεωρείται	θα θεωρούνται
F. S.	**I will consider**		**I will be considered**	
	θα θεωρήσω	θα θεωρήσουμε	θα θεωρηθώ	θα θεωρηθούμε
	θα θεωρήσεις	θα θεωρήσετε	θα θεωρηθείς	θα θεωρηθείτε
	θα θεωρήσει	θα θεωρήσουν	θα θεωρηθεί	θα θεωρηθούν
Pr. P.	**I have considered**		**I have been considered**	
	έχω θεωρήσει		έχω θεωρηθεί	
	έχεις θεωρήσει	etc.	έχεις θεωρηθεί	etc.
P. P.	**I had considered**		**I had been considered**	
	είχα θεωρήσει		είχα θεωρηθεί	
	είχες θεωρήσει	etc.	είχες θεωρηθεί	etc.
F. P.	**I will have considered**		**I will have been considered**	
	θα έχω θεωρήσει		θα έχω θεωρηθεί	
	θα έχεις θεωρήσει	etc.	θα έχεις θεωρηθεί	etc.

Subjunctive

(with να, για να, όταν, etc.)

P.	να θεωρώ	that I may be considering	να θεωρούμαι	that I may be being considered
P. S.	να θεωρήσω	that I may consider	να θεωρηθώ	that I may be considered
Pr. P.	να έχω θεωρήσει	that I may have considered	να έχω θεωρηθεί	that I may have been considered

Imperative

P.	θεώρει (sing.)	be considering	-	
	θεωρείτε (pl.)	be considering		
P. S.	θεώρησε (sing.)	consider	θεωρήσου (sing.)	be considered
	θεωρείστε (pl.)	consider	θεωρηθείτε (pl.)	be considered

Infinitive

να θεωρήσει	to consider	να θεωρηθεί	to be considered

Participle

θεωρώντας	considering	θεωρημέν-ος, -η, -ο	considered
		(examples page 133)	

	Indicative		*Subjunctive*		
P.	**I remember**		(with να, για να, όταν, etc.)		
	θυμ-ούμαι, -άμαι	θυμ-ούμαστε, -όμαστε	P.	να θυμούμαι	that I may be remembering
	θυμάσαι	θυμάστε	P. S.	να θυμηθώ	that I may remember
	θυμάται	θυμούνται	Pr. P.	να έχω θυμηθεί	that I may have remembered

			Imperative	
P. C.	**I was remembering**			
	θυμόμουν	θυμόμαστε		
	θυμόσουν	θυμόσαστε	θυμήσου (sing.)	remember
	θυμόταν	θυμόνταν	θυμηθείτε (pl.)	remember

			Infinitive	
P. S.	**I remembered**			
	θυμήθηκα	θυμηθήκαμε	να θυμηθεί	to remember
	θυμήθηκες	θυμηθήκατε		
	θυμήθηκε	θυμήθηκαν		

F. C.   **I will be remembering**

θα θυμ-ούμαι, -άμαι	θα θυμούμαστε
θα θυμάσαι	θα θυμάστε
θα θυμάται	θα θυμούνται

F. S.   **I will remember**

θα θυμηθώ	θα θυμηθούμε
θα θυμηθείς	θα θυμηθείτε
θα θυμηθεί	θα θυμηθούν

Pr. P.   **I have remembered**

έχω θυμηθεί	
έχεις θυμηθεί	etc.

P. P.   **I had remembered**

είχα θυμηθεί	
είχες θυμηθεί	etc.

F. P.   **I will have remembered**

θα έχω θυμηθεί	
θα έχεις θυμηθεί	etc.

Examples:

Θυμήθηκε τι του είπα.	He remembered what I told him.
Θα σας θυμόμαστε.	We will be remembering you.
Να θυμάσαι πάντοτε τον πατέρα σου.	Always remember your father.
Θυμάμαι καλά.	I remember well.
Θυμήθηκα ποιος ήταν εδώ χτες.	I remembered who was here yesterday.
Μπορείτε να θυμηθείτε;	Can you remember?

	Indicative	
P.	I get angry, I am irritated	
	θυμώνω	θυμώνουμε
	θυμώνεις	θυμώνετε
	θυμώνει	θυμώνουν

P. C. I was getting angry, I was being irritated

θύμωνα	θυμώναμε
θύμωνες	θυμώνατε
θύμωνε	θύμωναν

P. S. I got angry, I was irritated

θύμωσα	θυμώσαμε
θύμωσες	θυμώσατε
θύμωσε	θύμωσαν

F. C. I will be getting angry

θα θυμώνω	θα θυμώνουμε
θα θυμώνεις	θα θυμώνετε
θα θυμώνει	θα θυμώνουν

F. S. I will get angry

θα θυμώσω	θα θυμώσουμε
θα θυμώσεις	θα θυμώσετε
θα θυμώσει	θα θυμώσουν

Pr. P. I have gotten angry

έχω θυμώσει	
έχεις θυμώσει	etc.

P. P. I had gotten angry

είχα θυμώσει	
είχες θυμώσει	etc.

F. P. I will have gotten angry

θα έχω θυμώσει	
θα έχεις θυμώσει	etc.

Subjunctive
(with να, για να, όταν, etc.)

P.	να θυμώνω	that I may be getting angry
P. S	να θυμώσω	that I may get angry
Pr. P.	να έχω θυμώσει	that I may have gotten angry

Imperative

P.	θύμωνε (sing.)	be getting angry
	θυμώνετε (pl.)	be getting angry
P. S.	θύμωσε (sing.)	get angry
	θυμώστε (pl.)	get angry

Infinitive

να θυμώσει	to get angry

Passive Participle

θυμωμέν-ος, -η, -ο	angered, angry

Examples:

Με θύμωσε.	He made me angry.
Θύμωσα πολύ.	I was very angry.
Είναι θυμωμένος.	He is angry.
Έχουμε θυμώσει.	We have gotten angry.
Δεν πρέπει να θυμώνουμε εύκολα.	We must not get angry easily.
Γιατί θυμώνεις;	Why are you angry? Why do you get angry?
Γιατί θύμωσες;	Why did you get angry?

Examples of uses of verbs beginning with **θ**

θαυμάζω

Ο κόσμος θαυμάζει το Άγαλμα της Ελευθερίας.
Θαυμάζουμε τα έργα της κλασσικής εποχής
της Αθήνας.
Οι νικητές των Ολυμπιακών αγώνων
θαυμάζονται από όλο τον κόσμο.
Οι φοιτητές του πανεπιστημίου
επισκέφθηκαν την Ακρόπολη. Θαύμασαν τον
Παρθενώνα και τους άλλους ναούς.

The people admire the Statue of Liberty.
We admire the works of the classical
period of Athens.
The winners of the Olympic games are
admired by the whole world.
The university students visited the
Acropolis. They admired Parthenon and the
other temples.

θεωρώ

Τον θεωρώ σαν τον καλύτερο μου φίλο.
Πάντοτε μας θεωρούσαν φίλους.
Με θεωρεί εχθρό του.
Ο Όμηρος θεωρείται ένας από τους
μεγαλύτερους ποιητές του κόσμου.

I consider him as my best friend.
They always considered us friends.
He considers me as his enemy.
Homer is considered as one of the
greatest poets in the world.

	Active Voice, Indicative		*Passive Voice, Indicative*	
P.	**I clean**		**I clean myself, I am being cleaned**	
	καθαρίζω	καθαρίζουμε	καθαρίζομαι	καθαριζόμαστε
	καθαρίζεις	καθαρίζετε	καθαρίζεσαι	καθαρίζεστε
	καθαρίζει	καθαρίζουν	καθαρίζεται	καθαρίζονται
P. C.	**I was cleaning**		**I was being cleaned, I was cleaning myself**	
	καθάριζα	καθαρίζαμε	καθαριζόμουν	καθαριζ-όμαστε, -όμασταν
	καθάριζες	καθαρίζατε	καθαριζόσουν	καθαριζ-όσαστε, -όσασταν
	καθάριζε	καθάριζαν	καθαριζόταν	καθαρίζονταν
P. S.	**I cleaned**		**I was cleaned, I cleaned myself**	
	καθάρισα	καθαρίσαμε	καθαρίστηκα	καθαριστήκαμε
	καθάρισες	καθαρίσατε	καθαρίστηκες	καθαριστήκατε
	καθάρισε	καθάρισαν	καθαρίστηκε	καθαρίστηκαν
F. C.	**I will be cleaning**		**I will be being cleaned, cleaning myself**	
	θα καθαρίζω	θα καθαρίζουμε	θα καθαρίζομαι	θα καθαριζόμαστε
	θα καθαρίζεις	θα καθαρίζετε	θα καθαρίζεσαι	θα καθαρίζ-εστε, -όσαστε
	θα καθαρίζει	θα καθαρίζουν	θα καθαρίζεται	θα καθαρίζονται
F. S.	**I will clean**		**I will be cleaned, cleaned myself**	
	θα καθαρίσω	θα καθαρίσουμε	θα καθαριστώ	θα καθαριστούμε
	θα καθαρίσεις	θα καθαρίσετε	θα καθαριστείς	θα καθαριστείτε
	θα καθαρίσει	θα καθαρίσουν	θα καθαριστεί	θα καθαριστούν
Pr. P.	**I have cleaned**		**I have been cleaned, cleaned myself**	
	έχω καθαρίσει		έχω καθαριστεί	
	έχεις καθαρίσει	etc.	έχεις καθαριστεί	etc.
P. P.	**I had cleaned**		**I had been cleaned, cleaned myself**	
	είχα καθαρίσει	etc.	είχα καθαριστεί	etc.
	είχες καθαρίσει		είχες καθαριστεί	
F. P.	**I will have cleaned**		**I will have been cleaned, cleaned myself**	
	θα έχω καθαρίσει		θα έχω καθαριστεί	
	θα έχεις καθαρίσει	etc.	θα έχεις καθαριστεί	etc.

Subjunctive (with να, για να, όταν, etc.)

P.	να καθαρίζω	that I may be cleaning	να καθαρίζομαι	that I may be being cleaned
P. S.	να καθαρίσω	that I may clean	να καθαριστώ	that I may be cleaned
Pr. P.	να έχω καθαρίσει	that I may have cleaned	να έχω καθαριστεί	that I may have been cleaned

Imperative

P.	καθάριζε (sing.)	be cleaning	καθαρίζου (sing.)	be cleaning yourself
	καθαρίζετε (pl.)	be cleaning	καθαρίζεστε (pl.)	be cleaning yourselves
P. S.	καθάρισε (sing.)	clean	καθαρίσου (sing.)	clean yourself
	καθαρίστε (pl.)	clean	καθαριστείτε (pl.)	clean yourselves

Infinitive

να καθαρίσει	to clean	να καθαριστεί	to be cleaned

Participle

καθαρίζοντας	cleaning	καθαρισμέν-ος, -η, -ο	cleaned

(Examples on page 160)

	Indicative		*Subjunctive*		
P.	**I sit**		(with να, για να, όταν, etc.)		
	κάθομαι	καθόμαστε	P.	να κάθομαι	that I may be sitting
	κάθεσαι	κάθ-εστε, -όσαστε	P. S.	να καθίσω	that I may sit
	κάθεται	κάθονται	Pr. P.	να έχω καθίσει	that I may have sat

P. C.	**I was sitting**		**Imperative**		
	καθόμουν	καθόμ-αστε, -ασταν	P.	καθίζετε (pl.)	be sitting
	καθόσουν	καθόσ-αστε, -ασταν	P. S.	κάθισε (sing.)	sit
	καθόταν	κάθονταν		καθίστε (pl.)	sit

P. S.	**I sat**		**Infinitive**		
	κάθισα	καθίσαμε		να καθίσει	to sit
	κάθισες	καθίσατε			
	κάθισε	κάθισαν			

F. C.	**I will be sitting**		**Participle**		
	θα κάθομαι	θα καθόμαστε		καθισμέν -ος, -η, -ο	sitting
	θα κάθεσαι	θα κάθ-εστε, -όσαστε			
	θα κάθεται	θα κάθονται			

F. S.	**I will sit**	
	θα καθίσω	θα καθίσουμε
	θα καθίσεις	θα καθίσετε
	θα καθίσει	θα καθίσουν

Pr. P.	**I have sat**	
	έχω καθίσει	
	έχεις καθίσει	etc.

P. P.	**I had sat**	
	είχα καθίσει	
	είχες καθίσει	etc.

F. P.	**I will have sat**	
	θα έχω καθίσει	
	θα έχεις καθίσει	etc.

Examples:

Κάθομαι δίπλα σου.	I am sitting next to you.
Κάθισε στην καρέκλα.	Sit (*or* he/she sat) on the chair.
Οι φίλοι μου κάθονται στην Αθήνα.	My friends live (stay) in Athens.
Αυτό που έκανε ήταν πολύ κακό και τώρα κάθεται στα κάρβουνα.	What he did was very bad and now he sits on live coal.
Καθίσαμε ένα μήνα στην εξοχή.	We stayed one month in the country.
Κάθομαι. (Δεν έχω δουλειά.)	I am unemployed.
Το φαγητό μού κάθισε στο στομάχι.	The food gave me indigestion.

Active Voice, Indicative		Passive Voice, Indicative	
P. **I burn**		**I am burnt, I am being burnt**	
καίω	καίμε	καί(γ)ομαι	καιόμαστε
καις	καίτε	καίεσαι	καίεστε
καίει	καίουν - καίνε	καίεται	καίονται
P. C. **I was burning**		**I was being burnt**	
έκαια	καίαμε	και(γ)όμουν	καιόμαστε
έκαιες	καίατε	καιόσουν	καιόσαστε
έκαιε	έκαιαν	καιόταν	καίονταν
P. S. **I burnt**		**I was burnt**	
έκαψα	κάψαμε	κάηκα	καήκαμε
έκαψες	κάψατε	κάηκες	καήκατε
έκαψε	έκαψαν	κάηκε	κάηκαν
F. C. **I will be burning**		**I will be being burnt**	
θα καίω	θα καίμε	θα καί(γ)ομαι	θα καιόμαστε
θα καις	θα καίτε	θα καίεσαι	θα καίεστε
θα καίει	θα καίουν	θα καίεται	θα καίονται
F. S. **I will burn**		**I will be burnt**	
θα κάψω	θα κάψουμε	θα καώ	θα καούμε
θα κάψεις	θα κάψετε	θα καείς	θα καείτε
θα κάψει	θα κάψουν	θα καεί	θα καούν
Pr. P. **I have burnt**		**I have been burnt**	
έχω κάψει		έχω καεί	
έχεις κάψει	etc.	έχεις καεί	etc.
P. P. **I had burnt**		**I had been burnt**	
είχα κάψει	etc.	είχα καεί	
είχες κάψει		είχες καεί	etc.
F. P. **I will have burnt**		**I will have been burnt**	
θα έχω κάψει		θα έχω καεί	
θα έχεις κάψει	etc.	θα έχεις καεί	etc.

	Subjunctive		(with να, για να, όταν, αν, etc.)	
P.	να καίω	that I may be burning	να καί(γ)ομαι	that I may be being burnt
P. S.	να κάψω	that I may burn	να καώ	that I may be burnt
Pr. P.	να έχω κάψει	that I may have burnt	να έχω καεί	that I may have been burnt

	Imperative				
P.	καί(γ)ε (sing.)	be burning		-	
	καί(γ)ετε (pl.)	be burning	P.	καίγεστε (pl.)	be being burnt
P. S.	κάψε (sing.)	burn	P. S.	κάψου (sing.)	be burnt
	κάψετε (pl.)	burn		καείτε (pl.)	be burnt

	Infinitive			
	να κάψει	to burn	να καεί	to be burnt

	Participle			
	καί(γ)οντας	burning	καμέν-ος, -η, -ο	burnt

(Examples on page 160)

κάνω (1) (from κάμνω - The verb occurs only in the active voice)
- to do; to make; to fulfill; to accomplish; to carry out

	Indicative			*Subjunctive*		

P.   **I do**

κάνω	κάνουμε
κάνεις	κάνετε
κάνει	κάνουν

Subjunctive
(with να, για να, όταν, etc.)

P.	να κάνω	that I may be doing
P. S.	να κάνω - να κάμω	that I may do
Pr. P.	να έχω κάνει - να έχω κάμει	that I may have done

P. C.   **I was doing**

έκανα	κάναμε
έκανες	κάνατε
έκανε	έκαναν

Imperative

κάμνε (sing.)	be doing
κάμνετε (pl.)	be doing
κάνε - κάμε (sing.)	do
κάνετε - κάμετε (pl.)	do

P. S.   **I did**

έκανα	και	έκαμα
έκανες		έκαμες
έκανε		έκαμε
κάναμε		κάμαμε
κάνατε		κάματε
έκαναν		έκαμαν

Passive Past tense   **I was feigning, pretending**

καμώθηκα	καμωθήκαμε
καμώθηκες	καμωθήκατε
καμώθηκε	καμώθηκαν

F. C.   **I will be doing**

θα κάνω	θα κάνουμε
θα κάνεις	θα κάνετε
θα κάνει	θα κάνουν

F. S.   **I will do**

θα κάνω και	θα κάμω
θα κάνεις	θα κάμεις
θα κάνει	θα κάμει
θα κάνουμε	θα κάμουμε
θα κάνετε	θα κάμετε
θα κάνουν	θα κάμουν

Infinitive

να κάνει - να κάμει	to do

Participle

κάνοντας	doing

Pr. P.   **I have done**

έχω κάνει	έχω κάμει	
έχεις κάνει	έχεις κάμει	etc.

Passive participle

καμωμέν-ος, -η, -ο	done

P. P.   **I had done**

είχα κάνει	είχα κάμει	
είχες κάνει	είχες κάμει	etc.

F. P.   **I will have done**

θα έχω κάνει	θα έχω κάμει	
θα έχεις κάνει	θα έχεις κάμει	etc.

(examples on page 160)

Indicative

P. I understand

καταλαβαίνω	καταλαβαίνουμε
καταλαβαίνεις	καταλαβαίνετε
καταλαβαίνει	καταλαβαίνουν

P. C. I was understanding

καταλάβαινα	καταλαβαίναμε
καταλάβαινες	καταλαβαίνατε
καταλάβαινε	καταλάβαιναν

P. S. I understood

κατάλαβα	καταλάβαμε
κατάλαβες	καταλάβατε
κατάλαβε	κατάλαβαν

F. C. I will be understanding

θα καταλαβαίνω	θα καταλαβαίνουμε
θα καταλαβαίνεις	θα καταλαβαίνετε
θα καταλαβαίνει	θα καταλαβαίνουν

F. S. I will understand

θα καταλάβω	θα καταλάβουμε
θα καταλάβεις	θα καταλάβετε
θα καταλάβει	θα καταλάβουν

Pr. P. I have understood

έχω καταλάβει
έχεις καταλάβει   etc.

P. P. I had understood

είχα καταλάβει
είχες καταλάβει   etc.

F. P. I will have understood

θα έχω καταλάβει
θα έχεις καταλάβει   etc.

Subjunctive
(with να, για να, όταν, etc.)

P.	να καταλαβαίνω	that I may be understanding
P. S.	να καταλάβω	that I may understand
Pr. P.	να έχω καταλάβει	that I may have understood

Imperative

κατάλαβε (sing.)	understand
καταλάβετε (pl.)	understand

Infinitive

να καταλάβει	to understand

Participle

καταλαβαίνοντας	understanding

Examples:

Καταλαβαίνω τι λες.	I understand what you are saying.
Κατάλαβες τι είπα;	Did you understand what I said?
Δεν έχουν καταλάβει.	They have not understood.
Νομίζω ότι καταλαβαίνετε τι λέμε.	I think you understand what we are saying.
Το παιδί δεν καταλαβαίνει.	The child does not understand.

Indicative

P.   **I swallow**

καταπίνω	καταπίνουμε
καταπίνεις	καταπίνετε
καταπίνει	καταπίνουν

P. C.   **I was swallowing**

κατάπινα	καταπίναμε
κατάπινες	καταπίνατε
κατάπινε	κατάπιναν

P. S.   **I swallowed**

κατάπια	κατάπιαμε
κατάπιες	κατάπιατε
κατάπιε	κατάπιαν

F. C.   **I will be swallowing**

θα καταπίνω	θα καταπίνουμε
θα καταπίνεις	θα καταπίνετε
θα καταπίνει	θα καταπίνουν

F. S.   **I will swallow**

θα καταπιώ	θα καταπιούμε
θα καταπιείς	θα καταπιείτε
θα καταπιεί	θα καταπιούν

Pr. P.   **I have swallowed**

έχω καταπιεί	
έχεις καταπιεί	etc.

P. P.   **I had swallowed**

είχα καταπιεί	
είχες καταπιεί	etc.

F. P.   **I will have swallowed**

θα έχω καταπιεί	
θα έχεις καταπιεί	etc.

Subjunctive

(with να, για να, όταν, etc.)

P.	να καταπίνω	that I may be swallowing
P. S.	να καταπιώ	that I may swallow
P. P.	να έχω καταπιεί	that I may have swallowed

Imperative

P.	κατάπινε (sing.)	be swallowing
	καταπίνετε (pl.)	be swallowing
P. S.	κατάπιε (sing.)	swallow
	καταπιείτε (pl.)	swallow

Infinitive

να καταπιεί	to swallow

Participle

καταπίνοντας	swallowing

Examples:

Δεν μπορεί να καταπιεί το φάρμακο.	He cannot swallow the medicine.
Ο Σωκράτης κατάπιε το κώνειο και πέθανε.	Socrates swallowed the hemlock and he died.
Καταπίνω τη γλώσσα μου.	I swallow my tongue. (I do not dare to reveal anything).
Τον κατάπιε η γη.	He disappeared. (He was swallowed by the earth).
Τα κατάπιε όλα.	He swallowed everything. (He accepted everything and said nothing).
Κατάπινε σιγά σιγά.	Swallow slowly.
Άνοιξε η γη και τον κατάπιε.	The earth opened and swallowed him. (He disappeared).

	Indicative		*Subjunctive*	

P.   I descend

κατεβαίνω	κατεβαίνουμε
κατεβαίνεις	κατεβαίνετε
κατεβαίνει	κατεβαίνουν

P. C.   I was descending

κατέβαινα	κατεβαίναμε
κατέβαινες	κατεβαίνατε
κατέβαινε	κατέβαιναν

P. S.   I descended

κατέβηκα	κατεβήκαμε
κατέβηκες	κατεβήκατε
κατέβηκε	κατέβηκαν

F. C.   I will be descending

θα κατεβαίνω	θα κατεβαίνουμε
θα κατεβαίνεις	θα κατεβαίνετε
θα κατεβαίνει	θα κατεβαίνουν

F. S.   I will descend

θα κατέβω	θα κατέβουμε
θα κατέβεις	θα κατέβετε
θα κατέβει	θα κατέβουν

Pr. P.   I have descended

έχω κατέβει
έχεις κατέβει   etc.

P. P.   I had descended

είχα κατέβει
είχες κατέβει   etc.

F. P.   I will have descended

θα έχω κατέβει
θα έχεις κατέβει   etc.

Subjunctive

(with να, για να, όταν, etc,)

P.	να κατεβαίνω	that I may be descending
P. S.	να κατέβω	that I may descend
Pr. P.	να έχω κατέβει	that I may have descended

Imperative

P.	κατέβαινε (sing.)	be coming down
	κατεβαίνετε (pl.)	be coming down
P. S.	κατέβα (sing.)	come down
	κατεβείτε (pl.)	come down

Infinitive

να κατέβει	to descend
	to come down

Participle

κατεβαίνοντας	descending, coming down

Examples:

Κατέβα.	Come down.
Κατέβηκε τη σκάλα γρήγορα γρήγορα.	He came down the stairs very fast.
Οι Θεοί κατέβηκαν από τον Όλυμπο.	The Gods came down from Mt. Olympus.
Κατεβήκαμε στην πόλη να δούμε τα μαγαζιά.	We went downtown to see the stores.
Το λεωφορείο κατεβαίνει τον ανώμαλο δρόμο σιγά σιγά.	The bus comes down the rough road slowly.
Η θερμοκρασία κατέβηκε στο μηδέν.	The temperature went down (dropped down) to zero.
Θα κατέβεις;	Will you come down?

	Active Voice, Indicative		*Passive Voice, Indicative*	
P.	**I possess**		**I am being occupied, possessed**	
	κατέχω	κατέχουμε	κατέχομαι	κατεχόμαστε
	κατέχεις	κατέχετε	κατέχεσαι	κατέχεστε
	κατέχει	κατέχουν	κατέχεται	κατέχονται
P. C.	**I possessed**		**I was being occupied, I was occupied**	
P. S.	κατείχα	κατείχαμε	κατεχόμουν	κατεχόμαστε
	κατείχες	κατείχατε	κατεχόσουν	κατεχόσαστε
	κατείχε	κατείχαν	κατεχόταν	κατέχονταν
F. C.	**I will possess**		**I will be occupied, possessed**	
F. S.	θα κατέχω	θα κατέχουμε	θα κατέχομαι	θα κατεχόμαστε
	θα κατέχεις	θα κατέχετε	θα κατέχεσαι	θα κατέχεστε
	θα κατέχει	θα κατέχουν	θα κατέχεται	θα κατέχονται

PERFECT TENSES NOT COMMON

Subjunctive

να κατέχω   that I may be possessing   να κατέχομαι   that I may be occupied, possessed
that I may possess

Imperative

κάτεχε (sing.)   possess
κατέχετε (pl.)   possess

Infinitive

να κατέχει   to possess   **Passive Participle**
     κατεχόμεν-ος, -η, -ο   occupied, possessed

Participle

κατέχοντας   possessing

Examples:

Κατέχω καλά την αγγλική γλώσσα.	I handle the English language well.
Οι Γερμανοί κατείχαν την Ευρώπη τέσσερα χρόνια κατά τον Δεύτερο Παγκόσμιο Πόλεμο.	The Germans occupied Europe for four years during the Second World War.
Κατέχεις τι σου λέω;	Do you understand what I am telling you?
Κατείχε μέγα αξίωμα στην αυλή του βασιλιά.	He held an important office at the king's court.
Η χώρα μας κατέχεται από εχθρούς.	Our country is occupied by the enemy.

	Active Voice, Indicative		*Passive Voice, Indicative*	
P.	**I accuse**		**I am accused, I am being accused**	
	κατηγορώ	κατηγορούμε	κατηγορούμαι	κατηγορούμαστε
	κατηγορείς	κατηγορείτε	κατηγορείσαι	κατηγορείστε
	κατηγορεί	κατηγορούν	κατηγορείται	κατηγορούνται
P. C.	**I was accusing**		**I was being accused**	
	κατηγορούσα	κατηγορούσαμε	κατηγορούμουν	κατηγορούμαστε
	κατηγορούσες	κατηγορούσατε	κατηγορούσουν	κατηγορούσαστε
	κατηγορούσε	κατηγορούσαν	κατηγορούνταν	κατηγορούνταν
P. S.	**I accused**		**I was accused**	
	κατηγόρησα	κατηγορήσαμε	κατηγορήθηκα	κατηγορηθήκαμε
	κατηγόρησες	κατηγορήσατε	κατηγορήθηκες	κατηγορηθήκατε
	κατηγόρησε	κατηγόρησαν	κατηγορήθηκε	κατηγορήθηκαν
F. C.	**I will be accusing**		**I will be being accused**	
	θα κατηγορώ		θα κατηγορούμαι	
	θα κατηγορείς	etc.	θα κατηγορείσαι	etc.
F. S.	**I will accuse**		**I will be accused**	
	θα κατηγορήσω	θα κατηγορήσουμε	θα κατηγορηθώ	θα κατηγορηθούμε
	θα κατηγορήσεις	θα κατηγορήσετε	θα κατηγορηθείς	θα κατηγορηθείτε
	θα κατηγορήσει	θα κατηγορήσουν	θα κατηγορηθεί	θα κατηγορηθούν
Pr. P.	**I have accused**		**I have been accused**	
	έχω κατηγορήσει		έχω κατηγορηθεί	
	έχεις κατηγορήσει	etc.	έχεις κατηγορηθεί	etc.
P. P.	**I had accused**		**I had been accused**	
	είχα κατηγορήσει		είχα κατηγορηθεί	
	είχες κατηγορήσει	etc.	είχες κατηγορηθεί	etc.
F. P.	**I will have accused**		**I will have been accused**	
	θα έχω κατηγορήσει		θα έχω κατηγορηθεί	
	θα έχεις κατηγορήσει	etc.	θα έχεις κατηγορηθεί	etc.

Subjunctive (with να, για να, όταν, αν, etc.)

P.	να κατηγορώ	that I may be accusing	να κατηγορούμαι	that I may be being accused
P. S.	να κατηγορήσω	that I may accuse	να κατηγορηθώ	that I may be accused
Pr. P.	να έχω κατηγορήσει	that I may have accused	να έχω κατηγορηθεί	that I may have been accused

Imperative

P.	κατηγόρα (sing.)	be accusing	-	
	κατηγορείτε (pl.)	be accusing	κατηγορείστε (pl.)	be being accused
P. S.	κατηγόρησε (sing.)	accuse	κατηγορήσου (sing.)	be accused
	κατηγορείστε (pl.)	accuse	κατηγορηθείτε (pl.)	be accused

Infinitive

να κατηγορήσει	to accuse	να κατηγορηθεί	to be accused

Participle

κατηγορώντας	accusing	κατηγορημέν-ος, -η, -ο	accused
		(For examples on page 161)	

	Active Voice, Indicative		*Passive Voice, Indicative*	
P.	**I inhabit, I reside**		**I am inhabited, I am being inhabited**	
	κατοικώ	κατοικούμε	κατοικούμαι	κατοικούμαστε
	κατοικείς	κατοικείτε	κατοικείσαι	κατοικείστε
	κατοικεί	κατοικούν	κατοικείται	κατοικούνται
P. C.	**I was residing**		**I was being inhabited**	
	κατοικούσα	κατοικούσαμε	κατοικούμουν	κατοικούμαστε
	κατοικούσες	κατοικούσατε	κατοικούσουν	κατοικούσαστε
	κατοικούσε	κατοικούσαν	κατοικούνταν	κατοικούνταν
P. S.	**I resided**		**I was inhabited**	
	κατοίκησα	κατοικήσαμε	κατοικήθηκα	κατοικηθήκαμε
	κατοίκησες	κατοικήσατε	κατοικήθηκες	κατοικηθήκατε
	κατοίκησε	κατοίκησαν	κατοικήθηκε	κατοικήθηκαν
F. C.	**I will be residing**		**I will be being inhabited**	
	θα κατοικώ		θα κατοικούμαι	
	θα κατοικείς	etc.	θα κατοικείσαι	etc.
F. S.	**I will reside**		**I will be inhabited**	
	θα κατοικήσω	θα κατοικήσουμε	θα κατοικηθώ	θα κατοικηθούμε
	θα κατοικήσεις	θα κατοικήσετε	θα κατοικηθείς	θα κατοικηθείτε
	θα κατοικήσει	θα κατοικήσουν	θα κατοικηθεί	θα κατοικηθούν
Pr. P.	**I have resided**		**I have been inhabited**	
	έχω κατοικήσει		έχω κατοικηθεί	
	έχεις κατοικήσει	etc.	έχεις κατοικηθεί	etc.
P. P.	**I had resided**		**I had been inhabited**	
	είχα κατοικήσει		είχα κατοικηθεί	
	είχες κατοικήσει	etc.	είχες κατοικηθεί	etc.
F. P.	**I will have resided**		**I will have been inhabited**	
	θα έχω κατοικήσει		θα έχω κατοικηθεί	
	θα έχεις κατοικήσει	etc.	θα έχεις κατοικηθεί	etc.

Subjunctive (with να, για να, όταν, etc.)

P.	να κατοικώ	that I may be residing	να κατοικούμαι	that I may be being inhabited
P. S.	να κατοικήσω	that I may reside	να κατοικηθώ	that I may be inhabited
Pr. P.	να έχω κατοικήσει	that I may have resided	να έχω κατοικηθεί	that I may have been inhabited

Imperative

P. S.	κατοίκησε (sing.)	reside	κατοικήσου (sing.)	be inhabited
	κατοικείστε (pl.)	reside	κατοικηθείτε (pl.)	be inhabited

Infinitive

να κατοικήσει	to reside	να κατοικηθεί	to be inhabited

Participle

κατοικώντας	residing	κατοικημέν-ος, -η, -ο	inhabited

(Examples on page 161)

	Indicative			*Subjunctive*	
P.	**I achieve**			(with να, για να, όταν, etc.)	

	Indicative	
P.	**I achieve**	
	κατορθώνω	κατορθώνουμε
	κατορθώνεις	κατορθώνετε
	κατορθώνει	κατορθώνουν
P. C.	**I was achieving**	
	κατόρθωνα	κατορθώναμε
	κατόρθωνες	κατορθώνατε
	κατόρθωνε	κατόρθωναν
P. S.	**I achieved**	
	κατόρθωσα	κατορθώσαμε
	κατόρθωσες	κατορθώσατε
	κατόρθωσε	κατόρθωσαν
F. C.	**I will be achieving**	
	θα κατορθώνω	θα κατορθώνουμε
	θα κατορθώνεις	θα κατορθώνετε
	θα κατορθώνει	θα κατορθώνουν
F. S.	**I will achieve**	
	θα κατορθώσω	θα κατορθώσουμε
	θα κατορθώσεις	θα κατορθώσετε
	θα κατορθώσει	θα κατορθώσουν
Pr. P.	**I have achieved**	
	έχω κατορθώσει	
	έχεις κατορθώσει	etc.
P. P.	**I had achieved**	
	είχα κατορθώσει	
	είχες κατορθώσει	etc.
F. P.	**I will have achieved**	
	θα έχω κατορθώσει	
	θα έχεις κατορθώσει	etc.

Subjunctive
(with να, για να, όταν, etc.)

P.	να κατορθώνω	that I may be achieving
P. S.	να κατορθώσω	that I may achieve
Pr. P.	να έχω κατορθώσει	that I may have achieved

Imperative

P.	κατόρθωνε (sing.)	be achieving
	κατορθώνετε (pl.)	be achieving
P. S.	κατόρθωσε (sing.)	achieve
	κατορθώστε (pl.)	achieve

Passive Past Tense – I was achieved

κατορθώθηκα	κατορθωθήκαμε
κατορθώθηκες	κατορθωθήκατε
κατορθώθηκε	κατορθώθηκαν

Infinitive

να κατορθώσει	to achieve

Participle

κατορθώνοντας	achieving

Examples:

Τι κατόρθωσες στη ζωή σου;	What have you achieved in your life?
Κατορθώσαμε να σώσουμε το παιδί που πνιγόταν.	We succeeded in saving the child who was drowning.
Η ιατρική επιστήμη κατόρθωσε να νικήσει τη φοβερή αρρώστια πολιομυελίτιδα.	Medical science succeeded in conquering polio, the dreaded disease.
Έχουν κατορθώσει το ακατόρθωτο.	They have achieved the unachievable.
Η ομάδα κατόρθωσε να φτάσει την κορυφή του Έβερεστ.	The group succeeded in reaching the top of Mount Everest.

Active Voice, Indicative		*Passive Voice, Indicative*	
P.	**I gain, I win**	**I am won, I am being won**	
κερδίζω	κερδίζουμε	κερδίζομαι	κερδιζόμαστε
κερδίζεις	κερδίζετε	κερδίζεσαι	κερδίζεστε
κερδίζει	κερδίζουν	κερδίζεται	κερδίζονται

	P. C.	**I was gaining, winning**	**I was being won**	
	κέρδιζα	κερδίζαμε	κερδιζόμουν	κερδιζόμαστε
	κέρδιζες	κερδίζατε	κερδιζόσουν	κερδιζόσαστε
	κέρδιζε	κέρδιζαν	κερδιζόταν	κερδίζονταν

	P. S.	**I gained, I won**	**I was won**	
	κέρδισα	κερδίσαμε	κερδίστηκα, *or* κερδήθηκα	κερδηθήκαμε
	κέρδισες	κερδίσατε	κερδίστηκες, κερδήθηκες	κερδηθήκατε
	κέρδισε	κέρδισαν	κερδίστηκε, κερδήθηκε	κερδήθηκαν

	F. C.	**I will be gaining, winning**	**I will be being won**	
	θα κερδίζω		θα κερδίζομαι	
	θα κερδίζεις	etc.	θα κερδίζεσαι	etc.

	F. S.	**I will gain, I will win**	**I will be won**	
	θα κερδίσω	θα κερδίσουμε	θα κερδηθώ	θα κερδηθούμε
	θα κερδίσεις	θα κερδίσετε	θα κερδηθείς	θα κερδηθείτε
	θα κερδίσει	θα κερδίσουν	θα κερδηθεί	θα κερδηθούν

	Pr. P.	**I have won**	**I have been won**	
	έχω κερδίσει		έχω κερδηθεί	
	έχεις κερδίσει	etc.	έχεις κερδηθεί	etc.

	P. P.	**I had won**	**I had been won**	
	είχα κερδίσει		είχα κερδηθεί	
	είχες κερδίσει	etc.	είχες κερδηθεί	etc.

	F. P.	**I will have won**	**I will have been won**	
	θα έχω κερδίσει		θα έχω κερδηθεί	
	θα έχεις κερδίσει	etc.	θα έχεις κερδηθεί	etc.

Subjunctive (with να, για να, όταν, etc.)

P.	να κερδίζω	that I may be winning	να κερδίζομαι	that I may be being won
P. S.	να κερδίσω	that I may win	να κερδηθώ	that I may be won
Pr. P.	να έχω κερδίσει	that I may have won	να έχω κερδηθεί	that I may have been won

Imperative

P.	κέρδιζε (sing.)	be winning	κερδίζου (sing.)	be being won
	κερδίζετε (pl.)	be winning	κερδίζεστε (pl.)	be being won
P. S.	κέρδισε (sing.)	win	κερδήσου (sing.)	be won
	κερδίστε (pl.)	win	κερδηθείτε (pl.)	be won

Infinitive

να κερδίσει	to win	να κερδηθεί	to be won

Participle

κερδίζοντας	winning, gaining	κερδισμέν-ος, -η, -ο	someone who has gained

(For examples on page 161)

Indicative

P.   **I cry**

κλαίω	κλαίμε
κλαις	κλαίτε
κλαίει	κλαίουν – κλαίνε

P. C.   **I was crying**

έκλαι(γ)α	κλαίαμε
έκλαιες	κλαίατε
έκλαιε	έκλαιαν

P. S.   **I cried**

έκλαψα	κλάψαμε
έκλαψες	κλάψατε
έκλαψε	έκλαψαν

F. C.   **I will be crying**

θα κλαίω	θα κλαίμε
θα κλαις	θα κλαίτε
θα κλαίει	θα κλαίουν – κλαίνε

F. S   **I will cry**

θα κλάψω	θα κλάψουμε
θα κλάψεις	θα κλάψετε
θα κλάψει	θα κλάψουν

Pr. P.   **I have cried**

έχω κλάψει	
έχεις κλάψει	etc.

P. P.   **I had cried**

είχα κλάψει	
είχες κλάψει	etc.

F. P.   **I will have cried**

θα έχω κλάψει	
θα έχεις κλάψει	etc.

Subjunctive

(with να, για να, όταν, etc.)

P.	να κλαίω	that I may be crying
P. S.	να κλάψω	that I may cry
Pr. P.	να έχω κλάψει	that I may have cried

Imperative

P.	κλαίε (sing.)	be grying
	κλαίετε *or* κλαίτε (pl.)	be crying
P. S.	κλάψε (sing.)	cry
	κλάψετε *or* κλάψτε (pl.)	cry

Infinitive

να κλάψει	to cry

Participle

κλαί(γ)οντας	crying

Passive Past Simple - I was lamented

κλάφτηκα	κλαφτήκαμε
κλάφτηκες	κλαφτήκατε
κλάφτηκε	κλάφτηκαν

Passive infinitive

να κλαφτεί	to be lamented

Passive participle

κλαμέν-ος, -η, -ο	lamented

Examples:

Το παιδί κλαίει.	The child is crying.
Έκλαψε πολύ για τον θάνατο του αγαπητού του φίλου.	He cried much on account of the death of his beloved friend.
Ήλθε κλαίοντας.	He came crying.
Κλάψαμε.	We cried. (We wept.)
Από τα μάτια φαίνεται ότι έχει κλάψει.	From the looks of his (her) eyes he (she) must have cried.
Γιατί κλαίτε;	Why do you cry? (Why are you crying?)

More examples on page 162

	Indicative			*Subjunctive*		

P. **I steal**

κλέβω   κλέβουμε

κλέβεις   κλέβετε

κλέβει   κλέβουν

Subjunctive

(with να, για να, όταν, etc.)

P.   να κλέβω   that I may be stealing

P. S.   να κλέψω   that I may steal

Pr. P.   να έχω κλέψει   that I may have stolen

P. C. **I was stealing**

έκλεβα   κλέβαμε

έκλεβες   κλέβατε

έκλεβε   έκλεβαν

Imperative

κλέψε (sing.)   steal

κλέψετε (pl.)   steal

P. S. **I stole**

έκλεψα   κλέψαμε

έκλεψες   κλέψατε

έκλεψε   έκλεψαν

Infinitive

να κλέψει   to steal

F. C. **I will be stealing**

θα κλέβω   θα κλέβουμε

θα κλέβεις   θα κλέβετε

θα κλέβει   θα κλέβουν

Participle

κλέβοντας   stealing

F. S. **I will steal**

θα κλέψω   θα κλέψουμε

θα κλέψεις   θα κλέψετε

θα κλέψει   θα κλέψουν

Passive Past tense – I was stolen

κλάπηκα   κλαπήκαμε

κλάπηκες   κλαπήκατε

κλάπηκε   κλάπηκαν

Pr. P. **I have stolen**

έχω κλέψει   έχουμε κλέψει

έχεις κλέψει   έχετε κλέψει

έχει κλέψει   έχουν κλέψει

Passive infinitive

να κλαπεί   to be stolen

P. P. **I had stolen**

είχα κλέψει

είχες κλέψει   etc.

Passive participle

κλεμμέν-ος, -η, -ο   stolen

F. P. **I will have stolen**

θα έχω κλέψει

θα έχεις κλέψει   etc.

Examples:

Μου έκλεψε τα χρήματά μου. — He stole my money.

Του έκλεψε την αγάπη του. — He took away his love.

Ζει κλέβοντας τον κόσμο. — He lives by robbing the people.

Το πορτραίτο κλάπηκε. — The portrait has been stolen.

Μας έκλεψαν. — They robbed us.

Το κλεμμένο δαχτυλίδι βρέθηκε. — The stolen ring was found.

Έχει κλέψει τον κόσμο. — He has robbed every one.

Κλέβει ό,τι μπορεί. — He steals whatever he can.

Έκλεψαν ό,τι πολύτιμο είχαμε. — They stole whatever valuable we had.

	Active Voice, Indicative		*Passive Voice, Indicative*	
P.	**I close**		**I am closed, I am being closed**	
	κλείνω	κλείνουμε	κλείνομαι	κλεινόμαστε
	κλείνεις	κλείνετε	κλείνεσαι	κλείνεστε - κλεινόσαστε
	κλείνει	κλείνουν	κλείνεται	κλείνονται
P. C.	**I was closing**		**I was being closed**	
	έκλεινα	κλείναμε	κλεινόμουν	κλειν-όμαστε, -όμασταν
	έκλεινες	κλείνατε	κλεινόσουν	κλειν-όσαστε, -όσασταν
	έκλεινε	έκλειναν	κλεινόταν	κλείνονταν
P. S.	**I closed**		**I was closed**	
	έκλεισα	κλείσαμε	κλείστηκα	κλειστήκαμε
	έκλεισες	κλείσατε	κλείστηκες	κλειστήκατε
	έκλεισε	έκλεισαν	κλείστηκε	κλείστηκαν
F. C.	**I will be closing**		**I will be being closed**	
	θα κλείνω		θα κλείνομαι	
	θα κλείνεις	etc.	θα κλείνεσαι	etc.
F. S.	**I will close**		**I will be closed**	
	θα κλείσω	θα κλείσουμε	θα κλειστώ	θα κλειστούμε
	θα κλείσεις	θα κλείσετε	θα κλειστείς	θα κλειστείτε
	θα κλείσει	θα κλείσουν	θα κλειστεί	θα κλειστούν
Pr. P.	**I have closed**		**I have been closed**	
	έχω κλείσει		έχω κλειστεί	
	έχεις κλείσει	etc.	έχεις κλειστεί	etc.
P. P.	**I had closed**		**I had been closed**	
	είχα κλείσει		είχα κλειστεί	
	είχες κλείσει	etc.	είχες κλειστεί	etc.
F. P.	**I will have closed**		**I will have been closed**	
	θα έχω κλείσει		θα έχω κλειστεί	
	θα έχεις κλείσει	etc.	θα έχεις κλειστεί	etc.

Subjunctive (with να, για να, αν, όταν, etc.)

P.	να κλείνω	that I may be closing	να κλείνομαι	that I may be being closed
P. S.	να κλείσω	that I may close	να κλειστώ	that I may be closed
Pr. P.	να έχω κλείσει	that I may have closed	να έχω κλειστεί	that I may have been closed

Imperative

P.	κλείνε (sing.)	be closing	κλείνου (sing.)	be being closed
	κλείνετε (pl.)	be closing	κλείνεστε (pl.)	be being closed
P. S.	κλείσε (sing.)	close	κλείσου (sing.)	be closed
	κλείστε (pl.)	close	κλειστείτε (pl.)	be closed

Infinitive

να κλείσει	to close	να κλειστεί	to be closed

Participle

κλείνοντας	closing	κλεισμέν-ος, -η, -ο	closed
		(Examples on page 162)	

Active Voice, Indicative		*Passive Voice, Indicative*	
P. **I cut**		**I am cut, I am being cut**	
κόβω	κόβουμε	κόβομαι	κοβόμαστε
κόβεις	κόβετε	κόβεσαι	κόβεστε - κοβόσαστε
κόβει	κόβουν	κόβεται	κόβονται
P. C. **I was cutting**		**I was being cut**	
έκοβα	κόβαμε	κοβόμουν	κοβ-όμαστε, -όμασταν
έκοβες	κόβατε	κοβόσουν	κοβ-όσαστε, -όσασταν
έκοβε	έκοβαν	κοβόταν	κόβονταν
P. S. **I cut**		**I was cut**	
έκοψα	κόψαμε	κόπηκα	κοπήκαμε
έκοψες	κόψατε	κόπηκες	κοπήκατε
έκοψε	έκοψαν	κόπηκε	κόπηκαν
F. C. **I will be cutting**		**I will be being cut**	
θα κόβω		θα κόβομαι	
θα κόβεις	etc.	θα κόβεσαι	etc.
F. S. **I will cut**		**I will be cut**	
θα κόψω	θα κόψουμε	θα κοπώ	θα κοπούμε
θα κόψεις	θα κόψετε	θα κοπείς	θα κοπείτε
θα κόψει	θα κόψουν	θα κοπεί	θα κοπούν
Pr. P. **I have cut**		**I have been cut**	
έχω κόψει		έχω κοπεί	
έχεις κόψει	etc.	έχεις κοπεί	etc.
P. P. **I had cut**		**I had been cut**	
είχα κόψει		είχα κοπεί	
είχες κόψει	etc.	είχες κοπεί	etc.
F. P. **I will have cut**		**I will have been cut**	
θα έχω κόψει		θα έχω κοπεί	
θα έχεις κόψει	etc.	θα έχεις κοπεί	etc.

Subjunctive (with να, για να, αν, όταν, etc.)

P.	να κόβω	that I may be cutting	να κόβομαι	that I may be being cut
P. S.	να κόψω	that I may cut	να κοπώ	that I may be cut
Pr. P.	να έχω κόψει	that I may have cut	να έχω κοπεί	that I may have been cut

Imperative

P.	κόβε (sing.)	be cutting	κόβου (sing.)	be being cut
	κόβετε (pl.)	be cutting	κόβεστε (pl.)	be being cut
P. S.	κόψε (sing.)	cut	κόψου (sing.)	be cut
	κόψετε - κόψτε (pl.)	cut	κοπείτε (pl.)	be cut

Infinitive

να κόψει	to cut	να κοπεί	to be cut

Participle

κόβοντας	cutting	κομμέν-ος, -η, -ο	cut

(For examples on page 162)

	Indicative			*Subjunctive*	
P.	**I sleep**			(with να, για να, όταν, etc.)	
	κοιμ-άμαι, -ούμαι	κοιμούμαστε		P. να κοιμάμαι	that I may be sleeping
	κοιμάσαι	κοιμάστε		P. S. να κοιμηθώ	that I may sleep
	κοιμάται	κοιμούνται		Pr. P. να έχω κοιμηθεί	that I may have slept

P. C.   **I was sleeping**

κοιμόμουν	κοιμόμαστε
κοιμόσουν	κοιμόσαστε
κοιμόταν	κοιμόνταν

Imperative

κοιμήσου (sing.)	sleep
κοιμηθείτε (pl.)	sleep

P. S.   **I slept**

κοιμήθηκα	κοιμηθήκαμε
κοιμήθηκες	κοιμηθήκατε
κοιμήθηκε	κοιμήθηκαν

Infinitive

να κοιμηθεί	to sleep

F. C.   **I will be sleeping**

θα κοιμ-ούμαι, -άμαι	
θα κοιμάσαι	etc.

Participle

κοιμισμέν-ος, -η, -ο	sleeping

F. S.   **I will sleep**

θα κοιμηθώ	θα κοιμηθούμε
θα κοιμηθείς	θα κοιμηθείτε
θα κοιμηθεί	θα κοιμηθούν

Pr. P.   **I have slept**

έχω κοιμηθεί	
έχεις κοιμηθεί	etc.

P. P.   **I had slept**

είχα κοιμηθεί	
είχες κοιμηθεί	etc.

F. P.   **I will have slept**

θα έχω κοιμηθεί	
θα έχεις κοιμηθεί	etc.

Examples:

Κοιμάται όλη μέρα.	He sleeps all day long.
Κοιμάται τον αιώνιο ύπνο.	He sleeps the eternal sleep. (He is dead).
Κοιμήθηκε.	He fell asleep. (also: He/she died).
Απόψε πρέπει να κοιμηθείτε νωρίς.	Tonight you must go to bed early.
Κοιμήθηκε πριν πολλά χρόνια.	He died many years ago.
Είναι κοιμισμένος.	He is stupid. (He is sleeping). He is asleep.
Δεν μπορώ να κοιμηθώ.	I cannot sleep.
Κοιμήσου!	Sleep!

	Active Voice, Indicative		*Passive Voice, Indicative*	
P.	**I look**		**I am looked, I am being looked**	
	κοιτάζω - κοιτώ	κοιτάζουμε - κοιτούμε	κοιτάζομαι	κοιταζόμαστε
	κοιτάζεις - κοιτάς	κοιτάζετε - κοιτάτε	κοιτάζεσαι	κοιτάζεστε - κοιταζόσαστε
	κοιτάζει - κοιτά	κοιτάζουν - κοιτούν	κοιτάζεται	κοιτάζονται
P. C.	**I was looking**		**I was being looked**	
	κοίταζα	κοιτάζαμε	κοιταζόμουν	κοιταζ-όμαστε, -όμασταν
	κοίταζες	κοιτάζατε	κοιταζόσουν	κοιταζ-όσαστε, -όσασταν
	κοίταζε	κοίταζαν	κοιταζόταν	κοιτάζονταν
P. S.	**I looked**		**I was looked**	
	κοίταξα	κοιτάξαμε	κοιτάχτηκα	κοιταχτήκαμε
	κοίταξες	κοιτάξατε	κοιτάχτηκες	κοιταχτήκατε
	κοίταξε	κοίταξαν	κοιτάχτηκε	κοιτάχτηκαν
F. C.	**I will be looking**		**I will be being looked**	
	θα κοιτάζω		θα κοιτάζομαι	
	θα κοιτάζεις	etc.	θα κοιτάζεσαι	etc.
F. S.	**I will look**		**I will be looked**	
	θα κοιτάξω	θα κοιτάξουμε	θα κοιταχτώ	θα κοιταχτούμε
	θα κοιτάξεις	θα κοιτάξετε	θα κοιταχτείς	θα κοιταχτείτε
	θα κοιτάξει	θα κοιτάξουν	θα κοιταχτεί	θα κοιταχτούν
Pr. P.	**I have looked**		**I have been looked**	
	έχω κοιτάξει		έχω κοιταχτεί	
	έχεις κοιτάξει	etc.	έχεις κοιταχτεί	etc.
P. P.	**I had looked**		**I had been looked**	
	είχα κοιτάξει		είχα κοιταχτεί	
	είχες κοιτάξει	etc.	είχες κοιταχτεί	etc.
F. P.	**I will have looked**		**I will have been looked**	
	θα έχω κοιτάξει		θα έχω κοιταχτεί	
	θα έχεις κοιτάξει	etc.	θα έχεις κοιταχτεί	etc.

Subjunctive (with να, για να, αν, όταν, etc.)

P.	να κοιτάζω	that I may be looking	να κοιτάζομαι	that I may be being looked
P. S.	να κοιτάξω	that I may look	να κοιταχτώ	that I may be looked
Pr. P.	να έχω κοιτάξει	that I may have looked	να έχω κοιταχτεί	that I may have been looked

Imperative

P.	κοίταζε (sing.)	be looking	κοιτάζου (sing.)	be being looked
	κοιτάζετε (pl.)	be looking	κοιτάζεστε (pl.)	be being looked
P. S.	κοίταξε - κοίτα (sing.)	look	κοιτάξου (sing.)	be looked
	κοιτάξτε (pl.)	look	κοιταχτείτε (pl.)	be looked

Infinitive

να κοιτάξει	to look	να κοιταχτεί	to be looked

Participle

κοιτάζοντας	looking	κοιταγμέν-ος, -η, -ο	looked

(Examples on page 163)

	Indicative			*Subjunctive*	
P.	**I swim**			(with να, για να, όταν, etc.)	
	κολυμπ-ώ, -άω	κολυμπ-ούμε, -άμε	**P.**	να κολυμπώ	that I may be swimming
	κολυμπάς	κολυμπάτε	**P. S**	να κολυμπήσω	that I may swim
	κολυμπ-ά, -άει	κολυμπ-ούν, -άνε	**Pr. P.**	να έχω κολυμπήσει	that I may have swum

P. C.	**I was swimming**			**Imperative**	
	κολυμπούσα	κολυμπούσαμε	**P.**	κολύμπα (sing.)	be swimming
	κολυμπούσες	κολυμπούσατε		κολυμπάτε (pl.)	be swimming
	κολυμπούσε	κολυμπούσαν	**P. S.**	κολύμπησε (sing.)	swim
				κολυμπήστε (pl.)	swim

P. S.	**I swam**			**Infinitive**	
	κολύμπησα	κολυμπήσαμε		να κολυμπήσει	to swim
	κολύμπησες	κολυμπήσατε			
	κολύμπησε	κολύμπησαν			

F. C.	**I will be swimming**			**Participle**	
	θα κολυμπ-ώ, -άω	θα κολυμπ-ούμε, -άμε		κολυμπώντας	swimming
	θα κολυμπάς	θα κολυμπάτε			
	θα κολυμπ-ά, -άει	θα κολυμπ-ούν, -άνε			

F. S.	**I will swim**	
	θα κολυμπήσω	θα κολυμπήσουμε
	θα κολυμπήσεις	θα κολυμπήσετε
	θα κολυμπήσει	θα κολυμπήσουν

Pr. P.	**I have swum**	
	έχω κολυμπήσει	
	έχεις κολυμπήσει	etc.

P. P.	**I had swum**	
	είχα κολυμπήσει	
	είχες κολυμπήσει	etc.

F. P.	**I will have swum**	
	θα έχω κολυμπήσει	
	θα έχεις κολυμπήσει	etc.

Examples:

Το καλοκαίρι κάθε μέρα κολυμπούμε στη θάλασσα.	In the summer we swim in the sea every day.
Κολυμπά σαν ψάρι.	He swims like a fish.
Κολύμπησε από το ένα ακρωτήρι στο άλλο.	He swam from one cape to the other.
Μη κολυμπάτε στα βαθιά νερά.	Do not swim in deep waters.
Κολυμπούσαμε για μια ώρα.	We were swimming for one hour.

	Indicative		*Subjunctive*	

P.   I approach (with να, για να, όταν, etc.)

κοντεύω   κοντεύουμε   P.   να κοντεύω   that I may be approaching
κοντεύεις   κοντεύετε   P. S.   να κοντέψω   that I may approach
κοντεύει   κοντεύουν   Pr. P. να έχω κοντέψει   that I may have
                                                                           approached

P. C.   I was approaching   **Imperative**

κόντευα   κοντεύαμε   P.   κόντευε (sing.)   be approaching
κόντευες   κοντεύατε   κοντεύετε (pl.)   be approaching
κόντευε   κόντευαν   P. S. κόντεψε (sing.)   approach
                                                κοντέψετε, κοντέψτε (pl.) approach

P. S.   I approached   **Infinitive**

κόντεψα   κοντέψαμε   να κοντέψει   to approach
κόντεψες   κοντέψατε
κόντεψε   κόντεψαν

F. C.   I will be approaching   **Participle**

θα κοντεύω   θα κοντεύουμε   κοντεύοντας   approaching
θα κοντεύεις   θα κοντεύετε
θα κοντεύει   θα κοντεύουν

F. S.   I will approach

θα κοντέψω   θα κοντέψουμε
θα κοντέψεις   θα κοντέψετε
θα κοντέψει   θα κοντέψουν

Pr. P. I have approached

έχω κοντέψει
έχεις κοντέψει   etc.

P. P.   I had approached

είχα κοντέψει
είχες κοντέψει   etc.

F. P.   I will have approached

θα έχω κοντέψει
θα έχεις κοντέψει   etc.

Examples:

Κοντεύουμε στην πόλη.   We are approaching the city.
Κοντεύεις να τελειώσεις;   Are you almost finished?
Κοντεύει μεσημέρι.   It is almost noon.
Κόντεψα να τον πιστέψω.   I almost believed him.
Τον κοντεύω.   I am approaching him.
Κοντεύω να τον φτάσω.   I am catching up with him.
Κόντεψε να χάσει τη ζωή του.   He almost lost his life.
Κοντεύουν οι γιορτές.   The holidays are approaching.

Active Voice, Indicative		*Passive Voice, Indicative*	
P. **I hold**		**I am held, I am being held**	
κρατ-ώ, -άω	κρατ-άμε, -ούμε	κρατιέμαι	κρατιόμαστε
κρατ-άς, -είς	κρατ-άτε, -είτε	κρατιέσαι	κρατι-έστε, -όσαστε
κρατ-ά, -εί, -άει	κρατ-ούν, -άνε	κρατιέται	κρατιούνται
P. C. **I was holding**		**I was being held**	
κρατούσα	κρατούσαμε	κρατιόμουν	κρατι-όμαστε, -όμασταν
κρατούσες	κρατούσατε	κρατιόσουν	κρατι-όσαστε, -όσασταν
κρατούσε	κρατούσαν	κρατιόταν	κρατιόνταν
P. S. **I held**		**I was held**	
κράτησα	κρατήσαμε	κρατήθηκα	κρατηθήκαμε
κράτησες	κρατήσατε	κρατήθηκες	κρατηθήκατε
κράτησε	κράτησαν	κρατήθηκε	κρατήθηκαν
F. C. **I will be holding**		**I will be being held**	
θα κρατώ		θα κρατιέμαι	
θα κρατείς	etc.	θα κρατιέσαι	etc.
F. S. **I will hold**		**I will be held**	
θα κρατήσω	θα κρατήσουμε	θα κρατηθώ	θα κρατηθούμε
θα κρατήσεις	θα κρατήσετε	θα κρατηθείς	θα κρατηθείτε
θα κρατήσει	θα κρατήσουν	θα κρατηθεί	θα κρατηθούν
Pr. P. **I have held**		**I have been held**	
έχω κρατήσει		έχω κρατηθεί	
έχεις κρατήσει	etc.	έχεις κρατηθεί	etc.
P. P. **I had held**		**I had been held**	
είχα κρατήσει		είχα κρατηθεί	
είχες κρατήσει	etc.	είχες κρατηθεί	etc.
F. P. **I will have held**		**I will have been held**	
θα έχω κρατήσει		θα έχω κρατηθεί	
θα έχεις κρατήσει	etc.	θα έχεις κρατηθεί	etc.

Subjunctive (with να, για να, όταν, etc.)

P.	να κρατώ	that I may be holding	να κρατιέμαι	that I may be being held
P. S.	να κρατήσω	that I may hold	να κρατηθώ	that I may be held
Pr. P.	να έχω κρατήσει	that I may have held	να έχω κρατηθεί	that I may have been held

Imperative

P.	κράτα (sing.)	be holding	-	
	κρατάτε (pl.)	be holding	κρατιέστε (pl.)	be being held
P. S.	κράτησε (sing.)	hold	κρατήσου (sing.)	be held
	κρατήστε (pl.)	hold	κρατηθείτε (pl.)	be held

Infinitive

να κρατά (να κρατεί)		να κρατηθεί	to be held
να κρατήσει	to hold		

Participle

κρατώντας	holding	κρατημέν-ος, -η, -ο	held
		(Examples on page 163)	

	Active Voice, Indicative		*Passive Voice, Indicative*	
P.	**I hang**		**I am being hung, hanged**	
	κρεμώ	κρεμούμε	κρεμιέμαι	κρεμιόμαστε
	κρεμάς	κρεμάτε	κρεμιέσαι	κρεμιέστε
	κρεμά	κρεμούν	κρεμιέται	κρεμιούνται
P. C.	**I was hanging**		**I was being hung, being hanged**	
	κρεμούσα	κρεμούσαμε	κρεμιόμουν	κρεμιόμαστε
	κρεμούσες	κρεμούσατε	κρεμιόσουν	κρεμιόσαστε
	κρεμούσε	κρεμούσαν	κρεμιόταν	κρεμιόνταν
P. S.	**I hanged**		**I was hung, hanged**	
	κρέμασα	κρεμάσαμε	κρεμάστηκα	κρεμαστήκαμε
	κρέμασες	κρεμάσατε	κρεμάστηκες	κρεμαστήκατε
	κρέμασε	κρέμασαν	κρεμάστηκε	κρεμάστηκαν
F. C.	**I will be hanging**		**I will be being hung, hanged**	
	θα κρεμώ		θα κρεμιέμαι	
	θα κρεμάς	etc.	θα κρεμιέσαι	etc.
F. S.	**I will hang**		**I will be hung, hanged**	
	θα κρεμάσω	θα κρεμάσουμε	θα κρεμαστώ	θα κρεμαστούμε
	θα κρεμάσεις	θα κρεμάσετε	θα κρεμαστείς	θα κρεμαστείτε
	θα κρεμάσει	θα κρεμάσουν	θα κρεμαστεί	θα κρεμαστούν
Pr. P.	**I have hung, I have hanged**		**I have been hung, hanged**	
	έχω κρεμάσει		έχω κρεμαστεί	
	έχεις κρεμάσει	etc.	έχεις κρεμαστεί	etc.
P. P.	**I had hung, I had hanged**		**I had been hung, hanged**	
	είχα κρεμάσει		είχα κρεμαστεί	
	είχες κρεμάσει	etc.	είχες κρεμαστεί	etc.
F. P.	**I will have hung, I will have hanged**		**I will have been hung, hanged**	
	θα έχω κρεμάσει		θα έχω κρεμαστεί	
	θα έχεις κρεμάσει	etc.	θα έχεις κρεμαστεί	etc.

		Subjunctive	(with να, για να, όταν, etc.)	
P.	να κρεμώ	that I may be hanging	να κρεμιέμαι	that I may be being hung, hanged
P. S.	να κρεμάσω	that I may hang	να κρεμαστώ	that I may be hung, hanged
Pr. P.	να έχω κρεμάσει	that I may have hung hanged	να έχω κρεμαστεί	that I may have been hung, hanged

		Imperative		
P. S.	κρέμασε (sing.)	hang	κρεμάστου (sing.)	be hung, hanged
	κρεμάστε (pl.)	hang	κρεμαστείτε (pl.)	be hung, hanged

		Infinitive		
	να κρεμάσει	to hang	να κρεμαστεί	to be hung, hanged

		Participle		
	κρεμώντας	hanging	κρεμασμέν-ος, -η, -ο	hung, hanged

(Examples on page 163)

Active Voice, Indicative		*Passive Voice, Indicative*	
P.	**I judge**		**I am judged, I am being judged**
κρίνω	κρίνουμε	κρίνομαι	κρινόμαστε
κρίνεις	κρίνετε	κρίνεσαι	κρίνεστε
κρίνει	κρίνουν	κρίνεται	κρίνονται

P. C.	**I was judging**		**I was being judged**	
έκρινα	κρίναμε	κρινόμουν	κριν-όμαστε, -όμασταν
έκρινες	κρίνατε	κρινόσουν	κριν-όσαστε, -όσασταν
έκρινε	έκριναν	κρινόταν	κρίνονταν

P. S.	**I judged**		**I was judged**	
έκρινα	κρίναμε	κρίθηκα	κριθήκαμε
έκρινες	κρίνατε	κρίθηκες	κριθήκατε
έκρινε	έκριναν	κρίθηκε	κρίθηκαν

F. C.	**I will be judging**		**I will be being judged**	
θα κρίνω		θα κρίνομαι	
θα κρίνεις	etc.	θα κρίνεσαι	etc.

F. S.	**I will judge**		**I will be judged**	
θα κρίνω		θα κριθώ	
θα κρίνεις	etc.	θα κριθείς	etc.

Pr. P.	**I have judged**		**I have been judged**	
έχω κρίνει		έχω κριθεί	
έχεις κρίνει	etc.	έχεις κριθεί	etc.

P. P.	**I had judged**		**I had been judged**	
είχα κρίνει		είχα κριθεί	
είχες κρίνει	etc.	είχες κριθεί	etc.

F. P.	**I will have judged**		**I will have been judged**	
θα έχω κρίνει		θα έχω κριθεί	
θα έχεις κρίνει	etc.	θα έχεις κριθεί	etc.

Subjunctive (with να, για να, όταν, etc.)

P.	να κρίνω	that I may be judging	να κρίνομαι	that I may be being judged
P. S.	να κρίνω	that I may judge	να κριθώ	that I may be judged
Pr. P.	να έχω κρίνει	that I may have judged	να έχω κριθεί	that I may have been judged

Imperative

P.	κρίνε (sing.)	be judging, judge	κρίνου (sing.)	be being judged, be judged
	κρίνετε (pl.)	be judging, judge	κρίνεστε (pl.)	be being judged, be judged
P. S.	-	-	κριθείτε (pl.)	be judged

Infinitive

να κρίνει	to judge	να κριθεί	to be judged

Participle

κρίνοντας	judging	κριμέν-ος, -η, -ο	judged

(Examples on page 164)

κρύβω (1) – to hide, to conceal, to screen
κρύβομαι (4) – to hide oneself; to be hidden by someone

	Active Voice, Indicative		*Passive Voice, Indicative*	
P.	**I hide**		**I am hidden, I hide myself**	
	κρύβω	κρύβουμε	κρύβομαι	κρυβόμαστε
	κρύβεις	κρύβετε	κρύβεσαι	κρύβεστε
	κρύβει	κρύβουν	κρύβεται	κρύβονται
P. C.	**I was hiding**		**I was being hidden, I was hiding**	
	έκρυβα	κρύβαμε	κρυβόμουν	κρυβ-όμαστε, -όμασταν
	έκρυβες	κρύβατε	κρυβόσουν	κρυβ-όσαστε, -όσασταν
	έκρυβε	έκρυβαν	κρυβόταν	κρύβονταν
P. S.	**I hid**		**I was hidden, I was hiding, I hid myself**	
	έκρυψα	κρύψαμε	κρύφτηκα	κρυφτήκαμε
	έκρυψες	κρύψατε	κρύφτηκες	κρυφτήκατε
	έκρυψε	έκρυψαν	κρύφτηκε	κρύφτηκαν
F. C.	**I will be hiding**		**I will be hidden, I will be hiding**	
	θα κρύβω		θα κρύβομαι	
	θα κρύβεις	etc.	θα κρύβεσαι	etc.
F. S.	**I will hide**		**I will be hidden, I will hide**	
	θα κρύψω	θα κρύψουμε	θα κρυφτώ	θα κρυφτούμε
	θα κρύψεις	θα κρύψετε	θα κρυφτείς	θα κρυφτείτε
	θα κρύψει	θα κρύψουν	θα κρυφτεί	θα κρυφτούν
Pr. P.	**I have hidden**		**I have been hidden, I have hidden myself**	
	έχω κρύψει		έχω κρυφτεί	
	έχεις κρύψει	etc.	έχεις κρυφτεί	etc.
P. P.	**I had hidden**		**I had been hidden, I had hidden myself**	
	είχα κρύψει		είχα κρυφτεί	
	είχες κρύψει	etc.	είχες κρυφτεί	etc.
F. P.	**I will have hidden**		**I will have been hidden, I will have hidden myself**	
	θα έχω κρύψει		θα έχω κρυφτεί	
	θα έχεις κρύψει	etc.	θα έχεις κρυφτεί	etc.

Subjunctive (with να, για να, όταν, etc.)

P.	να κρύβω	that I may be hiding	να κρύβομαι	that I may be being hidden
P. S.	να κρύψω	that I may hide	να κρυφτώ	that I may be hidden
Pr. P.	να έχω κρύψει	that I may have hidden	να έχω κρυφτεί	that I may have been hidden

Imperative

P.	κρύβε (sing.)	be hiding	-	
	κρύβετε (pl.)	be hiding	κρύβεστε (pl.)	be hiding yourselves
P. S.	κρύψε (sing.)	hide	κρύψου (sing.)	hide yourself
	κρύψετε (pl.)	hide	κρυφτείτε (pl.)	hide yourselves

Infinitive

να κρύψει	to hide	να κρυφτεί	to be hidden

Participle

κρύβοντας	hiding	κρυμμέν-ος, -η, -ο	hidden

(Examples on page 164)

	Indicative	
P.	**I am cold**	
	κρυώνω	κρυώνουμε
	κρυώνεις	κρυώνετε
	κρυώνει	κρυώνουν

Subjunctive		
(with να, για να, όταν, etc.)		
P.	να κρυώνω	that I may be being cold
P. S.	να κρυώσω	that I may be cold
Pr. P.	να έχω κρυώσει	that I may have

been cold *or* that I may have have a cold

P. C.	**I was being cold**	
	κρύωνα	κρυώναμε
	κρύωνες	κρυώνατε
	κρύωνε	κρύωναν

Imperative

P. S.	κρύωσε (sing.)	be cold, have a cold
	κρυώστε (pl.)	be cold, have a cold

P. S.	**I was cold**	
	κρύωσα	κρυώσαμε
	κρύωσες	κρυώσατε
	κρύωσε	κρύωσαν

Infinitive

να κρυώσει   to be cold, to have a cold

F. C.	**I will be being cold**	
	θα κρυώνω	
	θα κρυώνεις	etc.

Participle

κρυώνοντας   being cold

F. S.	**I will catch a cold**	
	θα κρυώσω	θα κρυώσουμε
	θα κρυώσεις	θα κρυώσετε
	θα κρυώσει	θα κρυώσουν

Passive Participle

κρυωμέν-ος, -η, -ο   being cold, having a cold

Pr. P.	**I have had a cold**	
	έχω κρυώσει	
	έχεις κρυώσει	etc.

P. P.	**I had had cold**	
	είχα κρυώσει	
	είχες κρυώσει	etc.

F. P.	**I will have have a cold**	
	θα έχω κρυώσει	
	θα έχεις κρυώσει	etc.

Examples:

Το παιδί κρυώνει.	The child is cold. (He feels cold.)
Το ψυγείο κρυώνει το νερό.	The refrigerator cools the water.
Κρύωσε τη σούπα σου πριν τη φας.	Cool your soup before eating it.
Το φαγητό κρύωσε.	The food is cold.
Κρυώσαμε.	We caught cold.
Κρυώνουμε.	We are cold.
Είναι κρυωμένος.	He has a cold.
Το παιδί δεν έχει πανωφόρι και κρυώνει.	The child does not have a coat and he is cold.
Κρύωσα στο ταξίδι.	I caught cold during the trip.
Τα λόγια του με κρύωσαν.	His words made me indifferent (towards him).
Τον χειμώνα κρυώνουμε.	In winter we are cold. (We feel cold).

κτίζω - see **χτίζω** page 392, **κτυπώ** - see **χτυπώ** page 393

κυβερνώ (2) – to govern; to rule; to administer

128

	Active Voice, Indicative		*Passive Voice, Indicative*	
P.	**I govern**		**I am governed, I am being governed**	
	κυβερν-ώ, -άω	κυβερν-ούμε, -άμε	κυβερνιέμαι	κυβερνιόμαστε
	κυβερνάς	κυβερνάτε	κυβερνιέσαι	κυβερνι-έστε, -όσαστε
	κυβερν-ά, -άει	κυβερν-ούν, -άνε	κυβερνιέται	κυβερνιούνται
P. C.	**I was governing**		**I was being governed**	
	κυβερνούσα	κυβερνούσαμε	κυβερνιόμουν	κυβερνι-όμαστε, -όμασταν
	κυβερνούσες	κυβερνούσατε	κυβερνιόσουν	κυβερνι-όσαστε, -όσασταν
	κυβερνούσε	κυβερνούσαν	κυβερνιόταν	κυβερνιόνταν
P. S.	**I governed**		**I was governed**	
	κυβέρνησα	κυβερνήσαμε	κυβερνήθηκα	κυβερνηθήκαμε
	κυβέρνησες	κυβερνήσατε	κυβερνήθηκες	κυβερνηθήκατε
	κυβέρνησε	κυβέρνησαν	κυβερνήθηκε	κυβερνήθηκαν
F. C.	**I will be governing**		**I will be being governed**	
	θα κυβερν-ώ, -άω		θα κυβερνιέμαι	
	θα κυβερνάς	etc.	θα κυβερνιέσαι	etc.
F. S.	**I will govern**		**I will be governed**	
	θα κυβερνήσω	θα κυβερνήσουμε	θα κυβερνηθώ	θα κυβερνηθούμε
	θα κυβερνήσεις	θα κυβερνήσετε	θα κυβερνηθείς	θα κυβερνηθείτε
	θα κυβερνήσει	θα κυβερνήσουν	θα κυβερνηθεί	θα κυβερνηθούν
Pr. P.	**I have governed**		**I have been governed**	
	έχω κυβερνήσει		έχω κυβερνηθεί	
	έχεις κυβερνήσει	etc.	έχεις κυβερνηθεί	etc.
P. P.	**I had governed**		**I had been governed**	
	είχα κυβερνήσει		είχα κυβερνηθεί	
	είχες κυβερνήσει	etc.	είχες κυβερνηθεί	etc.
F. P.	**I will have governed**		**I will have been governed**	
	θα έχω κυβερνήσει		θα έχω κυβερνηθεί	
	θα έχεις κυβερνήσει	etc.	θα έχεις κυβερνηθεί	etc.

Subjunctive (with να, για να, όταν, etc.)

P.	να κυβερνώ	that I may be governing	να κυβερνιέμαι	that I may be being governed
P. S.	να κυβερνήσω	that I may govern	να κυβερνηθώ	that I may be governed
Pr. P.	να έχω κυβερνήσει	that I may have governed	να έχω κυβερνηθεί	that I may have been governed

Imperative

P.	κυβέρνα (sing.)	be governing	-	
	κυβερνάτε (pl.)	be governing	κυβερνιέστε (pl.)	be being governed
P. S.	κυβέρνησε (sing.)	govern	κυβερνήσου (sing.)	be governed
	κυβερνήστε (pl.)	govern	κυβερνηθείτε (pl.)	be governed

Infinitive

να κυβερνήσει	to govern	να κυβερνηθεί	to be governed

Participle

κυβερνώντας	governing	κυβερνημέν-ος, -η, -ο	governed

(Examples on page 164)

159

Examples of uses of verbs beginning the **κ**

καθαρίζω

Η μητέρα καθαρίζει το σπίτι.	The mother cleans the house.
Το σχολείο έχει καθαριστεί.	The school has been cleaned.
Καθάρισε τα χέρια σου.	Clean your hands.
Αυτό το πλυντήριο καθαρίζει τα ρούχα καλά.	This washing machine cleans the clothes well.

καίω

Η φωτιά έκαψε όλο το δάσος.	The fire burnt the whole forest.
Το δάσος κάηκε.	The forest was burnt.
Το καλοκαίρι ο ήλιος καίει πολύ.	The sun in the summer is very hot.
Με έκαψε ό ήλιος.	The sun burnt me.
Αυτό το παιδί μάς έκαψε.	This child burnt us. (He has caused much trouble.)
Η φωτιά καίει σιγά σιγά.	The fire burns slowly.
Το πιπέρι έκαψε τη γλώσσα μου.	The pepper burned my tongue.
Τον χειμώνα καίμε πολλά ξύλα στο τζάκι.	During the winter we burn much wood in the fireplace.

κάνω

Τι κάνετε;	How are you? How do you do?
Έκανα το μάθημά μου.	I did my lesson.
Τι να κάνω;	What can I do? What shall I do?
Το ίδιο κάνει.	It does not make any difference. It is all the same.
Στη ζωή του έκανε πολλά πράγματα.	In his life he accomplished much.
Κάνει τον άγιο.	He pretends to be a saint.
Στο χωριό αυτό κάνουν καλό τυρί.	They make good cheese in this village.
Οι δούλοι κάνουν πόλεμο για την ελευθερία τους.	The slaves wage war for their freedom.
Κάναμε ένα ταξίδι στην Αμερική.	We took a trip to America.
Έκαναν μια επίσκεψη στους φίλους τους.	They paid a visit to their friends.
Θα κάνουμε έναν περίπατο.	We will go for a walk. We will take a walk.
Τα φρούτα είναι καμωμένα.	The fruit is ripe.
Έκαναν καλά παιδιά.	They have good children.
Κάνουμε μια βόλτα στον κήπο.	We take a walk in the garden.
Φέτος τα αμπέλια έκαμαν πολλά σταφύλια.	This year the vineyards produced an abundance of grapes.
Η υπηρέτρια κάνει το κρεβάτι.	The servant makes the bed.
Δε μου κάνουν αυτά τα ρούχα.	These clothes do not fit me.
Εσύ κάνεις για πρόεδρος.	You would make a good president. (Also: spoken with irony: You are good for nothing).
Έκανε αεροπόρος.	He was a pilot.
Κάνει κρύο. Κάνει ζέστη.	It is cold. It is hot.
Δεν κάνει να φας κρέας.	You should not eat meat.
Κάνει ό,τι του κατέβει.	He does whatever comes to his mind.
Τά'κανε (τα έκανε) άνω κάτω.	He turned everything topsy-turvy.
Τά'κανε (τα έκανε) θάλασσα.	He made a mess. (He failed badly.)
Τά'κανε (τα έκανε) σαλάτα.	He made a mess. (He is a failure.)
Κάνει μια τρύπα στο νερό.	He makes a hole in the water. (He is a failure.)

Καλά του έκαμε.	He punished him properly. (He did him well.)
Κάνω δέκα χιλιόμετρα τη μέρα.	I walk (or run) ten kilometers a day.
Ποιος κάνει χαρτιά;	Who deals cards?
Το αυτοκίνητο κάνει είκοσι πέντε μίλια στο γαλόνι.	The car gives twenty-five miles per gallon.
Κάνε μου τη χάρη.	Do me the favor.(Do me the favor to let me alone.)
Η Κρήτη κάνει ωραίο λάδι.	Crete produces good oil.
Κάνει το παληκάρι.	He pretends to be brave.
Έκανε χρόνια στην Αμερική.	He lived in America for years.
Κάνει τον άρρωστο.	He pretends to be sick.
Κάνεις πως δε με ξέρεις.	You pretend that you do not know me.
Έκαμε το σπίτι του σχολείο.	He converted his house into a school.
Κάνει το νερό κρασί.	He turns the water into wine. (He is persuasive.)
Θα τον κάνω να με φοβάται.	I will make (teach) him to fear me.
Δε μου κάνει αυτό το σπίτι.	This house is not suitable for me.

κατηγορώ

Με κατηγόρησε ότι είπα ψέματα.	He accused me of lying.
Κατηγορήθηκαν για κλοπή.	They were accused of theft.
Η γυναίκα κατηγόρησε τον άντρα της ότι τη χτύπησε.	The woman accused her husband of having hit her.
Η αστυνομία έχει κατηγορηθεί ότι χρησιμοποιεί καταπιεστικά μέτρα.	The police has been accused of using repressive measures.

κατοικώ

Κατοικούμε σε ένα μεγάλο σπίτι.	We live in a big house.
Θα κατοικήσουμε στην Αθήνα.	We will live in Athens.
Οι πρώτοι άνθρωποι κατοικούσαν σε σπηλιές.	The first men lived in caves.
Το σπίτι κατοικήθηκε από πρόσφυγες.	The house was occupied by refugees.
Που κατοικείς;	Where do you live?
Νομίζεις πως στο φεγγάρι κατοικούν άνθρωποι;	Do you think that on the moon live men?

κερδίζω

Με τη δουλειά μου κερδίζω το ψωμί μου.	I earn my living through my work.
Κέρδισε το βραβείο Νόμπελ στη φιλολογία.	He won the Nobel prize in literature.
Κερδίσαμε το εθνικό λαχείο.	We won the national lottery.
Κέρδισαν πολλές χιλιάδες ευρώ στα χαρτιά.	They won many thousands of euros at the cards.
Θα κερδίσει όποιος είναι πιο δυνατός.	The stronger will win.
Βγήκε κερδισμένος.	He came out a winner.
Ποιος κερδίζει στα χαρτιά;	Who wins at the cards?
Έχουμε κερδίσει το Ευρωπαϊκό πρωτά-θλημα στο ποδόσφαιρο.	We have won the European championship in soccer.
Θα κερδίζαμε, αν ο καλύτερος παίκτης μας δεν ήταν άρρωστος.	We would have won if our best player was not sick.

κλαίω

Κλαίει.	He is crying. He cries.
Γιατί κλαις;	Why do you cry?
Έκλαψε πολύ για τον θάνατο του αγαπημένου του φίλου.	He cried much on account of the death of his beloved friend.
Κλάψαμε.	We wept. (We cried.)
Ήλθε κλαίοντας.	He came weeping (crying).
Από τα μάτια φαίνεται ότι έχει κλάψει πολύ.	From the looks of (his, her) eyes (he, she) must have cried a lot.

κλείνω

Κλείνω την πόρτα.	I close the door.
Κλείσαμε συμφωνία.	We came to an agreement.
Κλείνω τα μάτια μου σε κάτι.	I close my eyes to something. (I pretend not to see).
Όταν κλείσω τα μάτια.	When I close my eyes. (When I die).
Έκλεισε τα μάτια για πάντα.	He closed his eyes for ever. (He died).
Θα κλείσουμε αύριο.	Tomorrow we will be closed.
Τα μαγαζιά έχουν κλείσει.	The shops have closed.

κόβω

Κόβω το ψωμί.	I cut the bread.
Το κρέας είναι σκληρό και δεν κόβεται.	The meat is tough and cannot be cut.
Έκοψα το δάχτυλό μου.	I cut my finger.
Κόβω καφέ.	I grind coffee.
Κόψαμε σχέσεις.	We have cut off our relationship.
Ο γιατρός μού είπε να κόψω το τσιγάρο.	The doctor told me to stop (cut out) smoking.
Μου έχουν κόψει τον μισθό.	They have cut my salary.
Του έκοψε μισθό.	He gave him salary.
Έκοψα το κρασί, τον καφέ και το τσιγάρο.	I have stopped drinking wine and coffee and also smoking.
Τα γλυκά κόβουν την όρεξη.	The sweets make you lose some appetite.
Μας έκοψε το κρύο.	The cold has slowed us down.
Μου έκοψες το αίμα.	You frightened me.
Με κόβουν τα παπούτσια.	The shoes are tight.
Κόβει λεφτά.	He makes lots of money.
Κόβει και ράβει.	(He cuts and saws.) He/she chatters a lot.
Κόβω δρόμο.	I retreat. (I make a fast getaway).
Το χρώμα έκοψε.	The color faded.
Το μαχαίρι δεν κόβει καλά.	The knife does not cut well.
Τον έκοψε το αυτοκίνητο.	He was (hit) killed by a car.
Δε με κόβει.	I do not care.
Κόβει το μυαλό του.	He is smart.
Κόβει το κεφάλι του.	He is smart.
Κόβεται για τον φίλο του.	He would do anything for his friend.

κοιτάζω

Κοιτάζω τον ουρανό.	I look at the sky.
Κοιτάζω τη δουλειά μου.	I care about my work. (I do my work).
Ο φίλος μου κοιτάζει πολύ τη δουλειά του.	My friend takes a very good care of his work.
Η νοσοκόμα κοιτάζει τον άρρωστο.	The nurse looks after the sick person.
Τον κοίταξε ο γιατρός.	The doctor examined him.
Κοιτάζω τον άντρα μου.	I look after my husband.
Κοιτάχτηκα στον καθρέφτη.	I looked myself in the mirror.
Κοίταζε τη δουλειά σου και μη ενδιαφέρεσαι για τα πολιτικά.	Mind your own business and don't pay attention to the politics.

κρατώ

Τον κρατώ από το χέρι.	I hold him by the hand.
Κρατώ το παιδί από το χέρι.	I hold the child by the hand.
Κρατούμε τα έθιμά μας.	We adhere to our customs.
Δεν κρατώ χρήματα.	I have no money with me.
Ο φίλος μου κρατά το ταμείο.	My friend keeps the purse.
Τον κράτησαν στη φυλακή.	They kept (put) him in the jail.
Κρατά κάτι μυστικό.	He keeps something secret.
Μου κράτησε τον μισθό μου.	He withheld my salary.
Κρατώ τα δάκρυά μου.	I hold back my tears.
Μου κρατάει κακία.	He is at enmity with me.
Ο πόλεμος κράτησε έξι χρόνια.	The war lasted six years.
Ο λόγος μου δε θα κρατήσει πολύ.	My speech will not be too long.
Τα παπούτσια κράτησαν ένα χρόνο.	The shoes lasted one year.
Το σπίτι είναι πενήντα χρόνων και ακόμα κρατάει.	The house is fifty years old and is still in good shape.
Κρατιέται καλά αυτός ο γέρος.	This old man is still holding his own.
Κρατηθήκαμε από τα σχοινιά για να μη πέσουμε στη θάλασσα.	We held onto the ropes in order not to fall into the sea.
Κράτησε την αναπνοή σου.	Hold your breath.

κρεμώ

Κρέμασε το πανωφόρι σου.	Hang up your coat.
Το πανωφόρι κρέμεται στην κρεμάστρα.	The coat is hanging on the hanger.
Κάθε βράδυ, πριν πέσω, κρεμώ (κρεμάω) τα ρούχα μου.	Every night before I go to bed I hang my clothes.
Η τύχη του κρέμεται στα χέρια του δικαστή.	His fate is in the judge's hands.
Σήμερα κρέμασαν τον κακοποιό, που σκότωσε τον αστυνομικό.	Today they hanged the criminal who killed the policeman.
Ο κακοποιός, που σκότωσε τον αστυνο-μικό, κρεμάστηκε σήμερα.	The criminal, who killed the policeman, was hanged today.
Κρεμαστήκαμε στα χέρια του μα δεν έκαμε τίποτα.	We depended on him, but he did not do anything.

κρίνω

Τον έχουν κρίνει ένοχο.	They have found (judged) him guilty.
Ο δικαστής δεν έκρινε σωστά.	The judge did not judge correctly.
Άκουσε και κρίνε.	Listen and be the judge.
Κάποτε θα κριθείτε.	Someday you will be judged.
Ας κρίνει ο κόσμος.	Let the people judge.

κρύβω

Έκρυψε τα χρήματα κάτω από το κρεβάτι.	He hid the money under the bed.
Κρύψου.	Hide yourself.
Κρύφτηκαν.	They hid themselves.
Τι μου κρύβεις; Κάτι μου κρύβεις.	What are you hiding from me? You are hiding something from me.
Το παιδί κρυβόταν και κανένας δεν μπορούσε να το βρει.	The child was hiding and nobody could fnd him.
Κρύβει τα χρόνια του.	He is hiding his years.
Ξέρει να κρύβεται.	He knows how to cover things up.

κυβερνώ

Ο κυβερνήτης κυβερνά την πολιτεία με φρόνηση.	The governor governs the state with prudence.
Το κράτος κυβερνιέται από τον πρόεδρο της δημοκρατίας.	The nation is governed by the president of the republic.
Μέχρι τώρα κυβέρνησαν τη χώρα μας πέντε πρόεδροι.	Till now five presidents have governed our country.
Ποιος κυβερνά τώρα;	Who is governing now?

	Indicative			*Subjunctive*		
P.	**I speak**			(with να, για να, όταν, etc.)		
	λαλώ	λαλούμε		Pr.	να λαλώ	that I may be speaking
	λαλείς	λαλείτε		P. S.	να λαλήσω	that I may speak
	λαλεί	λαλούν		Pr. P.	να έχω λαλήσει	that I may have spoken

P. C.	**I was speaking**			**Imperative**		
	λαλούσα	λαλούσαμε		Pr.	λάλει (sing.)	be talking
	λαλούσες	λαλούσατε			λαλείτε (pl.)	be talking
	λαλούσε	λαλούσαν		P. S.	λάλησε (sing.)	talk
					λαλείστε (pl.)	talk

P. S.	**I spoke**			**Infinitive**		
	λάλησα	λαλήσαμε			να λαλήσει	to talk
	λάλησες	λαλήσατε				
	λάλησε	λάλησαν				

F. C.	**I will be speaking**			**Participle**		
	θα λαλώ	θα λαλούμε			λαλώντας	talking
	θα λαλείς	θα λαλείτε				
	θα λαλεί	θα λαλούν				

F. S.	**I will speak**	
	θα λαλήσω	θα λαλήσουμε
	θα λαλήσεις	θα λαλήσετε
	θα λαλήσει	θα λαλήσουν

Pr. P.	**I have spoken**	
	έχω λαλήσει	
	έχεις λαλήσει	etc.

P. P.	**I had spoken**	
	είχα λαλήσει	
	είχες λαλήσει	etc.

F. P.	**I will have spoken**	
	θα έχω λαλήσει	
	θα έχεις λαλήσει	etc.

Examples:

Επί τέλους λάλησε.	At last he spoke.
Θα λαλήσεις;	Will you talk? (speak?)
Οι πετεινοί λαλούν πρωί πρωί.	The roosters crow early in the morning.
Ποιος λάλησε;	Who spoke?

	Indicative	
P.	**I receive**	
	λαμβάνω	λαμβάνουμε
	λαμβάνεις	λαμβάνετε
	λαμβάνει	λαμβάνουν

P. C.	**I was receiving**	
	λάμβανα	λαμβάναμε
	λάμβανες	λαμβάνατε
	λάμβανε	λάμβαναν

P. S.	**I received**	
	έλαβα	λάβαμε
	έλαβες	λάβατε
	έλαβε	έλαβαν

F. C.	**I will be receiving**	
	θα λαμβάνω	θα λαμβάνουμε
	θα λαμβάνεις	θα λαμβάνετε
	θα λαμβάνει	θα λαμβάνουν

F. S.	**I will receive**	
	θα λάβω	θα λάβουμε
	θα λάβεις	θα λάβετε
	θα λάβει	θα λάβουν

Pr. P.	**I have received**	
	έχω λάβει	έχουμε λάβει
	έχεις λάβει	έχετε λάβει
	έχει λάβει	έχουν λάβει

P. P.	**I had received**	
	είχα λάβει	
	είχες λάβει	etc.

F. P.	**I will have received**	
	θα έχω λάβει	
	θα έχεις λάβει	etc.

Subjunctive
(with να, για να, όταν, etc.)

P.	να λαμβάνω	that I may be receiving
P. S.	να λάβω	that I may receive
Pr. P.	να έχω λάβει	that I may have received

Imperative

P.	λάμβανε (sing.)	be receiving
	λαμβάνετε (pl.)	be receiving
P. S.	λάβε (sing.)	receive
	λάβετε (pl.)	receive

Infinitive

να λάβει	to receive

Participle

λαμβάνοντας	receiving

Passive Past tense (classical form)
I was received

ελήφθην	ελήφθημεν
ελήφθης	ελήφθητε
ελήφθη	ελήφθησαν

Passive Participle

ληφθείς – ληφθείσα – ληφθέν
(classical form)   received

Examples:

Έλαβα το γράμμα σου.	I received your letter.
Το γράμμα σου ελήφθη.	Your letter was received.
Λαμβάνοντας υπόψη …	Having in mind…
Τι έλαβες με το ταχυδρομείο;	What did you receive by mail?
Θα λάβουμε τα μέτρα μας.	We will take care of this.
Δεν έχουν λάβει τίποτα.	They have not received anything.
Λαμβάνουμε γράμματα κάθε μέρα.	We receive letters every day.
Λάβετε θέσεις!	Take your positions. (Be ready).

		Indicative	
P.		**I shine**	
		λάμπω	λάμπουμε
		λάμπεις	λάμπετε
		λάμπει	λάμπουν

P. C.		**I was shining**	
		έλαμπα	λάμπαμε
		έλαμπες	λάμπατε
		έλαμπε	έλαμπαν

P. S.		**I shone**	
		έλαμψα	λάμψαμε
		έλαμψες	λάμψατε
		έλαμψε	έλαμψαν

F. C.		**I will be shining**	
		θα λάμπω	θα λάμπουμε
		θα λάμπεις	θα λάμπετε
		θα λάμπει	θα λάμπουν

F. S.		**I will shine**	
		θα λάμψω	θα λάμψουμε
		θα λάμψεις	θα λάμψετε
		θα λάμψει	θα λάμψουν

Pr. P.		**I have shone**	
		έχω λάμψει	
		έχεις λάμψει	etc.

P. P.		**I had shone**	
		είχα λάμψει	
		είχες λάμψει	etc.

F. P.		**I will have shone**	
		θα έχω λάμψει	
		θα έχεις λάμψει	etc.

Subjunctive
(with να, για να, όταν, etc.)

P.		να λάμπω	that I may be shining
P. S.		να λάμψω	that I may shine
Pr. P.		να έχω λάμψει	that I may have shone

Imperative

P. S.		λάμψε (sing.)	shine
		λάμψετε (pl.)	shine

Infinitive

	να λάμψει	to shine

Participle

	λάμποντας	shining

Examples:

Το πρόσωπό της λάμπει σαν τον ήλιο.	Her face shines like the sun.
Ο ήλιος λάμπει πολύ σήμερα.	The sun shines brightly today.
Μια αστραπή έλαμψε στον ουρανό.	A lightning shone in the sky.
Ό,τι λάμπει δεν είναι χρυσάφι.	Everything that glitters is not gold.
Τα διαμάντια λάμπουν πολύ.	The diamonds glitter very much.

	Active Voice, Indicative		**Passive Voice, Indicative**	
P	**I say**		**I am called, I am named**	
	λέγω - λέω*	λέγομε - λέμε*	λέγομαι	λεγόμαστε
	λέγεις - λες*	λέγετε - λέτε*	λέγεσαι	λέγεστε - λεγόσαστε
	λέγει - λέει*	λέγουν - λένε*	λέγεται	λέγονται
	* preferred			

P. C.	**I was saying**		**I was being called**	
	έλεγα	λέγαμε	λεγόμουν	λεγ-όμαστε, -όμασταν
	έλεγες	λέγατε	λεγόσουν	λεγ-όσαστε, -όσασταν
	έλεγε	έλεγαν	λεγόταν	λέγονταν

P. S	**I said**			
	είπα	είπαμε	(The only common person)	
	είπες	είπατε	ειπώθηκε - it was said	
	είπε	είπαν		

F. C.	**I will be saying**		**I will be being called**	
	θα λέω	θα λέμε	θα λέγομαι	θα λεγόμαστε
	θα λες	θα λέτε	θα λέγεσαι	θα λέγεστε - λεγόσαστε
	θα λέει	θα λένε	θα λέγεται	θα λέγονται

F. S.	**I will say**			
	θα πω	θα πούμε	θα ειπωθεί	it will be said
	θα πεις	θα πείτε		
	θα πει	θα πουν		

Pr. P.	**I have said**		έχει ειπωθεί	it has been said
	έχω πει			
	έχεις πει	etc.		

P. P.	**I had said**			
	είχα πει	etc.	είχε ειπωθεί	it had been said
	είχες πει			

F. P.	**I will have said**	
	θα έχω πει	etc.
	θα έχεις πει	

Subjunctive (with να, για να, αν, όταν, etc.)

P.	να λέω	that I may be saying	να λέγομαι	that I may be being called
P. S.	να πω	that I may say	να ειπωθεί	that it may be said
Pr. P.	να έχω πει	that I may have said	να έχει ειπωθεί	that it may have been said

Imperative

P.	λέγε (sing.)	be saying	-
	λέγετε (pl.)	be saying	-
P. S.	πες (sing.)	say	-
	πέστε (pl.)	say	-

Infinitive

να πει	to say	να ειπωθεί	to be said

Participle

λέγοντας	saying	ειπωμέν-ος, -η, -ο	said
		λεχθείς – λεχθείσα – λεχθέν (ancient form)	
		(Examples on page 174)	

	Indicative			**Subjunctive**	
P.	**I am absent**		(with να, για να, όταν, etc.)		
	λείπω	λείπουμε	P.	να λείπω	that I may be being absent
	λείπεις	λείπετε	P. S.	να λείψω	that I may be absent
	λείπει	λείπουν	Pr. P.	να έχω λείψει	that I may have been absent

	Indicative			**Imperative**	
P. C.	**I was being absent**		P. S.	λείψε (sing.)	be absent
	έλειπα	λείπαμε		λείψετε (pl.)	be absent
	έλειπες	λείπατε			
	έλειπε	έλειπαν			

	Indicative			**Infinitive**	
P. S.	**I was absent**			να λείψει	to be absent
	έλειψα	λείψαμε			
	έλειψες	λείψατε			
	έλειψε	έλειψαν			

F. C.	**I will be absent**			**Participle**	
	θα λείπω	θα λείπουμε		λείποντας	being absent
	θα λείπεις	θα λείπετε			
	θα λείπει	θα λείπουν			

F. S.   I will be absent

θα λείψω	θα λείψουμε
θα λείψεις	θα λείψετε
θα λείψει	θα λείψουν

Pr. P.   I have been absent

έχω λείψει	
έχεις λείψει	etc.

P. P.   I had been absent

είχα λείψει	
είχες λείψει	etc.

F. P.   I will have been absent

θα έχω λείψει	
θα έχεις λείψει	etc.

Examples:

Πολλά παιδιά λείπουν από την τάξη σήμερα.	Many children are absent from the class today.
Έλειψε μια εβδομάδα από το σχολείο.	For one week he was absent from school.
Μου λείπουν δέκα δολλάρια.	I am ten dollars short. *(or)* I am missing ten dollars.
Του έλειψαν τα χρήματα.	He ran out of money.
Λείπει όλη την ημέρα από το σπίτι του.	He is away from his house all day long.
Ποτέ δεν έχει λείψει από τη δουλειά.	He never misses work.
Του λείπει το μυαλό.	He does not have enough brains.
Πρόσεξε να μη σου λείψει τίποτα.	Be careful not to miss anything. *(or* not to be short of anything)

λειώνω (1) and **λιώνω** - to melt; to liquefy; to dissolve   134

(transitive and intransitive - Passive voice not common)

Indicative		*Subjunctive*		
P. I melt		(with να, για να, όταν, etc.)		
λειώνω	λειώνουμε	**P.**	να λειώνω	that I may be melting
λειώνεις	λειώνετε	**P. S.**	να λειώσω	that I may melt
λειώνει	λειώνουν	**Pr. P.**	να έχω λειώσει	that I may have melted
P. C. I was melting		**Imperative**		
έλειωνα	λειώναμε	**P. S.**	λειώσε (sing.)	melt
έλειωνες	λειώνατε		λειώστε (pl.)	melt
έλειωνε	έλειωναν			
P. S. I melted				
έλειωσα	λειώσαμε			
έλειωσες	λειώσατε	**Infinitive**		
έλειωσε	έλειωσαν		να λειώσει	to melt
F. C. I will be melting		**Participle**		
θα λειώνω			λειώνοντας	melting
θα λειώνεις	etc.			
F. S. I will melt		**Passive participle**		
θα λειώσω	θα λειώσουμε		λειωμέν-ος, -η, -ο	melted
θα λειώσεις	θα λειώσετε			
θα λειώσει	θα λειώσουν			
Pr. P. I have melted				
έχω λειώσει	έχουμε λειώσει			
έχεις λειώσει	έχετε λειώσει			
έχει λειώσει	έχουν λειώσει			
P. P. I had melted				
είχα λειώσει				
είχες λειώσει	etc.			
F. P. I will have melted				
θα έχω λειώσει				
θα έχεις λυώσει	etc.			

Examples:

Το χιόνι έλειωσε.	The snow melted.
Το κερί θα λειώσει.	The wax will melt.
Το χιόνι είναι λειωμένο.	The snow has melted.
Θα λειώσουμε το μέταλλο.	We will melt the metal.
Με την άνοιξη έλειωσαν οι πάγοι.	With the coming of the spring the ice melted.
Η καρδιά μου λειώνει, όταν τον βλέπω σ' αυτή την κατάσταση.	My heart melts when I see him in this condition.

λογαριάζω (1) – to calculate; to count; to figure out

	Active Voice, Indicative		*Passive Voice, Indicative*	
P.	**I calculate**		**I am being calculated, I am considered**	
	λογαριάζω	λογαριάζουμε	λογαριάζομαι	λογαριαζόμαστε
	λογαριάζεις	λογαριάζετε	λογαριάζεσαι	λογαριάζεστε
	λογαριάζει	λογαριάζουν	λογαριάζεται	λογαριάζονται
P. C.	**I was calculating**		**I was being calculated**	
	λογάριαζα	λογαριάζαμε	λογαριαζόμουν	λογαριαζ-όμαστε, -όμασταν
	λογάριαζες	λογαριάζατε	λογαριαζόσουν	λογαριαζ-όσαστε, -όσασταν
	λογάριαζε	λογάριαζαν	λογαριαζόταν	λογαριάζονταν
P. S.	**I calculated**		**I was calculated, I settled my accounts**	
	λογάριασα	λογαριάσαμε	λογαριάστηκα	λογαριαστήκαμε
	λογάριασες	λογαριάσατε	λογαριάστηκες	λογαριαστήκατε
	λογάριασε	λογάριασαν	λογαριάστηκε	λογαριάστηκαν
F. C.	**I will be calculating**		**I will be being calculated**	
	θα λογαριάζω		θα λογαριάζομαι	
	θα λογαριάζεις	etc.	θα λογαριάζεσαι	etc.
F. S.	**I will calculate**		**I will be calculated**	
	θα λογαριάσω	θα λογαριάσουμε	θα λογαριαστώ	θα λογαριαστούμε
	θα λογαριάσεις	θα λογαριάσετε	θα λογαριαστείς	θα λογαριαστείτε
	θα λογαριάσει	θα λογαριάσουν	θα λογαριαστεί	θα λογαριαστούν
Pr. P.	**I have calculated**		**I have been calculated**	
	έχω λογαριάσει		έχω λογαριαστεί	
	έχεις λογαριάσει	etc.	έχεις λογαριαστεί	etc.
P. P.	**I had calculated**		**I had been calculated**	
	είχα λογαριάσει		είχα λογαριαστεί	
	είχες λογαριάσει	etc.	είχες λογαριαστεί	etc.
F. P.	**I will have calculated**		**I will have been calculated**	
	θα έχω λογαριάσει		θα έχω λογαριαστεί	
	θα έχεις λογαριάσει	etc.	θα έχεις λογαριαστεί	etc.

Subjunctive (with να, για να, όταν, etc.)

P.	να λογαριάζω	that I may be calculating	να λογαριάζομαι	that I may be being calculated
P. S.	να λογαριάσω	that I may calculate	να λογαριαστώ	that I may be calculated
Pr. P.	να έχω λογαριάσει	that I may have calculated	να έχω λογαριαστεί	that I may have been calculated

Imperative

P.	λογάριαζε (sing.)	be calculating	λογαριάζου (sing.)	be being calculated
	λογαριάζετε (pl.)	be calculating	λογαριάζεστε (pl.)	be being calculated
P. S.	λογάριασε (sing.)	calculate	λογαριάσου (sing.)	be calculated
	λογαριάστε (pl.)	calculate	λογαριαστείτε (pl.)	be calculated

Infinitive

να λογαριάσει	to calculate	να λογαριαστεί	to be calculated

Participle

λογαριάζοντας	calculating	λογαριασμέν-ος, -η, -ο	calculated

(Examples on page 174)

	Active Voice, Indicative		*Passive Voice, Indicative*	
P.	**I bathe**		**I bathe myself, I am been bathed**	
	λούζω	λούζομε	λούζομαι	λουζόμαστε
	λούζεις	λούζετε	λούζεσαι	λούζεστε
	λούζει	λούζουν	λούζεται	λούζονται
P. C.	**I was bathing**		**I was bathing myself, I was been bathed**	
	έλουζα	λούζαμε	λουζόμουν	λουζ-όμαστε, -όμασταν
	έλουζες	λούζατε	λουζόσουν	λουζ-όσαστε, -όσασταν
	έλουζε	έλουζαν	λουζόταν	λούζονταν
P. S.	**I bathed**		**I bathed myself, I was bathed**	
	έλουσα	λούσαμε	λούστηκα	λουστήκαμε
	έλουσες	λούσατε	λούστηκες	λουστήκατε
	έλουσε	έλουσαν	λούστηκε	λούστηκαν
F. C.	**I will be bathing**		**I will be bathing myself, I will be bathed**	
	θα λούζω		θα λούζομαι	
	θα λούζεις	etc.	θα λούζεσαι	etc.
F. S.	**I will bathe**		**I will bathe myself, I will be bathed**	
	θα λούσω	θα λούσουμε	θα λουστώ	θα λουστούμε
	θα λούσεις	θα λούσετε	θα λουστείς	θα λουστείτε
	θα λούσει	θα λούσουν	θα λουστεί	θα λουστούν
Pr. P.	**I have bathed**		**I have bathed myself, I have been bathed**	
	έχω λούσει		έχω λουστεί	
	έχεις λούσει	etc.	έχεις λουστεί	etc.
P. P.	**I had bathed**		**I had bathed myself, I had been bathed**	
	είχα λούσει		είχα λουστεί	
	είχες λούσει	etc.	είχες λουστεί	etc.
F. P.	**I will have bathed**		**I will have bathed myself, I will have been**	
	θα έχω λούσει		θα έχω λουστεί etc.	**bathed**
	θα έχεις λούσει	etc.	θα έχεις λουστεί	etc.

		Subjunctive	(with να, για να, όταν, etc.)	
P.	να λούζω	that I may be bathing	να λούζομαι	that I may be being bathed
P. S.	να λούσω	that I may bathe	να λουστώ	that I may be bathed
Pr. P.	να έχω λούσει	that I may have bathed	να έχω λουστεί	that I may have been bathed

		Imperative		
P.	λούζε (sing.)	be bathing	-	
	λούζετε (pl.)	be bathing	λούζεστε (pl.)	be bathing yourselves
P. S.	λούσε (sing.)	bathe	λούσου (sing.)	bathe yourself
	λούστε (pl.)	bathe	λουστείτε (pl.)	bathe yourselves

	Infinitive		
να λούσει	to bathe	να λουστεί	to bathe oneself

	Participle		
λούζοντας	bathing	λουσμέν-ος, -η, -ο	bathed

(Examples on page 174)

	Active Voice, Indicative		*Passive Voice, Indicative*	
P.	**I untie**		**I am untied, I am being untied**	
	λύνω	λύνουμε	λύνομαι	λυνόμαστε
	λύνεις	λύνετε	λύνεσαι	λύνεστε
	λύνει	λύνουν	λύνεται	λύνονται
P. C.	**I was untying**		**I was being untied**	
	έλυνα	λύναμε	λυνόμουν	λυν-όμαστε, -όμασταν
	έλυνες	λύνατε	λυνόσουν	λυν-όσαστε, -όσασταν
	έλυνε	έλυναν	λυνόταν	λύνονταν
P. S.	**I untied**		**I was untied**	
	έλυσα	λύσαμε	λύθηκα	λυθήκαμε
	έλυσες	λύσατε	λύθηκες	λυθήκατε
	έλυσε	έλυσαν	λύθηκε	λύθηκαν
F. C.	**I will be untying**		**I will be being untied**	
	θα λύνω		θα λύνομαι	
	θα λύνεις	etc.	θα λύνεσαι	etc.
F. S.	**I will untie**		**I will be untied**	
	θα λύσω	θα λύσουμε	θα λυθώ	θα λυθούμε
	θα λύσεις	θα λύσετε	θα λυθείς	θα λυθείτε
	θα λύσει	θα λύσουν	θα λυθεί	θα λυθούν
Pr. P.	**I have untied**		**I have been untied**	
	έχω λύσει		έχω λυθεί	
	έχεις λύσει	etc.	έχεις λυθεί	etc.
P. P.	**I had untied**		**I had been untied**	
	είχα λύσει		είχα λυθεί	
	είχες λύσει	etc.	είχες λυθεί	etc.
F. P.	**I will have untied**		**I will have been untied**	
	θα έχω λύσει		θα έχω λυθεί	
	θα έχεις λύσει	etc.	θα έχεις λυθεί	etc.

		Subjunctive	(with να, για να, αν, όταν, etc.)	
P.	να λύνω	that I may be untying	να λύνομαι	that I may be being untied
P. S.	να λύσω	that I may untie	να λυθώ	that I may be untied
Pr. P.	να έχω λύσει	that I may have untied	να έχω λυθεί	that I may have been untied

		Imperative		
P.	λύνε (sing.)	be untying	-	
	λύνετε (pl.)	be untying	λύνεστε (pl.)	be being untied
P. S.	λύσε (sing.)	untie	λύσου (sing.)	be untied
	λύσετε – λύστε (pl.)	untie	λυθείτε (pl.)	be untied

		Infinitive		
	να λύσει	to untie	να λυθεί	to be untied

		Participle		
	λύνοντας	untying	λυμέν-ος, -η, -ο	untied

(Examples on page 174)

Examples of uses of verbs beginning with λ

λέγω – λέω

Με λένε Γιώργο.	They call me George.
Λέω την αλήθεια.	I speak the truth.
Πώς σε λένε;	What do they call you?
Τι λες;	What do you say? What is your opinion?
Καθώς λένε.	As they say.
Το λένε τα βιβλία.	The books speak about this. As it is written…
Το είπα πως έτσι θα γίνει.	I predicted that it will happen this way.
Τι λες γι' αυτό;	What is your opinion about this?
Τι λες, πάμε ένα περίπατο;	What do you think, shall we go for a walk?
Τι λες, θα χιονίσει;	What do you think, will it snow?
Λέει και ξελέει.	He changes his mind.
Τι έγινε λέει;	Say, what happened?
Λέγεται Γιάννης.	He is called John.
Λέγεται ότι σ' αυτό το μέρος υπάρχουν φαντάσματα.	It is said that in this place there are ghosts.
Αυτή η ιστορία ειπώθηκε πολλές φορές.	This story has been told many times.

λογαριάζω

Λογαριάζω τα έσοδα και τα έξοδα της εταιρείας μου.	I account for the income and the expenses of my company.
Λογαριάζω τις μέρες και βρίσκω ότι σε δέκα μέρες φεύγουμε.	I count the days and I find that we leave in ten days.
Δε λογαριάζουν τον πατέρα τους.	They do not heed to their father.
Λογαριάζει χωρίς τον ξενοδόχο.	He makes plans without any consideration.
Λογαριαστήκαμε.	We have squared our accounts.
Τι λογαριάζεις να κάνεις;	What are you planning to do?
Θα λογαριαστούμε αύριο.	We will discuss our account tomorrow.

λούζω

Η μητέρα λούζει το παιδί.	The mother gives the child a bath.
Το παιδί λούζεται από τη μητέρα.	The child is given a bath by the mother.
Έχουμε λούσει τα μαλλιά μας.	We have washed our hair.
Λούσου. Λουστείτε.	Wash. Take a bath.
Λούσε τα μαλλιά σου.	Wash your hair.
Τον έλουσε πατόκορφα.	He insulted him badly.

λύνω

Το ζώο λύθηκε.	The animal got loose.
Λύσαμε τα σχοινιά της βάρκας.	We untied the ropes of the boat.
Έλυσες το πρόβλημα;	Have you solved the problem?
Ποιος μπορεί να λύσει αυτόν τον κόμπο;	Who can untie the knot?
Ο κόσμος δεν έχει λύσει ακόμα το πρόβλημα του πολέμου.	The world has not yet solved the problem of the war.

	Active Voice, Indicative		*Passive Voice, Indicative*	
P.	**I cook**		**I am cooked, I am being cooked**	
	μαγειρεύω	μαγειρεύουμε	μαγειρεύομαι	μαγειρευόμαστε
	μαγειρεύεις	μαγειρεύετε	μαγειρεύεσαι	μαγειρεύεστε
	μαγειρεύει	μαγειρεύουν	μαγειρεύεται	μαγειρεύονται
P. C.	**I was cooking**		**I was being cooked**	
	μαγείρευα	μαγειρεύαμε	μαγειρευόμουν	μαγειρευ-όμαστε, -όμασταν
	μαγείρευες	μαγειρεύατε	μαγειρευόσουν	μαγειρευ-όσαστε, -όσασταν
	μαγείρευε	μαγείρευαν	μαγειρευόταν	μαγειρεύονταν
P. S.	**I cooked**		**I was cooked**	
	μαγείρεψα	μαγειρέψαμε	μαγειρεύτηκα	μαγειρευτήκαμε
	μαγείρεψες	μαγειρέψατε	μαγειρεύτηκες	μαγειρευτήκατε
	μαγείρεψε	μαγείρεψαν	μαγειρεύτηκε	μαγειρεύτηκαν
F. C.	**I will be cooking**		**I will be being cooked**	
	θα μαγειρεύω		θα μαγειρεύομαι	
	θα μαγειρεύεις	etc.	θα μαγειρεύεσαι	etc.
F. S.	**I will cook**		**I will be cooked**	
	θα μαγειρέψω	θα μαγειρέψουμε	θα μαγειρευτώ	θα μαγειρευτούμε
	θα μαγειρέψεις	θα μαγειρέψετε	θα μαγειρευτείς	θα μαγειρευτείτε
	θα μαγειρέψει	θα μαγειρέψουν	θα μαγειρευτεί	θα μαγειρευτούν
Pr. P.	**I have cooked**		**I have been cooked**	
	έχω μαγειρέψει		έχω μαγειρευτεί	
	έχεις μαγειρέψει	etc.	έχεις μαγειρευτεί	etc.
P. P.	**I had cooked**		**I had been cooked**	
	είχα μαγειρέψει		είχα μαγειρευτεί	
	είχες μαγειρέψει	etc.	είχες μαγειρευτεί	etc.
F. P.	**I will have cooked**		**I will have been cooked**	
	θα έχω μαγειρέψει		θα έχω μαγειρευτεί	
	θα έχεις μαγειρέψει	etc.	θα έχεις μαγειρευτεί	etc.

Subjunctive (with να, για να, όταν, etc.)

P.	να μαγειρεύω	that I may be cooking	να μαγειρεύομαι	that I may be being cooked
P. S.	να μαγειρέψω	that I may cook	να μαγειρευτώ	that I may be cooked
Pr. P.	να έχω μαγειρέψει	that I may have cooked	να έχω μαγειρευτεί	that I may have been cooked

Imperative

P.	μαγείρευε (sing.)	be cooking	-	
	μαγειρεύετε (pl.)	be cooking	μαγειρεύεστε (pl.)	be being cooked
P. S.	μαγείρεψε (sing.)	cook	μαγειρέψου (sing.)	be cooked
	μαγειρέψτε (pl.)	cook	μαγειρευτείτε (pl.)	be cooked

Infinitive

να μαγειρέψει	to cook	να μαγειρευτεί	to be cooked

Participle

μαγειρεύοντας	cooking	μαγειρεμέν-ος, -η, -ο	cooked

(Examples on page 190)

μαζεύω **(1)** – to collect; to gather; to pick-up

	Active Voice, Indicative		*Passive Voice, Indicative*	
P.	**I gather**		**I am collected, gathered, I am being collected**	
	μαζεύω	μαζεύουμε	μαζεύομαι	μαζευόμαστε
	μαζεύεις	μαζεύετε	μαζεύεσαι	μαζεύεστε
	μαζεύει	μαζεύουν	μαζεύεται	μαζεύονται
P. C.	**I was gathering**		**I was being gathered**	
	μάζευα	μαζεύαμε	μαζευόμουν	μαζευ-όμαστε, -όμασταν
	μάζευες	μαζεύατε	μαζευόσουν	μαζευ-όσαστε, -όσασταν
	μάζευε	μάζευαν	μαζευόταν	μαζεύονταν
P. S.	**I gathered**		**I was gathered**	
	μάζεψα	μαζέψαμε	μαζεύτηκα	μαζευτήκαμε
	μάζεψες	μαζέψατε	μαζεύτηκες	μαζευτήκατε
	μάζεψε	μάζεψαν	μαζεύτηκε	μαζεύτηκαν
F. C.	**I will be gathering**		**I will be being gathered**	
	θα μαζεύω		θα μαζεύομαι	
	θα μαζεύεις	etc.	θα μαζεύεσαι	etc.
F. S.	**I will gather**		**I will be gathered**	
	θα μαζέψω	θα μαζέψουμε	θα μαζευτώ	θα μαζευτούμε
	θα μαζέψεις	θα μαζέψετε	θα μαζευτείς	θα μαζευτείτε
	θα μαζέψει	θα μαζέψουν	θα μαζευτεί	θα μαζευτούν
Pr. P.	**I have gathered**		**I have been gathered**	
	έχω μαζέψει		έχω μαζευτεί	
	έχεις μαζέψει	etc.	έχεις μαζευτεί	etc.
P. P.	**I had gather**		**I had been gathered**	
	είχα μαζέψει	etc.	είχα μαζευτεί	etc.
	είχες μαζέψει		είχες μαζευτεί	
F. P.	**I will have gathered**		**I will have been gathered**	
	θα έχω μαζέψει		θα έχω μαζευτεί	
	θα έχεις μαζέψει	etc.	θα έχεις μαζευτεί	etc.

Subjunctive (with να, για να, όταν, etc.)

P.	να μαζεύω	that I may be gathering	να μαζεύομαι	that I may be being gathered
P. S.	να μαζέψω	that I may gather	να μαζευτώ	that I may be gathered
Pr. P.	να έχω μαζέψει	that I may have gathered	να έχω μαζευτεί	that I may have been gathered

Imperative

P.	μάζευε (sing.)	be gathering	-	
	μαζεύετε (pl.)	be gathering	μαζεύεστε (pl.)	be being collected, gathered
P. S.	μάζεψε (sing.)	gather	μαζέψου (sing.)	be gathered
	μαζέψτε (pl.)	gather	μαζευτείτε (pl.)	be gathered

Infinitive

	να μαζέψει	to gather	να μαζευτεί	to be gathered

Participle

	μαζεύοντας	gathering	μαζεμέν-ος, -η, -ο	gathered

(Examples on page 190)

μαθαίνω (1) – to learn; to be informed of; to hear; to get accustomed; 140
        to accustom oneself; to teach; to instruct; to accustom
The verb occurs only in the active voice*

	Indicative		
P.	**I learn**		
	μαθαίνω	μαθαίνουμε	
	μαθαίνεις	μαθαίνετε	
	μαθαίνει	μαθαίνουν	

Subjunctive
(with να, για να, όταν, etc.)

P.	να μαθαίνω	that I may be learning
P. S.	να μάθω	that I may learn
Pr. P.	να έχω μάθει	that I may have learned

P. C.   I was leaning

μάθαινα	μαθαίναμε
μάθαινες	μαθαίνατε
μάθαινε	μάθαιναν

Imperartive

P.	μάθαινε (sing.)	be learning
	μαθαίνετε (pl.)	be learning
P. S.	μάθε (sing.)	learn
	μάθετε (pl.)	learn

P. S.   I learned

έμαθα	μάθαμε
έμαθες	μάθατε
έμαθε	έμαθαν

F. C.   I will be learning

θα μαθαίνω	θα μαθαίνουμε
θα μαθαίνεις	θα μαθαίνετε
θα μαθαίνει	θα μαθαίνουν

Infinitive

να μάθει	to learn

F. S.   I will learn

θα μάθω	θα μάθουμε
θα μάθεις	θα μάθετε
θα μάθει	θα μάθουν

Participle

μαθαίνοντας	learning

Passive Past simple

μαθεύτηκε	it was learned, heard

Pr. P.   I have learned

έχω μάθει	έχουμε μάθει
έχεις μάθει	έχετε μάθει
έχει μάθει	έχουν μάθει

Passive participle

μαθημέν-ος, -η, -ο	accustomed

P. P.   I had learned

είχα μάθει	
είχες μάθει	etc.

F. P.   I will have learned

θα έχω μάθει	
θα έχεις μάθει	etc.

* In the passive voice the verb is used in the following forms:
    Third person, Past Simple tense: **μαθεύτηκε** – it was made known, it circulated
    Third person, Present Perfect tense: **έχει μαθευτεί** – it has been known, it was heard
    Third Person, Past Perfect tense: **είχε μαθευτεί** – it had become known, it had circulated

μεγαλώνω (1) – to grow up; to get tall; to enlarge

Indicative

P. **I grow up**

μεγαλώνω   μεγαλώνουμε
μεγαλώνεις   μεγαλώνετε
μεγαλώνει   μεγαλώνουν

P. C. **I was growing up**

μεγάλωνα   μεγαλώναμε
μεγάλωνες   μεγαλώνατε
μεγάλωνε   μεγάλωναν

P. S. **I grew up**

μεγάλωσα   μεγαλώσαμε
μεγάλωσες   μεγαλώσατε
μεγάλωσε   μεγάλωσαν

F. C. **I will be growing up**

θα μεγαλώνω   θα μεγαλώνουμε
θα μεγαλώνεις   θα μεγαλώνετε
θα μεγαλώνει   θα μεγαλώνουν

F. S. **I will grow up**

θα μεγαλώσω   θα μεγαλώσουμε
θα μεγαλώσεις   θα μεγαλώσετε
θα μεγαλώσει   θα μεγαλώσουν

Pr. P. **I have grown up**

έχω μεγαλώσει
έχεις μεγαλώσει   etc.

P. P. **I had grown up**

είχα μεγαλώσει
είχες μεγαλώσει   etc.

F. P. **I will have grown up**

θα έχω μεγαλώσει
θα έχεις μεγαλώσει   etc.

Subjunctive

(with να, για να, όταν, etc.)

P.   να μεγαλώνω   that I may be growing up
P. S. να μεγαλώσω   that I may grow up
Pr. P. να έχω μεγαλώσει   that I may have grown up

Imperative

P.   μεγάλωνε (sing.)   be growing up
         μεγαλώνετε (pl.)   be growing up
P. S. μεγάλωσε (sing.)   grow up
         μεγαλώστε (pl.)   grow up

Infinitive

να μεγαλώσει   to grow up

Participle

μεγαλώνοντας   growing up

Passive Participle

μεγαλωμέν-ος, -η, -ο   grown up

Examples:

Το παιδί μεγάλωσε πολύ.   The child grew very much.
Μεγάλωσε πολύ η οικογένειά του.   His family became very big.
Το δέντρο μεγάλωσε.   The tree grew tall.
Η φούσκα μεγάλωνε και μεγάλωνε   The balloon was getting bigger and
ώσπου έσπασε   bigger until it burst.
Οι δουλειές του θα μεγαλώσουν πολύ.   His business will grow very much.
Μεγαλώνει μέρα με τη μέρα.   He (she, it) becomes bigger day by day.

	Indicative	
P.	**I study**	
	μελετώ	μελετούμε
	μελετάς	μελετάτε
	μελετά	μελετούν

P. C.	**I was studying**	
	μελετούσα	μελετούσαμε
	μελετούσες	μελετούσατε
	μελετούσε	μελετούσαν

P. S.	**I studied**	
	μελέτησα	μελετήσαμε
	μελέτησες	μελετήσατε
	μελέτησε	μελέτησαν

F. C.	**I will be studying**	
	θα μελετώ	
	θα μελετάς	etc.

F. S.	**I will study**	
	θα μελετήσω	θα μελετήσουμε
	θα μελετήσεις	θα μελετήσετε
	θα μελετήσει	θα μελετήσουν

Pr. P.	**I have studied**	
	έχω μελετήσει	
	έχεις μελετήσει	etc.

P. P.	**I had studied**	
	είχα μελετήσει	
	είχες μελετήσει	etc.

F. P.	**I will have studied**	
	θα έχω μελετήσει	
	θα έχεις μεγαλώσει	etc.

Subjunctive
(with να, για να, όταν, etc.)

P.	να μελετώ	that I may be studying
P. S.	να μελετήσω	that I may study
Pr. P.	να έχω μελετήσει	that I may have studied

Imperative

P.	μελέτα (sing.)	be studying
	μελετάτε (pl.)	be studying
P. S.	μελέτησε (sing.)	study
	μελετήστε (pl.)	study

Infinitive

να μελετήσει	to study

Participle

μελετώντας	studying

Passive Past Tense – I was being mentioned

μελετήθηκα	μελετηθήκαμε
μελετήθηκες	μελετηθήκατε
μελετήθηκε	μελετήθηκαν

Passive Participle

μελετημέν-ος, -η, -ο	well educated person, learned man, erudite

Examples:

Ο μαθητής μελετά τα μαθήματά του.	The pupil (student) studies his lessons.
Μελέτησε τα σχέδια για την εκστρατεία.	He examined the plans for the expedition.
Θα μελετήσουμε καλά τον χάρτη προτού φύγουμε για το ταξίδι.	We will study the map carefully before we set out for the trip.
Είναι ένας μελετημένος άνθρωπος.	He is a learned man.

μένω (1) – to remain; to stay; to dwell; to be left

	Indicative		**Subjunctive**		
P.	**I remain**		(with να, για να, όταν, etc.)		
	μένω	μένουμε	P.	να μένω	that I may be staying
	μένεις	μένετε	P. S.	να μείνω	that I may stay
	μένει	μένουν	Pr. P.	να έχω μείνει	that I may have stayed

	Indicative		**Imperative**		
P. C.	**I was staying**				
	έμενα	μέναμε	P.	μένε (sing.)	be staying
	έμενες	μένατε		μένετε (pl.)	be staying
	έμενε	έμεναν	P. S.	μείνε (sing.)	stay
				μείνετε (pl.)	stay

	Indicative				
P. S.	**I stayed**				
	έμεινα	μείναμε			
	έμεινες	μείνατε	**Infinitive**		
	έμεινε	έμειναν		να μείνει	to stay

	Indicative		**Participle**	
F. C.	**I will be staying**			
	θα μένω	θα μένουμε	μένοντας	staying
	θα μένεις	θα μένετε		
	θα μένει	θα μένουν		

	F. S.	**I will stay**	
		θα μείνω	θα μείνουμε
		θα μείνεις	θα μείνετε
		θα μείνει	θα μείνουν

	Pr. P.	**I have stayed**	
		έχω μείνει	
		έχεις μείνει	etc.

	P. P.	**I had stayed**	
		είχα μείνει	
		είχες μείνει	etc.

	F. P.	**I will have stayed**	
		θα έχω μείνει	
		θα έχεις μείνει	etc.

Examples:

Μένουμε στην Αθήνα.	We live (stay) in Athens.
Η γυναίκα του πέθανε και έμεινε μόνος.	His wife died and he was left alone.
Έμεινε στην Αμερική για δέκα χρόνια.	He lived in America for ten years.
Μένουν σ' ένα ωραίο σπίτι.	They live (dwell) in a beautiful house.
Μείναμε ευχαριστημένοι από το ταξίδι μας.	We were satisfied with our trip.
Σε ποιο ξενοδοχείο μένετε αυτή τη φορά;	At what hotel are you staying this time?
Πόσα λεφτά μας μένουν;	How much money do we have left?
Δε μας μένει τώρα τίποτε άλλο παρά να φύγουμε απ΄εδώ.	Nothing is left to us now, except to leave from here.

	Active Voice, Indicative		*Passive Voice, Indicative*	
P.	**I carry**		**I am carried, I am being carried**	
	μεταφέρω	μεταφέρουμε	μεταφέρομαι	μεταφερόμαστε
	μεταφέρεις	μεταφέρετε	μεταφέρεσαι	μεταφέρεστε
	μεταφέρει	μεταφέρουν	μεταφέρεται	μεταφέρονται
P. C.	**I was carrying**		**I was being carried**	
	μετέφερνα	μεταφέρναμε	μεταφερνόμουν	μεταφερν-όμαστε, -όμασταν
	μετέφερνες	μεταφέρνατε	μεταφερνόσουν	μεταφερν-όσαστε, -όσασταν
	μετέφερνε	μετέφερναν	μεταφερνόταν	μεταφέρνονταν
P. S.	**I carried**		**I was carried**	
	μετέφερα	μεταφέραμε	μεταφέρθηκα	μεταφερθήκαμε
	μετέφερες	μεταφέρατε	μεταφέρθηκες	μεταφερθήκατε
	μετέφερε	μετέφεραν	μεταφέρθηκε	μεταφέρθηκαν
F. C.	**I will be carrying**		**I will be being carried**	
	θα μεταφέρνω		θα μεταφέρομαι	
	θα μεταφέρνεις etc.		θα μεταφέρεσαι	etc.
F. S.	**I will carry**		**I will be carried**	
	θα μεταφέρω	θα μεταφέρουμε	θα μεταφερθώ	θα μεταφερθούμε
	θα μεταφέρεις	θα μεταφέρετε	θα μεταφερθείς	θα μεταφερθείτε
	θα μεταφέρει	θα μεταφέρουν	θα μεταφερθεί	θα μεταφερθούν
Pr. P.	**I have carried**		**I have been carried**	
	έχω μεταφέρει		έχω μεταφερθεί	
	έχεις μεταφέρει	etc.	έχεις μεταφερθεί	etc.
P. P.	**I had carried**		**I had been carried**	
	είχα μεταφέρει		είχα μεταφερθεί	
	είχες μεταφέρει	etc.	είχες μεταφερθεί	etc.
F. P.	**I will have carried**		**I will have been carried**	
	θα έχω μεταφέρει		θα έχω μεταφερθεί	
	θα έχεις μεταφέρει	etc.	θα έχεις μεταφερθεί	etc.

Subjunctive (with να, για να, όταν, etc.)

P.	να μεταφέρω	that I may be carrying	να μεταφέρομαι	that I may be being carried
P. S.	να μεταφέρω	that I may carry	να μεταφερθώ	that I may be carried
Pr. P.	να έχω μεταφέρει	that I may have carried	να έχω μεταφερθεί	that I may have been carried

Imperative

P. S	μετάφερε (sing.)	carry	μεταφέρου (sing.)	be carried
	μεταφέρετε (pl.)	carry	μεταφερθείτε (pl.)	be carried

Infinitive

να μεταφέρει	to carry	να μεταφερθεί	to be carried

Participle

μεταφέροντας	carrying	μεταφερμέν-ος, -η, -ο	carried
		(Examples on page 190)	

	Indicative			*Subjunctive*	
P.	**I use**			(with να, για να, όταν, etc.)	
	μεταχειρίζομαι	μεταχειριζόμαστε	**P.**	να μεταχειρίζομαι	that I may be using
	μεταχειρίζεσαι	μεταχειρίζεστε	**P. S.**	να μεταχειριστώ	that I may use
	μεταχειρίζεται	μεταχειρίζονται	**Pr. P.**	να έχω μεταχειριστεί	that I may have used

P. C.	**I was using**			***Imperative***	
	μεταχειριζόμουν	μεταχειριζόμαστε	**P.**	μεταχειρίζου (sing.)	be using
	μεταχειριζόσουν	μεταχειριζόσαστε		μεταχειρίζεστε (pl.)	be using
	μεταχειριζόταν	μεταχειρίζονταν	**P. S.**	μεταχειρίσου (sing.)	use
				μεταχειριστείτε (pl.)	use

P. S.	**I used**	
	μεταχειρίστηκα	μεταχειριστήκαμε
	μεταχειρίστηκες	μεταχειριστήκατε
	μεταχειρίστηκε	μεταχειρίστηκαν

F. C.	**I will be using**			***Infinitive***	
	θα μεταχειρίζομαι			να μεταχειριστεί	to use
	θα μεταχειρίζεσαι	etc.			

F. S.	**I will use**			***Participle***	
	θα μεταχειριστώ	θα μεταχειριστούμε		μεταχειρισμέν-ος, -η, -ο	used
	θα μεταχειριστείς	θια μεταχειριστείτε			
	θα μεταχειριστεί	θα μεταχειριστούν			

Pr. P.	**I have used**	
	έχω μεταχειριστεί	έχουμε μεταχειριστεί
	έχεις μεταχειριστεί	έχετε μεταχειριστεί
	έχει μεταχειριστεί	έχουν μεταχειριστεί

P. P.	**I had used**	
	είχα μεταχειριστεί	
	είχες μεταχειριστεί	etc.

F. P.	**I will have used**	
	θα έχω μεταχειριστεί	
	θα έχεις μεταχειριστεί	etc.

Examples:

Τον μεταχειρίζονται σαν δούλο.	They treat him like a slave.
Στο γραφείο μεταχειρίζεται πολλές μηχανές.	He uses many machines in his office.
Μεταχειριζόμαστε καλά τους υπαλλήλους μας.	We treat our employees well.
Σε τι μεταχειρίζεστε το αυτοκίνητο;	For what do you use the car?
Μεταχειρίστηκα ένα κόλπο για να τον κάνω να έρθει.	I used a ruse to make him come.
Αυτό το αυτοκίνητο είναι μεταχειρισμένο.	This is a used car.

A compound verb of **μετά** and **έχω** = **μετέχω**

	Indicative		
P.	**I participate**		
	μετέχω	μετέχουμε	
	μετέχεις	μετέχετε	
	μετέχει	μετέχουν	

	Subjunctive		
	(with να, για να, όταν, etc.)		
P.	να μετέχω	that I may be participating
P. S	να μετάσχω	that I mayparticipate
Pr. P.	να έχω μετάσχει	that I may have participated

P. C.	**I was participating - I participated**		
and	μετείχα	μετείχαμε	
P. S.	μετείχες	μετείχατε	
	μετείχε	μετείχαν	

Imperative

μέτεχε (sing.)   be participating, participate
μετέχετε (pl.)   be participating, participate

F. C.	**I will be participating**		
	θα μετέχω	θα μετέχουμε	
	θα μετέχεις	θα μετέχετε	
	θα μετέχει	θα μετέχουν	

Infinitive

να μετέχει   to be participating
να μετάσχει   to participate

F. S.	**I will participate**		
	θα μετάσχω	θα μετάσχουμε	
	θα μετάσχεις	θα μετάσχετε	
	θα μετάσχει	θα μετάσχουν	

Participle

μετέχοντας   participating

The other tenses are not common.

Examples:

Μετέχουμε στα κέρδη της εταιρείας.
Η ομάδα μας θα μετάσχει στους αγώνες της Κυριακής.
Μετέχουμε στις προσπάθειες να σώσουμε τη φυσική ομορφιά του τόπου.

We share the profits of the company.
Our team will participate in the contests on this Sunday.
We participate in the efforts to save the natural beauty of the place.

Active Voice, Indicative		*Passive Voice, Indicative*	
P.	**I count**		**I am being counted, I am counted**
μετρ-ώ, -άω	μετρ-ούμε, -άμε	μετριέμαι	μετριόμαστε
μετράς	μετράτε	μετριέσαι	μετριέστε
μετρ-ά, -άει	μετρ-ούν, -άνε	μετριέται	μετριούνται

P. C.	**I was counting**		**I was being counted**
μετρούσα	μετρούσαμε	μετριόμουν	μετρι-όμαστε, -όμασταν
μετρούσες	μετρούσατε	μετριόσουν	μετρι-όσαστε, -όσασταν
μετρούσε	μετρούσαν	μετριόταν	μετριόνταν

P. S.	**I counted**		**I was counted**
μέτρησα	μετρήσαμε	μετρήθηκα	μετρηθήκαμε
μέτρησες	μετρήσατε	μετρήθηκες	μετρηθήκατε
μέτρησε	μέτρησαν	μετρήθηκε	μετρήθηκαν

F. C.	**I will be counting**		**I will be being counted**
θα μετρώ		θα μετριέμαι	
θα μετράς	etc.	θα μετριέσαι	etc.

F. S.	**I will count**		**I will be counted**
θα μετρήσω	θα μετρήσουμε	θα μετρηθώ	θα μετρηθούμε
θα μετρήσεις	θα μετρήσετε	θα μετρηθείς	θα μετρηθείτε
θα μετρήσει	θα μετρήσουν	θα μετρηθεί	θα μετρηθούν

Pr. P.	**I have counted**		**I have been counted**
έχω μετρήσει		έχω μετρηθεί	
έχεις μετρήσει	etc.	έχεις μετρηθεί	etc.

P. P.	**I had counted**		**I had been counted**
είχα μετρήσει		είχα μετρηθεί	
είχες μετρήσει	etc.	είχες μετρηθεί	etc.

F. P.	**I will have counted**		**I will have been counted**
θα έχω μετρήσει		θα έχω μετρηθεί	
θα έχεις μετρήσει	etc.	θα έχεις μετρηθεί	etc.

Subjunctive (with να, για να, όταν, etc.)

P.	να μετρώ	that I may be counting	να μετριέμαι	that I may be being counted
P. S.	να μετρήσω	that I may count	να μετρηθώ	that I may be counted
Pr. P.	να έχω μετρήσει	that I may have counted	να έχω μετρηθεί	that I may have been counted

Imperative

P.	μέτρα (sing.)	be counting	-	
	μετράτε (pl.)	be counting	μετριέστε (pl.)	be being counted
P. S.	μέτρησε (sing.)	count	μετρήσου (sing.)	be counted
	μετρήστε (pl.)	count	μετρηθείτε (pl.)	be counted

Infinitive

να μετρήσει	to count	να μετρηθεί	to be counted

Participle

μετρώντας	counting	μετρημέν-ος, -η, -ο	counted
		(Examples page 190)	

μικραίνω (1) – to lessen; to shorten; to decrease, to become smaller

P.	**I decrease**	
	μικραίνω	μικραίνουμε
	μικραίνεις	μικραίνετε
	μικραίνει	μικραίνουν

Subjunctive - (with να, για να, όταν, etc.)

P.	να μικραίνω	that I may be decreasing
P. S.	να μικρύνω	that I may decrease
Pr. P.	να έχω μικρύνει	that I may have decreased

P. C.	**I was decreasing**	
	μίκραινα	μικραίναμε
	μίκραινες	μικραίνατε
	μίκραινε	μίκραιναν

Imperative

P. S.	μίκραινε (sing.)	be decreasing
	μικραίνετε	be decreasing
	μίκρυνε (sing.)	decrease
	μικρύνετε (pl.)	decrease

P. S.	**I decreased**	
	μίκρυνα	μικρύναμε
	μίκρυνες	μικρύνατε
	μίκρυνε	μίκρυναν

Infinitive

	να μικραίνει	to be decreasing
	να μικρύνει	to decrease

F. C.	**I will be decreasing**	
	θα μικραίνω	
	θα μικραίνεις	etc.

Participle

	μικραίνοντας	decreasing

F. S.	**I will decrease**	
	θα μικρύνω	θα μικρύνουμε
	θα μικρύνεις	θα μικρύνετε
	θα μικρύνει	θα μικρύνουν

Pr. P.	**I have decreased**	
	έχω μικρύνει	έχουμε μικρύνει
	έχεις μικρύνει	έχετε μικρύνει
	έχει μικρύνει	έχουν μικρύνει

P. P.	**I had decreased**	
	είχα μικρύνει	
	είχες μικρύνει	etc.

F. P.	**I will have decreased**	
	θα έχω μικρύνει	
	θα έχεις μικρύνει	etc.

Examples:

Οι μέρες μικραίνουν τον χειμώνα.	The days become shorter in winter.
Αυτή η φορεσιά μου μίκρανε.	My suit here has shrunk.
Μίκρυνα λίγο το πανταλόνι,	I have made the trousers smaller
γιατί ήταν πολύ μεγάλο.	because they were too big for me.

Indicative

P. **I talk**

μιλ-ώ, -άω   μιλ-ούμε, -άμε
μιλάς   μιλάτε
μιλ-ά, -άει   μιλ-ούν, -άνε

P. C. **I was talking**

μιλούσα   μιλούσαμε
μιλούσες   μιλούσατε
μιλούσε   μιλούσαν

P. S. **I talked**

μίλησα   μιλήσαμε
μίλησες   μιλήσατε
μίλησε   μίλησαν

F. C. **I will be talking**

θα μιλώ
θα μιλάς   etc.

F. S. **I will talk**

θα μιλήσω   θα μιλήσουμε
θα μιλήσεις   θα μιλήσετε
θα μιλήσει   θα μιλήσουν

Pr. P. **I have talked**

έχω μιλήσει
έχεις μιλήσει etc.

P. P. **I had talked**

είχα μιλήσει
είχες μιλήσει etc.

F. P. **I will have talked**

θα έχω μιλήσει
θα έχεις μιλήσει etc.

Subjunctive
(with να, για να, όταν, etc.)

P.   να μιλώ   that I may be talking
P. S. να μιλήσω   that I may talk
Pr. P. να έχω μιλήσει that I may have talked

Imperative

P.   μίλα (sing.)   be talking
       μιλάτε (pl.)   be talking
P. S. μίλησε (sing.) talk
       μιλήστε (pl.)   talk

Infinitive

       να μιλήσει   to talk

Participle

       μιλώντας   talking

Passive Voice, Present – I am talked about

μιλιέμαι   μιλιόμαστε
μιλιέσαι   μιλι-έστε, -όμαστε
μιλιέται   μιλούνται

**In the Past Simple tense these forms
are common:**

μιληθήκαμε   we talked to each other
μιληθήκατε;   did you talk to each other?
μιλήθηκαν   they talked to each other

Examples:

Μιλά πολύ.   He talks much.
Μίλησε για την ατομική ενέργεια.   He spoke about the atomic energy.
Τα μιλήσαμε.   We talked our affairs over.
Μιλούν σιγά.   They chat in a low voice.
Μίλα. Μιλάτε. Μη μιλάτε.   Speak (talk). Speak. Do not talk.
Ποιος θα μιλήσει αύριο;   Who is going to speak tomorrow?
Ποιος μαθητής μιλά;   Which student talks?
Δε μιλιέται.   He (she) is not talkative. Not sociable.

	Indicative		*Subjunctive*		

P.   **I look alike, I resemble**

μοιάζω	μοιάζουμε
μοιάζεις	μοιάζετε
μοιάζει	μοιάζουν

Subjunctive
(with να, για να, όταν, etc.)

P.	να μοιάζω	that I may be looking alike
P. S,	να μοιάσω	that I may look alike
Pr. P	να έχω μοιάσει	that I may have looked alike

P. C.   **I was looking alike**

έμοιαζα	μοιάζαμε
έμοιαζες	μοιάζατε
έμοιαζε	έμοιαζαν

Imperative

P. S.	μοιάσε (sing.)	look alike
	μοιάστε (pl.)	look alike

P. S.   **I resembled**

έμοιασα	μοιάσαμε
έμοιασες	μοιάσατε
έμοιασε	έμοιασαν

Infinitive

να μοιάσει	to look alike

F. C.   **I will be resembling**

θα μοιάζω
θα μοιάζεις   etc.

Participle

μοιάζοντας	looking alike

F. S.   **I will resemble**

θα μοιάσω	θα μοιάσουμε
θα μοιάσεις	θα μοιάσετε
θα μοιάσει	θα μοιάσουν

Pr. P.   **I have resembled**

έχω μοιάσει	έχουμε μοιάσει
έχεις μοιάσει	έχετε μοιάσει
έχει μοιάσει	έχουν μοιάσει

P. P.   **I had resembled**

είχα μοιάσει
είχες μοιάσει   etc.

F. P.   **I will have resembled**

θα έχω μοιάσει
θα έχεις μοιάσει   etc.

Examples:

Το αγόρι μοιάζει με τον πατέρα του.	The boy looks like his father.
Δεν του έμοιασε.	He did not take after him.
Αυτό το αυτοκίνητο έμοιαζε με το δικό μου.	This car looked like my car.
Μοιάζει με ψάρι, μα δεν είναι ψάρι.	It looks like a fish, but it is not a fish.

	Indicative	
P.	**I enter**	
	μπαίνω	μπαίνουμε
	μπαίνεις	μπαίνετε
	μπαίνει	μπαίνουν

Subjunctive
(with να, για να, όταν, etc.)

P.	να μπαίνω	that I may be entering
P. S.	να μπω	that I may enter
Pr. P.	να έχω μπει	that I may have entered

P. C.	**I was entering**	
	έμπαινα	μπαίναμε
	έμπαινες	μπαίνατε
	έμπαινε	έμπαιναν

Imperative

P.	μπαίνε (sing.)	be entering
	μπαίνετε (pl.)	be entering
P. S	μπες, έμπα (sing.)	enter
	μπείτε – μπάτε (pl.)	enter

P. S.	**I entered**	
	μπήκα	μπήκαμε
	μπήκες	μπήκατε
	μπήκε	μπήκαν

Infinitive

να μπει	to enter

F. C.	**I will be entering**	
	θα μπαίνω	
	θα μπαίνεις	etc.

Participle

μπαίνοντας	entering

F. S.	**I will enter**	
	θα μπω	θα μπούμε
	θα μπεις	θα μπείτε
	θα μπει	θα μπουν

Pr. P.	**I have entered**	
	έχω μπει	
	έχεις μπει	etc.

P. P.	**I had entered**	
	είχα μπει	
	είχες μπει	etc.

F. P.	**I will have entered**	
	θα έχω μπει	
	θα έχεις μπει	etc.

Examples:

Μπαίνω στο σπίτι.	I enter the house.
Μπήκε στο πλοίο, στο αεροπλάνο, στο τρένο.	He boarded the ship, the plane, the train.
Δεν μπόρεσε να μπει στο πανεπιστήμιο.	He was not accepted by the university.
Μπήκαμε στα έξοδα με το κτίσιμο του σπιτιού.	We spent too much money for the building of the house.
Παντρεύτηκε και γρήγορα μπήκε στα βάσανα.	He got married and his troubles soon started.
Μπήκες;	Did you understand?
Δεν μπήκα στο νόημα. (Δεν κατάλαβα).	I did not understand.
Δεν μπορώ να μπω στη σκέψη του.	I cannot enter his thoughts. I cannot understand him.

μπορώ (3) – to be able; I can (no middle or passive voice) 152

	Indicative	
P.	**I can, I am able**	
	μπορώ	μπορούμε
	μπορείς	μπορείτε
	μπορεί	μπορούν

P. C.	**I could**	
	μπορούσα	μπορούσαμε
	μπορούσες	μπορούσατε
	μπορούσε	μπορούσαν

P. S.	**I was able**	
	μπόρεσα	μπορέσαμε
	μπόρεσες	μπορέσατε
	μπόρεσε	μπόρεσαν

F. C.	**I will be able**	
	θα μπορώ	θα μπορούμε
	θα μπορείς	θα μπορείτε
	θα μπορεί	θα μπορούν

F. S.	**I will be able**	
	θα μπορέσω	θα μπορέσουμε
	θα μπορέσεις	θα μπορέσετε
	θα μπορέσει	θα μπορέσουν

Pr. P.	**I have been able**	
	έχω μπορέσει	έχουμε μπορέσει
	έχεις μπορέσει	έχετε μπορέσει
	έχει μπορέσει	έχουν μπορέσει

P. P.	**I had been able**	
	είχα μπορέσει	
	είχες μπορέσει	etc.

F. P.	**I will have been able**	
	θα έχω μπορέσει	
	θα έχεις μπορέσει	etc.

Subjunctive
(with να, για να, όταν, etc.)

P.	να μπορώ	that I may be able
P. S.	να μπορέσω	that I might be able
Pr. P.	να έχω μπορέσει	that I may have been able

Imperative

P. S.	μπόρεσε (sing.)	be able
	μπορέστε (pl.)	be able

Infinitive

	να μπορεί	to be able
	να μπορέσει	to be able

Participle

	μπορώντας	being able

Examples:

Δεν μπορεί να τρέξει γρήγορα.	He cannot run fast.
Δεν μπορώ, κάλεσε τον γιατρό.	I do not feel well, call the doctor.
Δεν μπορούμε να ανεχθούμε μια τέτοια προσβολή.	We cannot stand such an insult.
Μπορώ να φύγω;	May I leave?
Μπορεί να έλθει αύριο.	He may come tomorrow.
Τι λες, θα φύγουμε αύριο;	What do you say, are we leaving tomorrow?
Μπορεί.	Perhaps. (It is possible).

Examples of uses for the verbs beginning with **μ**

μαγειρεύω

Η μητέρα μαγειρεύει στην κουζίνα.	The mother cooks in the kitchen.
Τι θα μαγειρέψετε σήμερα;	What are you going to cook today?
Το φαγητό είναι μαγειρεμένο.	The meal (food) is cooked.
Τι μαγειρεύεις;	What are you cooking?
Το κρέας αυτό μαγειρεύεται σιγά σιγά.	This meat can be cooked only slowly.
Ποιος θα μαγειρέψει;	Who is going to cook?

μαζεύω

Μάζεψε τα βιβλία σου.	Gather your books.
Μαζεύω τα πανιά της βάρκας.	I take in the sails of the boat.
Τον μάζεψε από τους δρόμους.	He brought him in from the streets.
Μάζεψε τη γλώσσα σου.	Control your tongue.
Μαζεύτηκε πολύς κόσμος στο πάρκο.	Many people gathered at the park.
Το βράδυ τα παιδιά μαζεύονται νωρίς στα σπίτια τους.	At night the children come home early.
Μαζεύουμε τις ελιές από τα δέντρα.	We gather the olives from the trees.
Μάζεψε πολλά χρήματα.	He acquired much money.
Έχουν μαζέψει πολλά πλούτη.	They have amassed many riches.

μεταφέρω

Το αυτοκίνητο μεταφέρει τους επιβάτες.	The car transports the passengers.
Οι εργάτες μεταφέρονται με αυτοκίνητο.	The workmen are transported by car.
Το νερό μεταφέρεται από την πηγή στην πόλη με σωλήνες.	The water is carried from the spring to the city by means of pipes.
Μεταφερθήκαμε σε νέο σπίτι.	We moved to a new house.
Μετέφερε τα πράγματά του σε μια μέρα.	He transfered his personal effects in one day.

μετρώ

Μετρώ από το ένα μέχρι το δέκα.	I count from one to ten.
Μετρά τα λεφτά του κάθε μέρα.	He counts his money every day.
Μετρήσαμε τα αεροπλάνα στον ουρανό.	We counted the airplanes in the sky.
Τα λεφτά είναι μετρημένα.	The money is counted.
Του μέτρησα όλα τα λεφτά.	I paid (counted) him all the money.
Μετρηθήκαμε και είδαμε ότι ο Γιώργος είναι πιο ψηλός.	We measured ourselves and saw that George is taller.
Θα μετρήσουμε το χιόνι που θα πέσει αυτή την εβδομάδα.	We will measure this week's snowfall.

	Active Voice, Indicative		*Passive Voice, Indicative*	
P.	**I conquer, I defeat**		**I am conquered, I am defeated, I am being defeated**	
	νικ-ώ, -άω	νικ-ούμε, -άμε	νικιέμαι	νικιόμαστε
	νικάς	νικάτε	νικιέσαι	νικιέστε
	νικ-ά, -άει	νικ-ούν, -άνε	νικιέται	νικιούνται

P. C.	**I was defeating**		**I was being defeated**	
	νικούσα	νικούσαμε	νικιόμουν	νικι-όμαστε, -όμασταν
	νικούσες	νικούσατε	νικιόσουν	νικι-όσαστε, -όσασταν
	νικούσε	νικούσαν	νικιόταν	νικιόνταν

P. S.	**I defeated**		**I was defeated**	
	νίκησα	νικήσαμε	νικήθηκα	νικηθήκαμε
	νίκησες	νικήσατε	νικήθηκες	νικηθήκατε
	νίκησε	νίκησαν	νικήθηκε	νικήθηκαν

F. C.	**I will be defeating**		**I will be being defeated**	
	θα νικώ		θα νικιέμαι	
	θα νικάς	etc.	θα νικιέσαι	etc.

F. S.	**I will defeat**		**I will be defeated**	
	θα νικήσω	θα νικήσουμε	θα νικηθώ	θα νικηθούμε
	θα νικήσεις	θα νικήσετε	θα νικηθείς	θα νικηθείτε
	θα νικήσει	θα νικήσουν	θα νικηθεί	θα νικηθούν

Pr. P.	**I have defeated**		**I have been defeated**	
	έχω νικήσει		έχω νικηθεί	
	έχεις νικήσει	etc.	έχεις νικηθεί	etc.

P. P.	**I had defeated**		**I had been defeated**	
	είχα νικήσει		είχα νικηθεί	
	είχες νικήσει	etc.	είχες νικηθεί	etc.

F. P.	**I will have defeated**		**I will have been defeated**	
	θα έχω νικήσει		θα έχω νικηθεί	
	θα έχεις νικήσει	etc.	θα έχεις νικηθεί	etc.

Subjunctive (with να, για να, αν, όταν, etc.)

P.	να νικώ	that I may be beating	να νικιέμαι	that I may be being defeated
P. S.	να νικήσω	that I may beat	να νικηθώ	that I may be defeated
Pr. P.	να έχω νικήσει	that I may have beaten	να έχω νικηθεί	that I may have been defeated

Imperative

P.	νίκα (sing.)	be beating	-	
	νικάτε (pl.)	be beating	νικιέστε (pl.)	be being defeated
P. S.	νίκησε (sing.)	beat	νικήσου (sing.)	be defeated
	νικήστε (pl.)	beay	νικηθείτε (pl.)	be defeated

Infinitive

να νικήσει	to defeat, to beat	να νικηθεί	to be defeated

Participle

νικώντας	defeating	νικημέν-ος, -η, -ο	defeated

(Examples on page 197)

Indicative

P.　**I feel**

νιώθω	νιώθουμε
νιώθεις	νιώθετε
νιώθει	νιώθουν

P. C.　**I was feeling**

ένιωθα	νιώθαμε
ένιωθες	νιώθατε
ένιωθε	ένιωθαν

P. S.　**I felt**

ένιωσα	νιώσαμε
ένιωσες	νιώσατε
ένιωσε	ένιωσαν

F. C.　**I will be feeling**

θα νιώθω	θα νιώθουμε
θα νιώθεις	θα νιώθετε
θα νιώθει	θα νιώθουν

F. S.　**I will feel**

θα νιώσω	θα νιώσουμε
θα νιώσεις	θα νιώσετε
θα νιώσει	θα νιώσουν

Pr. P.　**I have felt**

έχω νιώσει	έχουμε νιώσει
έχεις νιώσει	έχετε νιώσει
έχει νιώσει	έχουν νιώσει

P. P.　**I had felt**

είχα νιώσει	
είχες νιώσει	etc.

F. P.　**I will have felt**

θα έχω νιώσει	
θα έχεις νιώσει	etc.

Subjunctive

(with να, για να, όταν, etc.)

P.	να νιώθω	that I may be feeling
P. S.	να νιώσω	that I may feel
Pr. P.	να έχω νιώσει	that I may have felt

Imperative

P.	νιώθε (sing.)	be feeling
	νιώθετε (pl.)	be feeling
P. S.	νιώσε (sing.)	feel
	νιώστε (pl.)	feel

Infinitive

να νιώσει	to feel

Participle

νιώθοντας	feeling

Examples:

Νιώθω κάτι για σένα.	I feel something for you (love).
Ένιωσα πόνο στην καρδιά.	I felt a pain in my heart.
Δε με νιώθει.	He does not understand me.
Νιώσαμε μεγάλη λύπη για τον θάνατο του φίλου μας.	We were very much saddened by our friend's death.
Τι ένιωσες;	What did you feel?
Νιώθεις πόνο;	Do you feel pain?

	Indicative	
P.	**I think**	
	νομίζω	νομίζουμε
	νομίζεις	νομίζετε
	νομίζει	νομίζουν

	Subjunctive	
	(with να, για να, όταν, etc.)	
P.	να νομίζω	that I may be thinking
P. S	να νομίσω	that I may think
Pr. P.	να έχω νομίσει	that I may have thought

	I was thinking	
P. C.		
	νόμιζα	νομίζαμε
	νόμιζες	νομίζατε
	νόμιζε	νόμιζαν

	Imperative	
P.	νόμιζε (sing.)	be thinking
	νομίζετε (pl.)	be thinking
P. S.	νόμισε (sing.)	think
	νομίστε (pl.)	think

	I thought	
P. S.		
	νόμισα	νομίσαμε
	νόμισες	νομίσατε
	νόμισε	νόμισαν

Infinitive		
	να νομίσει	to think

	I will be thinking	
F. C.		
	θα νομίζω	
	θα νομίζεις	etc.

Participle		
	νομίζοντας	thinking

	I will think	
F. S.		
	θα νομίσω	θα νομίσουμε
	θα νομίσεις	θα νομίσετε
	θα νομίσει	θα νομίσουν

Passive, Past Simple Tense - I was thought		
	νομίστηκα	νομιστήκαμε
	νομίστηκες	νομιστήκατε
	νομίστηκε	νομίστηκαν

	I have thought	
Pr. P.		
	έχω νομίσει	
	έχεις νομίσει	etc.

	I had thought	
P. P.		
	είχα νομίσει	
	είχες νομίσει	etc.

	I will have thought	
F. P.		
	θα έχω νομίσει	
	θα έχεις νομίσει	etc.

Examples:

Τι νομίζεις γι'αυτό το ζήτημα;	What do you think about this matter?
Νομίζετε ότι θα έλθει;	Do you think that he will come?
Νομίζω πως θα βρέξει.	I think it will rain.
Τον νόμισαν για σοφό.	They considered him wise.
Νομίστηκε σαν σοφός.	He was thought as being wise.

	Indicative	
P.	**I am ashamed**	
	ντρέπομαι	ντρεπόμαστε
	ντρέπεσαι	ντρέπεστε
	ντρέπεται	ντρέπονται

		Subjunctive
		(with να, για να, όταν, etc.)
	P.	να ντρέπομαι　　that I may be being ashamed
	P. S.	να ντραπώ　　that I may be ashamed
	Pr. P.	να έχω ντραπεί　that I may have been ashamed

P. C.	**I was being ashamed**	
	ντρεπόμουν	ντρεπ-όμαστε, -όμασταν
	ντρεπόσουν	ντρεπ-όσαστε, -όσασταν
	ντρεπόταν	ντρέπονταν

Imperative

P. S.	ντράπου (sing.)	be ashamed
	ντραπείτε (pl.)	be ashamed

P. S.	**I was ashamed**	
	ντράπηκα	ντραπήκαμε
	ντράπηκες	ντραπήκατε
	ντράπηκε	ντράπηκαν

Infinitive

	να ντραπεί	to be ashamed

Participle

ντροπιασμέν-ος, -η, -ο　ashamed

F. C.	**I will be being ashamed**	
	θα ντρέπομαι	θα ντρεπόμαστε
	θα ντρέπεσαι	θα ντρέπεστε
	θα ντρέπεται	θα ντρέπονται

F. S.	**I will be ashamed**	
	θα ντραπώ	θα ντραπούμε
	θα ντραπείς	θα ντραπείτε
	θα ντραπεί	θα ντραπούν

Pr. P.	**I have been ashamed**	
	έχω ντραπεί	έχουμε ντραπεί
	έχεις ντραπεί	έχετε ντραπεί
	έχει ντραπεί	έχουν ντραπεί

P. P.	**I had been ashamed**	
	είχα ντραπεί	
	είχες ντραπεί	etc.

F. P.	**I will have been ashamed**	
	θα έχω ντραπεί	
	θα έχεις ντραπεί	etc.

Examples:

Ντράπηκε γι' αυτό που έκανε.	He was ashamed of what he did.
Δεν ντρέπεσαι;	Are you not ashamed of yourself?
Ντρέπομαι για σένα.	I am ashamed on your behalf.
Ντράπηκαν τον κόσμο και δεν ήλθαν.	They were bashful because of the crowd and they did not come.
Μην ντρέπεσαι.	Do not be bashful (timid).
Είναι ντροπιασμένος.	He feels ashamed.

ντύνω (1) – to dress
ντύνομαι (4) (middle and passive voice) – to put on one's clothes; to be dressed

	Active Voice, Indicative		*Passive Voice, Indicative*	
P.	**I dress**		**I am being dressed, I dress myself**	
	ντύνω	ντύνουμε	ντύνομαι	ντυνόμαστε
	ντύνεις	ντύνετε	ντύνεσαι	ντύνεστε
	ντύνει	ντύνουν	ντύνεται	ντύνονται
P. C.	**I was dressing**		**I was being dressed, dressing myself**	
	έντυνα	ντύναμε	ντυνόμουν	ντυν-όμαστε, -όμασταν
	έντυνες	ντύνατε	ντυνόσουν	ντυν-όσαστε, -όσασταν
	έντυνε	έντυναν	ντυνόταν	ντύνονταν
P. S.	**I dressed**		**I dressed myself, I was dressed**	
	έντυσα	ντύσαμε	ντύθηκα	ντυθήκαμε
	έντυσες	ντύσατε	ντύθηκες	ντυθήκατε
	έντυσε	έντυσαν	ντύθηκε	ντύθηκαν
F. C.	**I will be dressing**		**I will be dressing myself, I will be dressed**	
	θα ντύνω	θα ντύνουμε	θα ντύνομαι	θα ντυνόμαστε
	θα ντύνεις	θα ντύνετε	θα ντύνεσαι	θα ντύνεστε
	θα ντύνει	θα ντύνουν	θα ντύνεται	θα ντύνονται
F. S.	**I will dress**		**I will dress myself, I will be dressed**	
	θα ντύσω	θα ντύσουμε	θα ντυθώ	θα ντυθούμε
	θα ντύσεις	θα ντύσετε	θα ντυθείς	θα ντυθείτε
	θα ντύσει	θα ντύσουν	θα ντυθεί	θα ντυθούν
Pr. P.	**I have dressed**		**I have dressed myself, I have been dressed**	
	έχω ντύσει		έχω ντυθεί	
	έχεις ντύσει	etc.	έχεις ντυθεί	etc.
P. P.	**I had dressed**		**I had been dressed**	
	είχα ντύσει		είχα ντυθεί	
	είχες ντύσει	etc.	είχες ντυθεί	etc.
F. P.	**I will have dressed**		**I will have been dressed** *or* **dressed myself**	
	θα έχω ντύσει		θα έχω ντυθεί	
	θα έχεις ντύσει	etc.	θα έχεις ντυθεί	etc.

Subjunctive (with να, για να, αν, όταν, etc.)

P.	να ντύνω	that I may be dressing	να ντύνομαι	that I may be being dressed
P. S.	να ντύσω	that I may dress	να ντυθώ	that I may be dressed
Pr. P.	να έχω ντύσει	that I may have dressed	να έχω ντυθεί	that I may have been dressed

Imperative

P.	ντύνε (sing.)	be dressing	ντύνου (sing.)	be dressing yourself
	ντύνετε (pl.)	be dressing	ντύνεστε (pl.)	be dressing yourselves
P. S.	ντύσε (sing.)	dress	ντύσου (sing.)	dress yourself
	ντύστε (pl.)	dress	ντυθείτε (pl.)	dress yourselves

Infinitive

	να ντύσει	to dress	να ντυθεί	to be dressed

Participle

	ντύνοντας	dressing	ντυμέν-ος, -η, -ο	dressed

(Examples on page 197)

	Indicative		*Subjunctive*

P.   I am sleepy

νυστάζω	νυστάζουμε
νυστάζεις	νυστάζετε
νυστάζει	νυστάζουν

P. C.   I was being sleepy

νύσταζα	νυστάζαμε
νύσταζες	νυστάζατε
νύσταζε	νύσταζαν

P. S.   I was sleepy

νύσταξα	νυστάξαμε
νύσταξες	νυστάξατε
νύσταξε	νύσταξαν

F. C.   I will be being sleepy

θα νυστάζω	θα νυστάζουμε
θα νυστάζεις	θα νυστάζετε
θα νυστάζει	θα νυστάζουν

F. S.   I will be sleepy

θα νυστάξω	θα νυστάξουμε
θα νυστάξεις	θα νυστάξετε
θα νυστάξει	θα νυστάξουν

Pr. P.   I have been sleepy

έχω νυστάξει	έχουμε νυστάξει
έχεις νυστάξει	έχετε νυστάξει
έχει νυστάξει	έχουν νυστάξει

P. P.   I had been sleepy

είχα νυστάξει	
είχες νυστάξει	etc.

F. P.   I will have been sleepy

θα έχω νυστάξει	
θα έχεις νυστάξει	etc.

Subjunctive
(with να, για να, όταν, etc.)

P.	να νυστάζω	that I may be being sleepy
P. S.	να νυστάξω	that I may be sleepy
Pr. P.	να έχω νυστάξει	that I may have been sleepy

Imperative

P.	νύσταζε (sing.)	be being sleepy
	νυστάζετε (pl.)	be being sleepy
P. S.	νύσταξε (sing.)	be sleepy
	νυστάξετε (pl.)	be sleepy

Infinitive

να νυστάξει	to be sleepy

Participle

νυστάζοντας	being sleepy

Passive Participle

νυσταγμέν-ος, -η, -ο	sleepy

Examples:

Το παιδί νυστάζει.	The child is sleepy.
Το παιδί είναι νυσταγμένο.	The child is sleepy.
Χτες βράδυ νύσταξα νωρίς.	Last night I felt sleepy rather early.
Νυστάζετε;	Are you sleepy?
Δε νυστάζουμε ακόμα.	We are not sleepy yet.
Έχω νυστάξει πολύ.	I am very sleepy.

Examples of uses of the verbs beginning with **v**

νικώ

Η ομάδα της Θεσσαλονίκης νίκησε την ομάδα της Αθήνας στο ποδόσφαιρο.	The soccer team of Salonica defeated the team of Athens.
Οι Έλληνες νίκησαν τους Πέρσες στον Μαραθώνα.	The Greeks defeated the Persians at Marathon.
Ο εχθρός νικήθηκε.	The enemy was defeated.
Έχουν νικήσει με το σκορ 2-1.	They have won by the score 2-1.
Ο Γερμανός δρομέας θα νικήσει τον Άγγλο στα τετρακόσια μέτρα.	The German runner will beat the Englishman in the four hundred meters heat.
Ποιος νίνησε;	Who won?
Ποιος νικήθηκε;	Who was defeated (beaten)?
Ο Δαβίδ νίκησε τον Γολιάθ.	David beat Goliath.
Ο Γολιάθ νικήθηκε από τον Δαβίδ.	Goliath was defeated by David.

ντύνω

Η μητέρα ντύνει το παιδί.	The mother dresses the child.
Το παιδί ντύνεται.	The child dresses himself.
Το παιδί ντύνεται από τη μητέρα.	The child is dressed by the mother.
Το παιδί ντύθηκε.	The child was dressed.
Ντυθήκαμε και ύστερα ντύσαμε τα παιδιά.	We dressed ourselves and then we dressed the children.
Τα παιδιά είναι ντυμένα τώρα.	The children are dressed now.
Κι εμείς είμαστε ντυμένοι.	We are dressed too.
Πότε θα ντυθείτε;	When are you going to dress yourselves?
Έχουμε ντυθεί.	We have dressed ourselves.

	Indicative		*Subjunctive*	
P.	**I stay awake**		(with να, για να, όταν, etc.)	
	ξαγρυπν-ώ, -άω	ξαγρυπν-ούμε, -άμε	**P.** να ξαγρυπνώ	that I be staying awake
	ξαγρυπνάς	ξαγρυπνάτε	**P. S.** να ξαγρυπνήσω	that I may stay awake
	ξαγρυπν-ά, -άω	ξαγρυπν-ούν, -άνε	**Pr. P.** να έχω ξαγρυπνήσει	that I may have stayed awake

P. C.   I was staying awake

ξαγρυπνούσα	ξαγρυπνούσαμε
ξαγρυπνούσες	ξαγρυπνούσατε
ξαγρυπνούσε	ξαγρυπνούσαν

Imperative

P.	ξαγρύπνα (sing.)	keep staying awake
	ξαγρυπνάτε (pl.)	keep staying awake
P. S.	ξαγρύπνησε (sing.)	stay awake
	ξαγρυπνήστε (pl.)	stay awake

P. S.   I stayed awake

ξαγρύπνησα	ξαγρυπνήσαμε
ξαγρύπνησες	ξαγρυπνήσατε
ξαγρύπνησε	ξαγρύπνησαν

Infinitive

να ξαγρυπνήσει   to stay awake

F. C.   I will be staying awake

θα ξαγρυπνώ	θα ξαγρυπνούμε
θα ξαγρυπνάς	θα ξαγρυπνάτε
θα ξαγρυπνά	θα ξαγρυπνούν

Participle

ξαγρυπνώντας   staying awake

F. S.   I will stay awake

θα ξαγρυπνήσω	θα ξαγρυπνήσουμε
θα ξαγρυπνήσεις	θα ξαγρυπνήσετε
θα ξαγρυπνήσει	θα ξαγρυπνήσουν

Passive Participle

ξαγρυπνημέν-ος, -η, -ο one who had not a good night sleep

Pr. P.   I have stayed awake

έχω ξαγρυπνήσει	
έχεις ξαγρυπνήσει	etc.

P. P.   I had stayed awake

είχα ξαγρυπνήσει	
είχες ξαγρυπνήσει	etc.

F. P.   I will have stayed awake

θα έχω ξαγρυπνήσει	
θα έχεις ξαγρυπνήσει	etc.

Examples:

Χτες βράδυ ξαγρυπνήσαμε.	Last night we stayed awake.
Ο φύλακας ξαγρυπνά.	The guard stays awake all night.
Όταν ξαγρυπνώ, την άλλη μέρα έχω πονοκέφαλο.	When I do not sleep, next day I have a headache.
Αύριο το βράδυ θα ξαγρυπνήσουμε.	Tomorrow night we will stay up.
Θα πάμε σε ολονύκτιο χορό.	We are going to an all night dance.
Τα παιδιά έχουν ξαγρυπνήσει γιατί διαβάζουν για τους διαγωνισμούς.	The children have stayed up all night because they are studying for their tests.

Indicative			*Subjunctive*	
P.	**I resume, I begin afresh**		(with να, για να, όταν, etc.)	

Indicative

P. **I resume, I begin afresh**

ξαναρχίζω	ξαναρχίζουμε
ξαναρχίζεις	ξαναρχίζετε
ξαναρχίζει	ξαναρχίζουν

P. C. **I was resuming**

ξανάρχιζα	ξαναρχίζαμε
ξανάρχιζες	ξαναρχίζατε
ξανάρχιζε	ξανάρχιζαν

P. S. **I resumed**

ξανάρχισα	ξαναρχίσαμε
ξανάρχισες	ξαναρχίσατε
ξανάρχισε	ξανάρχισαν

F. C. **I will be resuming**

θα ξαναρχίζω	θα ξαναρχίζουμε
θα ξαναρχίζεις	θα ξαναρχίζετε
θα ξαναρχίζει	θα ξαναρχίζουν

F. S. **I will resume**

θα ξαναρχίσω	θα ξαναρχίσουμε
θα ξαναρχίσεις	θα ξαναρχίσετε
θα ξαναρχίσει	θα ξαναρχίσουν

Pr. P. **I have resumed**

έχω ξαναρχίσει	έχουμε ξαναρχίσει
έχεις ξαναρχίσει	έχετε ξαναρχίσει
έχει ξαναρχίσει	έχουν ξαναρχίσει

P. P. **I had resumed**

είχα ξαναρχίσει	
είχες ξαναρχίσει	etc.

F. P. **I will have resumed**

θα έχω ξαναρχίσει	
θα έχεις ξαναρχίσει	etc.

Subjunctive

(with να, για να, όταν, etc.)

P.	να ξαναρχίζω	that I may be resuming
P. S.	να ξαναρχίσω	that I may resume
Pr. P.	να έχω ξαναρχίσει	that I may have resumed

Imperative

P.	ξανάρχιζε (sing.)	be beginning
	ξαναρχίζετε	be beginning
P. S.	ξανάρχισε (sing.)	begin
	ξαναρχίστε (pl.)	begin

Infinitive

να ξαναρχίσει   to resume, to begin

Participle

ξαναρχίζοντας   resuming, beginning

Examples:

Τα αεροπλάνα ξανάρχισαν τις πτήσεις τους.	The airplanes resumed their flights.
Το εστιατόριο που κάηκε ξανάρχισε να δουλεύει.	The restaurant which had burnt opened for business again.
Τώρα που πέρασε ο χειμώνας θα ξαναρχίσουμε το κτίσιμο του σπιτιού.	Now that the winter has passed we will resumed the building of our house.
Το παιχνίδι ξαναρχίζει. .	The game resumes.
Ξανάρχισε να βρέχει.	It started raining again.

	Active Voice, Indicative		*Middle Voice, Indicative*	
P.	**I lie down**		**I lie, I am lying**	
	ξαπλώνω	ξαπλώνουμε	ξαπλώνομαι	ξαπλωνόμαστε
	ξαπλώνεις	ξαπλώνετε	ξαπλώνεσαι	ξαπλώνεστε
	ξαπλώνει	ξαπλώνουν	ξαπλώνεται	ξαπλώνονται
P. C.	**I was lying down**		**I was lying down**	
	ξάπλωνα	ξαπλώναμε	ξαπλωνόμουν	ξαπλων-όμαστε, -όμασταν
	ξάπλωνες	ξαπλώνατε	ξαπλωνόσουν	ξαπλων-όσαστε, -όσασταν
	ξάπλωνε	ξάπλωναν	ξαπλωνόταν	ξαπλώνονταν
P. S.	**I lay down**		**I lay down**	
	ξάπλωσα	ξαπλώσαμε	ξαπλώθηκα	ξαπλωθήκαμε
	ξάπλωσες	ξαπλώσατε	ξαπλώθηκες	ξαπλωθήκατε
	ξάπλωσε	ξάπλωσαν	ξαπλώθηκε	ξαπλώθηκαν
F. C.	**I will be lying down**		**I will be lying down**	
	θα ξαπλώνω		θα ξαπλώνομαι	
	θα ξαπλώνεις	etc.	θα ξαπλώνεσαι etc.	
F. S.	**I will lie down**		**I will lie down**	
	θα ξαπλώσω	θα ξαπλώσουμε	θα ξαπλωθώ	θα ξαπλωθούμε
	θα ξαπλώσεις	θα ξαπλώσετε	θα ξαπλωθείς	θα ξαπλωθείτε
	θα ξαπλώσει	θα ξαπλώσουν	θα ξαπλωθεί	θα ξαπλωθούν
Pr. P.	**I have lain down**		**I have lain down**	
	έχω ξαπλώσει		έχω ξαπλωθεί	
	έχεις ξαπλώσει	etc.	έχεις ξαπλωθεί	etc.
P. P.	**I had lain down**		**I had lain down**	
	είχα ξαπλώσει	etc.	είχα ξαπλωθεί	etc
	είχες ξαπλώσει		είχες ξαπλωθεί	
F. P.	**I will have lain down**		**I will have lain down**	
	θα έχω ξαπλώσει		θα έχω ξαπλωθεί	
	θα έχεις ξαπλώσει	etc.	θα έχεις ξαπλωθεί	etc.

Subjunctive (with να, για να, αν, όταν, etc.)

P.	να ξαπλώνω - that I may be lying down	να ξαπλώνομαι	that I may be lying down
P. S.	να ξαπλώσω - that I may lie down	να ξαπλωθώ	that I may lie down
Pr. P.	να έχω ξαπλώσει - that I may have lain down	να έχω ξαπλωθεί	that I may have lain down

Imperative

P. S.	ξάπλωνε (sing.)	be lying down	ξαπλώνου (sing.)	be lying down
	ξαπλώνετε (pl.)	be lying down	ξαπλώνεστε (pl.)	be lying down
	ξάπλωσε (sing.)	lie down	ξαπλώσου (sing.)	lie down
	ξαπλώστε (pl.)	lie down	ξαπλωθείτε (pl.)	lie down

Infinitive

να ξαπλώσει	to lie down	να ξαπλωθεί	to be lying down

Participle

ξαπλώνοντας	lying down	ξαπλωμέν-ος, -η, -ο	lying down

(Examples on page 215)

	Active Voice, Indicative		*Passive Voice, Indicative*	
P.	**I startle**		**I am being startled**	
	ξαφνιάζω	ξαφνιάζουμε	ξαφνιάζομαι	ξαφνιαζόμαστε
	ξαφνιάζεις	ξαφνιάζετε	ξαφνιάζεσαι	ξαφνιάζεστε
	ξαφνιάζει	ξαφνιάζουν	ξαφνιάζεται	ξαφνιάζονται
P. C.	**I was startling**		**I was being startled**	
	ξάφνιαζα	ξαφνιάζαμε	ξαφνιαζόμουν	ξαφνιαζόμαστε
	ξάφνιαζες	ξαφνιάζατε	ξαφνιαζόσουν	ξαφνιαζόσαστε
	ξάφνιαζε	ξάφνιαζαν	ξαφνιαζόταν	ξαφνιάζονταν
P. S.	**I startled**		**I was startled**	
	ξάφνιασα	ξαφνιάσαμε	ξαφνιάστηκα	ξαφνιαστήκαμε
	ξάφνιασες	ξαφνιάσατε	ξαφνιάστηκες	ξαφνιαστήκατε
	ξάφνιασε	ξάφνιασαν	ξαφνιάστηκε	ξαφνιάστηκαν
F. C.	**I will be startling**		**I will be being startled**	
	θα ξαφνιάζω		θα ξαφνιάζομαι	
	θα ξαφνιάζεις	etc.	θα ξαφνιάζεσαι	etc.
F. S.	**I will startle**		**I will be startled**	
	θα ξαφνιάσω	θα ξαφνιάσουμε	θα ξαφνιαστώ	θα ξαφνιαστούμε
	θα ξαφνιάσεις	θα ξαφνιάσετε	θα ξαφνιαστείς	θα ξαφνιαστείτε
	θα ξαφνιάσει	θα ξαφνιάσουν	θα ξαφνιαστεί	θα ξαφνιαστούν
Pr. P.	**I have startled**		**I have been startled**	
	έχω ξαφνιάσει		έχω ξαφνιαστεί	
	έχεις ξαφνιάσει	etc.	έχεις ξαφνιαστεί	etc.
P. P.	**I had startled**		**I had been startled**	
	είχα ξαφνιάσει	etc.	είχα ξαφνιαστεί	etc.
	είχες ξαφνιάσει		είχες ξαφνιαστεί	
F. P.	**I will have startled**		**I will have been startled**	
	θα έχω ξαφνιάσει		θα έχω ξαφνιαστεί	
	θα έχεις ξαφνιάσει	etc.	θα έχεις ξαφνιαστεί	etc.

		Subjunctive	(with να, για να, αν, όταν, etc.)	
P.	να ξαφνιάζω	that I may be startling	να ξαφνιάζομαι	that I may be being startled
P. S.	να ξαφνιάσω	that I may startle	να ξαφνιαστώ	that I may be startled
Pr. P.	να έχω ξαφνιάσει	that I may have startled	να έχω ξαφνιαστεί	that I may have been startled

		Imperative		
P.	ξάφνιαζε (sing.)	be stratling	ξαφνιάζου (sing.)	be being startled
	ξαφνιάζετε (pl.)	be starling	ξαφνιάζεστε (pl.)	be being startled
P. S.	ξάφνιασε (sing.)	startle	ξαφνιάσου (sing.)	be startled
	ξαφνιάστε (pl.)	startle	ξαφνιαστείτε (pl.)	be startled

	Infinitive		
να ξαφνιάσει	to startle	να ξαφνιαστεί	to be startled

	Participle		
ξαφνιάζοντας	startling	ξαφνιασμέν-ος, -η, -ο	startled
		(Examples on page 215)	

	Indicative				**Subjunctive**		
P.	**I start**				(with να, για να, όταν, etc.)		
	ξεκιν-ώ, -άω	ξεκιν-ούμε, -άμε		**P.**	να ξεκινώ	that I may be starting
	ξεκινάς	ξεκινάτε		**P. S.**	να ξεκινήσω	that I may start
	ξεκιν-ά, - άει	ξεκινούν		**Pr. P.**	να έχω ξεκινήσει	that I may have started

P. C.	**I was starting**	
	ξεκινούσα	ξεκινούσαμε
	ξεκινούσες	ξεκινούσατε
	ξεκινούσε	ξεκινούσαν

Imperative

P.	ξεκίνα (sing.)	be starting
	ξεκινάτε (pl.)	be starting
P. S.	ξεκίνησε (sing.)	start
	ξεκινήστε (pl.)	start

P. S.	**I started**	
	ξεκίνησα	ξεκινήσαμε
	ξεκίνησες	ξεκινήσατε
	ξεκίνησε	ξεκίνησαν

Infinitive

να ξεκινήσει — to start

F. C.	**I will be starting**	
	θα ξεκινώ	θα ξεκινούμε
	θα ξεκινάς	θα ξεκινάτε
	θα ξεκινά	θα ξεκινούν

Participle

ξεκινώντας — starting

F. S.	**I will start**	
	θα ξεκινήσω	θα ξεκινήσουμε
	θα ξεκινήσεις	θα ξεκινήσετε
	θα ξεκινήσει	θα ξεκινήσουν

Passive Participle

ξεκινημέν-ος, -η, -ο — one who has been started

Pr. P.	**I have started**	
	έχω ξεκινήσει	έχουμε ξεκινήσει
	έχεις ξεκινήσει	έχετε ξεκινήσει
	έχει ξεκινήσει	έχουν ξεκινήσει

P. P.	**I had started**	
	είχα ξεκινήσει	
	είχες ξεκινήσει	etc.

F. P.	**I will have started**	
	θα έχω ξεκινήσει	
	θα έχεις ξεκινήσει	etc.

Examples:

Ξεκινήσαμε στις οχτώ το πρωί.	We started at eight in the morning.
Κάθε μέρα ξεκινούμε για τη δουλειά μας πολύ πρωί.	Every day we set out for our work early in the morning.
Όταν φτάσαμε στο αεροδρόμιο, το αεροπλάνο είχε ήδη ξεκινήσει.	When we arrived at the airport, the airplane had already left.
Το αυτοκίνητο δεν ξεκινά.	The car does not start.

	Active Voice, Indicative		*Middle Voice, Indicative*	
P.	**I rest**		**I rest, I am resting**	
	ξεκουράζω	ξεκουράζουμε	ξεκουράζομαι	ξεκουραζόμαστε
	ξεκουράζεις	ξεκουράζετε	ξεκουράζεσαι	ξεκουράζεστε
	ξεκουράζει	ξεκουράζουν	ξεκουράζεται	ξεκουράζονται
P. C.	**I was resting**		**I was resting**	
	ξεκούραζα	ξεκουράζαμε	ξεκουραζόμουν	ξεκουραζόμαστε
	ξεκούραζες	ξεκουράζατε	ξεκουραζόσουν	ξεκουραζόσαστε
	ξεκούραζε	ξεκούραζαν	ξεκουραζόταν	ξεκουράζονταν
P. S.	**I rested**		**I rested**	
	ξεκούρασα	ξεκουράσαμε	ξεκουράστηκα	ξεκουραστήκαμε
	ξεκούρασες	ξεκουράσατε	ξεκουράστηκες	ξεκουραστήκατε
	ξεκούρασε	ξεκούρασαν	ξεκουράστηκε	ξεκουράστηκαν
F. C.	**I will be resting**		**I will be resting**	
	θα ξεκουράζω		θα ξεκουράζομαι	
	θα ξεκουράζεις etc.		θα ξεκουράζεσαι	etc.
F. S.	**I will rest**		**I will rest**	
	θα ξεκουράσω	θα ξεκουράσουμε	θα ξεκουραστώ	θα ξεκουραστούμε
	θα ξεκουράσεις	θα ξεκουράσετε	θα ξεκουραστείς	θα ξεκουραστείτε
	θα ξεκουράσει	θα ξεκουράσουν	θα ξεκουραστεί	θα ξεκουραστούν
Pr. P.	**I have rested**		**I have rested**	
	έχω ξεκουράσει		έχω ξεκουραστεί	
	έχεις ξεκουράσει	etc.	έχεις ξεκουραστεί	etc.
P. P.	**I had rested**		**I had rested**	
	είχα ξεκουράσει	etc.	είχα ξεκουραστεί	etc.
	είχες ξεκουράσει		είχες ξεκουραστεί	
F. P.	**I will have rested**		**I will have rested**	
	θα έχω ξεκουράσει		θα έχω ξεκουραστεί	
	θα έχεις ξεκουράσει	etc.	θα έχεις ξεκουραστεί	etc.

		Subjunctive	(with να, για να, αν, όταν, etc.)	
P.	να ξεκουράζω	that I may be resting	να ξεκουράζομαι	that I may be resting
P. S.	να ξεκουράσω	that I may rest	να ξεκουραστώ	that I may rest
Pr. P.	να έχω ξεκουράσει	that I may have rested	να έχω ξεκουραστεί	that I may have rested
		Imperative		
P.	ξεκούραζε (sing.)	be resting	ξεκουράζου (sing.)	be resting
	ξεκουράζετε (pl.)	be resting	ξεκουράζεστε (pl.)	be resting
P. S.	ξεκούρασε (sing.)	rest	ξεκουράσου (sing.)	rest
	ξεκουράστε (pl.)	rest	ξεκουραστείτε (pl.)	rest
		Infinitive		
	να ξεκουράσει	to rest	να ξεκουραστεί	to rest
		Participle		
	ξεκουράζοντας	resting	ξεκουρασμέν-ος, -η, -ο	rested
			(Examples on page 215)	

	Active Voice, Indicative		*Passive Voice, Indicative*	
P.	**I surpass**		**I am surpassed, I am being surpassed**	
	ξεπερνώ	ξεπερν-ούμε, -άμε	ξεπερνιέμαι	ξεπερνιόμαστε
	ξεπερνάς	ξεπερνάτε	ξεπερνιέσαι	ξεπερνιέστε
	ξεπερνά	ξεπερνούν	ξεπερνιέται	ξεπερνιούνται
P. C.	**I was surpassing**		**I was being surpassed**	
	ξεπερνούσα	ξεπερνούσαμε	ξεπερνιόμουν	ξεπερνιόμαστε
	ξεπερνούσες	ξεπερνούσατε	ξεπερνιόσουν	ξεπερνιόσαστε
	ξεπερνούσε	ξεπερνούσαν	ξεπερνιόταν	ξεπερνιόνταν
P. S.	**I surpassed**		**I was surpassed**	
	ξεπέρασα	ξεπεράσαμε	ξεπεράστηκα	ξεπεραστήκαμε
	ξεπέρασες	ξεπεράσατε	ξεπεράστηκες	ξεπεραστήκατε
	ξεπέρασε	ξεπέρασαν	ξεπεράστηκε	ξεπεράστηκαν
F. C.	**I will be surpassing**		**I will be being surpassed**	
	θα ξεπερνώ	θα ξεπερνούμε	θα ξεπερνιέμαι	θα ξεπερνιόμαστε
	θα ξεπερνάς	θα ξεπερνάτε	θα ξεπερνιέσαι	θα ξεπερνιέστε
	θα ξεπερνά	θα ξεπερνούν	θα ξεπερνιέται	θα ξεπερνιούνται
F. S.	**I will surpass**		**I will be surpassed**	
	θα ξεπεράσω	θα ξεπεράσουμε	θα ξεπεραστώ	θα ξεπεραστούμε
	θα ξεπεράσεις	θα ξεπεράσετε	θα ξεπεραστείς	θα ξεπεραστείτε
	θα ξεπεράσει	θα ξεπεράσουν	θα ξεπεραστεί	θα ξεπεραστούν
Pr. P.	**I have surpassed**		**I have been surpassed**	
	έχω ξεπεράσει		έχω ξεπεραστεί	
	έχεις ξεπεράσει	etc.	έχεις ξεπεραστεί	etc.
P. P.	**I had surpassed**		**I had been surpassed**	
	είχα ξεπεράσει	etc.	είχα ξεπεραστεί	etc.
	είχες ξεπεράσει		είχες ξεπεραστεί	
F. P.	**I will have surpassed**		**I will have been surpassed**	
	θα έχω ξεπεράσει		θα έχω ξεπεραστεί	
	θα έχεις ξεπεράσει	etc.	θα έχεις ξεπεραστεί	etc.

Subjnunctive (with να, για να, αν, όταν, etc.)

P.	να ξεπερνώ	that I may be surpassing	να ξεπερνιέμαι	that I may be being surpassed
P. S.	να ξεπεράσω	that I may surpass	να ξεπεραστώ	that I may be surpassed
Pr. P.	να έχω ξεπεράσει	that I may have surpassed	να έχω ξεπεραστεί	that I may have been surpassed

Imperative

P.	ξεπέρνα (sing.)	be surpassing	-	
	ξεπερνάτε (pl.)	be surpassing	-	
P. S.	ξεπέρασε (sing.)	surpass	ξεπεράσου (sing.)	be surpassed
	ξεπεράστε (pl.)	surpass	ξεπεραστήτε (pl.)	be surpassed

Infinitive

	να ξεπεράσει	to surpass	να ξεπεραστεί	to be surpassed

Participle

	ξεπερνώντας	surpassing	ξεπερασμέν-ος, -η, -ο	surpassed, outdated

(Examples on page 215)

	Indicative	
P.	**I know**	
	ξέρω	ξέρουμε
	ξέρεις	ξέρετε
	ξέρει	ξέρουν

P. C. and P. S. - I knew

ήξερα	ξέραμε
ήξερες	ξέρατε
ήξερε	ήξεραν

F. C. and F. S. - I will know

θα ξέρω	θα ξέρουμε
θα ξέρεις	θα ξέρετε
θα ξέρει	θα ξέρουν

(The perfect tenses are not common)

Subjunctive

(with να, για να, όταν, etc.)
P. and P. S.

να ξέρω	that I may be knowing

Imperative

ξέρε (sing.)	know
ξέρετε (pl.)	know

Infinitive

να ξέρει	to know

Participle

ξέροντας	knowing

Examples:

Τον ξέρω.	I know him.
Ο μαθητής δεν ήξερε το μάθημά του.	The pupil did not know his lesson.
Ξέρω να οδηγώ.	I know how to drive.
Μέχρι αύριο θα ξέρουμε αν θα έλθει.	By tomorrow we will know if he is coming.
Ξέρετε τι κάνετε;	Do you know what you are doing?
Ξέραμε τον κύριο Ιωαννίδη.	We knew Mr. Ioannides.

ξεσκεπάζω (1) – to uncover; to bare; to unmask
ξεσκεπάζομαι (4) – to uncover oneself; to be unmasked

	Active Voice, Indicative		*Passive Voice, Indicative*	
P.	**I uncover**		**I am uncovered, I am being uncovered**	
	ξεσκεπάζω	ξεσκεπάζουμε	ξεσκεπάζομαι	ξεσκεπαζόμαστε
	ξεσκεπάζεις	ξεσκεπάζετε	ξεσκεπάζεσαι	ξεσκεπάζεστε
	ξεσκεπάζει	ξεσκεπάζουν	ξεσκεπάζεται	ξεσκεπάζονται
P. C.	**I was uncovering**		**I was being uncovered**	
	ξεσκέπαζα	ξεσκεπάζαμε	ξεσκεπαζόμουν	ξεσκεπαζόμαστε
	ξεσκέπαζες	ξεσκεπάζατε	ξεσκεπαζόσουν	ξεσκεπαζόσαστε
	ξεσκέπαζε	ξεσκέπαζαν	ξεσκεπαζόταν	ξεσκεπάζονταν
P. S.	**I uncovered**		**I was uncovered**	
	ξεσκέπασα	ξεσκεπάσαμε	ξεσκεπάστηκα	ξεσκεπαστήκαμε
	ξεσκέπασες	ξεσκεπάσατε	ξεσκεπάστηκες	ξεσκεπαστήκατε
	ξεσκέπασε	ξεσκέπασαν	ξεσκεπάστηκε	ξεσκεπάστηκαν
F. C.	**I will be uncovering**		**I will be being uncovered**	
	θα ξεσκεπάζω		θα ξεσκεπάζομαι	
	θα ξεσκεπάζεις	etc.	θα ξεσκεπάζεσαι	etc.
F. S.	**I will uncover**		**I will be uncovered**	
	θα ξεσκεπάσω	θα ξεσκεπάσουμε	θα ξεσκεπαστώ	θα ξεσκεπαστούμε
	θα ξεσκεπάσεις	θα ξεσκεπάσετε	θα ξεσκεπαστείς	θα ξεσκεπαστείτε
	θα ξεσκεπάσει	θα ξεσκεπάσουν	θα ξεσκεπαστεί	θα ξεσκεπαστούν
Pr. P.	**I have uncovered**		**I have been uncovered**	
	έχω ξεσκεπάσει		έχω ξεσκεπαστεί	
	έχεις ξεσκεπάσει	etc.	έχεις ξεσκεπαστεί	etc.
P. P.	**I had uncovered**		**I had been uncovered**	
	είχα ξεσκεπάσει		είχα ξεσκεπαστεί	
	είχες ξεσκεπάσει	etc.	είχες ξεσκεπαστεί	etc.
F. P.	**I will have uncovered**		**I will have been uncovered**	
	θα έχω ξεσκεπάσει		θα έχω ξεσκεπαστεί	
	θα έχεις ξεσκεπάσει	etc.	θα έχεις ξεσκεπαστεί	etc.

Subjunctive (with να, για να, αν, όταν, etc.)

P.	να ξεσκεπάζω	that I may be uncovering	να ξεσκεπάζομαι	that I may be being uncovered
P. S.	να ξεσκεπάσω	that I may uncover	να ξεσκεπαστώ	that I may be uncovered
Pr. P.	να έχω ξεσκεπάσει	that I may have uncovered	να έχω ξεσκεπαστεί	that I may have been uncovered

Imperative

Pr.	ξεσκέπαζε (sing.)	be uncovering	ξεσκεπάζου (sing.)	be being uncovered
	ξεσκεπάζετε (pl.)	be uncovering	ξεσκεπάζεστε (pl.)	be being uncovered
P. S.	ξεσκέπασε (sing.)	uncover	ξεσκεπάσου (sing.)	be uncovered
	ξεσκεπάστε (pl.)	uncover	ξεσκεπαστείτε (pl.)	be uncovered

Infinitive

να ξεσκεπάσει	to uncover	να ξεσκεπαστεί	to be uncovered

Participle

ξεσκεπάζοντας	uncovering	ξεσκεπασμέν-ος, -η, -ο	uncovered

(Examples on page 215)

	Active Voice, Indicative		*Passive Voice, Indicative*	
P.	**I tear**		**I am torn, I am being torn**	
	ξεσχίζω	ξεσχίζουμε	ξεσχίζομαι	ξεσχιζόμαστε
	ξεσχίζεις	ξεσχίζετε	ξεσχίζεσαι	ξεσχίζεστε
	ξεσχίζει	ξεσχίζουν	ξεσχίζεται	ξεσχίζονται
P. C.	**I was tearing**		**I was being torn**	
	ξέσχιζα	ξεσχίζαμε	ξεσχιζόμουν	ξεσχιζόμαστε
	ξέσχιζες	ξεσχίζατε	ξεσχιζόσουν	ξεσχιζόσαστε
	ξέσχιζε	ξέσχιζαν	ξεσχιζόταν	ξεσχίζονταν
P. S.	**I tore**		**I was torn**	
	ξέσχισα	ξεσχίσαμε	ξεσχίστηκα	ξεσχιστήκαμε
	ξέσχισες	ξεσχίσατε	ξεσχίστηκες	ξεσχιστήκατε
	ξέσχισε	ξέσχισαν	ξεσχίστηκε	ξεσχίστηκαν
F. C.	**I will be tearing**		**I will be being torn**	
	θα ξεσχίζω	θα ξεσχίζουμε	θα ξεσχίζομαι	θα ξεσχιζόμαστε
	θα ξεσχίζεις	θα ξεσχίζετε	θα ξεσχίζεσαι	θα ξεσχίζεστε
	θα ξεσχίζει	θα ξεσχίζουν	θα ξεσχίζεται	θα ξεσχίζονται
F. S.	**I will tear**		**I will be torn**	
	θα ξεσχίσω	θα ξεσχίσουμε	θα ξεσχιστώ	θα ξεσχιστούμε
	θα ξεσχίσεις	θα ξεσχίσετε	θα ξεσχιστείς	θα ξεσχιστείτε
	θα ξεσχίσει	θα ξεσχίσουν	θα ξεσχιστεί	θα ξεσχιστούν
Pr. P.	**I have torn**		**I have been torn**	
	έχω ξεσχίσει		έχω ξεσχιστεί	
	έχεις ξεσχίσει	etc.	έχεις ξεσχιστεί	etc.
P. P.	**I had torn**		**I had been torn**	
	είχα ξεσχίσει		είχα ξεσχιστεί	
	είχες ξεσχίσει	etc.	είχες ξεσχιστεί	etc.
F. P.	**I will have torn**		**I will have been torn**	
	θα έχω ξεσχίσει		θα έχω ξεσχιστεί	
	θα έχεις ξεσχίσει	etc.	θα έχεις ξεσχιστεί	etc.

Subjunctive (with να, για να, αν, όταν, etc.)

P.	να ξεσχίζω	that I may be tearinging	να ξεσχίζομαι	that I may be being torn
P. S.	να ξεσχίσω	that I may tear	να ξεσχιστώ	that I may be torn
Pr. P.	να έχω ξεσχίσει	that I may have torn	να έχω ξεσχιστεί	that I may have been torn

Imperative

P.	ξέσχιζε (sing.)	be tearing	ξεσχίζου (sing.)	being torn
	ξεσχίζετε (pl.)	be tearing	ξεσχίζεστε (pl.)	being torn
P. S.	ξέσχισε (sing.)	tear	ξεσχίσου (sing.)	be torn
	ξεσχίστε (pl.)	tear	ξεσχιστείτε (pl.)	be torn

Infinitive

να ξεσχίσει	to tear	να ξεσχιστεί	to be torn

Participle

ξεσχίζοντας	tearing	ξεσχισμέν-ος, -η, -ο	torn
		(Examples on page 216)	

	Indicative	
P.	**I escape**	
	ξεφεύγω	ξεφεύγουμε
	ξεφεύγεις	ξεφεύγετε
	ξεφεύγει	ξεφεύγουν

P. C.	**I was escaping**	
	ξέφευγα	ξεφεύγαμε
	ξέφευγες	ξεφεύγατε
	ξέφευγε	ξέφευγαν

P. S.	**I escaped**	
	ξέφυγα	ξεφύγαμε
	ξέφυγες	ξεφύγατε
	ξέφυγε	ξέφυγαν

F. C.	**I will be escaping**	
	θα ξεφεύγω	θα ξεφεύγουμε
	θα ξεφεύγεις	θα ξεφεύγετε
	θα ξεφεύγει	θα ξεφεύγουν

F. S.	**I will escape**	
	θα ξεφύγω	θα ξεφύγουμε
	θα ξεφύγεις	θα ξεφύγετε
	θα ξεφύγει	θα ξεφύγουν

Pr. P.	**I have escaped**	
	έχω ξεφύγει	
	έχεις ξεφύγει	etc.

P. P.	**I had escaped**	
	είχα ξεφύγει	
	είχες ξεφύγει	etc.

F. P.	**I will have escaped**	
	θα έχω ξεφύγει	
	θα έχεις ξεφύγει	etc.

Subjunctive
(with να, για να, όταν, etc.)

P.	να ξεφεύγω	that I may be escaping
P. S.	να ξεφύγω	that I may escape
Pr. P.	να έχω ξεφύγει	that I may have escaped

Imperative

P.	ξέφευγε (sing.)	be escaping
	ξεφεύγετε (pl.)	be escaping
P. S.	ξέφυγε (sing.)	escape
	ξεφύγετε (pl.)	escape

Infinitive

	να ξεφύγει	to escape

Participle

	ξεφεύγοντας	escaping

Examples:

Ένα άγριο ζώο ξέφυγε από τον ζωολογικό κήπο.	A wild animal escaped from the zoo.
Μου ξέφυγε και είπα κάτι που δεν έπρεπε να πω.	It escaped me (without realizing it) and I said something I should not have said.
Ο ομιλητής ξέφυγε από το θέμα του.	The speaker strayed from his subject.
Ξεφύγαμε λίγο από τη ρουτίνα της ζωής. Πήγαμε στη θάλασσα.	For a little while we got away from the routine of life. We went to the beach.
Προσπάθησε να ξεφύγει.	He tried to escape.
Προσπαθεί να ξεφύγει τις ευθύνες του σαν πατέρας.	He is trying to avoid his responsibilities of being a father.

	Active Voice, Indicative		**Passive Voice, Indicative**	
P.	**I forget**		**I am forgotten**	
	ξεχνώ	ξεχν-ούμε, -άμε	ξεχνιέμαι	ξεχνιόμαστε
	ξεχνάς	ξεχνάτε	ξεχνιέσαι	ξεχνιέστε
	ξεχνά	ξεχνούν	ξεχνιέται	ξεχνιούνται
P. C.	**I was forgetting**		**I was being forgotten**	
	ξεχνούσα	ξεχνούσαμε	ξεχνιόμουν	ξεχνιόμαστε
	ξεχνούσες	ξεχνούσατε	ξεχνιόσουν	ξεχνιόσαστε
	ξεχνούσε	ξεχνούσαν	ξεχνιόταν	ξεχνιόνταν
P. S.	**I forgot**		**I was forgotten**	
	ξέχασα	ξεχάσαμε	ξεχάστηκα	ξεχαστήκαμε
	ξέχασες	ξεχάσατε	ξεχάστηκες	ξεχαστήκατε
	ξέχασε	ξέχασαν	ξεχάστηκε	ξεχάστηκαν
F. C.	**I will be forgetting**		**I will be being forgotten**	
	θα ξεχνώ		θα ξεχνιέμαι	
	θα ξεχνάς	etc.	θα ξεχνιέσαι	etc.
F. S.	**I will forget**		**I will be forgotten**	
	θα ξεχάσω	θα ξεχάσουμε	θα ξεχαστώ	θα ξεχαστούμε
	θα ξεχάσεις	θα ξεχάσετε	θα ξεχαστείς	θα ξεχαστείτε
	θα ξεχάσει	θα ξεχάσουν	θα ξεχαστεί	θα ξεχαστούν
Pr. P.	**I have forgotten**		**I have been forgotten**	
	έχω ξεχάσει		έχω ξεχαστεί	
	έχεις ξεχάσει	etc.	έχεις ξεχαστεί	etc.
P. P.	**I had forgotten**		**I had been forgotten**	
	είχα ξεχάσει		είχα ξεχαστεί	
	είχες ξεχάσει	etc.	είχες ξεχαστεί	etc.
F. P.	**I will have forgotten**		**I will have been forgotten**	
	θα έχω ξεχάσει		θα έχω ξεχαστεί	
	θα έχεις ξεχάσει	etc.	θα έχεις ξεχαστεί	etc.

Subjunctive

(with να, για να, όταν, αν, etc.)

P.	να ξεχνώ	that I may be forgetting	να ξεχνιέμαι	that I may be being forgotten
P. S.	να ξεχάσω	that I may forget	να ξεχαστώ	that I may be forgotten
Pr. P.	να έχω ξεχάσει	that I may have forgotten	να έχω ξεχαστεί	that I may have been forgotten

Imperative

P.	ξέχνα (sing.)	be forgetting	-	
	ξεχνάτε (pl.)	be forgetting	-	
P. S.	ξέχασε (sing.)	forget	ξεχάσου (sing.)	be forgotten
	ξεχάστε (pl.)	forget	ξεχαστείτε (pl.)	be forgotten

Infinitive

να ξεχάσει	to forget	να ξεχαστεί	to be forgotten

Participle

ξεχνώντας	forgetting	ξεχασμέν-ος, -η, -ο	forgotten

(Examples on page 216)

209

	Active Voice, Indicative		*Passive Voice, Indicative*	
P.	**I distinguish**		**I am being distinguished, separated**	
	ξεχωρίζω	ξεχωρίζουμε	ξεχωρίζομαι	ξεχωριζόμαστε
	ξεχωρίζεις	ξεχωρίζετε	ξεχωρίζεσαι	ξεχωρίζεστε
	ξεχωρίζει	ξεχωρίζουν	ξεχωρίζεται	ξεχωρίζονται
P. C.	**I was distinguishing**		**I was being distinguished, separated**	
	ξεχώριζα	ξεχωρίζαμε	ξεχωριζόμουν	ξεχωριζόμαστε
	ξεχώριζες	ξεχωρίζατε	ξεχωριζόσουν	ξεχωριζόσαστε
	ξεχώριζε	ξεχώριζαν	ξεχωριζόταν	ξεχωρίζονταν
P. S.	**I distinguished**		**I was distinguished, separated**	
	ξεχώρισα	ξεχωρίσαμε	ξεχωρίστηκα	ξεχωριστήκαμε
	ξεχώρισες	ξεχωρίσατε	ξεχωρίστηκες	ξεχωριστήκατε
	ξεχώρισε	ξεχώρισαν	ξεχωρίστηκε	ξεχωρίστηκαν
F. C.	**I will be distinguishing**		**I will be being distinguished, separated**	
	θα ξεχωρίζω		θα ξεχωρίζομαι	
	θα ξεχωρίζεις	etc.	θα ξεχωρίζεσαι	etc.
F. S.	**I will distinguish**		**I will be distinguished, separated**	
	θα ξεχωρίσω	θα ξεχωρίσουμε	θα ξεχωριστώ	θα ξεχωριστούμε
	θα ξεχωρίσεις	θα ξεχωρίσετε	θα ξεχωριστείς	θα ξεχωριστείτε
	θα ξεχωρίσει	θα ξεχωρίσουν	θα ξεχωριστεί	θα ξεχωριστούν
Pr. P.	**I have distinguished**		**I have been distinguished, separated**	
	έχω ξεχωρίσει		έχω ξεχωριστεί	
	έχεις ξεχωρίσει	etc.	έχεις ξεχωριστεί	etc.
P. P.	**I had distinguished**		**I had been distinguished, separated**	
	είχα ξεχωρίσει		είχα ξεχωριστεί	
	είχες ξεχωρίσει	etc.	είχες ξεχωριστεί	etc.
F. C.	**I will have distinguished**		**I will have been distinguished, separated**	
	θα έχω ξεχωρίσει		θα έχω ξεχωριστεί	
	θα έχεις ξεχωρίσει	etc.	θα έχεις ξεχωριστεί	etc.

Subjunctive (with να, για να, αν, όταν, etc.)

P.	να ξεχωρίζω	that I may be distinguishing	να ξεχωρίζομαι	that I may be being distinguished
P. S.	να ξεχωρίσω	that I may distinguish	να ξεχωριστώ	that I may be distinguished
Pr. P.	να έχω ξεχωρίσει	that I may have distinguished	να έχω ξεχωριστεί	that I may have been distinguished

Imperative

P.	ξεχώριξε (sing.)	be distinguishing	ξεχωρίζου (sing.)	be being distinguished
	ξεχωρίζετε (pl.)	be distinguishing	ξεχωρίζεστε (pl.)	be being distinguished
P. S.	ξεχώρισε (sing.)	distinguish	ξεχωρίσου (sing.)	be distinguished, separated
	ξεχωρίστε (pl.)	distinguish	ξεχωριστείτε (pl.)	be distinguished, separated

Infinitive

να ξεχωρίσει	to distinguish	να ξεχωριστεί	to be distinguished

Participle

ξεχωρίζοντας	separating, distinguishing	ξεχωρισμέν-ος, -η, -ο	separated, distinguished (Examples on page 216)

P.	ξημερώνει	it dawns
P. C.	ξημέρωνε	it was dawning
P. S	ξημέρωσε	it dawned
F. C.	θα ξημερώνει	it will be dawning
F. S.	θα ξημερώσει	it will dawn
Pr. P.	έχει ξημερώσει	it has dawned
P. P.	είχε ξημερώσει	it had dawned
F. P.	θα έχει ξημερώσει	it will have dawned

ξοδεύω και **ξοδιάζω** (1) – to spend
ξοδεύομαι και **ξοδιάζομαι** (4) – to spend, to go into expense

	Active Voice, Indicative		*Passive Voice, Indicative*	
P.	**I spend, I am spending**		**I spend, I go into the expense**	
	ξοδεύω	ξοδεύουμε	ξοδεύομαι	ξοδευόμαστε
	ξοδεύεις	ξοδεύετε	ξοδεύεσαι	ξοδεύεστε
	ξοδεύει	ξοδεύουν	ξοδεύεται	ξοδεύονται
P. C.	**I was spending**		**I was going into expense**	
	ξόδευα	ξοδεύαμε	ξοδευόμουν	ξοδευόμαστε
	ξόδευες	ξοδεύατε	ξοδευόσουν	ξοδευόσαστε
	ξόδευε	ξόδευαν	ξοδευόταν	ξοδεύονταν
P. S.	**I spent**		**I spent, I went into expense**	
	ξόδεψα	ξοδέψαμε	ξοδεύτηκα	ξοδευτήκαμε
	ξόδεψες	ξοδέψατε	ξοδεύτηκες	ξοδευτήκατε
	ξόδεψε	ξόδεψαν	ξοδεύτηκε	ξοδεύτηκαν
F. C.	**I will be spending**		**I will be going into expense**	
	θα ξοδεύω		θα ξοδεύομαι	
	θα ξοδεύεις	etc.	θα ξοδεύεσαι	etc.
F. S.	**I will spend**		**I will go into expense**	
	θα ξοδέψω	θα ξοδέψουμε	θα ξοδευτώ	θα ξοδευτούμε
	θα ξοδέψεις	θα ξοδέψετε	θα ξοδευτείς	θα ξοδευτείτε
	θα ξοδέψει	θα ξοδέψουν	θα ξοδευτεί	θα ξοδευτούν
Pr. P.	**I have spent**		**I have gone into expense**	
	έχω ξοδέψει		έχω ξοδευτεί	
	έχεις ξοδέψει	etc.	έχεις ξοδευτεί	etc.
P. P.	**I had spent**		**I had gone into expense**	
	είχα ξοδέψει		είχα ξοδευτεί	
	είχες ξοδέψει	etc.	είχες ξοδευτεί	etc.
F. P.	**I will have spent**		**I will have gone into expense**	
	θα έχω ξοδέψει		θα έχω ξοδευτεί	
	θα έχεις ξοδέψει	etc.	θα έχεις ξοδευτεί	etc.

Subjunctive (with να, για να, αν, όταν, etc.)

P.	να ξοδεύω	that I may be spending	να ξοδεύομαι	that I may go into expense
P. S.	να ξοδέψω	that I may spend	να ξοδευτώ	that I might go into expense
Pr. P.	να έχω ξοδέψει	that I may have spent	να έχω ξοδευτεί	that I may have gone into expense

Imperative

P.	ξόδευε (sing.)	be spending	ξοδεύου (sing.)	be being spent
	ξοδεύετε (pl.)	be spending	ξοδεύεστε (pl.)	be being spent
P. S.	ξόδεψε (sing.)	spend	ξοδέψου (sing.)	be spent
	ξοδέψετε (ξοδέψτε) (pl.)	spend	ξοδευθείτε (pl.)	be spent

Infinitive

να ξοδέψει	to spend	να ξοδευτεί	to be spent

Participle

ξοδεύοντας	spending	ξοδε(υ)μέν-ος, -η, -ο	spent

(Examples on page 216)

	Indicative				*Subjunctive*	

Indicative

P.   I wake

ξυπνώ	ξυπν-ούμε, -άμε
ξυπνάς	ξυπνάτε
ξυπνά	ξυπνούν

P. C.   I was waking

ξυπνούσα	ξυπνούσαμε
ξυπνούσες	ξυπνούσατε
ξυπνούσε	ξυπνούσαν

P. S.   I woke

ξύπνησα	ξυπνήσαμε
ξύπνησες	ξυπνήσατε
ξύπνησε	ξύπνησαν

F. C.   I will be waking

θα ξυπνώ	θα ξυπνούμε
θα ξυπνάς	θα ξυπνάτε
θα ξυπνά	θα ξυπνούν

F. S.   I will wake

θα ξυπνήσω	θα ξυπνήσουμε
θα ξυπνήσεις	θα ξυπνήσετε
θα ξυπνήσει	θα ξυπνήσουν

Pr. P.   I have woken

έχω ξυπνήσει	
έχεις ξυπνήσει	etc.

P. P.   I had woken

είχα ξυπνήσει	
είχες ξυπνήσει	etc.

F. P.   I will have woken

θα έχω ξυπνήσει	
θα έχεις ξυπνήσει	etc.

Subjunctive

(with να, για να, όταν, etc.)

P.	να ξυπνώ	that I may be waking
P. S.	να ξυπνήσω	that I may wake
Pr. P.	να έχω ξυπνήσει	that I may have woken

Imperative

P.	ξύπνα (sing.)	be waking
	ξυπνάτε (pl.)	be waking
P. S.	ξύπνησε (sing.)	wake
	ξυπνήστε (pl.)	wake

Infinitive

να ξυπνήσει	to wake

Participle

ξυπνώντας	wakening

Passive Participle

ξυπνημέν-ος, -η, -ο	woken, awakened

Examples:

Κάθε πρωί ξυπνώ στις εφτά.	Every morning I get up at seven.
Τα παιδιά ξυπνούν στις οχτώ.	The children wake at eight.
Με ξύπνησε ο θόρυβος του αεροπλάνου.	The noise of the airplane woke me.
Ξύπνα!	Wake up!
Ξύπνησα με πονοκέφαλο.	I woke up with a headache.
Τα παιδιά έχουν ξυπνήσει.	The children have woken up.

	Active Voice, Indicative		*Passive Voice, Indicative*	
P.	**I shave**		**I am shaved, I shave myself**	
	ξυρίζω	ξυρίζουμε	ξυρίζομαι	ξυριζόμαστε
	ξυρίζεις	ξυρίζετε	ξυρίζεσαι	ξυρίζεστε
	ξυρίζει	ξυρίζουν	ξυρίζεται	ξυρίζονται
P. C.	**I was shaving**		**I was being shaved, I was shaving myself**	
	ξύριζα	ξυρίζαμε	ξυριζόμουν	ξυριζόμαστε
	ξύριζες	ξυρίζατε	ξυριζόσουν	ξυριζόσαστε
	ξύριζε	ξύριζαν	ξυριζόταν	ξυρίζονταν
P. S.	**I shaved**		**I was shaved, I shaved myself**	
	ξύρισα	ξυρίσαμε	ξυρίστηκα	ξυριστήκαμε
	ξύρισες	ξυρίσατε	ξυρίστηκες	ξυριστήκατε
	ξύρισε	ξύρισαν	ξυρίστηκε	ξυρίστηκαν
F. C.	**I will be shaving**		**I will be being shaved, shaving myself**	
	θα ξυρίζω		θα ξυρίζομαι	
	θα ξυρίζεις	etc.	θα ξυρίζεσαι	etc.
F. S.	**I will shave**		**I will be shaved, I will shave myself**	
	θα ξυρίσω	θα ξυρίσουμε	θα ξυριστώ	θα ξυριστούμε
	θα ξυρίσεις	θα ξυρίσετε	θα ξυριστείς	θα ξυριστείτε
	θα ξυρίσει	θα ξυρίσουν	θα ξυριστεί	θα ξυριστούν
Pr. P.	**I have shaved**		**I have been shaved, I have shaved myself**	
	έχω ξυρίσει		έχω ξυριστεί	
	έχεις ξυρίσει	etc.	έχεις ξυριστεί	etc.
P. P.	**I had shaved**		**I had been shaved, I had shaved myself**	
	είχα ξυρίσει		είχα ξυριστεί	
	είχες ξυρίσει	etc.	είχες ξυριστεί	etc.
F. P.	**I will have shaved**		**I will have been shaved, I will have shaved**	
	θα έχω ξυρίσει.		θα έχω ξυριστεί	**myself**
	θα έχεις ξυρίσει	etc.	θα έχεις ξυριστεί	etc.

Subjunctive (with να, για να, αν, όταν, etc.)

P.	να ξυρίζω	that I may be shaving	να ξυρίζομαι	that I may be shaving, shaved
P. S.	να ξυρίσω	that I may shave	να ξυριστώ	that I may shave myself
Pr. P.	να έχω ξυρίσει	that I may have shaved	να έχω ξυριστεί	that I may have shaved myself

Imperative

P.	ξύριζε (sing.)	be shaving	ξυρίζου (sing.)	be being shaved, be shaving
	ξυρίζετε (pl.)	be shaving	ξυρίζεστε (pl.)	be being shaved, be shaving
P. S.	ξύρισε (sing.)	shave	ξυρίσου (sing.)	be shaved, shave
	ξυρίστε (pl.)	shave	ξυριστείτε (pl.)	be shaved, shave

Infinitive

να ξυρίσει	to shave	να ξυριστεί	to be shaved

Participle

ξυρίζοντας	shaving	ξυρισμέν-ος, -η, -ο	shaved

(Examples on page 216)

Examples of uses of verbs beginning with ξ

ξαπλώνω

Ξαπλώνουμε στον ήλιο.	We lie in the sun.
Ξάπλωσε στο κρεβάτι.	Lie on the bed. (He /she lay on the bed).
Ξαπλώσαμε νωρίς χτες βράδυ.	We went to bed early last night.
Είχα ξαπλώσει, όταν χτύπησε το τηλέφωνο.	I had gone to bed, when the telephone rang.
Ο πατέρας είναι ξαπλωμένος.	The father is lying down.

ξαφνιάζω

Ένας λύκος μας ξάφνιασε.	A wolf frightened us.
Όταν είδαμε τον φίλο μου να βγαίνει από το αεροπλάνο ξαφνιαστήκαμε.	We were surprised to see my friend stepping out of the plane.
Δεν τον περιμέναμε.	We were not expecting him.

ξεκουράζω – ξεκουράζομαι

Ο πατέρας ύστερα από τη δουλειά ξεκουράζεται.	The father rests after his work.
Ξεκουράζουμε τα πόδια μας ύστερα από το τρέξιμο.	We rest our feet after jogging.
Ξεκουραστήκαμε κοντά σε μια πηγή.	We took a rest near a spring.
Πρέπει να ξεκουράσουμε το κορμί μας.	We must rest our bodies.
Τα παιδιά δεν έχουν ξεκουραστεί ακόμα.	The children have not yet taken their rest.

ξεπερνώ

Έχουμε ξεπεράσει όλα τα άλλα αυτοκίνητα.	We have left behind all the other cars.
Μας ξεπέρασαν όλοι οι άλλοι.	All the others surpassed us.
Με ξεπέρασε στο τρέξιμο.	He outran me.
Ξεπερνά όλους στην εξυπνάδα.	He is the brightest of all.
Η βελόνα ξεπεράστηκε.	The needle became unthreaded.
Τα κορδόνια των παπουτσιών μου έχουν ξεπεραστεί.	My shoe laces became unthreaded.
Το αεροπλάνο ξεπερνά το τρένο στην ταχύτητα.	The airplane surpasses the train in speed.

ξεσκεπάζω

Τα μωρό ξεσκεπάζεται τη νύχτα.	The infant uncovers himself at night.
Τα σχέδιά του ξεσκεπάστηκαν.	His plans were uncovered.
Ξεσκέπασε το φαγητό να κρυώσει.	Take away the cover from the food so that it may cool.
Ξεσκεπαστήκαμε γιατί ήταν ζέστη.	We removed the covers because it was warm.

ξεσχίζω

Ξέσχισε τα ρούχα του.
Ξεσχίστηκα από ένα κλαδί της τριανταφυλλιάς.
Μην ξεσχίζεις τα φύλλα του βιβλίου σου.
Τα ρούχα του είναι ξεσχισμένα.
Ξεσχίστηκα να σε ευχαριστήσω, μα εσύ είσαι αχάριστος.

He tore his clothes.
I was scratched by a branch of the rose bush.
Do not tear the pages of your book.

His clothes are torn.
I went out of my way to please you, but you are ungrateful.

ξεχνώ

Ξέχασα τα βιβλία μου στο σχολείο.
Ξεχάσαμε τα κλειδιά του αυτοκινήτου μέσα στο αυτοκίνητο.
Μη με ξεχάσεις.
Ξεχάστηκα.
Πέθανε και ξεχάστηκε.
Ξεχαστήκαμε στην κουβέντα και η ώρα πέρασε χωρίς να το καταλάβουμε.
Περασμένα - ξεχασμένα.

I forgot my books at school.
We forgot the car keys in the car.

Do not forget me.
I was forgotten. I forgot.
He died and he is now forgotten.
We were so absorbed in the conversation that the time passed without noticing it.
Things of the past, forgotten.

ξεχωρίζω

Αυτό το παιδί ξεχωρίζει από τα άλλα.
Μας ξεχώρισαν και μας έβαλαν να καθίσουμε μόνοι μας.
Ελάτε να ξεχωρίσουμε τα καλά από τα σάπια μήλα.
Ξεχώρισα μερικά ρούχα που θα πάρω μαζί μου στο ταξίδι.
Τα κόκκινα βιβλία είναι ξεχωριστά από τα κίτρινα.

This child is different from the others.
They discriminated against us and made us sit by ourselves.
Let us separate the good from the rotten apples.
I have put aside some clothes which I will take with me in the trip.
The red books are separate from the yellow ones.

ξοδεύω

Ξοδέψαμε (ξοδιάσαμε) πολλά λεφτά στο ταξίδι μας.
Κάθε μέρα ξοδεύω πέντε δολάρια για μεταφορικά.
Ξοδιαστήκαμε πολύ στις γιορτές των Χριστουγέννων.
Πόσα λεφτά ξοδεύετε τον μήνα για φαγητό;

We spent too much money on our trip.

Every day I spend five dollars for transportation.
We spent much money for the Christmas holidays.
How much money do you spend monthly for food?

ξυρίζω – ξυρίζομαι

Κάθε πρωί ξυρίζομαι.
Ο κουρέας ξυρίζει τον πελάτη του.
Κάποτε είχα γένια αλλά τα ξύρισα.
Ξυρίστηκα το πρωί.
Το κεφάλι του είναι ξυρισμένο.

I shave every morning.
The barber shaves his customer.
Sometime ago I had a beard, but I shaved it.
I shaved in the morning.
His head is shaved.

Active Voice, Indicative		*Passive Voice, Indicative*	
P. **I lead**		**I am being led, I am led**	
οδηγώ	οδηγούμε	οδηγούμαι	οδηγούμαστε
οδηγείς	οδηγείτε	οδηγείσαι	οδηγείστε
οδηγεί	οδηγούν	οδηγείται	οδηγούνται
P. C. **I was leading**		**I was being led**	
οδηγούσα	οδηγούσαμε	οδηγούμουν	οδηγούμαστε
οδηγούσες	οδηγούσατε	οδηγούσουν	οδηγούσαστε
οδηγούσε	οδηγούσαν	οδηγούνταν	οδηγούνταν
P. S. **I led**		**I was led**	
οδήγησα	οδηγήσαμε	οδηγήθηκα	οδηγηθήκαμε
οδήγησες	οδηγήσατε	οδηγήθηκες	οδηγηθήκατε
οδήγησε	οδήγησαν	οδηγήθηκε	οδηγήθηκαν
F. C. **I will be leading**		**I will be being led**	
θα οδηγώ		θα οδηγούμαι	
θα οδηγείς	etc.	θα οδηγείσαι	etc.
F. S. **I will lead**		**I will be led**	
θα οδηγήσω	θα οδηγήσουμε	θα οδηγηθώ	θα οδηγηθούμε
θα οδηγήσεις	θα οδηγήσετε	θα οδηγηθείς	θα οδηγηθείτε
θα οδηγήσει	θα οδηγήσουν	θα οδηγηθεί	θα οδηγηθούν
Pr. P. **I have led**		**I have been led**	
έχω οδηγήσει		έχω οδηγηθεί	
έχεις οδηγήσει	etc.	έχεις οδηγηθεί	etc.
P. P. **I had led**		**I had been led**	
είχα οδηγήσει		είχα οδηγηθεί	
είχα οδηγήσει	etc.	είχες οδηγηθεί	etc.
F. P. **I will have led**		**I will have been led**	
θα έχω οδηγήσει		θα έχω οδηγηθεί	
θα έχεις οδηγήσει	etc.	θα είχες οδηγήσει	etc.

	Subjunctive		(with να, για να, αν, όταν, etc.)	
P.	να οδηγώ	that I may be leading	να οδηγούμαι	that I may be led
P. S.	να οδηγήσω	that I may lead	να οδηγηθώ	that I might be led
Pr. P.	να έχω οδηγήσει	that I may have led	να έχω οδηγηθεί	that I may have been led

	Imperative			
P.	οδήγει (sing.)	be leading	-	
	οδηγείτε (pl.)	be leading	-	
P. S.	οδήγησε (sing.)	lead	οδηγήσου (sing.)	be led
	οδηγείστε (pl.)	lead	οδηγηθείτε (pl.)	be led

	Infinitive			
	να οδηγήσει	to lead	να οδηγηθεί	to be led

	Participle			
	οδηγώντας	leading	οδηγημέν-ος, -η, -ο	led

(Examples on page 223)

ομιλώ – see **μιλώ (2)** on page 186

ονειρεύομαι (4) – to dream; to have a dream (deponent verb)

		Indicative	
P.		**I dream**	
		ονειρεύομαι	ονειρευόμαστε
		ονειρεύεσαι	ονειρεύεστε
		ονειρεύεται	ονειρεύονται
P. C.		**I was dreaming**	
		ονειρευόμουν	ονειρευόμαστε
		ονειρευόσουν	ονειρευόσαστε
		ονειρευόταν	ονειρεύονταν
P. S.		**I dreamt**	
		ονειρεύτηκα	ονειρευτήκαμε
		ονειρεύτηκες	ονειρευτήκατε
		ονειρεύτηκε	ονειρεύτηκαν
F. C.		**I will be dreaming**	
		θα ονειρεύομαι	θα ονειρευόμαστε
		θα ονειρεύεσαι	θα ονειρεύεστε
		θα ονειρεύεται	θα ονειρεύονται
F. S.		**I will dream**	
		θα ονειρευτώ	θα ονειρευτούμε
		θα ονειρευτείς	θα ονειρευτείτε
		θα ονειρευτεί	θα ονειρευτούν
Pr. P.		**I have dreamt**	
		έχω ονειρευτεί	
		έχεις ονειρευτεί	etc.
P. P.		**I had dreamt**	
		είχα ονειρευτεί	
		είχες ονειρευτεί	etc.
F. P.		**I will have dreamt**	
		θα έχω ονειρευτεί	
		θα έχεις ονειρευτεί	etc.

Subjunctive
(with να, για να, όταν, etc.)

P.	να ονειρεύομαι	that I may be dreaming
P. S.	να ονειρευτώ	that I may dream
Pr. P.	να έχω ονειρευτεί	that I may have dreamt

Imperative

P.	ονειρεύου (sing.)	be dreaming, dream
	ονειρευτείτε (pl.)	be dreaming, dream

Infinitive

να ονειρευτεί	to dream

Participle

ονειρεμέν-ος, -η, -ο	looking like a dream

Examples:

Κάθε νύχτα ονειρεύομαι.	Every night I have a dream.
Ονειρεύεται πλούτη.	He dreams of riches.
Χτες το βράδυ ονειρεύτηκα ότι πήγα στο φεγγάρι.	Last night I dreamt that I went to the moon.
Είχα ονειρευτεί ότι θα σε έβλεπα σήμερα.	I had dreamt that I would see you today.
Τι ονειρεύεσαι;	
Ονειρεύομαι ωραίο σπίτι, μια καλή οικογένεια και αρκετά πλούτη.	I dream of having a beautiful house, a nice family and many riches.

	Active Voice, Indicative		*Passive Voice, Indicative*	
P.	**I name**		**I am named, I am being named**	
	ονομάζω	ονομάζουμε	ονομάζομαι	ονομαζόμαστε
	ονομάζεις	ονομάζετε	ονομάζεσαι	ονομάζεστε
	ονομάζει	ονομάζουν	ονομάζεται	ονομάζονται
P. C.	**I was naming**		**I was being named**	
	ονόμαζα	ονομάζαμε	ονομαζόμουν	ονομαζόμαστε
	ονόμαζες	ονομάζατε	ονομαζόσουν	ονομαζόσαστε
	ονόμαζε	ονόμαζαν	ονομαζόταν	ονομάζονταν
P. S.	**I named**		**I was named**	
	ονόμασα	ονομάσαμε	ονομάστηκα	ονομαστήκαμε
	ονόμασες	ονομάσατε	ονομάστηκες	ονομαστήκατε
	ονόμασε	ονόμασαν	ονομάστηκε	ονομάστηκαν
F. C.	**I will be naming**		**I will be being named**	
	θα ονομάζω		θα ονομάζομαι	
	θα ονομάζεις	etc.	θα ονομάζεσαι	etc.
F. S.	**I will name**		**I will be named**	
	θα ονομάσω	θα ονομάσουμε	θα ονομαστώ	θα ονομαστούμε
	θα ονομάσεις	θα ονομάσετε	θα ονομαστείς	θα ονομαστείτε
	θα ονομάσει	θα ονομάσουν	θα ονομαστεί	θα ονομαστούν
Pr. P.	**I have named**		**I have been named**	
	έχω ονομάσει		έχω ονομαστεί	
	έχεις ονομάσει	etc.	έχεις ονομαστεί etc.	
P. P.	**I had named**		**I had been named**	
	είχα ονομάσει		είχα ονομαστεί	
	είχες ονομάσει	etc.	είχες ονομαστεί etc.	
F. P.	**I will have named**		**I will have been named**	
	θα έχω ονομάσει		θα έχω ονομαστεί	
	θα έχεις ονομάσει	etc.	θα έχεις ονομάσει	etc.

	Subjunctive		(with να, για να, αν, όταν, etc.)	
P.	να ονομάζω	that I may be naming	να ονομάζομαι	that I may be being named
P. S.	να ονομάσω	that I may name	να ονομαστώ	that I may be named
Pr. P.	να έχω ονομάσει	that I may have named	να έχω ονομαστεί	that I may have been named

	Imperative			
Pr.	ονόμαζε (sing.)	be naming	ονομάζου (sing.)	be being named
	ονομάζετε (pl.)	be naming	ονομάζεστε (pl.)	be being named
P. S.	ονόμασε (sing.)	name	ονομάσου (sing.)	be named
	ονομάστε (pl.)	name	ονομαστείτε (pl.)	be named

	Infinitive			
	να ονομάσει	to name	να ονομαστεί	to be named

	Participle			
	ονομάζοντας	naming	ονομασμέν-ος, -η, -ο	named
			(Examples on page 223)	

οργίζω (1) – to enrage; to make angry

οργίζομαι (4) – to get angry; to become angry

	Active Voice, Indicative		*Passive Voice, Indicative*	
P.	**I enrage**		**I get angry**	
	οργίζω	οργίζουμε	οργίζομαι	οργιζόμαστε
	οργίζεις	οργίζετε	οργίζεσαι	οργίζεστε
	οργίζει	οργίζουν	οργίζεται	οργίζονται
P. C.	**I was enraging**		**I was getting angry**	
	όργιζα	οργίζαμε	οργιζόμουν	οργιζόμαστε
	όργιζες	οργίζατε	οργιζόσουν	οργιζόσαστε
	όργιζε	όργιζαν	οργιζόταν	οργίζονταν
P. S.	**I enraged**		**I got angry**	
	όργισα	οργίσαμε	οργίστηκα	οργιστήκαμε
	όργισες	οργίσατε	οργίστηκες	οργιστήκατε
	όργισε	όργισαν	οργίστηκε	οργίστηκαν
F. C.	**I will be enraging**		**I will be getting angry**	
	θα οργίζω		θα οργίζομαι	
	θα οργίζεις	etc.	θα οργίζεσαι	etc.
F. S.	**I will enrage**		**I will get angry**	
	θα οργίσω	θα οργίσουμε	θα οργιστώ	θα οργιστούμε
	θα οργίσεις	θα οργίσετε	θα οργιστείς	θα οργιστείτε
	θα οργίσει	θα οργίσουν	θα οργιστεί	θα οργιστούν
Pr. P.	**I have enraged**		**I have gotten angry**	
	έχω οργίσει		έχω οργιστεί	
	έχεις οργίσει	etc.	έχεις οργιστεί	etc.
P. P.	**I had enraged**		**I had gotten angry**	
	είχα οργίσει		είχα οργιστεί	
	είχες οργίσει	etc.	είχες οργιστεί	etc.
F. P.	**I will have enraged**		**I will have gotten angry**	
	θα έχω οργίσει		θα έχω οργιστεί	
	θα έχεις οργίσει	etc.	θα έχεις οργιστεί	etc.

Subjunctive (with να, για να, αν, όταν, etc.)

Pr.	να οργίζω	that I may be enranging	να οργίζομαι	that I may be getting angry
P. S.	να οργίσω	that I may enrage	να οργιστώ	that I may get angry
Pr. P.	να έχω οργίσει	that I may have enraged	να έχω οργιστεί	that I may have gotten angry

Imperative

P.	όργιζε (sing.)	be enraging	οργίζου (sing.)	be getting angry
	οργίζετε (pl.)	be enraging	οργίζεστε (pl.)	be getting angry
P. S.	όργισε (sing.)	enrage	οργίσου (sing.)	get angry
	οργίστε (pl.)	enrage	οργιστείτε (pl.)	get angry

Infinitive

	να οργίσει	to enrage	να οργιστεί	to get angry

Participle

οργίζοντας	enraging	οργισμέν-ος, -η, -ο	angry

(Examples on page 223)

Active Voice, Indicative		*Passive Voice, Indicative*	
P.	**I define**		**I am defined, I am being defined**
ορίζω	ορίζουμε	ορίζομαι	οριζόμαστε
ορίζεις	ορίζετε	ορίζεσαι	ορίζεστε
ορίζει	ορίζουν	ορίζεται	ορίζονται
P. C.	**I was defining**		**I was being defined**
όριζα	ορίζαμε	οριζόμουν	οριζόμαστε
όριζες	ορίζατε	οριζόσουν	οριζόσαστε
όριζε	όριζαν	οριζόταν	ορίζονταν
P. S.	**I defined**		**I was defined**
όρισα	ορίσαμε	ορίστηκα	οριστήκαμε
όρισες	ορίσατε	ορίστηκες	οριστήκατε
όρισε	όρισαν	ορίστηκε	ορίστηκαν
F. C.	**I will be defining**		**I will be being defined**
θα ορίζω		θα ορίζομαι	
θα ορίζεις	etc.	θα ορίζεσαι	etc.
F. S.	**I will define**		**I will be defined**
θα ορίσω	θα ορίσουμε	θα οριστώ	θα οριστούμε
θα ορίσεις	θα ορίσετε	θα οριστείς	θα οριστείτε
θα ορίσει	θα ορίσουν	θα οριστεί	θα οριστούν
Pr. P.	**I have defined**		**I have been defined**
έχω ορίσει		έχω οριστεί	
έχεις ορίσει	etc.	έχεις οριστεί	etc.
P. P.	**I had defined**		**I had been defined**
είχα ορίσει		είχα οριστεί	
είχες ορίσει	etc.	είχες οριστεί	etc.
F. P.	**I will have defined**		**I will have been defined**
θα έχω ορίσει		θα έχω οριστεί	
θα έχεις ορίσει	etc.	θα έχεις οριστεί	etc.

Subjunctive (with να, για να, αν, όταν, etc.)

P.	να ορίζω	that I may be defining	να ορίζομαι	that I may be being defined
P. S.	να ορίσω	that I may define	να οριστώ	that I may be defined
Pr. P.	να έχω ορίσει	that I may have defined	να έχω οριστεί	that I may have been defined

Imperative

P.	όριζε (sing.)	be defining	ορίζου (sing.)	be being defined
	ορίζετε (pl.)	be defining	ορίζεστε (pl.)	be being defined
P. S.	όρισε (sing.)	define	ορίσου (sing.)	be defined
	ορίσετε (pl.)	define	οριστείτε (pl.)	be defined

Infinitive

να ορίσει	to define	να οριστεί	to be defined

Participle

ορίζοντας	defining	ορισμέν-ος, -η, -ο	defined

(Examples on page 223)

	Indicative			*Subjunctive*	
P.	**I rush**			(with να, για να, όταν, etc.)	
	ορμώ	ορμούμε	P.	να ορμώ	that I may be rushing
	ορμάς	ορμάτε	P. S.	να ορμήσω	that I may rush
	ορμά	ορμούν	Pr. P.	να έχω ορμήσει	that I may have rushed

			Imperative		
P. C.	**I was rushing**				
	ορμούσα	ορμούσαμε	P.	όρμα (sing.)	be rushing
	ορμούσες	ορμούσατε		ορμάτε (pl.)	be rushing
	ορμούσε	ορμούσαν	P. S.	όρμησε (sing.)	rush
				ορμήστε (pl.)	rush

P. S.	**I rushed**		**Infinitive**		
	όρμησα	ορμήσαμε		να ορμήσει	to rush
	όρμησες	ορμήσατε			
	όρμησε	όρμησαν			

F. C.	**I will be rushing**		**Participle**		
	θα ορμώ	θα ορμούμε		ορμώντας	rushing
	θα ορμάς	θα ορμάτε			
	θα ορμά	θα ορμούν			

F. S.   **I will rush**

θα ορμήσω	θα ορμήσουμε
θα ορμήσεις	θα ορμήσετε
θα ορμήσει	θα ορμήσουν

Pr. P.   **I have rushed**

έχω ορμήσει	
έχεις ορμήσει	etc.

P. P.   **I had rushed**

είχα ορμήσει	
είχες ορμήσει	etc.

F. P.   **I will have rushed**

θα έχω ορμήσει	
θα έχεις ορμήσει	etc.

Examples:

Οι λύκοι όρμησαν στα πρόβατα.	The wolves rushed on the sheep.
Οι στρατιώτες είχαν ορμήσει κατά του φρουρίου.	The soldiers had rushed against the fort.
Τρομοκρατημένοι ορμήσαμε στις πόρτες για να φύγουμε.	Terrified we rushed towards the doors in order to get out.
Όρμησε με όλη τη δύναμή σου!	Rush with all your strength!

Examples with verbs beginning with **o**

οδηγώ

Οδηγώ το αυτοκίνητό μου.
Πού οδηγεί αυτός ο δρόμος;
Οδηγήθηκε στην καταστροφή από το πολύ πιοτό.
Στα παλιά χρόνια, ένα νεαρό παιδί, ο Φαέθων, ήθελε να οδηγήσει το άρμα του ηλίου.
Οδήγα σιγά!
Οδηγάτε σιγά.

I drive my car.
Where does this street (road) lead?
He was driven to his downfall by his drinking.
In old times, a youth named Faethon, wanted to drive the chariot of the sun.

Drive slowly!
You drive slowly. (Drive slowly)

ονομάζω – ονομάζομαι

Πώς ονομάζεσαι;
Ονομάζομαι Ανδρέας Ιωαννίδης.
Πώς ονομάσατε το νεογέννητο;
Το ονομάσαμε Γιώργο.
Αυτός ο δρόμος έχει ονομαστεί Λεωφόρος Αμερικής.
Ονομάζω τα διάφορα έπιπλα του σπιτιού: καναπές, τραπέζι, καρέκλες.

What are you called?
I am called Andreas Ioannides.
What name did you give to the new-born?
We named him George.
This street has been named Avenue of America.
I name the different furniture of the house: couch, table, chairs.

οργίζω – οργίζομαι

Μην οργίζεσαι.
Μη με οργίζεις!
Οργίστηκα και δεν ήξερα τι έκανα.

Ο άνθρωπος φαίνεται πολύ οργισμένος.
Οι παίκτες είχαν οργιστεί εναντίον του διαιτητή.

Do not get angry.
Do not get me angry!
I was angry (I became angry) and did not know what I was doing.
The man looks very angry.
The players became angry with the referee.

ορίζω

Τι ορίζει ο νόμος;
Θα σας ορίσουμε τι πρέπει να κάνετε.
Η ημερομηνία της δίκης ορίστηκε από τον δικαστή.
Ο καθηγητής όρισε τα μαθήματα που πρέπει να διαβάσουμε για τις εξετάσεις.
Καλώς όρισες (καλωσόρισες)!
Καλώς ορίσατε (καλωσορίσατε)!

What does the law define?
We will tell you what you must do.
The date of the trial was set by the judge.

The professor pointed out the lessons we must study for the examinations.
Welcome!
Welcome!

παγώνω (1) – to freeze (intransitive)
to chill; to freeze (transitive)

182

	Indicative		*Subjunctive*		
P.	**I freeze**		(with να, για να, όταν, etc.)		
	παγώνω	παγώνουμε	**P.**	να παγώνω	that I may be freezing
	παγώνεις	παγώνετε	**P. S.**	να παγώσω	that I may freeze
	παγώνει	παγώνουν	**Pr. P.**	να έχω παγώσει	that I may have frozen
P. C.	**I was freezing**		**Imperative**		
	πάγωνα	παγώναμε	**P. S.**	πάγωσε (sing.)	freeze
	πάγωνες	παγώνατε		παγώστε (pl.)	freeze
	πάγωνε	πάγωναν			
P. S.	**I froze**		**Infinitive**		
	πάγωσα	παγώσαμε		να παγώσει	to freeze
	πάγωσες	παγώσατε			
	πάγωσε	πάγωσαν			
F. C.	**I will be freezing**		**Participle**		
	θα παγώνω	θα παγώνουμε		παγώνοντας	freezing
	θα παγώνεις	θα παγώνετε			
	θα παγώνει	θα παγώνουν			
F. S.	**I will freeze**		**Passive participle**		
	θα παγώσω	θα παγώσουμε		παγωμέν-ος, -η, -ο	frozen
	θα παγώσεις	θα παγώσετε			
	θα παγώσει	θα παγώσουν			
Pr. P.	**I have frozen**				
	έχω παγώσει	έχουμε παγώσει			
	έχεις παγώσει	έχετε παγώσει			
	έχει παγώσει	έχουν παγώσει			
P. P.	**I had frozen**				
	είχα παγώσει				
	είχες παγώσει	etc.			
F. P.	**I will have frozen**				
	θα έχω παγώσει .				
	θα έχεις παγώσει	etc.			

Examples:

Παγώσαμε.	We froze.
Το νερό πάγωσε.	The water froze.
Παγώσαμε την πορτοκαλάδα.	We chilled the orange juice.
Το σπίτι πάγωσε.	The house is very cold (frozen).
Παγώνουμε πολλά τρόφιμα στο ψυγείο.	We freeze many foods in the refrigerator.
Πάγωσαν από το κρύο.	They froze from the cold.
Ο βοριάς πάγωσε τη λίμνη.	The north wind froze the lake.
Πάγωσε από τον φόβο του.	He froze because of his fear.

Indicative

P.   **I suffer**

παθαίνω	παθαίνουμε
παθαίνεις	παθαίνετε
παθαίνει	παθαίνουν

P. C.   **I was suffering**

πάθαινα	παθαίναμε
πάθαινες	παθαίνατε
πάθαινε	πάθαιναν

P. S.   **I suffered**

έπαθα	πάθαμε
έπαθες	πάθατε
έπαθε	έπαθαν

F. C.   **I will be suffering**

θα παθαίνω	θα παθαίνουμε
θα παθαίνεις	θα παθαίνετε
θα παθαίνει	θα παθαίνουν

F. S.   **I will suffer**

θα πάθω	θα πάθουμε
θα πάθεις	θα πάθετε
θα πάθει	θα πάθουν

Pr. P.   **I have suffered**

έχω πάθει	
έχεις πάθει	etc.

P. P.   **I had suffered**

είχα πάθει	
είχες πάθει	etc.

F. P.   **I will have suffered**

θα έχω πάθει	
θα έχεις πάθει	etc.

Subjunctive

(with να, για να, όταν, etc.)

P.	να παθαίνω	that I may be suffering
P. S.	να πάθω	that I may suffer
Pr. P.	να έχω πάθει	that I may have suffered

Imperative

P.	πάθαινε (sing.)	be suffering
	παθαίνετε (pl.)	be suffering
P. S.	πάθε (sing.)	suffer
	πάθετε (pl.)	suffer

Infinitive

να πάθει	to suffer

Participle

παθαίνοντας	suffering

Examples:

Τι έπαθες;	What happened to you?
Πάθαμε μεγάλο κακό.	Something very bad happened to us.
Τι πάθατε, οι καημένοι;	What happened to you, you unfortunate ones?
Τι έχει πάθει;	What has happened to him?
Έπαθαν πολλά βάσανα με τον πόλεμο.	They suffered many hardships during the war.
Είχαν πάθει φυματίωση.	They have suffered from tuberculosis.
Έπαθε καρδιακή προσβολή.	He had a heart attack.
Έπαθαν πολλές ζημιές.	They suffered much damage.
Την έπαθε σαν παιδί.	He was duped like a child.

	Active Voice, Indicative		*Passive Voice, Indicative*	
P.	**I educate**		**I am being educated**	
	παιδεύω	παιδεύουμε	παιδεύομαι	παιδευόμαστε
	παιδεύεις	παιδεύετε	παιδεύεσαι	παιδεύεστε
	παιδεύει	παιδεύουν	παιδεύεται	παιδεύονται
P. C.	**I was educating**		**I was been educated**	
	παίδευα	παιδεύαμε	παιδευόμουν	παιδευόμαστε
	παίδευες	παιδεύατε	παιδευόσουν	παιδευόσαστε
	παίδευε	παίδευαν	παιδευόταν	παιδεύονταν
P. S.	**I educated**		**I was educated**	
	παίδεψα	παιδέψαμε	παιδεύτηκα	παιδευτήκαμε
	παίδεψες	παιδέψατε	παιδεύτηκες	παιδευτήκατε
	παίδεψε	παίδεψαν	παιδεύτηκε	παιδεύτηκαν
F. C.	**I will be educating**		**I will be being educated**	
	θα παιδεύω		θα παιδεύομαι	
	θα παιδεύεις	etc.	θα παιδεύεσαι	etc.
F. S.	**I will educate**		**I will be educated**	
	θα παιδέψω	θα παιδέψουμε	θα παιδευτώ	θα παιδευτούμε
	θα παιδέψεις	θα παιδέψετε	θα παιδευτείς	θα παιδευτείτε
	θα παιδέψει	θα παιδέψουν	θα παιδευτεί	θα παιδευτούν
Pr. P.	**I have educated**		**I have been educated**	
	έχω παιδέψει		έχω παιδευτεί	
	έχεις παιδέψει	etc.	έχεις παιδευτεί	etc.
P. P.	**I had educated**		**I had been educated**	
	είχα παιδέψει		είχα παιδευτεί	
	είχες παιδέψει	etc.	είχες παιδευτεί	etc.
F. P.	**I will have educated**		**I will have been educated**	
	θα έχω παιδέψει		θα έχω παιδευτεί	
	θα έχεις παιδέψει	etc.	θα έχεις παιδευτεί	etc.

	Subjunctive		(with να, για να, αν, όταν, etc.)	
P.	να παιδεύω	that I may be educating	να παιδεύομαι	that I may be being educated
P. S.	να παιδέψω	that I may educate	να παιδευτώ	that I may be educated
Pr. P.	να έχω παιδέψει	that I may have educated	να έχω παιδευτεί	that I may have been educated
	Imperative			
P.	παίδευε (sing.)	be educating	παιδεύου (sing.)	be being educated
	παιδεύετε (pl.)	be educating	παιδεύεστε (pl.)	be being educated
P. S.	παίδεψε (sing.)	educate	παίδεψου (sing.)	be educated
	παιδέψετε (pl.)	educate	παιδευθείτε (pl.)	be educated
	Infinitive			
	να παιδέψει	to educate	να παιδευθεί	to be educated
	Participle			
	παιδεύοντας	educating	παιδεμέν-ος, -η, -ο	educated
			(Examples page 285)	

	Indicative			*Subjunctive*	
P.	**I play**			(with να, για να, όταν, etc.)	
	παίζω	παίζουμε	**P.**	να παίζω	that I may be playing
	παίζεις	παίζετε	**P. S.**	να παίξω	that I may play
	παίζει	παίζουν	**Pr. P.**	να έχω παίξει	that I may have played

P. C.	**I was playing**			**Imperative**	
	έπαιζα	παίζαμε	**P.**	παίζε (sing.)	be playing
	έπαιζες	παίζατε		παίζετε (pl.)	be playing
	έπαιζε	έπαιζαν	**P. S.**	παίξε (sing.)	play
				παίξετε (pl.)	play

P. S.	**I played**	
	έπαιξα	παίξαμε
	έπαιξες	παίξατε
	έπαιξε	έπαιξαν

				Infinitive	
				να παίξει	to play

F. C.	**I will be playing**			**Participle**	
	θα παίζω	θα παίζουμε		παίζοντας	playing
	θα παίζεις	θα παίζετε			
	θα παίζει	θα παίζουν			

F. S.	**I will play**	
	θα παίξω	θα παίξουμε
	θα παίξεις	θα παίξετε
	θα παίξει	θα παίξουν

Pr. P.	**I have played**	
	έχω παίξει	
	έχεις παίξει	etc.

P. P.	**I had played**	
	είχα παίξει	
	είχες παίξει	etc.

F. P.	**I will have played**	
	θα έχω παίξει	
	θα έχεις παίξει	etc.

* In the passive voice these forms are common:

Το παιχνίδι παίζεται τώρα. - The game is being played now.

Το παιχνίδι παίχτηκε χτες. - The game was played yesterday.

Το παιχνίδι δεν έχει παιχτεί ακόμα. - The game has not yet been played.

(Examples on page 285)

	Active Voice, Indicative		*Passive Voice.*
P.	**I take**		In the passive voice only the Past Simple tense
	παίρνω	παίρνουμε	is common.
	παίρνεις	παίρνετε	
	παίρνει	παίρνουν	

P. C.	**I was taking**		**Passive, Past Simple tense: - I was taken**
	έπαιρνα	παίρναμε	πάρθηκα	παρθήκαμε
	έπαιρνες	παίρνατε	πάρθηκες	παρθήκατε
	έπαιρνε	έπαιρναν	πάρθηκε	πάρθηκαν

P. S. **I took**

πήρα	πήραμε
πήρες	πήρατε
πήρε	πήραν

F. C. **I will be taking**

θα παίρνω	θα παίρνουμε
θα παίρνεις	θα παίρνετε
θα παίρνει	θα παίρνουν

F. S. **I will take**

θα πάρω	θα πάρουμε
θα πάρεις	θα πάρετε
θα πάρει	θα πάρουν

Pr. P. **I have taken**

έχω πάρει
έχεις πάρει   etc.

P. P. **I had taken**

είχα πάρει
είχες πάρει   etc.

F. P. **I will have taken**

θα έχω πάρει
θα έχεις πάρει   etc.

Subjunctive

P.	να παίρνω	that I may be taking	να παρθώ	that I may be taken
P. S.	να πάρω	that I may take	να παρθείς	that you may be taken
Pr. P.	να έχω πάρει	that I may have taken	να παρθεί	etc.

Imperative

να παρθούμε

P.	παίρνε (sing.)	be taking	να παρθείτε
	παίρνετε (pl.)	be taking	να παρθούν
P. S.	πάρε (sing.)	take	
	πάρτε (pl.)	take	

Infinitive

να πάρει	to take	να παρθεί	to be taken

Participle

παίρνοντας	taking	παρμέν-ος, -η, -ο	taken

(Examples on page 285)

	Indicative		*Subjunctive*		
P.	**I fight, I struggle**		(with να, για να, όταν, etc.)		
	παλεύω	παλεύουμε	P.	να παλεύω	that I may be fighting
	παλεύεις	παλεύετε	P. S.	να παλέψω	that I may fight
	παλεύει	παλεύουν	Pr. P.	να έχω παλέψει	that I may have fought

P. C.	**I was fighting, I was struggling**		**Imperative**		
	πάλευα	παλεύαμε	P. S.	πάλεψε (sing.)	fight
	πάλευες	παλεύατε		παλέψτε (pl.)	fight
	πάλευε	πάλευαν			

P. S.	**I fought, I struggled**		**Infinitive**		
	πάλεψα	παλέψαμε		να παλέψει	to fight
	πάλεψες	παλέψατε			
	πάλεψε	πάλεψαν			

F. C.	**I will be fighting, I will be struggling**		**Participle**	
	θα παλεύω			
	θα παλεύεις	etc.	παλεύοντας	fighting

F. S.	**I will fight, I will struggle**	
	θα παλέψω	θα παλέψουμε
	θα παλέψεις	θα παλέψετε
	θα παλέψει	θα παλέψουν

Pr. P.	**I have fought, struggled**
	έχω παλέψει
	έχεις παλέψει etc.

P. P.	**I had fought, stuggled**
	είχα παλέψει
	είχες παλέψει etc.

F. P.	**I will have fought, struggled**
	θα έχω παλέψει
	θα έχεις παλέψει etc.

Examples:

Παλεύω νύχτα μέρα να τα βγάλω πέρα.	I struggle day and night to make ends meet.
Πάλευε με τη θάλασσα μια ολόκληρη μέρα μέχρις ότου τον έσωσε ένα πλοίο.	He was struggling in the sea for a whole day until a boat saved him.
Οι δυο άνθρωποι παλεύουν για πολλή ώρα.	The two men are fighting for a long time.
Ο Θησέας πάλεψε με τον Μινώταυρο μέσα στον Λαβύρινθο.	Theseus fought with the Minotaur inside the Labyrinth.

παντρεύω (1) (transitive) – to marry; to wed

παντρεύομαι (4) – to get married; to be married

	Active Voice, Indicative		*Passive Voice, Indicative*	
P.	**I marry**		**I get married, I am being married**	
	παντρεύω	παντρεύουμε	παντρεύομαι	παντρευόμαστε
	παντρεύεις	παντρεύετε	παντρεύεσαι	παντρεύεστε
	παντρεύει	παντρεύουν	παντρεύεται	παντρεύονται
P. C.	**I was marrying**		**I was getting married**	
	πάντρευα	παντρεύαμε	παντρευόμουν	παντρευόμαστε
	πάντρευες	παντρεύατε	παντρευόσουν	παντρευόσαστε
	πάντρευε	πάντρευαν	παντρευόταν	παντρεύονταν
P. S.	**I married**		**I was married**	
	πάντρεψα	παντρέψαμε	παντρεύτηκα	παντρευτήκαμε
	πάντρεψες	παντρέψατε	παντρεύτηκες	παντρευτήκατε
	πάντρεψε	πάντρεψαν	παντρεύτηκε	παντρεύτηκαν
F. C.	**I will be marrying**		**I will be getting married**	
	θα παντρεύω		θα παντρεύομαι	
	θα παντρεύεις	etc.	θα παντρεύεσαι	etc.
F. S.	**I will marry**		**I will be married**	
	θα παντρέψω	θα παντρέψουμε	θα παντρευτώ	θα παντρευτούμε
	θα παντρέψεις	θα παντρέψετε	θα παντρευτείς	θα παντρευτείτε
	θα παντρέψει	θα παντρέψουν	θα παντρευτεί	θα παντρευτούν
Pr. P.	**I have married**		**I have been married**	
	έχω παντρέψει		έχω παντρευτεί	
	έχεις παντρέψει	etc.	έχεις παντρευτεί	etc.
P. P.	**I had married**		**I had been married**	
	είχα παντρέψει		είχα παντρευτεί	
	είχες παντρέψει	etc.	είχες παντρευτεί	etc.
F. P.	**I will have married**		**I will have been married**	
	θα έχω παντρέψει		θα έχω παντρευτεί	
	θα έχεις παντρέψει	etc.	θα έχεις παντρευτεί	etc.

Subjunctive (with να, για να, αν, όταν, etc.)

P.	να παντρεύω	that I may be marrying	να παντρεύομαι	that I may be being married
P. S.	να παντρέψω	that I may marry	να παντρευτώ	that I may be married
Pr. P.	να έχω παντρέψει	that I may have married	να έχω παντρευτεί	that I may have been married

Imperative

P.	πάντρευε (sing.)	be marrying	παντρεύου (sing.)	be being married
	παντρεύετε (pl.)	be marrying	παντρεύεστε (pl.)	be being married
P. S.	πάντρεψε (sing.)	marry	παντρέψου (sing.)	get married
	παντρέψτε (pl.)	marry	παντρευτείτε (pl.)	get married

Infinitive

να παντρέψει	to marry	να παντρευτεί	to be married

Participle

παντρεύοντας	marrying	παντρεμέν-ος, -η, -ο	married

(Examples on page 286)

	Indicative	
P.	**I order, I command**	
	παραγγέλνω	παραγγέλνουμε
	παραγγέλνεις	παραγγέλνετε
	παραγγέλνει	παραγγέλνουν

P. C.	**I was ordering**	
	παράγγελνα	παραγγέλναμε
	παράγγελνες	παραγγέλνατε
	παράγγελνε	παράγγελναν

P. S.	**I ordered**	
	παράγγειλα	παραγγείλαμε
	παράγγειλες	παραγγείλατε
	παράγγειλε	παράγγειλαν

F. C.	**I will be ordering**	
	θα παραγγέλνω	θα παραγγέλνουμε
	θα παραγγέλνεις	θα παραγγέλνετε
	θα παραγγέλνει	θα παραγγέλνουν

F. S.	**I will order**	
	θα παραγγείλω	θα παραγγείλουμε
	θα παραγγείλεις	θα παραγγείλετε
	θα παραγγείλει	θα παραγγείλουν

Pr. P.	**I have ordered**	
	έχω παραγγείλει	
	έχεις παραγγείλει	etc.

P. P.	**I had ordered**	
	είχα παραγγείλει	
	είχες παραγγείλει	etc.

F. P.	**I will have ordered**	
	θα έχω παραγγείλει	
	θα έχεις παραγγείλει	etc.

Subjunctive
(with να, για να, όταν, etc.)

P.	να παραγγέλνω	that I may be ordering
P. S.	να παραγγείλω	that I may order
Pr. P.	να έχω παραγγείλει	that I may have ordered

Imperative

P. S.	παράγγειλε (sing.)	order
	παραγγείλετε (pl.)	order

Infinitive

να παραγγείλει	to order

Participle

παραγγέλνοντας	ordering

Passive, Past Tense – I was ordered

παραγγέλθηκα	παραγγελθήκαμε
παραγγέλθηκες	παραγγελθήκατε
παραγγέλθηκε	παραγγέλθηκαν

Passive Participle

παραγγελμέν-ος, -η, -ο	ordered

(Examples on page 286)

231

	Indicative	
P.	**I admit**	
	παραδέχομαι	παραδεχόμαστε
	παραδέχεσαι	παραδέχεστε
	παραδέχεται	παραδέχονται

P. C.	**I was admitting**	
	παραδεχόμουν	παραδεχόμαστε
	παραδεχόσουν	παραδεχόσαστε
	παραδεχόταν	παραδέχονταν

P. S.	**I admitted**	
	παραδέχθηκα*	παραδεχθήκαμε
	παραδέχθηκες	παραδεχθήκατε
	παραδέχθηκε	παραδέχθηκαν

* also παραδέχτηκα

F. C.	**I will be admitting**	
	θα παραδέχομαι	θα παραδεχόμαστε
	θα παραδέχεσαι	θα παραδέχεστε
	θα παραδέχεται	θα παραδέχονται

F. S.	**I will admit**	
	θα παραδεχτώ	θα παραδεχτούμε
	θα παραδεχτείς	θα παραδεχτείτε
	θα παραδεχτεί	θα παραδεχτούν

Pr. P.	**I have admitted**	
	έχω παραδεχτεί	
	έχεις παραδεχτεί	etc.

P. P.	**I had admitted**	
	είχα παραδεχτεί	
	είχες παραδεχτεί	etc.

F. P.	**I will have admitted**	
	θα έχω παραδεχτεί	
	θα έχεις παραδεχτεί	etc.

Subjunctive
(with να, για να, όταν, etc.)

P.		να παραδέχομαι	that I may be admitting
P. S.		να παραδεχτώ	that I may admit
Pr. P.		να έχω παραδεχτεί	that I may have admitted

Imperative

P. S.	παραδέξου (sing.)	admit
	παραδεχτείτε (pl.)	admit

Infinitive

να παραδεχτεί	to admit

Participle

παραδεγμέν-ος, -η, -ο	accepted, admitted

Examples:

Παραδέχομαι το λάθος μου.	I admit my mistake.
Δεν παραδέχτηκε ότι πήρε τα λεφτά.	He did not admit that he had taken the money.
Παραδεχόμαστε ότι έχετε δίκαιο.	We accept that you are right.

	Indicative	
P.	**I beg, I ask**	
	παρακαλώ	παρακαλούμε
	παρακαλείς	παρακαλείτε
	παρακαλεί	παρακαλούν

P. C.	**I was begging, asking**	
	παρακαλούσα	παρακαλούσαμε
	παρακαλούσες	παρακαλούσατε
	παρακαλούσε	παρακαλούσαν

P. S.	**I begged, I asked**	
	παρακάλεσα	παρακαλέσαμε
	παρακάλεσες	παρακαλέσατε
	παρακάλεσε	παρακάλεσαν

F. C.	**I will be begging, asking**	
	θα παρακαλώ	θα παρακαλούμε
	θα παρακαλείς	θα παρακαλείτε
	θα παρακαλεί	θα παρακαλούν

F. S.	**I will beg, ask**	
	θα παρακαλέσω	θα παρακαλέσουμε
	θα παρακαλέσεις	θα παρακαλέσετε
	θα παρακαλέσει	θα παρακαλέσουν

Pr. P.	**I have begged, asked**	
	έχω παρακαλέσει	
	έχεις παρακαλέσει	etc.

P. P.	**I had begged, asked**	
	είχα παρακαλέσει	
	είχες παρακαλέσει	etc.

F. P.	**I will have begged, asked**	
	θα έχω παρακαλέσει	
	θα έχεις παρακαλέσει	etc.

Subjunctive
(with να, για να, όταν, etc.)

P.	να παρακαλώ	that I may be begging
P. S.	να παρακαλέσω	that I may beg
Pr. P.	να έχω παρακαλέσει	that I may have begged

Imperative

P.	παρακάλει (sing.)	be being begging
	παρακαλείτε (pl.)	be being begging
P. S.	παρακάλεσε (sing.)	beg
	παρακαλέστε (pl.)	beg

Infinitive

να παρακαλέσει	to beg

Participle

παρακαλώντας	begging

Passive, Present tense – I am requested

παρακαλούμαι	παρακαλούμαστε
παρακαλείσαι	παρακαλείστε
παρακαλείται	παρακαλούνται

Passive, Past tense – I was requested

παρακλήθηκα	παρακληθήκαμε
παρακλήθηκες	παρακληθήκατε
παρακλήθηκε	παρακλήθηκαν

Passive Participle

παρακαλεσμέν-ος, -η, -ο	requested

Examples:

Μου δίνετε ένα ποτήρι νερό, παρακαλώ;	Will you, please, give me a glass of water?
Παρακαλώ τον Θεό να σε κάνει καλά.	I pray to God to cure you.
Οι αρχαίοι Έλληνες, όταν δεν έβρεχε, παρακαλούσαν τους θεούς να στείλει βροχή.	The ancient Greeks, when it did not rain, begged Gods to send rain.
Παρακάλεσα τον πατέρα μου να μου στείλει λίγα χρήματα.	I asked my father to send me some money.
Τον έχουμε παρακαλέσει να μας δεχτεί στο γραφείο του.	We have asked him (requested) to receive us in his office.
Έπεσε στα πόδια του παρακαλώντας.	He fell on his feet begging.

παρακολουθώ (3) – to follow; to accompany; to pursue; to attend; to watch; to observe
(See ακολουθώ on page 9)

παραμένω (1) – to stay near; to remain; to last; to stay

	Indicative	
P.	**I stay, I remain**	
	παραμένω	παραμένουμε
	παραμένεις	παραμένετε
	παραμένει	παραμένουν

	Subjunctive	
	(with να, για να, όταν, etc.)	
P.	να παραμένω	that I may be staying
P. S.	να παραμείνω	that I may stay
Pr. P.	να έχω παραμείνει	that I may have stayed

P. C.	**I was staying, remaining**	
	παρέμενα	παραμέναμε
	παρέμενες	παραμένατε
	παρέμενε	παρέμεναν

	Imperative	
P.	παράμενε (sing.)	be staying
	παραμένετε (pl.)	be staying
P. S.	παράμεινε (sing.)	stay
	παραμείνετε (pl.)	stay

P. S.	**I stayed, remained**	
	παρέμεινα	παραμείναμε
	παρέμεινες	παραμείνατε
	παρέμεινε	παρέμειναν

	Infinitive	
	να παραμείνει	to stay

F. C.	**I will be staying, remaining**	
	θα παραμένω	
	θα παραμένεις	etc.

	Participle	
	παραμένοντας	staying

F. S.	**I will stay, remain**	
	θα παραμείνω	θα παραμείνουμε
	θα παραμείνεις	θα παραμείνετε
	θα παραμείνει	θα παραμείνουν

Pr. P.	**I have stayed, remained**	
	έχω παραμείνει	
	έχεις παραμείνει	etc.

P. P.	**I had stayed, remained**	
	είχα παραμείνει	
	είχες παραμείνει	etc.

F. P.	**I will have stayed, remained**	
	θα έχω παραμείνει	
	θα έχεις παραμείνει	etc.

Example:

Θα παραμείνει εδώ μια μέρα ακόμη. — He will stay here one more day.
Παρέμεινε στην Ελλάδα ένα χρόνο. — He stayed in Greece for one year.
Παραμένει με τους γονείς του. — He stays (remains, lives) with his parents.
Μόνο μερικοί κίονες παραμένουν από τον ναό του Απόλλωνα στους Δελφούς. — Only a few columns remain standing from the Temple of Apollo in Delphi.

	Indicative, Active	
P.	**I observe**	
	παρατηρώ	παρατηρούμε
	παρατηρείς	παρατηρείτε
	παρατηρεί	παρατηρούν

	I was observing	
P. C.	παρατηρούσα	παρατηρούσαμε
	παρατηρούσες	παρατηρούσατε
	παρατηρούσε	παρατηρούσαν

	I observed	
P. S.	παρατήρησα	παρατηρήσαμε
	παρατήρησες	παρατηρήσατε
	παρατήρησε	παρατήρησαν

	I will be observing	
F. C.	θα παρατηρώ	θα παρατηρούμε
	θα παρατηρείς	θα παρατηρείτε
	θα παρατηρεί	θα παρατηρούν

	I will observe	
F. S.	θα παρατηρήσω	θα παρατηρήσουμε
	θα παρατηρήσεις	θα παρατηρήσετε
	θα παρατηρήσει	θα παρατηρήσουν

Pr. P. **I have observed**
έχω παρατηρήσει
έχεις παρατηρήσει   etc.

P. P. **I had observed**
είχα παρατηρήσει
είχες παρατηρήσει   etc.

F. P. **I will have observed**
θα έχω παρατηρήσει
θα έχεις παρατηρήσει   etc.

Subjunctive
(with να, για να, όταν, etc.)

P.	να παρατηρώ	that I may be observing
P. S.	να παρατηρήσω	that I may observe
Pr. P.	να έχω παρατηρήσει	that I may have observed

Imperative

P. S.	παρατήρησε (sing.)	observe
	παρατηρείστε (pl.)	observe

Infinitive

	να παρατηρήσει	to observe

Participle

	παρατηρώντας	observing

Passive, Present tense – I am obseerved

παρατηρούμαι	παρατηρούμαστε
παρατηρείσαι	παρατηρείστε
παρατηρείται	παρατηρούνται

Passive, Past Simple tense – I was observed

παρατηρήθηκα	παρατηρηθήκαμε
παρατηρήθηκες	παρατηρηθήκατε
παρατηρήθηκε	παρατηρήθηκαν

Also in the passive voice, the following are common:

Παρατηρείται.	It is observed, it is being observed
Παρατηρήθηκε.	It was observed.
Έχει παρατηρηθεί.	It has been observed.

παρέχω (1) – to furnish; to provide; to supply; to give; to grant; to procure
(Compound verb: παρά + έχω = παρέχω)

	Active Voice, Indicative		*Subjunctive*	
P.	**I provide**		(with να, για να, όταν, etc.)	
	παρέχω	παρέχουμε	P. να παρέχω	that I may be providing
	παρέχεις	παρέχετε	να παράσχω	that I may provide
	παρέχει	παρέχουν	να έχω παράσχει	that I may have providing

P. C *
& P. S. - I was providing*

			Imperative	
	παρείχα	παρείχαμε	πάρεχε (sing.)	be providing
	παρείχες	παρείχατε	παρέχετε (pl.)	be providing
	παρείχε	παρείχαν		

Infinitive

			να παρέχει	to provide

F. C
& F. S. - I will provide

			Participle	
	θα παρέχω	θα παρέχουμε	παρέχοντας	providing
	θα παρέχεις	θα παρέχετε		
	θα παρέχει	θα παρέχουν		

The present perfect and past perfect tenses are not common

*The classical form of the verb **έχω** which is **παρέσχον** is used to show past time.

παρέσχον	I gave, I provided
παρέσχες	you gave
παρέσχε	he, she, it gave
παρέσχομεν	we gave
παρέσχετε	you gave
παρέσχον	they gave

Also the forms:
     έχω παράσχει – I have given, provided
     είχα παράσχει – I had given, provided

Examples:

Παρέσχε αρκετή βοήθεια.	He provided much help.
Η εκκλησία μας παρέχει βοήθεια στους φτωχούς.	Our church gives help to the poor.
Για χρόνια η κυβέρνηση παρείχε δάνεια στους γεωργούς.	For years the government was giving loans to the farmers.
Μη παρέχετε βοήθεια στον εχθρό.	Do not give help to the enemy.
Έχουμε παράσχει αρκετά λεφτά για τον σκοπό αυτό.	We have offered enough money for this purpose.

194

236

παρουσιάζω (1) – to present; to produce; to show
παρουσιάζομαι (4) – to present oneself; to appear

	Active Voice, Indicative		*Passive Voice, Indicative*	
P.	**I present**		**I am presenting myself, I appear**	
	παρουσιάζω	παρουσιάζουμε	παρουσιάζομαι	παρουσιαζόμαστε
	παρουσιάζεις	παρουσιάζετε	παρουσιάζεσαι	παρουσιάζεστε
	παρουσιάζει	παρουσιάζουν	παρουσιάζεται	παρουσιάζονται
P. C.	**I was presenting**		**I was presenting myself, I was appearing**	
	παρουσίαζα	παρουσιάζαμε	παρουσιαζόμουν	παρουσιαζόμαστε
	παρουσίαζες	παρουσιάζατε	παρουσιαζόσουν	παρουσιαζόσαστε
	παρουσίαζε	παρουσίαζαν	παρουσιαζόταν	παρουσιάζονταν
P. S.	**I presented**		**I presented myself, I appeared**	
	παρουσίασα	παρουσιάσαμε	παρουσιάστηκα	παρουσιαστήκαμε
	παρουσίασες	παρουσιάσατε	παρουσιάστηκες	παρουσιαστήκατε
	παρουσίασε	παρουσίασαν	παρουσιάστηκε	παρουσιάστηκαν
F. C.	**I will be presenting**		**I will be presenting myself, be appearing**	
	θα παρουσιάζω		θα παρουσιάζομαι	
	θα παρουσιάζεις	etc.	θα παρουσιάζεσαι	etc.
F. S.	**I will present**		**I will present myself, I will appear**	
	θα παρουσιάσω	θα παρουσιάσουμε	θα παρουσιαστώ	θα παρουσιαστούμε
	θα παρουσιάσεις	θα παρουσιάσετε	θα παρουσιαστείς	θα παρουσιαστείτε
	θα παρουσιάσει	θα παρουσιάσουν	θα παρουσιαστεί	θα παρουσιαστούν
Pr. P.	**I have presented**		**I have presented myself, I have appeared**	
	έχω παρουσιάσει		έχω παρουσιαστεί	
	έχεις παρουσιάσει	etc.	έχεις παρουσιαστεί	etc.
P. P.	**I had presented**		**I had presented myself, I had appeared**	
	είχα παρουσιάσει		είχα παρουσιαστεί	
	είχα παρουσιάσει	etc.	είχες παρουσιαστεί	etc.
F. P.	**I will have presented**		**I will have presented myself, appeared**	
	θα έχω παρουσιάσει		θα έχω παρουσιαστεί	
	θα έχεις παρουσιάσει	etc.	θα έχεις παρουσιαστεί	etc.

Subjunctive (with να, για να, αν, όταν, etc.)

P.	να παρουσιάζω	that I may be presenting	να παρουσιάζομαι	that I may be presenting myself
P. S.	να παρουσιάσω	that I may present	να παρουσιαστώ	that I may present myself
Pr. P.	να έχω παρουσιάσει	that I may have presented	να έχω παρουσιαστεί	that I may have presented myself

Imperative

P.	παρουσίαζε (sing.)	be presenting	παρουσιάζου (sing.)	be presenting yourself
	παρουσιάζετε (pl.)	be presenting	παρουσιάζεστε (pl.)	be presenting yourselves
P. S.	παρουσίασε (sing.)	present	παρουσιάσου (sing.)	present yourself
	παρουσιάστε (pl.)	present	παρουσιαστείτε (pl.)	present yourselves

Infinitive

να παρουσιάσει	to present	να παρουσιαστεί	to be presented

Participle

παρουσιάζοντας	presenting	παρουσιασμέν-ος, -η, -ο	presented

(Examples on page 286)

πάσχω (1) – to suffer; to be sick; to be ill
The verb has only present and past continuous tense.

	Indicative	
P.	**I suffer**	
	πάσχω	πάσχουμε
	πάσχεις	πάσχετε
	πάσχει	πάσχουν

	Subjunctive	
	(with να, για να, όταν, etc.)	
P.	να πάσχω	that I may be suffering
		that I may suffer

	I was suffering	
P. C.	έπασχα	πάσχαμε
	έπασχες	πάσχατε
	έπασχε	έπασχαν

	Imperative		
P.	πάσχε	(sing.)	be suffering, suffer
	πάσχετε	(pl.)	be suffering, suffer

Examples:

Ο πατέρας μου πάσχει από άσθμα.	My father is suffering from asthma.
Αυτός πάσχει από την καρδιά του.	He has heart trouble.
Πάσχει για τρία χρόνια.	He is suffering for three years.

	Active Voice, Indicative		*Passive Voice, Indicative*	
P.	**I step on**		**I am stepped on, I am being stepped on**	
	πατώ	πατούμε	πατιέμαι	πατιόμαστε
	πατ-είς, -άς	πατάτε	πατιέσαι	πατιέστε
	πατ-εί, -ά	πατούν	πατιέται	πατιούνται
P. C.	**I was stepping on**		**I was being stepped on**	
	πατούσα	πατούσαμε	πατιόμουν	πατιόμαστε
	πατούσες	πατούσατε	πατιόσουν	πατιόσαστε
	πατούσε	πατούσαν	πατιόταν	πατιόνταν
P. S.	**I stepped on**		**I was stepped on**	
	πάτησα	πατήσαμε	πατήθηκα	πατηθήκαμε
	πάτησες	πατήσατε	πατήθηκες	πατηθήκατε
	πάτησε	πάτησαν	πατήθηκε	πατήθηκαν
F. C.	**I will be stepping on**		**I will be being stepped on**	
	θα πατώ		θα πατιέμαι	
	θα πατείς	etc.	θα πατιέσαι	etc.
F. S.	**I will step on**		**I will be stepped on**	
	θα πατήσω	θα πατήσουμε	θα πατηθώ	θα πατηθούμε
	θα πατήσεις	θα πατήσετε	θα πατηθείς	θα πατηθείτε
	θα πατήσει	θα πατήσουν	θα πατηθεί	θα πατηθούν
Pr. P.	**I have stepped on**		**I have been stepped on**	
	έχω πατήσει		έχω πατηθεί	
	έχεις πατήσει	etc.	έχεις πατηθεί	etc.
P. P.	**I had stepped on**		**I had been stepped on**	
	είχα πατήσει	etc.	είχα πατηθεί	etc.
	είχες πατήσει		είχες πατηθεί	
F. P	**I will have stepped on**		**I will have been stepped on**	
	θα έχω πατήσει		θα έχω πατηθεί	
	θα έχεις πατήσει	etc.	θα είχες πατηθεί	etc.

Subjunctive (with να, για να, αν, όταν, etc.)

P.	να πατώ	that I may be stepping	να πατιέμαι	that I may be being stepped on
P. S.	να πατήσω	that I may step	να πατηθώ	that I may be stepped on
Pr. P.	να έχω πατήσει	that I may have stepped	να έχω πατηθεί	that I may have been stepped on

Imperative

P. S.	πάτησε (sing.)	step on	πατήσου (sing.)	be stepped on
	πατήστε (pl.)	step on	πατηθείτε (pl.)	be stepped on

Infinitive

να πατήσει	to step	να πατηθεί	to be stepped on

Participle

πατώντας	stepping	πατημέν-ος, -η, -ο	stepped on
		(Examples on page 286)	

	Active Voice, Indicative		*Passive Voice, Indicative*	
P.	**I cease**		**I am dismissed, I am being dismissed**	
	παύω	παύουμε	παύομαι	παυόμαστε
	παύεις	παύετε	παύεσαι	παύεστε
	παύει	παύουν	παύεται	παύονται
P. C.	**I was ceasing**		**I was being dismissed**	
	έπαυα	παύαμε	παυόμουν	παυόμαστε
	έπαυες	παύατε	παυόσουν	παυόσαστε
	έπαυε	έπαυαν	παυόταν	παύονταν
P. S.	**I ceased**		**I was dismissed**	
	έπαψα	πάψαμε	παύθηκα	παυθήκαμε
	έπαψες	πάψατε	παύθηκες	παυθήκατε
	έπαψε	έπαψαν	παύθηκε	παύθηκαν
F. C.	**I will be ceasing**		**I will be being dismissed**	
	θα παύω		θα παύομαι	
	θα παύεις	etc.	θα παύεσαι	etc.
F. S.	**I will cease**		**I will be dismissed**	
	θα πάψω	θα πάψουμε	θα παυθώ	θα παυθούμε
	θα πάψεις	θα πάψετε	θα παυθείς	θα παυθείτε
	θα πάψει	θα πάψουν	θα παυθεί	θα παυθούν
Pr. P.	**I have ceased**		**I have been dismissed**	
	έχω πάψει		έχω παυθεί	
	έχεις πάψει	etc.	έχεις παυθεί	etc.
P. P.	**I had ceased**		**I had been dismissed**	
	είχα πάψει		είχα παυθεί	
	είχες πάψει	etc.	είχες παυθεί	etc.
F. P.	**I will have ceased**		**I will have been dismissed**	
	θα έχω πάψει		θα έχω παυθεί	
	θα έχεις πάψει	etc.	θα έχεις παυθεί	etc.

		Subjunctive	(with να, για να, αν, όταν, etc.)	
P.	να παύω	that I may be ceasing	να παύομαι	that I may be being dismissed
P. S.	να πάψω	that I may cease	να παυθώ	that I may be dismissed
Pr. P.	να έχω πάψει	that I may have ceased	να έχω παυθεί	that I may have been dismissed

		Imperative		
P. S.	πάψε (sing.)	cease	παύου (sing.)	be being dismissed
	πάψετε, πάψτε (pl.)	cease	παύεστε (pl.)	be being dismissed
			παύσου (sing.)	be dismissed
			παυθείτε (pl.)	be dismissed

		Infinitive		
	να παύσει	to cease	να παυθεί	to be dismissed

		Participle		
	παύοντας	ceasing	παυμέν-ος, -η, -ο	dismissed

(Examples on page 287)

	Indicative			*Subjunctive*	
P.	**I die**			(with να, για να, όταν, etc.)	
	πεθαίνω	πεθαίνουμε	**P.**	να πεθαίνω	that I may be dying
	πεθαίνεις	πεθαίνετε	**P. S.**	να πεθάνω	that I may die
	πεθαίνει	πεθαίνουν	**Pr. P.**	να έχω πεθάνει	that I may have died

P. C.	**I was dying**			**Imperative**	
	πέθαινα	πεθαίναμε	**P. S.**	πέθανε (sing.)	die
	πέθαινες	πεθαίνατε		πεθάνετε (pl.)	die
	πέθαινε	πέθαιναν			

P. S.	**I died**			**Infinitive**	
	πέθανα	πεθάναμε		να πεθάνει	to die
	πέθανες	πεθάνατε			
	πέθανε	πέθαναν			

F. C.	**I will be dying**			**Participle**	
	θα πεθαίνω	θα πεθαίνουμε		πεθαίνοντας	dying
	θα πεθαίνεις	θα πεθαίνετε			
	θα πεθαίνει	θα πεθαίνουν			

F. S.	**I will die**			**Passive Participle**	
	θα πεθάνω	θα πεθάνουμε		πεθαμέν-ος, -η, -ο	dead
	θα πεθάνεις	θα πεθάνετε			
	θα πεθάνει	θα πεθάνουν			

Pr. P.	**I have died**		
	έχω πεθάνει		
	έχεις πεθάνει	etc.	

P. P.	**I had died**		
	είχα πεθάνει		
	είχες πεθάνει	etc.	

F. P.	**I will have died**		
	θα έχω πεθάνει		
	θα έχεις πεθάνει	etc.	

Examples:

Πολλά παιδιά στον κόσμο πεθαίνουν από πείνα.

Many children in the world die of hunger.

Ο παππούς μου πέθανε πριν από τρία χρόνια.

My grandfather died three years ago.

Θα είχαν πεθάνει από το κρύο, αν δεν έφτανε βοήθεια.

They would have died of cold if help had not arrived.

Πεθαίνοντας φώναξε: «Ζήτω η Ελευθερία».

While dying he shouted: "Long live Liberty".

Κάνει τον πεθαμένο.

He pretends he is dead.

	Indicative		*Subjunctive*	
P.	**I am hungry**		(with να, για να, όταν, etc.)	
	πεινώ	πεινούμε	P. να πεινώ	that I may be being hungry
	πεινάς	πεινάτε	P. S. να πεινάσω	that I may be hungry
	πεινά	πεινούν	Pr. P.. να έχω πεινάσει	that I may have been hungry

P. C.	**I was being hungry**		**Imperative**	
	πεινούσα	πεινούσαμε	P. πείνα (sing.)	be being hungry
	πεινούσες	πεινούσατε		πεινάτε (pl.)	be being hungry
	πεινούσε	πεινούσαν	P. S. πείνασε (sing.)	be hungry
				πεινάστε (pl.)	be hungry

P. S.	**I was hungry**		**Infinitive**	
	πείνασα	πεινάσαμε		να πεινάσει	to be hungry
	πείνασες	πεινάσατε			
	πείνασε	πείνασαν			

F. C.	**I will be hungry**		**Participle**	
	θα πεινώ	θα πεινούμε		πεινώντας	being hungry
	θα πεινάς	θα πεινάτε			
	θα πεινά	θα πεινούν			

F. S.	**I will be hungry**		**Passive participle**	
	θα πεινάσω	θα πεινάσουμε		πεινασμέν-ος, -η, -ο	hungry
	θα πεινάσεις	θα πεινάσετε			
	θα πεινάσει	θα πεινάσουν			

Pr. P. **I have been hungry**
έχω πεινάσει
έχεις πεινάσει   etc.

P. P. **I had been hungry**
είχα πεινάσει
είχες πεινάσει   etc.

F. P. **I will have been hungry**
θα έχω πεινάσει
θα έχεις πεινάσει   etc.

Examples:

Πεινούμε πολύ.	We are very hungry.
Το παιδί πείνασε.	The child got hungry. (The child is hungry).
Δεν έχω πεινάσει ακόμα.	I am not hungry yet.
Πεινάτε;	Are you hungry?
Όσοι πεινούν τρώνε.	Those who are hungry eat.
Ήταν πολύ πεινασμένος.	He was very hungry.

	Active Voice, Indicative		*Passive Voice, Indicative*	
P.	**I bother**		**I am bothered, I am being bothered**	
	πειράζω	πειράζουμε	πειράζομαι	πειραζόμαστε
	πειράζεις	πειράζετε	πειράζεσαι	πειράζεστε
	πειράζει	πειράζουν	πειράζεται	πειράζονται
P. C.	**I was bothering**		**I was being bothered**	
	πείραζα	πειράζαμε	πειραζόμουν	πειραζόμαστε
	πείραζες	πειράζατε	πειραζόσουν	πειραζόσαστε
	πείραζε	πείραζαν	πειραζόταν	πειράζονταν
P. S.	**I bothered**		**I was bothered**	
	πείραξα	πειράξαμε	πειράχτηκα	πειραχτήκαμε
	πείραξες	πειράξατε	πειράχτηκες	πειραχτήκατε
	πείραξε	πείραξαν	πειράχτηκε	πειράχτηκαν
F. C.	**I will be bothering**		**I will be bothered**	
	θα πειράζω		θα πειράζομαι	
	θα πειράζεις	etc.	θα πειράζεσαι	etc.
F. S.	**I will bother**		**I will be bothered**	
	θα πειράξω	θα πειράξουμε	θα πειραχτώ	θα πειραχτούμε
	θα πειράξεις	θα πειράξετε	θα πειραχτείς	θα πειραχτείτε
	θα πειράξει	θα πειράξουν	θα πειραχτεί	θα πειραχτούν
Pr. P.	**I have bothered**		**I have been bothered**	
	έχω πειράξει		έχω πειραχτεί	
	έχεις πειράξει	etc.	έχεις πειραχτεί	etc.
P. P.	**I had bothered**		**I had been bothered**	
	είχα πειράξει		είχα πειραχτεί	
	είχες πειράξει	etc.	είχες πειραχτεί	etc.
F. P.	**I will have bothered**		**I will have been bothered**	
	θα έχω πειράξει		θα έχω πειραχτεί	
	θα έχεις πειράξει	etc.	θα έχεις πειραχτεί	etc.

Subjunctive (with να, για να, αν, όταν, etc.)

P.	να πειράζω	that I may be bothering	να πειράζομαι - that I may be being bothered	
P. S.	να πειράξω	that I may bother	να πειραχτώ	that I may be bothered
Pr. P.	να έχω πειράξει	that I may have bothered	να έχω πειραχτεί	that I may have been bothered

Imperative

P.	πείραζε (sing.)	be bothering	πειράζου (sing.)	be being bothered
	πειράζετε (pl.)	be bothering	πειράζεστε	be being bothered
P. S.	πείραξε (sing.)	bother	πειράξου (sing.)	be bothered
	πειράξετε (pl.)	bother	πειραχτείτε (pl.)	be bothered

Infinitive

να πειράξει	to bother	να πειραχτεί	to be bothered

Participle

πειράζοντας	bothering	πειραγμέν-ος, -η, -ο	bothered

(Examples on page 287)

	Active Voice, Indicative		*Passive Voice, Indicative*	
P.	**I describe**		**I am described, I am being described**	
	περιγράφω	περιγράφουμε	περιγράφομαι	περιγραφόμαστε
	περιγράφεις	περιγράφετε	περιγράφεσαι	περιγράφεστε
	περιγράφει	περιγράφουν	περιγράφεται	περιγράφονται
P. C.	**I was describing**		**I was being described**	
	περιέγραφα	περιγράφαμε	περιγραφόμουν	περιγραφόμαστε
	περιέγραφες	περιγράφατε	περιγραφόσουν	περιγραφόσαστε
	περιέγραφε	περιέγραφαν	περιγραφόταν	περιγράφονταν
P. S.	**I described**		**I was described**	
	περιέγραψα	περιγράψαμε	περιγράφ(τ)ηκα	περιγραφ(τ)ήκαμε
	περιέγραψες	περιγράψατε	περιγράφ(τ)ηκες	περιγραφ(τ)ήκατε
	περιέγραψε	περιέγραψαν	περιγράφ(τ)ηκε	περιγράφ(τ)ηκαν
F. C.	**I will be describing**		**I will be described**	
	θα περιγράφω		θα περιγράφομαι	
	θα περιγράφεις	etc.	θα περιγράφεσαι	etc.
F. S.	**I will describe**		**I will be described**	
	θα περιγράψω	θα περιγράψουμε	θα περιγραφ(τ)ώ	θα περιγραφ(τ)ούμε
	θα περιγράψεις	θα περιγράψετε	θα περιγραφ(τ)είς	θα περιγραφ(τ)είτε
	θα περιγράψει	θα περιγράψουν	θα περιγραφ(τ)εί	θα περιγραφ(τ)ούν
Pr. P.	**I have described**		**I have been described**	
	έχω περιγράψει		έχω περιγραφ(τ)εί	
	έχεις περιγράψει	etc.	έχεις περιγραφ(τ)εί	etc.
P. P.	**I had described**		**I had been described**	
	είχα περιγράψει		είχα περιγραφ(τ)εί	
	είχες περιγράψει	etc.	είχες περιγραφεί	etc.
F. P.	**I will have described**		**I will have been described**	
	θα έχω περιγράψει		θα έχω περιγραφ(τ)εί	
	θα έχεις περιγράψει	etc.	θα έχεις περιγραφ(τ)εί	etc.

Subjunctive (with να, για να, αν, όταν, etc.)

P.	να περιγράφω	that I may be describing	να περιγράφομαι	that I may be being described
P. S	να περιγράψω	that I may describe	να περιγραφ(τ)ώ	that I may be described
Pr. P.	να έχω περιγράψει	that I may have described	να έχω περιγραφ(τ)εί	that I may have been described

Imperative

P.	περίγραφε (sing.)	be describing	περιγράφου (sing.)	being described
	περιγράφετε (pl.)	be describing	περιγράφεστε (pl.)	be being described
P. S.	περίγραψε (sing.)	describe	περιγράψου (sing.)	be described
	περιγράψετε (pl.)	describe	περιγραφτείτε (pl.)	be described

Infinitive

να περιγράψει	to describe	να περιγραφ(τ)εί	to be described

Participle

περιγράφοντας	describing	περιγεγραμμέν-ος, -η, -ο	described

(Examples on page 287)

Active Voice, Indicative		*Passive Voice, Indicative*	
P. **I contain**		**I am contained, I am being contained**	
περιέχω	περιέχουμε	περιέχομαι	περιεχόμαστε
περιέχεις	περιέχετε	περιέχεσαι	περιέχεστε
περιέχει	περιέχουν	περιέχεται	περιέχονται

P. C. & P. S.

I was containing, I contained		**I was contained**	
περιείχα	περιείχαμε	περιεχόμουν	περιεχόμαστε
περιείχες	περιείχατε	περιεχόσουν	περιεχόσαστε
περιείχε	περιείχαν	περιεχόταν	περιέχονταν

F. C. & F. S.

I will be containing, I will contain		**I will be contained**	
θα περιέχω	θα περιέχουμε	θα περιέχομαι	θα περιεχόμαστε
θα περιέχεις	θα περιέχετε	θα περιέχεσαι	θα περιέχεστε
θα περιέχει	θα περιέχουν	θα περιέχεται	θα περιέχονται

The verb has no Perfect tenses.

Subjunctive

να περιέχω   that I may contain

Infinitive

να περιέχει

to contain

Participle

περιέχοντας

containing

Examples:

Το δοχείο περιέχει νερό.	The pot contains water.
Το βιβλίο περιείχε πολλά κεφάλαια.	The book contained many chapters.
Τα δέματα που πήραμε περιείχαν βιβλία.	The packages we received contained books.
Όλη η γραμματική περιέχεται σ' αυτό το βιβλίο.	The entire grammar is contained in this book.
Στο ποσό περιέχεται και ο φόρος.	The tax is included in this amount.

	Indicative	
P.	**I wait, I am waiting**	
	περιμένω	περιμένουμε
	περιμένεις	περιμένετε
	περιμένει	περιμένουν

P. C. & P. S. - I was waiting

περίμενα	περιμέναμε
περίμενες	περιμένατε
περίμενε	περίμεναν

F. C. & F. S. - I will be waiting

θα περιμένω	θα περιμένουμε
θα περιμένεις	θα περιμένετε
θα περιμένει	θα περιμένουν

Subjunctive
(with να, για να, όταν, etc.)
P. & P. S. να περιμένω that I may be waiting,
that I may wait

Imperative

P. S.   περίμενε (sing.)   wait
περιμένετε (pl.)   wait

Infinitive

να περιμένει   to wait

Participle

περιμένοντας   waiting

The Past Tenses are used in place of the perfect tenses.

Examples:

Περιμένουμε το λεωφορείο.	We are waiting for the bus.
Περίμενέ με εδώ.	Wait for me here.
Περιμέναμε ένα γράμμα από τον φίλο μας.	We were expecting a letter from our friend.
Θα περιμένουμε δυο ώρες για το αεροπλάνο.	We will be waiting for two hours for the airplane.
Αυτό δεν το περίμενα.	This I did not expect.
Περιμένω καλύτερο μισθό.	I expect a better (higher) salary.

	Active Voice, Indicative		*Passive Voice, Indicative*	
P.	**I limit**		**I am confined, restrained**	
	περιορίζω	περιορίζουμε	περιορίζομαι	περιοριζόμαστε
	περιορίζεις	περιορίζετε	περιορίζεσαι	περιορίζεστε
	περιορίζει	περιορίζουν	περιορίζεται	περιορίζονται
P. C.	**I was limiting**		**I was being restrained, confined**	
	περιόριζα	περιορίζαμε	περιοριζόμουν	περιοριζόμαστε
	περιόριζες	περιορίζατε	περιοριζόσουν	περιοριζόσαστε
	περιόριζε	περιόριζαν	περιοριζόταν	περιορίζονταν
P. S.	**I limited**		**I was limited**	
	περιόρισα	περιορίσαμε	περιορίστηκα	περιοριστήκαμε
	περιόρισες	περιορίσατε	περιορίστηκες	περιοριστήκατε
	περιόρισε	περιόρισαν	περιορίστηκε	περιορίστηκαν
F. C.	**I will be limiting**		**I will be restrained, confined**	
	θα περιορίζω		θα περιορίζομαι	
	θα περιορίζεις	etc.	θα περιορίζεσαι	etc.
F. S.	**I will limit**		**I will be restrained, confined**	
	θα περιορίσω	θα περιορίσουμε	θα περιοριστώ	θα περιοριστούμε
	θα περιορίσεις	θα περιορίσετε	θα περιοριστείς	θα περιοριστείτε
	θα περιορίσει	θα περιορίσουν	θα περιοριστεί	θα περιοριστούν
Pr. P.	**I have limited**		**I have been restrained, confined**	
	έχω περιορίσει		έχω περιοριστεί	
	έχεις περιορίσει	etc.	έχεις περιοριστεί	etc.
P. P.	**I had limited**		**I had been restrained, confined**	
	είχα περιορίσει		είχα περιοριστεί	
	είχες περιορίσει	etc.	είχες περιοριστεί	etc.
F. P.	**I will have limited, confined**		**I will have been limited, confined**	
	θα έχω περιορίσει		θα έχω περιοριστεί	
	θα έχεις περιορίσει	etc.	θα έχεις περιοριστεί	etc.

Subjunctive (with να, για να, αν, όταν, etc.)

P.	να περιορίζω	that I may be limiting	να περιορίζομαι	that I may be being limited
P. S.	να περιορίσω	that I may limit	να περιοριστώ	that I may be limited
Pr. P.	να έχω περιορίσει	that I may have limited	να έχω περιοριστεί	that I may have been limited

Imperative

P.	περιόριζε (sing.)	be limiting	περιορίζου (sing.)	be being limited
	περιορίζετε (pl.)	be limiting	περιορίζεστε (pl.)	be being limited
P. S.	περιόρισε (sing.)	limit	περιορίσου (sing.)	be restrained, limited
	περιορίστε (pl.)	limit	περιοριστείτε (pl.)	be restrained, limited

Infinitive

να περιορίσει	to limit	να περιοριστεί	to be limited

Participle

περιορίζοντας	limiting	περιορισμέν-ος, -η, -ο	limited

(Examples on page 287)

	Indicative		*Subjunctive*	

P.   I look after

περιποιούμαι   περιποιούμαστε
περιποιείσαι   περιποιείστε
περιποιείται   περιποιούνται

Subjunctive
(with να, όταν, για να, etc.)
P. να περιποιούμαι   that I may be taking care
P. S.   να περιποιηθώ   that I may take care
Pr. P.   να έχω περιποιηθεί   that I may have
                                                taken care

P. C.   I was looking after

περιποιούμουν   περιποιούμαστε
περιποιούσουν   περιποιούσαστε
περιποιούνταν   περιποιούνταν

Imperative
          περιποιήσου (sing.)   take care
          περιποιηθείτε (pl.)   take care

P. S.   I looked after

περιποιήθηκα   περιποιηθήκαμε
περιποιήθηκες   περιποιηθήκατε
περιποιήθηκε   περιποιήθηκαν

Infinitive
          να περιποιηθεί   to take care

F. C.   I will be looking after

θα περιποιούμαι   θα περιποιούμαστε
θα περιποιείσαι   θα περιποιείστε
θα περιποιείται   θα περιποιούνται

Participle
          περιποιημέν-ος, -η, -ο
          someone with an immaculate
          appearance or
          someone who has been served well

F. S.   I will look after

θα περιποιηθώ   θα περιποιηθούμε
θα περιποιηθείς   θα περιποιηθείτε
θα περιποιηθεί   θα περιποιηθούν

Pr. P.   I have looked after

έχω περιποιηθεί   έχουμε περιποιηθεί
έχεις περιποιηθεί   έχετε περιποιηθεί
έχει περιποιηθεί   έχουν περιποιηθεί

P. P.   I had looked after

είχα περιποιηθεί
είχες περιποιηθεί   etc.

F. P.   I will have looked after

θα έχω περιποιηθεί
θα έχεις περιποιηθεί   etc.

Examples:

Τον περιποιηθήκαμε για πολύ
καιρό.   We took care of him for a long time.

Στο νοσοκομείο δεν τον περιποιήθηκαν
πολύ.   In the hospital they did not take good
                                               care of him.

Το γκαρσόνι περιποιείται τους
πελάτες του.   The waiter waits on his customers (with
                                               good care).

	Indicative			*Subjunctive*		
P.	**I pass**			(with να, για να, όταν, etc.)		
	περν-ώ, - άω	περνούμε		**P.**	να περνώ	that I may be passing
	περνάς	περνάτε		**P. S.**	να περάσω	that I may pass
	περν-ά, -άει	περνούν		**Pr. P.**	να έχω περάσει	that I may have passed

P. C.	**I was passing**		**Imperative**		
	περνούσα	περνούσαμε		πέρασε (sing.)	pass
	περνούσες	περνούσατε		περάστε (pl.)	pass
	περνούσε	περνούσαν			

P. S.	**I passed**		**Infinitive**		
	πέρασα	περάσαμε		να περάσει	to pass
	πέρασες	περάσατε			
	πέρασε	πέρασαν		**Participle**	
				περνώντας	passing

F. C.	**I will be passing**		**Passive, Present tense, Indicative – I am passed**		
	θα περνώ	θα περνούμε		περνιέμαι	περνιόμαστε
	θα περνάς	θα περνάτε		περνιέσαι	περνιέστε
	θα περνά	θα περνούν		περνιέται	περνιούνται

F. S.	**I will pass**		**Passive, Past Simple Tense – I was passed**		
	θα περάσω	θα περάσουμε		περάστηκα	περαστήκαμε
	θα περάσεις	θα περάσετε		περάστηκες	περαστήκατε
	θα περάσει	θα περάσουν		περάστηκε	περάστηκαν

Pr. P.	**I have passed**		**Passive participle**		
	έχω περάσει	έχουμε περάσει		περασμέν-ος, -η, -ο	passed
	έχεις περάσει	έχετε περάσει			
	έχει περάσει	έχουν περάσει			

P. P.	**I had passed**	
	είχα περάσει	
	είχες περάσει	etc.

F. P.	**I will have passed**	
	θα έχω περάσει	
	θα έχεις περάσει	etc.

Examples:

Περνώ το γεφύρι.	I cross the bridge.
Τον πέρασε στο τρέξιμο.	He beat him in the running.
Με περνά δυο χρόνια.	He is two years older than I am.
Τον πέρασε στον κατάλογο.	He entered his name in the record.
Περνώ τις ώρες μου διαβάζοντας.	I pass my time reading.
Πέρασα ωραία στην Ελλάδα το καλοκαίρι.	This summer I had a good time in Greece.
Πώς περνάτε;	How are you? How do you do?
Πέρασε μέσα.	Come in.
Πέρασε το παιδί από το ποτάμι.	He helped the child cross the river.
Το παιδί πέρασε από το ποτάμι.	The child crossed the river.
Πέρασε τα έξοδα στον λογαριασμό μου.	Charge the expenses to my account.
Περάσαμε τη διαφήμιση στις εφημερίδες.	We published the advertisement in the newspapers.
	(More examples on page 287)

περπατώ (1) – to walk; to stroll

Indicative

P. I walk

περπατ-ώ, -άω   περπατ-ούμε, -άμε
περπατάς   περπατάτε
περπατ-ά, -άει   περπατούν

P. C. I was walking

περπατούσα   περπατούσαμε
περπατούσες   περπατούσατε
περπατούσε   περπατούσαν

P. S. I walked

περπάτησα   περπατήσαμε
περπάτησες   περπατήσατε
περπάτησε   περπάτησαν

F. C. I will be walking

θα περπατώ   θα περπατούμε
θα περπατάς   θα περπατάτε
θα περπατά   θα περπατούν

F. S. I will walk

θα περπατήσω   θα περπατήσουμε
θα περπατήσεις   θα περπατήσετε
θα περπατήσει   θα περπατήσουν

Pr. P. I have walked

έχω περπατήσει   έχουμε περπατήσει
έχεις περπατήσει   έχετε περπατήσει
έχει περπατήσει   έχουν περπατήσει

P. P. I had walked

είχα περπατήσει
είχες περπατήσει   etc.

F. P. I will have walked

θα έχω περπατήσει
θα έχεις περπατήσει   etc.

Subjunctive
(with να, για να, όταν, etc.)

P.   να περπατώ   that I may be walking
P. S.   να περπατήσω   that I may walk
Pr. P. να έχω περπατήσει   that I may have
                              walked

Imperative

P.   περπάτα (sing.)   be walking
        περπατάτε (pl.)   be walking
P. S.   περπάτησε (sing.)   walk
        περπατήστε (pl.)   walk

Infinitive

        να περπατήσει   to walk

Participle

        περπατώντας   walking

**Passive, Present tense, Indicative
I am walked**

περπατιέμαι   περπατιόμαστε
περπατιέσαι   περπατιέστε
περπατιέται   περπατιούνται

Passive, Past tense – I was walked

περπατήθηκα   περπατηθήκαμε
περπατήθηκες   περπατηθήκατε
περπατήθηκε   περπατήθηκαν

Passive Participle

        περπατημέν-ος, -η, -ο   walked

Examples:

Περπατώ γρήγορα.   I walk fast.
Κάθε μέρα περπατούμε τρία μίλια.   Every day we walk three miles.
Ήρθε περπατώντας.   He came walking.
Θέλεις να περπατήσουμε λίγο;   Do you like to take a short walk?
Χτες δεν περπατήσαμε, γιατί έβρεχε.   We did not walk yesterday, because it was
                                         raining.

Περπάτα πιο γρήγορα.   Walk faster.

	Indicative		*Subjunctive*		
P.	**I succeed**		(with να, για να, όταν, etc.)		
	πετυχαίνω	πετυχαίνουμε	P.	να πετυχαίνω	that I may be succeeding
	πετυχαίνεις	πετυχαίνετε	P. S.	να πετύχω	that I may succeed
	πετυχαίνει	πετυχαίνουν	P. P.	να έχω πετύχει	that I may have succeeded

P. C.	**I was succeeding**		**Imperative**		
	πετύχαινα	πετυχαίναμε	P.	πετύχαινε (sing.)	be succeeding
	πετύχαινες	πετυχαίνατε		πετυχαίνετε (pl.)	be succeeding
	πετύχαινε	πετύχαιναν	P. S.	πέτυχε (sing.)	succeed
				πετύχετε (pl.)	succeed

P. S.	**I succeeded**		**Infinitive**		
	πέτυχα	πετύχαμε		να πετύχει	to succeed
	πέτυχες	πετύχατε			
	πέτυχε	πέτυχαν			

F. C.	**I will be succeeding**		**Participle**		
	θα πετυχαίνω	θα πετυχαίνουμε		πετυχαίνοντας	succeeding
	θα πετυχαίνεις	θα πετυχαίνετε			
	θα πετυχαίνει	θα πετυχαίνουν			

F. S.	**I will succeed**		**Passive Participle**		
	θα πετύχω	θα πετύχουμε		πετυχημέν-ος, -η, -ο	successful
	θα πετύχεις	θα πετύχετε			
	θα πετύχει	θα πετύχουν			

Pr. P.	**I have succeeded**	
	έχω πετύχει	
	έχεις πετύχει	etc.

P. P.	**I had succeeded**	
	είχα πετύχει	
	είχες πετύχει	etc.

F. P.	**I will have succeeded**	
	θα έχω πετύχει	
	θα έχεις πετύχει	etc.

Examples:

Πέτυχα στις εξετάσεις.	I was successful in my exams. (I passed).
Έχουμε πετύχει τον σκοπό μας.	We have achieved our purpose.
Οι αγώνες ήταν πετυχημένοι.	The games were successful.
Πέτυχε σαν δικηγόρος.	He was successful as a lawyer.
Πετύχαμε αυτό που θέλαμε.	We achieved what we wanted.
Ένας πετυχημένος άνθρωπος.	A successful man.
Μια επιτυχημένη επιχείρηση.	A successful business.

Active Voice, Indicative		*Passive Voice, Indicative*	
P. **I fly, I throw away**		**I am thrown away, I am being thrown away**	
πετ-ώ, - άω	πετούμε	πετιέμαι	πετιόμαστε
πετάς	πετάτε	πετιέσαι	πετιέστε
πετ-ά, - άει	πετούν	πετιέται	πετιούνται
P. C. **I was flying, I was throwing away**		**I was being thrown away**	
πετούσα	πετούσαμε	πετιόμουν	πετιόμαστε
πετούσες	πετούσατε	πετιόσουν	πετιόσαστε
πετούσε	πετούσαν	πετιόταν	πετιόνταν
P. S. **I flew, I threw away**		**I was thrown away**	
πέταξα	πετάξαμε	πετάχτηκα	πεταχτήκαμε
πέταξες	πετάξατε	πετάχτηκες	πεταχτήκατε
πέταξε	πέταξαν	πετάχτηκε	πετάχτηκαν
F. C. **I will be flying, throwing away**		**I will be being thrown away**	
θα πετώ	θα πετούμε	θα πετιέμαι	θα πετιόμαστε
θα πετάς	θα πετάτε	θα πετιέσαι	θα πετιέστε
θα πετά	θα πετούν	θα πετιέται	θα πετιούνται
F. S. **I will fly, throw away**		**I will be thrown away**	
θα πετάξω	θα πετάξουμε	θα πεταχτώ	θα πεταχτούμε
θα πετάξεις	θα πετάξετε	θα πεταχτείς	θα πεταχτείτε
θα πετάξει	θα πετάξουν	θα πεταχτεί	θα πεταχτούν
Pr. P. **I have flown, thrown away**		**I have been thrown away**	
έχω πετάξει		έχω πεταχτεί	
έχεις πετάξει	etc.	έχεις πεταχτεί	etc.
P. P. **I had flown, thrown away**		**I had been thrown away**	
είχα πετάξει		είχα πεταχτεί	
είχες πετάξει	etc.	είχες πεταχτεί	etc.
F. P. **I will have flown, thrown away**		**I will have been thrown away**	
θα έχω πετάξει		θα έχω πεταχτεί	
θα έχεις πετάξει	etc.	θα έχεις πεταχτεί	etc.

		Subjunctive	(with να, για να, αν, όταν, etc.)
P.	να πετώ	that I may be flying	να πετιέμαι - that I may be being thrown away
P. S.	να πετάξω	that I may fly	να πεταχτώ that I may be thrown away
Pr. P.	να έχω πετάξει	that I may have flown	να έχω πεταχτεί that I may have been thrown away

		Imperative	
P.	πέτα (sing.)	be flying	-
	πετάτε (pl.)	be flying	-
P. S.	πέταξε (sing.)	fly	πετάξου (sing.) be thrown away
	πετάξετε - πετάξτε (pl.) fly		πεταχτείτε (pl.) be thrown away

		Infinitive	
	να πετάξει	to fly	να πεταχτεί to be thrown away

		Participle	
	πετώντας	flying	πετα(γ)μέν-ος, -η, -ο thrown away

(Examples on page 288)

	Present, Indicative			*Subjunctive*	
P.	**I fall**			(with να, για να, όταν, etc.)	
	πέφτω	πέφτουμε	**P.**	να πέφτω	that I may be falling
	πέφτεις	πέφτετε	**P. S.**	να πέσω	that I may fall
	πέφτει	πέφτουν	**Pr. P.**	να έχω πέσει	that I may have fallen

P. C. **I was falling**

έπεφτα	πέφταμε	
έπεφτες	πέφτατε	
έπεφτε	έπεφταν	

Imperative

P.	πέφτε (sing.)	be falling
	πέφτετε (pl.)	be falling
P. S.	πέσε (sing.)	fall
	πέσετε (pl.)	fall

P. S. **I fell**

έπεσα	πέσαμε
έπεσες	πέσατε
έπεσε	έπεσαν

Infinitive

να πέσει	to fall

F. C. **I will be falling**

θα πέφτω	θα πέφτουμε
θα πέφτεις	θα πέφτετε
θα πέφτει	θα πέφτουν

Participle

πέφτοντας	falling

F. S. **I will fall**

θα πέσω	θα πέσουμε
θα πέσεις	θα πέσετε
θα πέσει	θα πέσουν

Passive Participle

πεσμέν-ος, -η, -ο	fallen

Pr. P. **I have fallen**

έχω πέσει	έχουμε πέσει
έχεις πέσει	έχετε πέσει
έχει πέσει	έχουν πέσει

P. P. **I had fallen**

είχα πέσει
είχες πέσει   etc.

F. P. **I will have fallen**

θα έχω πέσει
θα έχεις πέσει   etc.

Examples:

Πέφτει χιόνι.	Snow is falling.
Έπεσε το ποτήρι από το χέρι του.	The glass fell off his hand.
Πέφτουν τα μαλλιά του.	He is losing his hair.
Τα δέντρα έπεσαν από τον αέρα.	The trees fell because of the wind.
Ήταν κουρασμένος και έπεσε κάτω.	He was tired and he fell down.
Πέφτουν κορμιά.	Men are being killed.
Πέφτουν κεφάλια.	Heads are rolling.
Το μεσημέρι πέφτω για μια ώρα.	I take a nap for one hour at noon.
Έπεσε με τα μούτρα στη δουλειά.	He worked with great determination.
Πέφτω.	I go to bed. I am falling. I fall.
Πέφτω κάτω.	I fall down.
	(More examples on page 288)

Present tense, Indicative		*Subjunctive*	

P. **I go**

πηγαίνω	πηγαίνουμε
πηγαίνεις	πηγαίνετε
πηγαίνει	πηγαίνουν

also:

πάω – I go	πάμε – we go
πας – you go	πάτε – you go
πάει- he goes	πάνε – they go

Subjunctive

(with να, για να, όταν, etc.)

P.	να πηγαίνω	that I may be going
P. S.	να πάω	that I may go
Pr. P.	να έχω πάει	that I may have gone

P. C. **I was going**

πήγαινα	πηγαίναμε
πήγαινες	πηγαίνατε
πήγαινε	πήγαιναν

Imperative

P.	πήγαινε (sing.)	be going, go
	πηγαίνετε (pl.)	be going, go

P. S. **I went**

πήγα	πήγαμε
πήγες	πήγατε
πήγε	πήγαν

Infinitive

να πηγαίνει, να πάει	to go

F. C. **I will be going**

θα πηγαίνω	θα πηγαίνουμε
θα πηγαίνεις	θα πηγαίνετε
θα πηγαίνει	θα πηγαίνουν

Participle

πηγαίνοντας	going

F. S. **I will go**

θα πάω	θα πάμε
θα πας	θα πάτε
θα πάει	θα πάνε

Pr. P. **I have gone**

έχω πάει	έχουμε πάει
έχεις πάει	έχετε πάει
έχει πάει	έχουν πάει

P. P. **I had gone**

είχα πάει	
είχες πάει	etc.

F. P. **I will have gone**

θα έχω πάει	
θα έχεις πάει	etc.

Examples:

Πηγαίνω στο θέατρο μια φορά την εβδομάδα.	I go to the theater once a week.
Καιρός να πηγαίνουμε.	It is time for us to go.
Πήγαινε σιγά-σιγά.	Go slowly. (Drive slowly).
Πάει στο καλό.	Good riddance.
Τον πήγα στον γιατρό.	I took him to the doctor.
Πήγαινε το γράμμα στο ταχυδρομείο.	Take the letter to the post office. (or)
	He was taking the letter to the post office.
Πάνε παντού.	They go everywhere.
Τον πήγανε μέσα.	They put him in jail.
Τον πήγαν στην αστυνομία.	They reported him to the police.
Πηγαίνω με κάποιον.	I go with someone. (I have a companion.)
Πες μου με ποιον πας να σου πω	Tell me with whom you go and I will tell
ποιος είσαι.	what (who) you are.
	(More examples on page 289)

P.   **Present tense, Indicative**
         I go and come

πηγαινοέρχομαι	πηγαινοερχόμαστε
πηγαινοέρχεσαι	πηγαινοέρχεστε
πηγαινοέρχεται	πηγαινοέρχονται

P. C.   **I was going and coming**

πηγαινοερχόμουν	πηγαινοερχόμαστε
πηγαινοερχόσουν	πηγαινοερχόσαστε
πηγαινοερχόταν	πηγαινοέρχονταν

*   *The verb has only present and past continuous tenses.*

	Indicative	
P.	**I jump**	
	πηδώ	πηδούμε
	πηδάς	πηδάτε
	πηδά	πηδούν

P. C.	**I was jumping**	
	πηδούσα	πηδούσαμε
	πηδούσες	πηδούσατε
	πηδούσε	πηδούσαν

P. S.	**I jumped**	
	πήδηξα	πηδήξαμε
	πήδηξες	πηδήξατε
	πήδηξε	πήδηξαν

F. C.	**I will be jumping**	
	θα πηδώ	θα πηδούμε
	θα πηδάς	θα πηδάτε
	θα πηδά	θα πηδούν

F. S.	**I will jump**	
	θα πηδήξω	θα πηδήξουμε
	θα πηδήξεις	θα πηδήξετε
	θα πηδήξει	θα πηδήξουν
	έχεις πηδήξει	έχετε πηδήξει
	έχει πηδήξει	έχουν πηδήξει

P. P.	**I had jumped**	
	είχα πηδήξει	
	είχες πηδήξει	etc.

F. P.	**I will have jumped**	
	θα έχω πηδήξει	
	θα έχεις πηδήξει	etc.

Subjunctive
(with να, για να, όταν, etc.)

P.	να πηδώ	that I may be jumping
P. S.	να πηδήξω	that I may jump
Pr. P.	να έχω πηδήξει	that I may have jumped

Imperative

P.	πήδα (sing.)	be jumping
	πηδάτε (pl.)	be jumping
P. S.	πήδηξε (sing.)	jump
	πηδήξτε (pl.)	jump

Infinitive

	να πηδήξει	to jump

Participle

	έχω πηδήξει	έχουμε πηδήξει

Passive, Present tense, Indicative – I am jumped

πηδιέμαι	πηδιόμαστε
πηδιέσαι	πηδιέστε
πηδιέται	πηδιούνται

Passive, Past simple tense, I was jumped

πηδήθηκα - πηδήχτηκα	πηδηθήκαμε - πηδηχτήκαμε
πηδήθηκες - πηδήχτηκες	πηδηθήκατε - πηδηχτήκατε
πηδήθηκε - πηδήχτηκε	πηδήθηκαν – πηδήχτηκαν

Examples:

Πηδώ από χαρά.	I jump with joy.
Ο ομιλητής πηδούσε από το ένα μέρος στο άλλο.	The speaker was leaping from one subject to another.
Πήδηξε τρεις σελίδες.	He skipped three pages.
Πηδήξαμε στην άκρη του δρόμου, γιατί το αυτοκίνητο ερχόταν κατά πάνω μας.	We leapt to the side of the street because the car was coming straight at us.
Τα παιδιά πηδούν σαν λαγουδάκια.	The children hop like rabbits.

	Active Voice, Indicative		*Passive Voice, Indicative*	
P.	**I take**		**I am caught, I am being caught**	
	πιάνω	πιάνουμε	πιάνομαι	πιανόμαστε
	πιάνεις	πιάνετε	πιάνεσαι	πιάνεστε
	πιάνει	πιάνουν	πιάνεται	πιάνονται
P. C.	**I was taking**		**I was being caught**	
	έπιανα	πιάναμε	πιανόμουν	πιανόμαστε
	έπιανες	πιάνατε	πιανόσουν	πιανόσαστε
	έπιανε	έπιαναν	πιανόταν	πιάνονταν
P. S.	**I took**		**I was caught**	
	έπιασα	πιάσαμε	πιάστηκα	πιαστήκαμε
	έπιασες	πιάσατε	πιάστηκες	πιαστήκατε
	έπιασε	έπιασαν	πιάστηκε	πιάστηκαν
F. C.	**I will be taking**		**I will be being caught**	
	θα πιάνω	θα πιάνουμε	θα πιάνομαι	θα πιανόμαστε
	θα πιάνεις	θα πιάνετε	θα πιάνεσαι	θα πιάνεστε
	θα πιάνει	θα πιάνουν	θα πιάνεται	θα πιάνονται
F. S.	**I will take**		**I will be caught**	
	θα πιάσω	θα πιάσουμε	θα πιαστώ	θα πιαστούμε
	θα πιάσεις	θα πιάσετε	θα πιαστείς	θα πιαστείτε
	θα πιάσει	θα πιάσουν	θα πιαστεί	θα πιαστούν
Pr. P.	**I have taken**		**I have been caught**	
	έχω πιάσει		έχω πιαστεί	
	έχεις πιάσει	etc.	έχεις πιαστεί	etc.
P. P.	**I had taken**		**I had been caught**	
	είχα πιάσει		είχα πιαστεί	
	είχες πιάσει	etc.	είχες πιαστεί	etc.
F. P.	**I will have taken**		**I will have been caught**	
	θα έχω πιάσει		θα έχω πιαστεί	
	θα έχεις πιάσει	etc.	θα έχεις πιαστεί	etc.

		Subjunctive	(with να, για να, αν, όταν, etc.)	
P.	να πιάνω	that I may be taking	να πιάνομαι	that I may be being caught
P. S.	να πιάσω	that I may take	να πιαστώ	that I may be caught
Pr. P.	να έχω πιάσει	that I may have taken	να έχω πιαστεί	that I may have been caught

		Imperative		
P.	πιάνε (sing.)	be taking	-	
	πιάνετε (pl.)	be taking	πιάνεστε (pl.)	be being caught
P. S.	πιάσε (sing.)	take	πιάσου (sing.)	be caught
	πιάστε (pl.)	take	πιαστείτε (pl.)	be caught

		Infinitive		
	να πιάσει	to take	να πιαστεί	to be caught

		Participle		
	πιάνοντας	taking, catching	πιασμέν-ος, -η, -ο	caught
			(Examples on page 289)	

	Indicative	
P.	**I drink**	
	πίνω	πίνουμε
	πίνεις	πίνετε
	πίνει	πίνουν

	I was drinking	
P. C.		
	έπινα	πίναμε
	έπινες	πίνατε
	έπινε	έπιναν

	I drank	
P. S.		
	ήπια	ήπιαμε
	ήπιες	ήπιατε
	ήπιε	ήπιαν

	I will be drinking	
F. C.		
	θα πίνω	θα πίνουμε
	θα πίνεις	θα πίνετε
	θα πίνει	θα πίνουν

	I will drink	
F. S.		
	θα πιω	θα πιούμε
	θα πιεις	θα πιείτε
	θα πιει	θα πιουν

	I have drunk	
Pr. P.		
	έχω πιει	έχουμε πιει
	έχεις πει	έχετε πιει
	έχει πιει	έχουν πιει

	I had drunk	
P. P.		
	είχα πιει	
	είχες πιει	etc.

	I will have drunk	
F. P.		
	θα έχω πιει	
	θα έχεις πιει	etc.

Subjunctive
(with να, για να, όταν, etc.)

P.	να πίνω	that I may be drinking
P. S.	να πιω	that I may drink
Pr. F.	να έχω πιει	that I may have drunk

Imperative

πίνε (sing.)	be drinking
πίνετε (pl.)	be drinking
πιες (sing.)	drink
πιείτε – πιέτε (pl.)	drink

Infinitive

να πιει	to drink

Participle

πίνοντας	drinking

Common forms in the passive voice are:
πίνεται (third person, present tense) - it is drunk
Ex. This wine is better drunk cold.
Το κρασί πίνεται καλύτερα κρύο.

Passive participle: πιωμέν-ος, -η, -ο   drunk

Examples:

Πίνουμε νερό, γάλα, κρασί, μπύρα.	We drink water, milk, wine, beer.
Τι ήπιες;	What did you drink?
Μου φαίνεται πιωμένος.	It seems to me that he is drunk.
Τι θα πιείτε με το φαγητό σας;	What will you drink with your food?
Αυτό το κρασί δεν πίνετε. Είναι ξινό.	This wine is not to be drunk. It is sour.
Πίνω το καταπέτασμα.	I drink too much.
Τι πίνεις;	What do you drink?
Βάλε να πιω.	Pour so I can drink.
Πίνω στη υγειά σου.	I drink to your health.
Πίνω το πικρό ποτήρι.	I drink the bitter glass. I suffer a lot.
Πίνει πολύ.	He drinks too much. He is a drunkard.

Active Voice, Indicative
P.   **I believe**

πιστεύω	πιστεύουμε
πιστεύεις	πιστεύετε
πιστεύει	πιστεύουν

P. C.   **I was believing**

πίστευα	πιστεύαμε
πίστευες	πιστεύατε
πίστευε	πίστευαν

P. S.   **I believed**

πίστεψα	πιστέψαμε
πίστεψες	πιστέψατε
πίστεψε	πίστεψαν

F. C.   **I will be believing**

θα πιστεύω	θα πιστεύουμε
θα πιστεύεις	θα πιστεύετε
θα πιστεύει	θα πιστεύουν

Pr. P.   **I have believed**

έχω πιστέψει	έχουμε πιστέψει
έχεις πιστέψει	έχετε πιστέψει
έχει πιστέψει	έχουν πιστέψει

P. P.   **I had believed**

είχα πιστέψει	
είχες πιστέψει	etc.

F. P.   **I will have believed**

θα έχω πιστέψει	
θα έχεις πιστέψει	etc.

Subjunctive
(with να, για να, όταν, etc.)

P.	να πιστεύω	that I may be believing
P. S.	να πιστέψω	that I may believe
Pr. P.	να έχω πιστέψει	that I may have believed

Imperative

P.	πίστευε (sing.)	be believing
	πιστεύετε (pl.)	be believing
P. S.	πίστεψε (sing.)	believe
	πιστέψετε (pl.)	believe

Infinitive

να πιστέψει	to believe

Participle

πιστεύοντας	believing

In the Passive Voice the past Simple tense
is common: **I was believed**

πιστεύτηκα	πιστευτήκαμε
πιστεύτηκες	πιστευτήκατε
πιστεύτηκε	πιστεύτηκαν

I am not believed. – Δε γίνομαι πιστευτός.

Examples:

Πιστεύω στον Θεό.	I believe in God.
Πίστεψε αυτό που είπα.	He believed in what I said.
Δε μας πιστεύουν.	They do not trust us.
Να το δω και να μην το πιστέψω.	It is impossible.
Δεν πιστεύω στα μάτια μου.	I cannot believe what I see.
Ο προπονητής πιστεύει στους παίκτες του.	The coach has trust in his players.
Οι αρχαίοι Έλληνες πίστευαν στους θεούς του Ολύμπου.	The ancient Greeks believed in the Gods of Olympus.
Θέλω να πιστεύω ότι...	I want to believe that …
Πίστευε και μη ερεύνα.	Believe and do not search. (Believe: Do not search the holy writings.)
Πιστεύω είς ένα Θεόν, Πατέρα παντοτοκράτορα ...	I believe in one God, Father Almighty … *(Beginning of the Creed)*

	Active Voice, Indicative		**Passive Voice, Indicative**	

P.   **I wash**   **I wash myself, I am being washed**

πλένω   πλένουμε   πλένομαι   πλενόμαστε
πλένεις   πλένετε   πλένεσαι   πλένεστε
πλένει   πλένουν   πλένεται   πλένονται

P. C.   **I was washing**   **I was being washed**

έπλενα   πλέναμε   πλενόμουν   πλενόμαστε
έπλενες   πλένατε   πλενόσουν   πλενόσαστε
έπλενε   έπλεναν   πλενόταν   πλένονταν

P. S.   **I washed**   **I was washed**

έπλυνα   πλύναμε   πλύθηκα   πλυθήκαμε
έπλυνες   πλύνατε   πλύθηκες   πλυθήκατε
έπλυνε   έπλυναν   πλύθηκε   πλύθηκαν

F. C.   **I will be washing**   **I will be being washed**

θα πλένω   θα πλένουμε   θα πλένομαι   θα πλενόμαστε
θα πλένεις   θα πλένετε   θα πλένεσαι   θα πλένεστε
θα πλένει   θα πλένουν   θα πλένεται   θα πλένονται

F. S.   **I will wash**   **I will be washed**

θα πλύνω   θα πλύνουμε   θα πλυθώ   θα πλυθούμε
θα πλύνεις   θα πλύνετε   θα πλυθείς   θα πλυθείτε
θα πλύνει   θα πλύνουν   θα πλυθεί   θα πλυθούν

Pr. P.   **I have washed**   **I have been washed**

έχω πλύνει   έχω πλυθεί
έχεις πλύνει   etc.   έχεις πλυθεί   etc.

P. P.   **I had washed**   **I had been washed**

είχα πλύνει   etc.   είχα πλυθεί   etc.
είχες πλύνει   είχες πλυθεί

F. P.   **I will have washed**   **I will have been washed**

θα έχω πλύνει   θα έχω πλυθεί
θα έχεις πλύνει   etc.   θα έχεις πλυθεί   etc.

Subjunctive (with να, για να, αν, όταν, etc.)

P.   να πλένω   that I may be washing   να πλένομαι   that I may be being washed
P. S.   να πλύνω   that I may wash   να πλυθώ   that I may be washed
Pr. P.   να έχω πλύνει   that I may have washed   να έχω πλυθεί   that I may have been washed

Imperative

P.   πλένε (sing.)   be washing   πλένου (sing.)   be being washed
   πλένετε (pl.)   be washing   πλένεστε (pl.)   be being washed
P. S.   πλύνε (sing.)   wash   πλύσου (sing.)   be washed
   πλύνετε (pl.)   wash   πλυθείτε (pl.)   be washed

Infinitive

να πλύνει   to wash   να πλυθεί   to be washed

Participle

πλένοντας   washing   πλυμέν-ος, -η, -ο   washed
(Examples on page 290)

	Active Voice, Indicative		*Passive Voice, Indicative*	
P.	**I wound**		**I am wounded, I am being wounded**	
	πληγώνω	πληγώνουμε	πληγώνομαι	πληγωνόμαστε
	πληγώνεις	πληγώνετε	πληγώνεσαι	πληγώνεστε
	πληγώνει	πληγώνουν	πληγώνεται	πληγώνονται
P. C.	**I was wounding**		**I was being wounded**	
	πλήγωνα	πληγώναμε	πληγωνόμουν	πληγωνόμαστε
	πλήγωνες	πληγώνατε	πληγωνόσουν	πληγωνόσαστε
	πλήγωνε	πλήγωναν	πληγωνόταν	πληγώνονταν
P. S.	**I wounded**		**I was wounded**	
	πλήγωσα	πληγώσαμε	πληγώθηκα	πληγωθήκαμε
	πλήγωσες	πληγώσατε	πληγώθηκες	πληγωθήκατε
	πλήγωσε	πλήγωσαν	πληγώθηκε	πληγώθηκαν
F. C.	**I will be wounding**		**I will be being wounded**	
	θα πληγώνω	θα πληγώνουμε	θα πληγώνομαι	θα πληγωνόμαστε
	θα πληγώνεις	θα πληγώνετε	θα πληγώνεσαι	θα πληγώνεστε
	θα πληγώνει	θα πληγώνουν	θα πληγώνεται	θα πληγώνονται
F. S.	**I will wound**		**I will be wounded**	
	θα πληγώσω	θα πληγώσουμε	θα πληγωθώ	θα πληγωθούμε
	θα πληγώσεις	θα πληγώσετε	θα πληγωθείς	θα πληγωθείτε
	θα πληγώσει	θα πληγώσουν	θα πληγωθεί	θα πληγωθούν
Pr. P.	**I have wounded**		**I have been wounded**	
	έχω πληγώσει		έχω πληγωθεί	
	έχεις πληγώσει	etc.	έχεις πληγωθεί	etc.
P. P.	**I had wounded**		**I had been wounded**	
	είχα πληγώσει		είχα πληγωθεί	
	είχες πληγώσει	etc.	είχες πληγωθεί	etc.
F. P.	**I will have wounded**		**I will have been wounded**	
	θα έχω πληγώσει		θα έχω πληγωθεί	
	θα έχεις πληγώσει	etc,	θα έχεις πληγωθεί	etc.

		Subjunctive	(with να, για να, αν, όταν, etc.)	
P.	να πληγώνω	that I may be wounding	να πληγώνομαι	that I may be being wounded
P. S.	να πληγώσω	that I may wound	να πληγωθώ	that I may be wounded
Pr. P.	να έχω πληγώσει	that I may have wounded	να έχω πληγωθεί	that I may have been wounded
		Imperative		
P.	πλήγωνε (sing.)	be wounding	πληγώνου (sing.)	be being wounded
	πληγώνετε (pl.)	be wounding	πληγώνεστε (pl.)	be being wounded
P. S.	πλήγωσε (sing.)	wound	πληγώσου (sing.)	be wounded
	πληγώστε (pl.)	wound	πληγωθείτε (pl.)	be wounded
		Infinitive		
	να πληγώσει	to wound	να πληγωθεί	to be wounded
		Participle		
	πληγώνοντας	wounding	πληγωμέν-ος, -η, -ο	wounded

(Examples on page 290)

	Active Voice, Indicative		*Passive Voice, Indicative*	
P.	**I inform**		**I am informed, I am being informed**	
	πληροφορώ	πληροφορούμε	πληροφορούμαι	πληροφορούμαστε
	πληροφορείς	πληροφορείτε	πληροφορείσαι	πληροφορείστε
	πληροφορεί	πληροφορούν	πληροφορείται	πληροφορούνται
P. C.	**I was informing**		**I was being informed**	
	πληροφορούσα	πληροφορούσαμε	πληροφορούμουν	πληροφορούμαστε
	πληροφορούσες	πληροφορούσατε	πληροφορούσουν	πληροφορούσαστε
	πληροφορούσε	πληροφορούσαν	πληροφορούνταν	πληροφορούνταν
P. S.	**I informed**		**I was informed**	
	πληροφόρησα	πληροφορήσαμε	πληροφορήθηκα	πληροφορηθήκαμε
	πληροφόρησες	πληροφορήσατε	πληροφορήθηκες	πληροφορηθήκατε
	πληροφόρησε	πληροφόρησαν	πληροφορήθηκε	πληροφορήθηκαν
F. C.	**I will be informing**		**I will be being informed**	
	θα πληροφορώ		θα πληροφορούμαι	
	θα πληροφορείς	etc.	θα πληροφορείσαι	etc.
F. S.	**I will inform**		**I will be informed**	
	θα πληροφορήσω	θα πληροφορήσουμε	θα πληροφορηθώ	θα πληροφορηθούμε
	θα πληροφορήσεις	θα πληροφορήσετε	θα πληροφορηθείς	θα πληροφορηθείτε
	θα πληροφορήσει	θα πληροφορήσουν	θα πληροφορηθεί	θα πληροφορηθούν
Pr. P.	**I have informed**		**I have been informed**	
	έχω πληροφορήσει		έχω πληροφορηθεί	
	έχεις πληροφορήσει	etc.	έχεις πληροφορηθεί	etc.
P. P.	**I had informed**		**I had been informed**	
	είχα πληροφορήσει	etc.	είχα πληροφορηθεί	etc.
	είχες πληροφορήσει		είχες πληροφορηθεί	
F. P	**I will have informed**		**I will have been informed**	
	θα έχω πληροφορήσει		θα έχω πληροφορηθεί	
	θα έχω πληροφορήσει	etc.	θα έχεις πληροφορηθεί	etc.

Subjunctive (with να, για να, αν, όταν, etc.)

P.	να πληροφορώ	that I may be informing	να πληροφορούμαι - that I may be being informed	
P. S.	να πληροφορήσω	that I may inform	να πληροφορηθώ	that I may be informed
Pr. P.	να έχω πληροφορήσει	that I may have informed	να έχω πληροφορηθεί	that I may have been informed

Imperative

P. S.	πληροφόρησε (sing.)	inform	πληροφορήσου (sing.)	be informed
	πληροφορείστε (pl.)	inform	πληροφορηθείτε (pl.)	be informed

Infinitive

να πληροφορήσει	to inform	να πληροφορηθεί	to be informed

Participle

πληροφορώντας	informing	πληροφορημέν-ος, -η, -ο	informed

(Examples on page 290)

	Active Voice, Indicative		*Passive Voice, Indicative*	
P.	**I pay**		**I am paid, I am being paid**	
	πληρώνω	πληρώνουμε	πληρώνομαι	πληρωνόμαστε
	πληρώνεις	πληρώνετε	πληρώνεσαι	πληρώνεστε
	πληρώνει	πληρώνουν	πληρώνεται	πληρώνονται
P. C.	**I was paying**		**I was being paid**	
	πλήρωνα	πληρώναμε	πληρωνόμουν	πληρωνόμαστε
	πλήρωνες	πληρώνατε	πληρωνόσουν	πληρωνόσαστε
	πλήρωνε	πλήρωναν	πληρωνόταν	πληρώνονταν
P. S.	**I paid**		**I was paid**	
	πλήρωσα	πληρώσαμε	πληρώθηκα	πληρωθήκαμε
	πλήρωσες	πληρώσατε	πληρώθηκες	πληρωθήκατε
	πλήρωσε	πλήρωσαν	πληρώθηκε	πληρώθηκαν
F. C.	**I will be paying**		**I will be being paid**	
	θα πληρώνω		θα πληρώνομαι	
	θα πληρώνεις	etc.	θα πληρώνεσαι	etc.
F. S.	**I will pay**		**I will be paid**	
	θα πληρώσω	θα πληρώσουμε	θα πληρωθώ	θα πληρωθούμε
	θα πληρώσεις	θα πληρώσετε	θα πληρωθείς	θα πληρωθείτε
	θα πληρώσει	θα πληρώσουν	θα πληρωθεί	θα πληρωθούν
Pr. P.	**I have paid**		**I have been paid**	
	έχω πληρώσει		έχω πληρωθεί	
	έχεις πληρώσει	etc.	έχεις πληρωθεί	etc.
P. P.	**I had paid**		**I had been paid**	
	είχα πληρώσει		είχα πληρωθεί	
	είχες πληρώσει	etc.	είχες πληρωθεί	etc.
F. P.	**I will have paid**		**I will have been paid**	
	θα έχω πληρώσει		θα έχω πληρωθεί	
	θα έχεις πληρώσει	etc.	θα έχεις πληρωθεί	etc.

Subjunctive
(with να, για να, αν, όταν, etc.)

P.	να πληρώνω	that I may be paying	να πληρώνομαι - that I may be being paid	
P. S.	να πληρώσω	that I may pay	να πληρωθώ	that I may be paid
Pr. P.	να έχω πληρώσει	that I may have paid	να έχω πληρωθεί	that I may have been paid

Imperative

P.	πλήρωνε (sing.)	be paying	πληρώνου (sing.)	be being paid
	πληρώνετε (pl.)	be paying	πληρώνεστε (pl.)	be being paid
P. S.	πλήρωσε (sing.)	pay	πληρώσου (sing.)	be paid
	πληρώστε (pl.)	pay	πληρωθείτε (pl.)	be paid

Infinitive

να πληρώσει	to pay	να πληρωθεί	to be paid

Participle

πληρώνοντας	paying	πληρωμέν-ος, -η, -ο	paid

(Examples on page 291)

	Active Voice, Indicative		*Passive Voice, Indicative*	
P.	**I approach**		**I am approached, I am being approached**	
	πλησιάζω	πλησιάζουμε	πλησιάζομαι	πλησιαζόμαστε
	πλησιάζεις	πλησιάζετε	πλησιάζεσαι	πλησιάζεστε
	πλησιάζει	πλησιάζουν	πλησιάζεται	πλησιάζονται
P. C.	**I was approaching**		**I was being approached**	
	πλησίαζα	πλησιάζαμε	πλησιαζόμουν	πλησιαζόμαστε
	πλησίαζες	πλησιάζατε	πλησιαζόσουν	πλησιαζόσαστε
	πλησίαζε	πλησίαζαν	πλησιαζόταν	πλησιάζονταν

P. S.   **I approached**

πλησίασα	πλησιάσαμε
πλησίασες	πλησιάσατε
πλησίασε	πλησίασαν

The other tenses of the Passive Voice
are not common. Instead, the active
voice is used. Ex.: instead of «πλησιάστηκα»
we use «κάποιος με πλησίασε, με πλησίασαν»

F. C.   **I will be approaching**

θα πλησιάζω	θα πλησιάζουμε
θα πλησιάζεις	θα πλησιάζετε
θα πλησιάζει	θα πλησιάζουν

F. S.   **I will approach**

θα πλησιάσω	θα πλησιάσουμε
θα πλησιάσεις	θα πλησιάσετε
θα πλησιάσει	θα πλησιάσουν

Pr. P.   **I have approached**

έχω πλησιάσει	
έχεις πλησιάσει	etc.

P. P.   **I had approached**

είχα πλησιάσει	
είχες πλησιάσει	etc.

F. C.   **I will have approached**

θα έχω πλησιάσει	
θα έχεις πλησιάσει	etc.

Subjunctive (with να, για να, αν, όταν etc.)

P.	να πλησιάζω	that I may be approaching	να πλησιάζομαι	that I may be being approached
P. S.	να πλησιάσω	that I may approach	να πλησιαστώ	that I may be approached
Pr. P.	να έχω πλησιάσει	that I may have approached	να έχω πλησιαστεί	that I may have been approached

Imperative

P.	πλησίαζε (sing.)	be approaching	πλησιάζου (sing.)	be being approached
	πλησιάζετε (pl.)	be approaching	πλησιάζεστε (pl.)	be being approached
P.S.	πλησίασε (sing.)	approach, come near	πλησιάσου (sing.)	be approached
	πλησιάστε (pl.)	approach, come near	πλησιαστείτε (pl.)	be approached

Infinitive

να πλησιάσει	to approach	να πλησιαστεί	to be approached

Participle

πλησιάζοντας	approaching

(Examples on page 291)

	Active Voice, Indicative		*Passive Voice, Indicative*	
P.	**I become rich**		**I become rich, I am becoming rich**	
	πλουτίζω	πλουτίζουμε	πλουτίζομαι	πλουτιζόμαστε
	πλουτίζεις	πλουτίζετε	πλουτίζεσαι	πλουτίζεστε
	πλουτίζει	πλουτίζουν	πλουτίζεται	πλουτίζονται
P. C.	**I was becoming rich**		**I was becoming rich**	
	πλούτιζα	πλουτίζαμε	πλουτιζόμουν	πλουτιζόμαστε
	πλούτιζες	πλουτίζατε	πλουτιζόσουν	πλουτιζόσαστε
	πλούτιζε	πλούτιζαν	πλουτιζόταν	πλουτίζονταν
P. S.	**I became rich**		**I became rich**	
	πλούτισα	πλουτίσαμε	πλουτίστηκα	πλουτιστήκαμε
	πλούτισες	πλουτίσατε	πλουτίστηκες	πλουτιστήκατε
	πλούτισε	πλούτισαν	πλουτίστηκε	πλουτίστηκαν
F. C.	**I will be becoming rich**		**I will be becoming rich**	
	θα πλουτίζω		θα πλουτίζομαι	
	θα πλουτίζεις	etc.	θα πλουτίζεσαι	etc.
F. S.	**I will become rich**		**I will become rich**	
	θα πλουτίσω	θα πλουτίσουμε	θα πλουτιστώ	θα πλουτιστούμε
	θα πλουτίσεις	θα πλουτίσετε	θα πλουτιστείς	θα πλουτιστείτε
	θα πλουτίσει	θα πλουτίσουν	θα πλουτιστεί	θα πλουτιστούν
Pr. P.	**I have become rich**		**I have become rich**	
	έχω πλουτίσει		έχω πλουτιστεί	
	έχεις πλουτίσει	etc.	έχεις πλουτιστεί	etc.
P. P.	**I had become rich**		**I had become rich**	
	είχα πλουτίσει		είχα πλουτιστεί	
	είχες πλουτίσει	etc.	είχες πλουτιστεί	etc.
F. P.	**I will have become rich**		**I will have become rich**	
	θα έχω πλουτίσει		θα έχω πλουτιστεί	
	θα έχεις πλουτίσει	etc.	θα έχεις πλουτιστεί	etc.

Subjunctive
(with να, για να, αν, όταν, etc.)

P.	να πλουτίζω	that I may be becoming rich	να πλουτίζομαι.	that I may be being enriched
P. S.	να πλουτίσω	that I may become rich	να πλουτιστώ	that I may be enriched
Pr. P.	να έχω πλουτίσει - that I may have become rich		να έχω πλουτιστεί	that I may have been enriched

Imperative

P.	πλούτιζε (sing.)	be becoming rich	πλουτίζου (sing.)	be being enriched
	πλουτίζετε (pl.)	be becoming rich	πλουτίζεστε (pl.)	be being enriched
P. S.	πλούτισε (sing.)	become rich	πλουτίσου (sing.)	be enriched
	πλουτίστε (pl.)	become rich	πλουτιστείτε (pl.)	be enriched

Infinitive

να πλουτίσει	to become rich	να πλουτιστεί	to be enriched

Participle

πλουτίζοντας	becoming rich	πλουτισμέν-ος, -η, -ο	enriched

(Examples on page 291)

	Active Voice, Indicative		*Passive Voice, Indicative*	
P.	**I choke, I drown**		**I drown, I am choked**	
	πνίγω	πνίγουμε	πνίγομαι	πνιγόμαστε
	πνίγεις	πνίγετε	πνίγεσαι	πνίγεστε
	πνίγει	πνίγουν	πνίγεται	πνίγονται
P. C.	**I was choking, I was drowning**		**I was drowning, choking**	
	έπνιγα	πνίγαμε	πνιγόμουν	πνιγόμαστε
	έπνιγες	πνίγατε	πνιγόσουν	πνιγόσαστε
	έπνιγε	έπνιγαν	πνιγόταν	πνίγονταν
P. S.	**I choked, I drowned**		**I was choked, drowned**	
	έπνιξα	πνίξαμε	πνίγηκα	πνιγήκαμε
	έπνιξες	πνίξατε	πνίγηκες	πνιγήκατε
	έπνιξε	έπνιξαν	πνίγηκε	πνίγηκαν
F. C.	**I will be choking, drowning**		**I will be being choked, drowned**	
	θα πνίγω		θα πνίγομαι	
	θα πνίγεις	etc.	θα πνίγεσαι	etc.
F. S.	**I will choke, I will drown**		**I will be choked, drowned**	
	θα πνίξω	θα πνίξουμε	θα πνιγώ	θα πνιγούμε
	θα πνίξεις	θα πνίξετε	θα πνιγείς	θα πνιγείτε
	θα πνίξει	θα πνίξουν	θα πνιγεί	θα πνιγούν
Pr. P.	**I have choked, I have drowned**		**I have been choked, drowned**	
	έχω πνίξει		έχω πνιγεί	
	έχεις πνίξει	etc.	έχεις πνιγεί	etc.
P. P.	**I had choked, I had drowned**		**I had been choked, drowned**	
	είχα πνίξει		είχα πνιγεί	
	είχες πνίξει	etc.	είχες πνιγεί	etc.
F. P.	**I will have choked, drowned**		**I will have been choked, drowned**	
	θα έχω πνίξει		θα έχω πνιγεί	
	θα έχεις πνίξει etc.		θα έχεις πνιγεί etc.	

Subjunctive (with να, για να, αν, όταν, etc.)

P.	να πνίγω	that I may be choking	να πνίγομαι	that I may be drowning
P. S.	να πνίξω	that I may choke	να πνιγώ	that I may drown
Pr. P.	να έχω πνίξει	that I may have choked	να έχω πνιγεί	that I may have drowned

Imperative

P.	πνίγε (sing.)	be drowning	πνίγου (sing.)	be being choked, drowned
	πνίγετε (pl.)	be drowning	πνίγεστε (pl.)	be being choked, drowned
P. S.	πνίξε (sing.)	choke, drown	πνίξου (sing.)	be choked, drowned
	πνίξετε (pl.)	choke, drown	πνιγείτε (pl.)	be choked, drowned

Infinitive

να πνίξει	to choke, to drown	να πνιγεί	to be choked, drowned

Participle

πνίγοντας	choking	πνιγμέν-ος, -η, -ο	drowned, choked
		(Examples on page 291)	

	Indicative		
P.	**I wage war**		
	πολεμώ	πολεμούμε	
	πολεμάς	πολεμάτε	
	πολεμά	πολεμούν	

	Subjunctive	
	(with να, για να, αν, όταν, etc.)	
P.	να πολεμώ	that I may be fighting
P. S.	να πολεμήσω	that I may fight
Pr. P.	να έχω πολεμήσει	that I may have fought

P. C.   **I was waging war**

πολεμούσα	πολεμούσαμε
πολεμούσες	πολεμούσατε
πολεμούσε	πολεμούσαν

Imperative

P.	πολέμα (sing.)	be fighting
	πολεμάτε (pl.)	be fighting
P. S.	πολέμησε (sing.)	fight
	πολεμήστε (pl.)	fight

P. S.   **I waged war**

πολέμησα	πολεμήσαμε
πολέμησες	πολεμήσατε
πολέμησε	πολέμησαν

Infinitive

να πολεμήσει	to fight

F. C.   **I will be waging war**

θα πολεμώ	θα πολεμούμε
θα πολεμάς	θα πολεμάτε
θα πολεμά	θα πολεμούν

Participle

πολεμώντας	fighting

F. S.   **I will wage war**

θα πολεμήσω	θα πολεμήσουμε
θα πολεμήσεις	θα πολεμήσετε
θα πολεμήσει	θα πολεμήσουν

Passive, Present tense – I am being fought

πολεμούμαι	πολεμούμαστε
πολεμείσαι	πολεμείστε
πολεμείται	πολεμούνται

Pr. P.   **I have waged war**

έχω πολεμήσει	
έχεις πολεμήσει	etc.

Passive, Past tense – I was fought

πολεμήθηκα	πολεμηθήκαμε
πολεμήθηκες	πολεμηθήκατε
πολεμήθηκε	πολεμήθηκαν

P. P.   **I had waged war**

είχα πολεμήσει	
είχες πολεμήσει	etc.

F. P.   **I will have waged war**

θα έχω πολεμήσει	
θα έχεις πολεμήσει	etc.

Examples:

Πολεμούμε για την ελευθερία της πατρίδας μας.	We fight for the freedom of our country.
Οι Έλληνες πολέμησαν εφτά χρόνια ενάντια στους Τούρκους για την ελευθερία τους.	The Greeks waged war for their freedom against the Turks for seven years.
Πολεμά να τον πείσει να μην αφήσει τη δουλειά του.	He is trying hard to persuade him not to leave his job.
Πολεμούμε να βγάλουμε το ψωμί μας.	We work hard to earn our living.

πονώ (3) – to ache; to feel pain

	Indicative			*Subjunctive*	
P.	**I ache, I feel pain**			(with να, για να, όταν, etc.)	
	πονώ – πονάω	πον-ούμε, -άμε	**P.**	να πονώ	that I may be aching
	πονείς – πονάς	πονάτε	**P. S.**	να πονέσω	that I may ache
	πονεί – πονάει	πονούν	**Pr. P.**	να έχω πονέσει	that I may have ached

P. C. I was in pain

πονούσα — πονούσαμε
πονούσες — πονούσατε
πονούσε — πονούσαν

Imperative

πόνεσε (sing.) feel pain
πονέστε (pl.) feel pain

P. S. I felt pain

πόνεσα — πονέσαμε
πόνεσες — πονέσατε
πόνεσε — πόνεσαν

Infinitive

να πονέσει to feel pain

F. C. I will be feeling pain

θα πονώ — θα πονούμε
θα πονείς — θα πονάτε
θα πονεί — θα πονούν

Participle

πονώντας feeling pain

F. S. I will feel pain

θα πονέσω — θα πονέσουμε
θα πονέσεις — θα πονέσετε
θα πονέσει — θα πονέσουν

Passive Participle

πονεμέν-ος, -η, -ο ached
(one who has been in pain,
one who has suffered in life)

Pr. P. I have felt pain

έχω πονέσει — έχουμε πονέσει
έχεις πονέσει — έχετε πονέσει
έχει πονέσει — έχουν πονέσει

P. P. I had felt pain

είχα πονέσει
είχες πονέσει — etc.

F. P. I will have felt pain

θα έχω πονέσει
θα έχω πονέσει — etc.

Examples:

Με πόνεσε το κεφάλι μου.	I had a headache.
Πονούν τα μάτια μου.	My eyes bother me.
Πονάει πολύ.	He is in great pain.
Τον πονούν τα πόδια του.	His feet bother him.
Είναι πονεμένος.	He has suffered in life.
Τον πόνεσε η καρδιά μου.	I felt sorry for him.

	Active Voice, Indicative		**Passive Voice**	
P.	**I water**		**I am watered, I am being watered**	
	ποτίζω	ποτίζουμε	ποτίζομαι	ποτιζόμαστε
	ποτίζεις	ποτίζετε	ποτίζεσαι	ποτίζεστε
	ποτίζει	ποτίζουν	ποτίζεται	ποτίζονται
P. C.	**I was watering**		**I was being watered**	
	πότιζα	ποτίζαμε	ποτιζόμουν	ποτιζόμαστε
	πότιζες	ποτίζατε	ποτιζόσουν	ποτιζόσαστε
	πότιζε	πότιζαν	ποτιζόταν	ποτιζόνταν
P. S.	**I watered**		**I was watered**	
	πότισα	ποτίσαμε	ποτίστηκα	ποτιστήκαμε
	πότισες	ποτίσατε	ποτίστηκες	ποτιστήκατε
	πότισε	πότισαν	ποτίστηκε	ποτίστηκαν
F. C.	**I will be watering**		**I will continue being watered**	
	θα ποτίζω	θα ποτίζουμε	θα ποτίζομαι	θα ποτιζόμαστε
	θα ποτίζεις	θα ποτίζετε	θα ποτίζεσαι	θα ποτίζεστε
	θα ποτίζει	θα ποτίζουν	θα ποτίζεται	θα ποτίζονται
F. S.	**I will water**		**I will be watered**	
	θα ποτίσω	θα ποτίσουμε	θα ποτιστώ	θα ποτιστούμε
	θα ποτίσεις	θα ποτίσετε	θα ποτιστείς	θα ποτιστείτε
	θα ποτίσει	θα ποτίσουν	θα ποτιστεί	θα ποτιστούν
Pr. P.	**I have watered**		**I have been watered**	
	έχω ποτίσει		έχω ποτιστεί	
	έχεις ποτίσει	etc.	έχεις ποτιστεί	etc.
P. P.	**I had watered**		**I had been watered**	
	είχα ποτίσει		είχα ποτιστεί	
	είχες ποτίσει	etc.	είχες ποτιστεί	etc.
F. P.	**I will have watered**		**I will have been watered**	
	θα έχω ποτίσει		θα έχω ποτιστεί	
	θα έχεις ποτίσει	etc.	θα έχεις ποτιστεί	etc.

Subjunctive (with να, για να, αν, όταν, etc.)

P.	να ποτίζω	that I may be watering	να ποτίζομαι	that I may be being watered
P. S.	να ποτίσω	that I may water	να ποτιστώ	that I may be watered
Pr. P.	να έχω ποτίσει	that I may have watered	να έχω ποτιστεί	that I may have been watered

Imperative

P.	πότιζε (sing.)	be watering	ποτίζου (sing.)	be being watered
	ποτίζετε (pl.)	be watering	ποτίζεστε (pl.)	be being watered
P. S.	πότισε (sing.)	water	ποτίσου (sing.)	be watered
	ποτίστε (pl.)	water	ποτιστείτε (pl.)	be watered

Infinitive

να ποτίσει	to water	να ποτιστεί	to be watered

Participle

ποτίζοντας	watering	ποτισμέν-ος, -η, -ο	watered

(Examples on page 291)

	Active Voice, Indicative		*Passive Voice, Indicative*	
P.	**I sell**		**I am sold, I am being sold**	
	πουλώ – πουλάω	πουλ-ούμε, -άμε	πουλιέμαι	πουλιόμαστε
	πουλάς	πουλάτε	πουλιέσαι	πουλιέστε
	πουλά - πουλάει	πουλ-ούν, -άνε	πουλιέται	πουλιούνται
P. C.	**I was selling**		**I was being sold**	
	πουλούσα	πουλούσαμε	πουλιόμουν	πουλιόμαστε
	πουλούσες	πουλούσατε	πουλιόσουν	πουλιόσαστε
	πουλούσε	πουλούσαν	πουλιόταν	πουλιόνταν
P. S.	**I sold**		**I was sold**	
	πούλησα	πουλήσαμε	πουλήθηκα	πουληθήκαμε
	πούλησες	πουλήσατε	πουλήθηκες	πουληθήκατε
	πούλησε	πούλησαν	πουλήθηκε	πουλήθηκαν
F. C.	**I will be selling**		**I will be being sold**	
	θα πουλώ	θα πουλούμε	θα πουλιέμαι	θα πουλιόμαστε
	θα πουλάς	θα πουλάτε	θα πουλιέσαι	θα πουλιέστε
	θα πουλά	θα πουλούν	θα πουλιέται	θα πουλιούνται
F. S.	**I will sell**		**I will be sold**	
	θα πουλήσω	θα πουλήσουμε	θα πουληθώ	θα πουληθούμε
	θα πουλήσεις	θα πουλήσετε	θα πουληθείς	θα πουληθείτε
	θα πουλήσει	θα πουλήσουν	θα πουληθεί	θα πουληθούν
Pr. P.	**I have sold**		**I have been sold**	
	έχω πουλήσει		έχω πουληθεί	
	έχεις πουλήσει	etc.	έχεις πουληθεί	etc.
P. P.	**I had sold**		**I had been sold**	
	είχα πουλήσει		είχα πουληθεί	
	είχες πουλήσει	etc.	είχες πουληθεί	etc.
F. P.	**I will have sold**		**I will have been sold**	
	θα έχω πουλήσει		θα έχω πουληθεί	
	θα έχεις πουλήσει	etc.	θα έχεις πουληθεί	etc.

		Subjunctive	(with να, για να, αν, όταν, etc.)	
P.	να πουλώ	that I may be selling	να πουλιέμαι	that I may be being sold
P. S.	να πουλήσω	that I may sell	να πουληθώ	that I may be sold
Pr. P.	να έχω πουλήσει	that I may have sold	να έχω πουληθεί	that I may have been sold
		Imperative		
P. S	πούλησε (sing.)	sell	πουλήσου (sing.)	be sold
	πουλείστε (pl.)	sell	πουληθείτε (pl.)	be sold
		Infinitive		
	να πουλήσει	to sell	να πουληθεί	to be sold
		Participle		
	πουλώντας	selling	πουλημέν-ος, -η, -ο	sold
			(Examples on page 291)	

	Indicative	
P.	**I become green**	
	πρασινίζω	πρασινίζουμε
	πρασινίζεις	πρασινίζετε
	πρασινίζει	πρασινίζουν

	I was becoming green	
P. C.	πρασίνιζα	πρασινίζαμε
	πρασίνιζες	πρασινίζατε
	πρασίνιζε	πρασίνιζαν

	I became green	
P. S.	πρασίνισα	πρασινίσαμε
	πρασίνισες	πρασινίσατε
	πρασίνισε	πρασίνισαν

	I will be becoming green	
F. C.	θα πρασινίζω	θα πρασινίζουμε
	θα πρασινίζεις	θα πρασινίζετε
	θα πρασινίζει	θα πρασινίζουν

	I will become green	
F. S.	θα πρασινίσω	θα πρασινίσουμε
	θα πρασινίσεις	θα πρασινίσετε
	θα πρασινίσει	θα πρασινίσουν

	I have become green	
Pr. P.	έχω πρασινίσει	
	έχεις πρασινίσει	etc.

	I had become green	
P. P.	είχα πρασινίσει	
	είχες πρασινίσει	etc.

	I will have become green	
F. P.	θα έχω πρασινίσει	
	θα έχεις πρασινίσει	etc.

Subjunctive
(with να, για να, όταν, etc.)

P.	να πρασινίζω	that I may be being green
P. S.	να πρασινίσω	that I may be green
Pr. P.	να έχω πρασινίσει	that I may have become green

Imperative

P.	πρασίνιζε (sing.)	be becoming green
	πρασινίζετε (pl.)	be becoming green
P. S.	πρασίνισε (sing.)	become green
	πρασινίστε (pl.)	become green

Infinitive

	να πρασινίσει	to become green

Participle

	πρασινίζοντας	becoming green

Passive Participle

	πρασινισμέν-ος, -η, -ο	verdant

Examples:

Την άνοιξη όλα πρασινίζουν.   In spring everything becomes verdant.
Τα δέντρα άρχισαν να πρασινίζουν.   The trees began to sprout.
Πρασίνισε από τον φόβο του.   He turned green from fear.

P	πρέπει	must
P. C. & **P. S.**	έπρεπε	should, ought
F. C. & **F. S.**	θα πρέπει	should

Examples:

Πρέπει να γράψω ένα γράμμα στον φίλο μου.	I must write a letter to my friend.
Πρέπει να πάμε στην αγορά σήμερα.	We must go to the market today.
Έπρεπε να ήσουν εδώ χτες!	You should have been here yesterday!
Θα πρέπει να πληρώσετε όλα τα χρέη σας.	You must pay all your debts.
Τα παιδιά πρέπει να τρώνε το φαγητό τους.	Children should eat their food.
Δεν πρέπει να λέμε ψέματα.	We must not tell lies.
Έπρεπε να έχουν πει την αλήθεια.	They should have told the truth.

Active Voice, Indicative

P.   I warn

προειδοποιώ	προειδοποιούμε
προειδοποιείς	προειδοποιείτε
προειδοποιεί	προειδοποιούν

P. C.   I was warning

προειδοποιούσα	προειδοποιούσαμε
προειδοποιούσες	προειδοποιούσατε
προειδοποιούσε	προειδοποιούσαν

P. S.   I warned

προειδοποίησα	προειδοποιήσαμε
προειδοποίησες	προειδοποιήσατε
προειδοποίησε	προειδοποίησαν

F. C.   I will be warning

θα προειδοποιώ	θα προειδοποιούμε
θα προειδοποιείς	θα προειδοποιείτε
θα προειδοποιεί	θα προειδοποιούν

F. S.   I will warn

θα προειδοποιήσω	θα προειδοποιήσουμε
θα προειδοποιήσεις	θα προειδοποιήσετε
θα προειδοποιήσει	θα προειδοποιήσουν

Pr. P.   I have warned

έχω προειδοποιήσει	
έχεις προειδοποιήσει	etc.

P. P.   I had warned

είχα προειδοποιήσει	
είχες προειδοποιήσει	etc.

F. P.   I will have warned

θα έχω προειδοποιήσει	
θα έχεις προειδοποιήσει	etc.

Subjunctive

P.	να προειδοποιώ	that I may be warning
P. S.	να προειδοποιήσω	that I may warn
Pr. P.	να έχω προειδοποιήσει	that I may have warned

Imperative

P.	προειδοποίει (sing.)	be warning
	προειδοποιείτε (pl.)	be warning
P. S.	προειδοποίησε (sing.)	warn
	προειδοποιείστε (pl.)	warn

Infinitive

να προειδοποιήσει	to warn

Participle

προειδοποιώντας	warning

(For the passive voice see next page)

Passive Voice, Indicative

P.   **I am warned, I am being warned**

προειδοποιούμαι   προειδοποιούμαστε
προειδοποιείσαι   προειδοποιείστε
προειδοποιείται   προειδοποιούνται

P. C.   **I was being warned**

προειδοποιούμουν   προειδοποιούμαστε
προειδοποιούσουν   προειδοποιούσαστε
προειδοποιούνταν   προειδοποιούνταν

P. S.   **I was warned**

προειδοποιήθηκα   προειδοποιηθήκαμε
προειδοποιήθηκες   προειδοποιηθήκατε
προειδοποιήθηκε   προειδοποιήθηκαν

F. C.   **I will be being warned**

θα προειδοποιούμαι   θα προειδοποιούμαστε
θα προειδοποιείσαι   θα προειδοποιείστε
θα προειδοποιείται   θα προειδοποιούνται

P. S.   **I will be warned**

θα προειδοποιηθώ   θα προειδοποιηθούμε
θα προειδοποιηθείς   θα προειδοποιηθείτε
θα προειδοποιηθεί   θα προειδοποιηθούν

Pr. P.   **I have been warned**

έχω προειδοποιηθεί
έχεις προειδοποιηθεί   etc.

P. P.   **I had been warned**

είχα προειδοποιηθεί
είχες προειδοποιηθεί   etc.

F. P.   **I will have been warned**

θα έχω προειδοποιηθεί
θα έχεις προειδοποιηθεί   etc.

Subjunctive

P.   να προειδοποιούμαι   that I may be being warned
P. S.   να προειδοποιηθώ   that I may be warned
Pr. P.   να έχω προειδοποιηθεί   that I may have been warned

Imperative

P. S   προειδοποιήσου (sing.)   be warned
          προειδοποιηθείτε (pl.)   be warned

Infinitive

να προειδοποιηθεί   to be warned

Participle

προειδοποιημέν-ος, -η, -ο   warned

(Examples on page 292)

πρόκειται   (impersonal verb occurring only in the present,
                    past continuous and future tense)

P.   πρόκειται   it is about

P. C. &
P. S.   επρόκειτο   it was about

F. C &
F. S.   θα πρόκειται   It will be about

Examples:

Περί τίνος πρόκειται;	What is the matter?
Πρόκειται για τα λεφτά που μου χρωστάς.	It is about the money you owe me.
Πρόκειται για ένα σπουδαίο ζήτημα.	It is about a very important matter.
Επρόκειτο να έρθει σήμερα αλλά δεν ήρθε.	He was supposed to come today, but he did not come.
Τι πρόκειται να κάνεις;	What are you going to do?
Το υπουργικό συμβούλιο συνεδριάζει.	The cabinet council is meeting.
Πρόκειται να πάρουν σπουδαίες αποφάσεις.	They are about to take important decisions.

	Indicative		*Subjunctive*		
P.	**I cause**		(with να, για να, όταν, etc.)		
	προξενώ	προξενούμε	**P.**	να προξενώ	that I may be causing
	προξενείς	προξενείτε	**P. S.**	να προξενήσω	that I may cause
	προξενεί	προξενούν	**Pr. P.**	να έχω προξενήσει	that I may have caused
P. C.	**I was causing**		**Imperative**		
	προξενούσα	προξενούσαμε	**P.**	προξένει (sing.)	be causing
	προξενούσες	προξενούσατε		προξενείτε (pl.)	be causing
	προξενούσε	προξενούσαν	**P. S.**	προξένησε (sing.)	cause
				προξενείστε (pl.)	cause
P. S.	**I caused**		**Infinitive**		
	προξένησα	προξενήσαμε		να προξενήσει	to cause
	προξένησες	προξενήσατε			
	προξένησε	προξένησαν			
F. C.	**I will be causing**		**Participle**		
	θα προξενώ	θα προξενούμε		προξενώντας	causing
	θα προξενείς	θα προξενείτε			
	θα προξενεί	θα προξενούν			
F. S.	**I will cause**				
	θα προξενήσω	θα προξενήσουμε			
	θα προξενήσεις	θα προξενήσετε			
	θα προξενήσει	θα προξενήσουν			
Pr. P.	**I have caused**				
	έχω προξενήσει				
	έχεις προξενήσει	etc.			
P. P.	**I had caused**				
	είχα προξενήσει				
	είχες προξενήσει	etc.			
F. P.	**I will have caused**				
	θα έχω προξενήσει				
	θα έχεις προξενήσει	etc.			

In the passive voice the third person of the singular and plural is common.

P.	προξενείται	It is being brought about, it is caused
	προξενούνται	They have been brought about, they are caused
P. S.	προξενήθηκε	It was brought about, it was caused
	προξενήθηκαν	They were brought about, they were caused
F. C.	θα προξενείται	It will be being brought about, it will be caused
	θα προξενούνται	They will be being brought about, they will be caused
F. S.	θα προξενηθεί	It will be brought about, it will be caused
	θα προξενηθούν	They will be brought about, they will be caused
Pr. P.	έχει προξενηθεί	It has been brought about, it has been caused
	έχουν προξενηθεί	They have been brought about, they have been caused
P. P.	είχε προξενηθεί	It had been brought about, it had been caused
	είχαν προξενηθεί	They had been brought about, they had been caused

(Examples on page 292)

	Indicative	
P.	**I pray**	
	προσεύχομαι	προσευχόμαστε
	προσεύχεσαι	προσεύχεστε
	προσεύχεται	προσεύχονται
P. C.	**I was praying**	
	προσευχόμουν	προσευχόμαστε
	προσευχόσουν	προσευχόσαστε
	προσευχόταν	προσεύχονταν
P. S.	**I prayed**	
	προσευχήθηκα	προσευχηθήκαμε
	προσευχήθηκες	προσευχηθήκατε
	προσευχήθηκε	προσευχήθηκαν
F. C.	**I will be praying**	
	θα προσεύχομαι	θα προσευχόμαστε
	θα προσεύχεσαι	θα προσεύχεστε
	θα προσεύχεται	θα προσεύχονται
F. S.	**I will pray**	
	θα προσευχηθώ	θα προσευχηθούμε
	θα προσευχηθείς	θα προσευχηθείτε
	θα προσευχηθεί	θα προσευχηθούν
Pr. P.	**I have prayed**	
	έχω προσευχηθεί	
	έχεις προσευχηθεί	etc.
P. P.	**I had prayed**	
	είχα προσευχηθεί	
	είχες προσευχηθεί	etc.
F. P.	**I will have prayed**	
	θα έχω προσευχηθεί	
	θα έχεις προσευχηθεί	etc.

Subjunctive

(with να, για να, όταν, etc.)

P.	να προσεύχομαι - that I may be praying	
P. S.	να προσευχηθώ	that I may pray
Pr. P.	να έχω προσευχηθεί	that I may have prayed

Imperative

P.	προσεύχου (sing.)	be praying
	προσεύχεστε (pl.)	be praying
P. S.	προσευχήσου (sing.)	pray
	προσευχηθείτε (pl.)	pray

Infinitive

να προσευχηθεί	to pray

Participle

προσευχόμεν-ος, -η, -ο	praying

Examples:

Προσεύχομαι στον Θεό να γίνεις καλά.	I pray to God that you become well.
Προσευχόμαστε για σας.	We pray for you.
Προσεύχεται κάθε μέρα.	He prays every day.

	Indicative		*Subjunctive*

P. I pay attention

προσέχω	προσέχουμε
προσέχεις	προσέχετε
προσέχει	προσέχουν

Subjunctive
(with να, για να, όταν, etc.)

P.	να προσέχω	that I may be paying attention
P. S.	να προσέξω	that I may pay attention
Pr. P.	να έχω προσέξει	that I may have paid attention

P. C. I was paying attention

πρόσεχα	προσέχαμε
πρόσεχες	προσέχατε
πρόσεχε	πρόσεχαν

Imperative

P.	πρόσεχε (sing.)	be paying attention
	προσέχετε (pl.)	be paying attention
P. S.	πρόσεξε (sing.)	pay attention
	προσέξετε, προσέξτε (pl.)	pay attention

P. S. I paid attention

πρόσεξα	προσέξαμε
πρόσεξες	προσέξατε
πρόσεξε	πρόσεξαν

Infinitive

να προσέξει	to pay attention

F. C. I will be paying attention

θα προσέχω	θα προσέχουμε
θα προσέχεις	θα προσέχετε
θα προσέχει	θα προσέχουν

Participle

προσέχοντας	paying attention

F. S. I will pay attention

θα προσέξω	θα προσέξουμε
θα προσέξεις	θα προσέξετε
θα προσέξει	θα προσέξουν

Pr. P. I have paid attention

έχω προσέξει	
έχεις προσέξει	etc.

P. P. I had paid attention

είχα προσέξει	
είχες προσέξει	etc.

F. P. I will have paid attention

θα έχω προσέξει	
θα έχεις προσέξει	etc.

Examples:

Ο μαθητής δεν προσέχει στο μάθημα.	The student does not pay attention to the lesson.
Δεν τον πρόσεξα.	I did not see him.
Να προσέχεις τη δουλειά σου για να μην τη χάσεις.	Look after your job so that you do not lose it.
Δεν προσέχει τα πράγματά του.	He does not take care of his things.
Πρόσεχε κάποιους από τους φίλους σου.	Beware of some of your friends.
Πρόσεχε τι λες.	Watch out for what you say. (Watch your language).
Τον πρόσεξα ενώ περνούσα με το αυτοκίνητο.	I noticed him while I was passing by in the car.

	Active Voice, Indicative		*Passive Voice, Indicative*	
P.	**I invite**		**I am invited, I am being invited**	
	προσκαλώ	προσκαλούμε	προσκαλούμαι	προσκαλούμαστε
	προσκαλείς	προσκαλείτε	προσκαλείσαι	προσκαλείστε
	προσκαλεί	προσκαλούν	προσκαλείται	προασκαλούνται
P. C.	**I was inviting**		**I was being invited**	
	προσκαλούσα	προσκαλούσαμε	προσκαλούμουν	προσκαλούμαστε
	προσκαλούσες	προσκαλούσατε	προσκαλούσουν	προσκαλούσαστε
	προσκαλούσε	προσκαλούσαν	προσκαλούνταν	προσκαλούνταν
P. S.	**I invited**		**I was invited**	
	προσκάλεσα	προσκαλέσαμε	προσκλήθηκα	προσκληθήκαμε
	προσκάλεσες	προσκαλέσατε	προσκλήθηκες	προσκληθήκατε
	προσκάλεσε	προσκάλεσαν	προσκλήθηκε	προσκλήθηκαν
F. C.	**I will be inviting**		**I will be being invited**	
	θα προσκαλώ		θα προσκαλούμαι	
	θα προσκαλείς	etc.	θα προσκαλείσαι	etc.
F. S.	**I will invite**		**I will be invited**	
	θα προσκαλέσω	θα προσκαλέσουμε	θα προσκληθώ	θα προσκληθούμε
	θα προσκαλέσεις	θα προσκαλέσετε	θα προσκληθείς	θα προσκληθείτε
	θα προσκαλέσει	θα προσκαλέσουν	θα προσκληθεί	θα προσκληθούν
Pr. P.	**I have invited**		**I have been invited**	
	έχω προσκαλέσει		έχω προσκληθεί	
	έχεις προσκαλέσει	etc.	έχεις προσκληθεί	etc.
P. P.	**I had invited**		**I had been invited**	
	είχα προσκαλέσει		είχα προσκληθεί	
	είχες προσκαλέσει	etc.	είχες προσκληθεί	etc.
F. P.	**I will have invited**		**I will have been invited**	
	θα έχω προσκαλέσει		θα έχω προσκληθεί	
	θα έχεις προσκαλέσει	etc.	θα έχεις προσκληθεί	etc.

	Subjunctive		(with να, για να, αν, όταν, etc.)	
P.	να προσκαλώ	that I may be inviting	να προσκαλούμαι - that I may be being invited	
P. S.	να προσκαλέσω	that I may invite	να προσκληθώ	that I may be invited
Pr. P.	να έχω προσκαλέσει	that I may have invited	να έχω προσκληθεί	that I may have been invited

	Imperative			
P. S.	προσκάλεσε (sing.)	invite	-	
	προσκαλέστε (pl.)	invite	προσκληθείτε (pl.)	be invited

	Infinitive			
	να προσκαλέσει	to invite	να προσκληθεί	to be invited

	Participle			
	προσκαλώντας	inviting	προσκεκλημέν-ος, -η, -ο invited, invited guest (Examples on page 292)	

	Indicative	
P.	**I try**	
	προσπαθώ	προσπαθούμε
	προσπαθείς	προσπαθείτε
	προσπαθεί	προσπαθούν

P. C.   I was trying

προσπαθούσα   προσπαθούσαμε
προσπαθούσες   προσπαθούσατε
προσπαθούσε   προσπαθούσαν

P. S.   I tried

προσπάθησα   προσπαθήσαμε
προσπάθησες   προσπαθήσατε
προσπάθησε   προσπάθησαν

F. C.   I will be trying

θα προσπαθώ   θα προσπαθούμε
θα προσπαθείς   θα προσπαθείτε
θα προσπαθεί   θα προσπαθούν

F. S.   I will try

θα προσπαθήσω   θα προσπαθήσουμε
θα προσπαθήσεις   θα προσπαθήσετε
θα προσπαθήσει   θα προσπαθήσουν

Pr. P.   I have tried

έχω προσπαθήσει
έχεις προσπαθήσει   etc.

P. P.   I had tried

είχα προσπαθήσει
είχες προσπαθήσει   etc.

F. P.   I will have tried

θα έχω προσπαθήσει
θα έχεις προσπαθήσει   etc.

Subjunctive
(with να, για να, όταν, etc.)

P.   να προσπαθώ   that I may be trying
P. S.   να προσπαθήσω   that I may try
Pr. P.   να έχω προσπαθήσει   that I may have tried

Imperative

προσπάθησε (sing.)   try
προσπαθήστε (pl.)   try

Infinitive

να προσπαθήσει   to try

Participle

προσπαθώντας   trying

Examples:

Προσπάθησα να σου τηλεφωνήσω μα το τηλέφωνό σου δεν απαντούσε.
I tried to call you but your telephone was not answering.

Προσπαθούμε να βοηθήσουμε τη φτωχή οικογένεια.
We are trying to help the poor family.

Προσπάθησε ακόμα μια φορά.
Try one more time. *or* He tried one more time.

Πολλοί ορειβάτες έχουν προσπαθήσει να ανεβούν στο βουνό Έβερεστ.
Many climbers have tried to reach Mt. Everest.

	Active Voice, Indicative		**Passive Voice, Indicative**	
P.	**I offer**		**I am being offered, I am offered**	
	προσφέρω	προσφέρουμε	προσφέρομαι	προσφερόμαστε
	προσφέρεις	προσφέρετε	προσφέρεσαι	προσφέρεστε
	προσφέρει	προσφέρουν	προσφέρεται	προσφέρονται

P. C. **I was offering, I offered**

	P.S.		**I was being offered**	
	προσέφερα	προσφέραμε	προσφερόμουν	προσφερόμαστε
	προσέφερες	προσφέρατε	προσφερόσουν	προσφερόσαστε
	προσέφερε	προσέφεραν	προσφερόταν	προσφέρονταν
	also			
	πρόσφερα	προσφέραμε	**I was offered, I offered**	
	πρόσφερες	προσφέρατε	προσφέρθηκα	προσφερθήκαμε
	πρόσφερε	πρόσφεραν	προσφέρθηκες	προσφερθήκατε
			προσφέρθηκε	προσφέρθηκαν

F. C.	**I will be offering**		**I will being offered, I will be offering myself**	
	θα προσφέρω		θα προσφέρομαι	
	θα προσφέρεις	etc.	θα προσφέρεσαι	etc.

F. S.	**I will offer**		**I will be offered, I will offer myself**	
	θα προσφέρω	θα προσφέρουμε	θα προσφερθώ	θα προσφερθούμε
	θα προσφέρεις	θα προσφέρετε	θα προσφερθείς	θα προσφερθείτε
	θα προσφέρει	θα προσφέρουν	θα προσφερθεί	θα προσφερθούν

Pr. P.	**I have offered**		**I have been offered, I have offered myself**	
	έχω προσφέρει		έχω προσφερθεί	
	έχεις προσφέρει	etc.	έχεις προσφερθεί	etc.

P. P.	**I had offered**		**I had been offered, I had offered myself**	
	είχα προσφέρει		είχα προσφερθεί	
	είχες προσφέρει	etc.	είχες προσφερθεί	etc.

F. P.	**I will have offered**		**I will have been offered, I will have offered**	
	θα έχω προσφέρει		θα έχω προσφερθεί	**myself**
	θα έχεις προσφέρει	etc.	θα έχεις προσφερθεί	etc.

Subjunctive (with να, για να, αν, όταν, etc.)

P.	να προσφέρω	that I may be offering	να προσφέρομαι - that I may be being offered
P. S.	να προσφέρω	that I may offer	να προσφερθώ	that I may be offered
Pr. P.	να έχω προσφέρει	that I may have offered	να έχω προσφερθεί	that I may have been offered

Imperative

P. S.	πρόσφερε (sing.)	be offering	προσφέρου (sing.)	be offered
	προσφέρετε (pl.)	be offering	προσφερθείτε (pl.)	be offered

Infinitive

να προσφέρει	to offer	να προσφερθεί	to be offered

Participle

προσφέροντας	offering	προσφερμέν-ος, -η, -ο	offered
		προσφερθ-είς, -είσα, -έν *(classical)*	offered

(Examples on page 292)

	Active Voice, Indicative		*Passive Voice, Indicative*	
P.	**I prefer**		**I am preferred, I am being preferred**	
	προτιμώ	προτιμούμε	προτιμιέμαι	προτιμιόμαστε
	προτιμάς	προτιμάτε	προτιμιέσαι	προτιμιέστε
	προτιμά	προτιμούν	προτιμιέται	προτιμιούνται
P. C.	**I was preferring**		**I was being preferred**	
	προτιμούσα	προτιμούσαμε	προτιμιόμουν	προτιμιόμαστε
	προτιμούσες	προτιμούσατε	προτιμιόσουν	προτιμιόσαστε
	προτιμούσε	προτιμούσαν	προτιμιόταν	προτιμιόνταν
P. S.	**I preferred**		**I was preferred**	
	προτίμησα	προτιμήσαμε	προτιμήθηκα	προτιμηθήκαμε
	προτίμησες	προτιμήσατε	προτιμήθηκες	προτιμηθήκατε
	προτίμησε	προτίμησαν	προτιμήθηκε	προτιμήθηκαν
F. C.	**I will be preferring**		**I will be being preferred**	
	θα προτιμώ		θα προτιμιέμαι	
	θα προτιμάς	etc.	θα προτιμιέσαι	etc.
F. S.	**I will prefer**		**I will be preferred**	
	θα προτιμήσω	θα προτιμήσουμε	θα προτιμηθώ	θα προτιμηθούμε
	θα προτιμήσεις	θα προτιμήσετε	θα προτιμηθείς	θα προτιμηθείτε
	θα προτιμήσει	θα προτιμήσουν	θα προτιμηθεί	θα προτιμηθούν
Pr. P.	**I have preferred**		**I have been preferred**	
	έχω προτιμήσει		έχω προτιμηθεί	
	έχεις προτιμήσει	etc.	έχεις προτιμηθεί	etc.
P. P.	**I had preferred**		**I had been preferred**	
	είχα προτιμήσει		είχα προτιμηθεί	
	είχες προτιμήσει	etc.	είχες προτιμηθεί	etc.
F. P	**I will have preferred**		**I will have been preferred**	
	θα έχω προτιμήσει		θα έχω προτιμηθεί	
	θα έχεις προτιμήσει	etc.	θα έχεις προτιμηθεί	etc.

		Subjunctive	(with να, για να, αν, όταν, etc.)	
P.	να προτιμώ	that I may be preferring	να προτιμιέμαι	that I may be being preferred
P. S.	να προτιμήσω	that I may prefer	να προτιμηθώ	that I may be preferred
Pr. P.	να έχω προτιμήσει	that I may have preferred	να έχω προτιμηθεί	that I may have been preferred
		Imperative		
P.	προτίμα (sing.)	be preferring	-	
	προτιμάτε (Pl.)	be preferring	-	
P. S.	προτίμησε (sing.)	prefer	προτιμήσου (sing.)	be preferred
	προτιμήστε (pl.)	prefer	προτιμηθείτε (pl.)	be preferred
		Infinitive		
	να προτιμήσει	to prefer	να προτιμηθεί	to be preferred
		Participle		
	προτιμώντας	preferring		

(Examples on page 292)

	Indicative	
P.	**I overtake, I am in time**	
	προφταίνω	προφταίνουμε
	προφταίνεις	προφταίνετε
	προφταίνει	προφταίνουν

	Subjunctive	
	(with να, για να, όταν, etc.)	
P.	να προφταίνω	that I may be overtaking
P. S.	να προφτάσω	that I may overtake
Pr. P.	να έχω προφτάσει	that I may have overtaken

P. C. I was overtaking, I was in time

πρόφταινα	προφταίναμε
πρόφταινες	προφταίνατε
πρόφταινε	πρόφταιναν

Imperative

P.	πρόφτανε (sing.)	be in time
	προφτάνετε (pl.)	be in time
P. S.	πρόφτασε (sing.)	be in time
	προφτάστε (pl.)	be in time

P. S. I overtook, I was in time

πρόφτασα	προφτάσαμε
πρόφτασες	προφτάσατε
πρόφτασε	πρόφτασαν

Infinitive

να προφτάσει	to overtake
	to be in time

F. C. I will be overtaking, I will be in time

θα προφταίνω	θα προφταίνουμε
θα προφταίνεις	θα προφταίνετε
θα προφταίνει	θα προφταίνουν

Participle

προφταίνοντας	overtaking, being in time

P. S. I will overtake, I will be in time

θα προφτάσω	θα προφτάσουμε
θα προφτάσεις	θα προφτάσετε
θα προφτάσει	θα προφτάσουν

Pr. P. I have overtaken, I have been in time

έχω προφτάσει	
έχεις προφτάσει	etc.

P. P. I had overtaken, I had been in time

είχα προφτάσει	
είχες προφτάσει	etc.

F. P. I will have overtaken, I will have been in time

θα έχω προφτάσει	
θα έχεις προφτάσει	etc.

Examples:

Τον πρόφτασα πριν φύγει.	I got there before he left.
Η οικογένεια μόλις πρόφτασε να βγει από το σπίτι, όταν η στέγη έπεσε.	The family barely had time to get out of the house when the roof caved in.
Προφτάσαμε το τρένο.	We were in time to catch the train.
Περπάτα σιγά, γιατί δε σε προφταίνω.	Walk slowly because I cannot keep pace with you.
Δεν προφταίνω να κάνω όλα αυτά μέχρι αύριο.	I do not have time to do all these until tomorrow.

προχωρώ (3) – to go forward; to advance; to go ahead 241

Indicative

P. **I advance, I go forward**

προχωρώ προχωρούμε
προχωρ-είς, -άς προχωρ-είτε, -άτε
προχωρ-εί, -ά προχωρούν

P. C. **I was advancing, going forward**

προχωρούσα προχωρούσαμε
προχωρούσες προχωρούσατε
προχωρούσε προχωρούσαν

P. S. **I advanced, I went forward**

προχώρησα προχωρήσαμε
προχώρησες προχωρήσατε
προχώρησε προχώρησαν

F. C. **I will be advancing, going forward**

θα προχωρώ θα προχωρούμε
θα προχωρείς θα προχωρείτε
θα προχωρεί θα προχωρούν

F. S. **I will advance, go forward**

θα προχωρήσω θα προχωρήσουμε
θα προχωρήσεις θα προχωρήσετε
θα προχωρήσει θα προχωρήσουν

Pr. P. **I have advanced, gone forward**

έχω προχωρήσει
έχεις προχωρήσει etc.

P. P. **I had advanced, gone forward**

είχα προχωρήσει
είχες προχωρήσει etc.

F. P. **I will have advanced, gone forward**

θα έχω προχωρήσει
θα έχεις προχωρήσει etc.

Subjunctive

(with να, για να, όταν, etc.)

P. να προχωρώ that I may be advancing
P. S. να προχωρήσω that I may advance
Pr. P. να έχω προχωρήσει that I may have advanced

Imperative

P. προχ-ώρει, -ώρα (sing.) be advancing
προχωρ-είτε, -άτε (pl.) be advancing
P. S. προχώρησε (sing.) advance
προχωρείστε (pl.) advance

Infinitive

να προχωρήσει to advance

Participle

προχωρώντας advancing

Examples:

Αυτή η δουλειά δεν προχωρεί καθόλου. — This job is not progressing at all.
Προχωρήσαμε μέχρι το δάσος, αλλά νύχτωσε και γυρίσαμε πίσω. — We went as far as the forest, but it got dark and we turned back.
Πόσο προχώρησες στα ελληνικά; — How much have you progressed in Greek?
Τα μαθήματα προχωρούν ικανοποιητικά. — The lessons are progressing satisfactorily.

284

Examples of uses of verbs beginning with the letter π

παιδεύω – εκπαιδεύω

Οι δάσκαλοι εκπαιδεύουν τα παιδιά.	The teachers educate the children.
Έχουν εκπαιδευτεί στο εξωτερικό.	They have been educated abroad.
Αυτό το παιδί με παιδεύει.	This child tortures me.
Η μοίρα μου με παιδεύει.	My fate tortures me.

παίζω

Το γατάκι παίζει με το σκυλάκι.	The kitten plays with the puppy.
Τα παιδιά παίζουν ποδόσφαιρο στο γυμναστήριο.	The children play soccer on the field.
Το τελικό παιχνίδι θα παιχτεί αύριο.	The final game will be played tomorrow.
Τι παίζει ο κινηματογράφος απόψε;	What are they showing at the movies tonight?
Στην Επίδαυρο το καλοκαίρι παίζονται αρχαία δράματα.	In summer many ancient plays are presented at the ancient theater of Epidauros.
Ο Ανδρέας παίζει τον ρόλο του πρωταγωνιστή σ' αυτό το δράμα.	Andrew is playing the principal role in this play.
Ξέρεις ότι εγώ δεν παίζω.	You must know that I do not fool around. (I mean business).
Παίζει τον ρόλο του καλά.	He plays his role well. (He pretends well).

παίρνω

Παίρνω το βιβλίο μου από το τραπέζι.	I take my book from the table.
Πήραμε το γράμμα σας σήμερα.	We received your letter today.
Η καταιγίδα πήρε πολλά σπίτια.	The hurricane swept away many houses.
Πήρα πίσω τα λεφτά μου.	I received my money. (I got my money back).
Τον πήραμε από κοντά να δούμε που πηγαίνει και τι κάνει.	We followed him closely to see where he is going and what he is doing.
Πόσα παίρνεις τον μήνα;	How much do you receive per month?
Ο άνεμος πήρε το καπέλο μου.	The wind blew away my hat.
Να τον πάρει ο διάβολος.	The devil may take him. (curse) Let him go to hell!
Ένας Έλληνας ποιητής πήρε φέτος το Βραβείο Νόμπελ.	A Greek poet received the Nobel prize this year.
Πάρε – Πάρτε.	Take.
Πάρε τον ένα και χτύπα τον άλλο.	Take the one and hit him on the other. (Both are good for nothing.)
Τον πήραν μέσα.	They put him in jail.
Τον πήρε ο χάρος.	(He was taken by Charon). He died.
Τον πήρε το ποτάμι.	(The river washed him away). He was ruined.
Η πόλη πάρθηκε από τον εχθρό.	The city was taken by the enemy.
Πάρθηκαν. (Ο Γιώργος και η Μαρία.)	They were married. (George and Maria)
Τον πήρα για τον Κώστα.	I mistook him for Costa.
Πήρα απάνω μου τη δουλειά.	I myself took the responsibility for this job.
Παίρνω το μέρος του σ' αυτή την υπόθεση.	I support him on this matter.
Πήρα τα έπιπλα τοις μετρητοίς.	I bought the furniture cash.
Δε μας παίρνει το δωμάτιο.	The room is not big enough for us.
Δεν πήρε τα γράμματα.	He did not receive the letters.
Το πήρε πολύ απάνω του.	He thinks a lot of himself.
Πήρε το μυαλό του αέρα.	He is conceited.

Δε μας πήρε καλά η φωτογραφική μηχανή.

Δε μας παίρνει ο καιρός.

Όσο παίρνει το μάτι.

Πήρα το πλοίο, το τρένο, το αεροπλάνο.

Παίρνω λόγια.

Πήρε κατά τα μάτια του.

Τον πήρε το μάτι μου.

Τον πήρε το αυτί μου.

Τον πήρα στον λαιμό μου.

Με πήρε το παράπονο.

Πήρε μια όμορφη γυναίκα.

Πήρε το δίπλωμά του.

Πήρε τον καλό (κακό) δρόμο.

Τον πήρα από πίσω.

Πήρε τα βουνά.

The camera did not take our picture well.

We do not have time.

As far as the eye can see.

I went by boat, train, airplane.

I listen to gossip.

He disappeared.

I saw him by chance momentarily.

I heard him (by chance).

I dragged him myself. (I am responsible for his downfall).

I felt like crying.

He married a beautiful woman.

He received his diploma.

He followed the good (bad) road.

I followed him.

He took to the hills. (He rejected society).

παντρεύω – παντρεύομαι

Ο φίλος μου παντρεύτηκε χτες.

Πάντρεψε και τις δυο του κόρες μέσα σε ένα χρόνο.

Πότε θα παντρευτείς;

Είναι παντρεμένος – Είναι παντρεμένη.

Έχει παντρευτεί έναν Άγγλο.

Παντρεύτηκαν πριν δυο χρόνια.

Τους πάντρεψε ο παπάς στην εκκλησία.

My friend was married yesterday.

He gave his two daughters into marriage in one year's time.

When are you getting married?

He is married. She is married.

She is married to an Englishman.

They were married two years ago.

The priest married them in the church.

παραγγέλνω

Τι κρέας θα παραγγείλεις;

Τι μας παράγγειλαν;

Τι παραγγέλνει ο στρατηγός στους στρατιώτες του;

Πόσα βιβλία έχουν παραγγείλει;

Πόσα βιβλία έχετε παραγγείλει;

Ποιος θα παραγγείλει;

What kind of meat will you order?

What did they order? *or* What did they order us to do?

What does the general order his soldiers to do?

How many books have they ordered?

How many books have you ordered?

Who is going to order?

παρουσιάζω

Ο συγγραφέας παρουσίασε στον κόσμο το νέο του μυθιστόρημα.

Ένας νέος κομήτης παρουσιάστηκε στον ουρανό.

Όλοι οι νέοι, ηλικίας είκοσι χρονών, πρέπει να παρουσιαστούν στο στρατολογικό γραφείο.

Δεν έχει παρουσιαστεί ακόμα.

Παρουσιάσου γρήγορα στην αστυνομία για να μην έχεις φασαρίες.

The author presented to the people his new novel.

A new comet appeared (made its appearance) in the sky.

All young men age twenty must present themselves for induction in the army.

He has not appeared as yet.

Present yourself to the police as soon as possible so you can avoid any trouble.

πατώ

Με πάτησε στο πόδι.

Πρόσεχε που πατάς.

Πάτησε γκάζι.

Πατά σε στερεό έδαφος.

He stepped on my foot.

Watch where you tread (step)

He stepped on the gas. He sped away.

He is stepping on solid ground.

He is confident.

Το μονοπάτι έχει πατηθεί πολλές φορές.
Την πάτησε.

παύω

Τα βάσανά του έπαψαν.
Πάψε να μιλάς.
Τα σχολεία έπαψαν.
Παύθηκε ο διευθυντής του σχολείου.
Πότε θα πάψεις να δουλεύεις;
Έπαψε να βρέχει.

πειράζω

Αυτός με πειράζει.
Πειράχτηκα με αυτά που είπες.
Μην πειράζετε τα κορίτσια.
Νόμιζες πως θα πειραζόμουν αν δεν
ερχόσουνα;
Τίποτε δε με πειράζει!

περιγράφω

Περιέγραψε το ταξίδι του στην Ελλάδα.
Τα παιδιά θα περιγράψουν αυτά που
είδαν στην έκθεση.
Οι εκστρατείες του Μεγάλου Αλεξάνδρου
έχουν περιγραφεί από τον ιστορικό
Αρριανό.
Περίγραψε τα πρόσωπα της οικογένειάς σου.

περιορίζω

Πρέπει να περιορίσουμε τα έξοδά μας.
Περιορίστε τα παιδιά σας στην αυλή
του σπιτιού σας.
Στην ομιλία σου πρέπει να περιοριστείς
στο θέμα σου.
Περιόρισε τη γλώσσα σου.
Οι φυλακισμένοι περιορίζονται στην
αυλή της φυλακής.

περνώ

Πέρασε στεριές και θάλασσες.
Περνώ από το δάσος.
Ο ταχυδρόμος περνά κάθε μέρα.
Του πέρασε η υποψία.
Του περνά η ιδέα ότι ξέρει πολλά.
Πέρασε στο άλλο νησί με βάρκα.
Περάστε μέσα, παρακαλώ.
Ο καιρός πέρασε γρήγορα.
Πέρασαν πολλά χρόνια από τότε
που σε είδα.
Όλα θα περάσουν.
Του πέρασε ο θυμός
Αυτή η μόδα πέρασε.
Πέρασα δέκα χρόνια στη ξενιτιά.
Έχουν περάσει πολλά βάσανα.
Τον περνάω πέντε χρόνια.
Δεν περνούν τα ψέματα.

The path has been stepped on many times.
He was fooled.

His troubles ended (ceased).
Stop talking.
The schools closed.
The principal of the school was fired.
When will you stop work?
The rain stopped.

This guy bothers me.
I was annoyed with what you said.
Do not bother the girls.
Did you think that I would have been
annoyed if you had not come?
Nothing bothers me!

He described his trip to Greece.
The children will describe what they
saw at the exhibit.
Alexander's the Great expeditions
were described by Arrian, the historian.

Describe the persons in your family.

We must limit our expenses.
Confine your children to the yard
of your house.
In your speech you must limit yourself
to the subject matter.
Restrain your tongue. (Do not gossip).
The prisoners are restrained in the
prison enclosure.

He traveled over lands and seas.
I pass through the forest.
The mailman calls every day.
He had a suspicion.
He thinks that he knows much.
He crossed to the other island by boat.
Come in, please.
Time passed quickly.
Many years have passed since
I saw you.
Everything will pass.
His anger subsided.
This fashion is obsolete.
I lived ten year away from my country.
They suffered a lot.
I am five years older than he.
Lies will not do.

Ο λόγος του περνάει πολύ.
His words achieve a lot.

Μου περνάει και κάνω ό,τι θέλω.
I can do whatever I want.

Αυτός είναι βλάκας, μα περνάει για έξυπνος.
He is stupid but considers himself smart.

Τα λεφτά του δεν περνούν εδώ.
He is not accepted here. (His money is not accepted here.)

Δεν περνά η μπογιά της πια.
She is not attractive anymore.

πετώ

Τα πουλιά και τα αεροπλάνα πετούν.
Birds and airplanes fly.

Το πουλί πέταξε από τη φωλιά του.
The bird flew from its nest.

Το παιδί πέταξε μια πέτρα και έσπασε το παράθυρο.
The child threw a stone and broke the window.

Πόσες φορές έχεις πετάξει;
How many times have you traveled by plane?

Γιατί πετάξατε τα βιβλία σας;
Why did you throw your books away?

Θα πεταχτώ μια στιγμή στο σπίτι.
I will go for a moment to the house.

Ο άνεμος πέταξε το καπέλο μου.
The wind blew my hat away.

Ο καιρός πετά.
Time flies.

Πετώ από χαρά, γιατί κέρδισα το λαχείο.
I jump with joy because I won the lottery.

Πετάχτηκα πάνω από τον φόβο μου.
I jumped from fear.

Πετάξαμε τα φρούτα, γιατί χάλασαν.
We threw out the fruit because they had spoiled.

Τα φρούτα πετάχτηκαν, γιατί ήταν χαλασμένα.
The fruit were thrown out because they were spoiled.

Αυτός ο άνθρωπος πάντοτε πετιέται στη μέση.
This man always interferes with other peoples' business.

Πετά το ακόντιο πολύ μακριά.
He can throw the javelin very far.

Του πέταξε ένα ποτήρι νερό στο πρόσωπο.
He threw a glass of water in his face.

Μου πέταξε ένα λόγο.
(He threw a word at me). He insulted me.

Τον πέταξε έξω.
He threw him out.

Τους πετάξανε από το σπίτι.
They threw them out of the house.

Τα έχει πολλά και τα πετάει.
He has much money and throws it away.

Αυτά είναι πεταμένα χρήματα.
This is wasted money.

Πέταξε τα μυαλά του στον αέρα.
He committed suicide.

Το δέντρο πετά νέα κλαδιά.
The tree sprouts new branches.

Πετά η σημαία.
The flag flutters.

πέφτω

Πέφτω στα γόνατα.
I fall on my knees (and beg).

Πέφτω στα γόνατα και σε παρακαλώ.
I fall on my knees and beg you.

Πέφτω στην αγκαλιά σου.
I fall into your arms. (I love you).

Πέφτω στον λαιμό σου.
I embrace you.

Πέφτουμε από το ένα κακό στο άλλο.
We fall from one evil into another.

Πέφτω στο κρεβάτι.
I fall sick.

Έπεσε σε καλά χέρια.
He fell into good hands. (He has a good boss or a good wife, husband).

Έπεσε ο πυρετός του παιδιού.
The child's fever has dropped.

Ο αέρας έπεσε.
The wind stopped blowing. (Calmed down).

Έπεσε η τιμή του δολαρίου.
The dollar lost some value.

Έπεσε η κυβέρνηση.
The government resigned.

Έπεσε έξω στις δουλειές του.
His business folded.

Πέφτει ξύλο.
Don't spare the rod.

Έπεσαν τρεις απάνω τους.
Three attacked them.

Έπεσε σε άλλα χέρια το γράμμα που σου έγραψα.
The letter I wrote you fell into other hands.

Έπεσε αρρώστια στην πόλη.
The city was hit by an epidemic.

Μου έπεσε ο πρώτος λαχνός.
Τι πέφτει στο μερτικό μου;
Σου πέφτει πολύ.
Δε σου πέφτει λόγος.

I won the first prize of the lottery.
What is my share?
This is too much for you.
You should not express your opinion.

πηγαίνω

Όπως πάμε δε θα φτάσουμε ποτέ.

In the manner we are proceeding we will never reach our destination.

Πώς πάει η υγεία σου;
Πώς πάνε τα κέφια;
Πώς πάει ο άρρωστος;
Δεν τα πάει καλά με τη γυναίκα του.
Το ρολόι δεν πάει καλά.
Πού θα πάει αυτή η κατάσταση;
Πηγαίνω να τρελαθώ.
Πάει για βουλευτής.
Πάει για γαμπρός.
Δεν σου πάει το πανωφόρι.
Πάνε τρία χρόνια από τότε που βούλιαξε το πλοίο.
Πηγαίνω χαμένος.
Μου πήγανε πολλά αυτόν τον μήνα.
Πάει μεσημέρι.
Πού θα μου πας;

How is your health?
How do you feel?
How is the sick man?
He is not on good terms with his wife.
The clock does not show the right time.
Where will this situation lead?
I am going to lose my mind.
He is running for the parliament.
He wants to get married.
The coat does not look good on you.
Three years have passed from the time the boat sank.
I am lost.
I spent a lot of money this month.
It is already noon.
(Where are you going to go?) You cannot escape me.

Τον πήγε πέντε-πέντε.
Πάει, φύγανε.
Πάει, χάλασε ο κόσμος.

He was very fearful. He was frightened.
They have disappeared. They are gone.
The world is in shambles. The world has changed a lot.

Πάει, πέρασε κι αυτό.
Πάει ο καημένος.

This is behind us now.
He died, the poor man.

πιάνω

Πιάσε. Πιάστε.
Πιαστείτε από το σχοινί.
Πιανόμαστε από το χέρι.
Το πανταλόνι μου πιάστηκε στο καρφί.
Πιάνομαι στα χέρια με κάποιον.
Πιάστηκαν στα χέρια.
Οι κλέφτες πιάστηκαν.
Έπιασε ένα μεγάλο ψάρι.
Ποιος τον πιάνει!
Πιάστηκε αιχμάλωτος.
Πιάστηκε ψεύτης.
Τον έπιασε στον δρόμο.
Τον έπιασαν με το καλό.
Δεν πιάσαμε ούτε τα έξοδά μας.
Το σπίτι αυτό πιάνει ένα εκατομμύριο ευρώ.
Δεν τον πιάνει το μάτι σου μα είναι ένας περίφημος επιστήμονας.
Πιάστηκε.
Το στάδιο πιάνει πενήντα χιλιάδες κόσμο.

Take. Hold.
Hold on to the rope.
We are holding hands.
My trousers were caught by a nail.
I quarrell with someone.
They quarrelled.
The thieves were apprehended.
He caught a big fish.
Who can compete with him!
He was taken prisoner.
He was found to be a liar.
He caught him in the street.
They tempted him with some promises.
We did not even cover our expenses.
This house may bring one million euro.
He does not look impressive but he is a famous scientist.
He was caught. *or* He made much money.
The stadium can accommodate fifty thousand people.

Όλα τα καθίσματα είναι πιασμένα.
Έπιασε τα βουνά.

All seats are taken.
He is wandering in the mountains.

289

Τι σ'έπιασε; | What is the matter with you?
Τον έπιασε το κεφάλι του. | He has a headache.
Τον έπιασε το κρασί. | The wine had its effect on him.
Τον έπιασε η θάλασσα. | He became seasick.
Έπιασε το κόλπο μας. | Our ruse succeeded.
Πιάστηκε το πόδι του. | His foot became numb.
Έπιασα δουλειά στην κυβέρνηση. | I got a job with the government.
Έπιασα να σου γράψω, μα δεν έγραψα. | I started writing you but I did not do it.
Το σπίτι έπιασε φωτιά. | The house caught fire.
Έπιασε βροχή. | It started raining.
Ο γιος μας έπιασε κρέας. | Our son gained some weight.
Πιάνω φιλία με κάποιον. | I strike a friendship with someone.

πιστεύω

Πιστεύω στον θεό. | I believe in God.
Πίστεψε αυτά που είπα. | He believed what I said.
Δε μας πιστεύουν. | They do not believe us.

πλένω

Η μητέρα πλένει το παιδί. | The mother washes the child.
Το παιδί πλένεται από τη μητέρα. | The child is being washed by his mother.
Πλένομαι. | I wash myself.
Μας έπλυναν. | They washed us.
Τα ρούχα έχουν πλυθεί. | The clothes have been washed.

πληγώνω

Ο στρατιώτης πληγώθηκε στη μάχη. | The soldier was wounded in the battle.
Τον πλήγωσε με ένα μαχαίρι. | He wounded him with a knife.
Τα λόγια τους μας πλήγωσαν. | Their words hurt our feelings.
Πώς πληγώθηκες; | How were you wounded?
Πληγωθήκαμε με αυτά που είπαν. | Our feelings were hurt with what they said.

πληροφορώ

Με πληροφόρησε πως δε θα έρθει. | He informed me that he will not come.
Πληροφορηθήκαμε ότι ο φίλος μας σκοτώθηκε σ' ένα δυστύχημα. | We learned that our friend was killed in an accident.
Ποιος μπορεί να μας πληροφορήσει πότε φεύγει το αεροπλάνο; | Who can inform us as to when the airplane will leave?

πληρώνω

Πότε θα με πληρώσεις; | When will you pay me?
Πληρώνομαι μια φορά τον μήνα. | I am paid once a month.
Πληρωθήκαμε για τη δουλειά μας. | We have been paid for our work.
Αυτός είναι πληρωμένος. | He is paid. (He is bribed).
Θα σε πληρώσω. | I will pay you.

πλησιάζω

Πλησιάζουμε στο τέλος του ταξιδιού μας. | We are nearing the end of our trip.
Πλησίασε πιο κοντά. | Come closer.
Πλησιάζω το χέρι μου στη φωτιά. | I put my hand near the fire.
Κάποιος με πλησίασε και ρώτησε πού είναι η οδός Αθηνάς. | Someone approached me and asked where is Athena street.
Το χρώμα του μολυβιού πλησιάζει προς το κόκκινο. | The color of the pencil is close to red.

πλουτίζω

Ο φίλος μου πλούτισε από τα διαμερίσματα που έχει.
Όσο κι αν δουλεύω ποτέ δε θα πλουτίσω.

Η βιβλιοθήκη έχει πλουτιστεί με πολλά πολύτιμα βιβλία.

My friend has become rich through the apartments he owns.
Regardless how much I work I will never become rich.
The library has been enriched by many valuable books.

πνίγω – πνίγομαι

Πνίγεται.
Έπνιξε το φίδι με το χέρι του.
Πνιγόμαστε από τον καπνό.
Πνίγηκε στα βαθιά νερά.
Πνίγομαι στη δουλειά.
Πήγαινε να πνιγείς.
Η Μήδεια έπνιξε τα παιδιά της.

He is choking. He is drowning.
He choked the snake with his hand.
We are breathing hard because of the smoke.
He drowned in the deep waters.
I am drowning in my work. I am very busy.
Go and drown. Get lost!
Medea strangled her children.

ποτίζω

Ο γεωργός ποτίζει τον κήπο του.
Το καλοκαίρι ποτίζουμε το χορτάρι.
Το χώμα ποτίστηκε καλά.
Ο βοσκός πότισε τα πρόβατά του.

The farmer waters his garden.
In the summer we water the grass.
The earth was watered well.
The shepherd gave water to his sheep.

πουλώ

Τι πουλάς;
Πόσο πουλιέται αυτό;
Μας πούλησε το σπίτι.
Το σπίτι πουλήθηκε.
Πουλήσαμε όλα τα βιβλία.
Όλα τα γλυκίσματα έχουν πουληθεί.
Είναι πουλημένος.
Για να αγοράσεις αυτό το αυτοκίνητο πρέπει να πουληθείς.
Μας πουλά και μας αγοράζει.

What do you sell?
For how much does this sell?
He sold us the house.
The house was sold.
We sold all the books.
All the sweets have been sold.
(He is sold). He is bribed.
You have to sell yourself in order to buy this car. (The car is very expensive).
(He sells and buys us) He is very clever.

προειδοποιώ

Μας προειδοποίησε ότι δε θα έλθει.

Δεν προειδοποιήθηκαν.
Ο εχθρός βύθισε το επιβατικό πλοίο
χωρίς να προειδοποιήσει.

He told us before hand that he would not come.
They were not warned in advance.
The enemy sank the passenger-boat without warning.

προξενώ

Ο σεισμός προξένησε μεγάλες ζημιές.
Η επίσκεψή σου θα προξενήσει
μεγάλη φασαρία.
Προξενήθηκαν μεγάλες παρεξηγήσεις.

The earthquake caused much damage.
Your visit will cause great confusion.

There were misunderstandings.

προσκαλώ

Τον προσκάλεσα στο σπίτι μου.
Μας έχουν προσκαλέσει στον γάμο της
κόρης τους.
Σε προσκαλώ να φάμε μαζί.

I invited him to my house.
They have invited us to their daughter's wedding.
I invite you to share our meal.

προσφέρω

Στο τραπέζι θα προσφέρουμε κοτόπουλο.
Πόσα προσφέρετε γι' αυτή τη δουλειά;
Προσφέρθηκαν να μας βοηθήσουν.
Έχουν προσφέρει πολλά στην πατρίδα τους.
Προσφέρομαι να δώσω ό,τι μπορώ
γι' αυτόν τον σκοπό.

We will offer chicken at the dinner.
How much do you offer for this job?
They offered to help us.
They have offered much to their fatherland.
I offer to give whatever I can for this purpose.

προτιμώ

Τι προτιμάτε, αρνί ή βοδινό κρέας;
Προτίμησα να πάω με το αεροπλάνο.
Ποια εταιρεία θα προτιμηθεί;

What do you prefer lamb or beef?
I chose to go by plane.
What company will be chosen?

ράβω (1) – to sew; to stitch

	Active Voice, Indicative		*Passive Voice, Indicative*	
P.	**I sew**		**I am sewn, I am being sewn**	
	ράβω	ράβουμε	ράβομαι	ραβόμαστε
	ράβεις	ράβετε	ράβεσαι	ράβεστε
	ράβει	ράβουν	ράβεται	ράβονται
P. C.	**I was sewing**		**I was being sewn**	
	έραβα	ράβαμε	ραβόμουν	ραβόμαστε
	έραβες	ράβατε	ραβόσουν	ραβόσαστε
	έραβε	έραβαν	ραβόταν	ράβονταν
P. S.	**I sewed**		**I was sewed**	
	έραψα	ράψαμε	ράφτηκα	ραφτήκαμε
	έραψες	ράψατε	ράφτηκες	ραφτήκατε
	έραψε	έραψαν	ράφτηκε	ράφτηκαν
F. C.	**I will be sewing**		**I will be being sewed**	
	θα ράβω	θα ράβουμε	θα ράβομαι	θα ραβόμαστε
	θα ράβεις	θα ράβετε	θα ράβεσαι	θα ράβεστε
	θα ράβει	θα ράβουν	θα ράβεται	θα ράβονται
F. S.	**I will sew**		**I will be sewed**	
	θα ράψω	θα ράψουμε	θα ραφτώ	θα ραφτούμε
	θα ράψεις	θα ράψετε	θα ραφτείς	θα ραφτείτε
	θα ράψει	θα ράψουν	θα ραφτεί	θα ραφτούν
Pr. P.	**I have sewed**		**I have been sewed**	
	έχω ράψει		έχω ραφτεί	
	έχεις ράψει	etc.	έχεις ραφτεί	etc.
P. P.	**I had sewed**		**I had been sewed**	
	είχα ράψει		είχα ραφτεί	
	είχες ράψει	etc.	είχες ραφτεί	etc.
F. P.	**I will have sewed**		**I will have been sewed**	
	θα έχω ράψει		θα έχω ραφτεί	
	θα έχεις ράψει	etc.	θα έχεις ραφτεί	etc.

Subjunctive (with να, για να, αν, όταν, etc.)

P.	να ράβω	that I may be sewing	να ράβομαι	that I may be being sewed
P. S.	να ράψω	that I may sew	να ραφτώ	that I may be sewed
Pr. P.	να έχω ράψει	that I may have sewed	να έχω ραφτεί	that I may have been sewed

Imperative

P.	ράβε (sing.)	be sewing	ράβου (sing.)	be being sewed
	ράβετε (pl.)	be sewing	ράβεστε (pl.)	be being sewed
P. S.	ράψε (sing.)	sew	ράψου (sing.)	be sewed
	ράψετε (pl.)	sew	ραφτείτε (pl.)	be sewed

Infinitive

	να ράψει	to sew	να ραφτεί	to be sewed

Participle

	ράβοντας	sewing	ραμμέν-ος, -η, -ο	sewed

(Examples on page 296)

	Active Voice, Indicative		*Passive Voice, Indicative*	
P.	**I throw**		**I am thrown, I am being thrown**	
	ρίχνω	ρίχνουμε	ρίχνομαι	ριχνόμαστε
	ρίχνεις	ρίχνετε	ρίχνεσαι	ρίχνεστε
	ρίχνει	ρίχνουν	ρίχνεται	ρίχνονται
P. C.	**I was throwing**		**I was being thrown**	
	έριχνα	ρίχναμε	ριχνόμουν	ριχνόμαστε
	έριχνες	ρίχνατε	ριχνόσουν	ριχνόσαστε
	έριχνε	έριχναν	ριχνόταν	ρίχνονταν
P. S.	**I threw**		**I was thrown**	
	έριξα	ρίξαμε	ρίχτηκα	ριχτήκαμε
	έριξες	ρίξατε	ρίχτηκες	ριχτήκατε
	έριξε	έριξαν	ρίχτηκε	ρίχτηκαν
F. C.	**I will be throwing**		**I will be being thrown**	
	θα ρίχνω		θα ρίχνομαι	
	θα ρίχνεις	etc.	θα ρίχνεσαι	etc.
F. S.	**I will throw**		**I will be thrown**	
	θα ρίξω	θα ρίξουμε	θα ριχτώ	θα ριχτούμε
	θα ρίξεις	θα ρίξετε	θα ριχτείς	θα ριχτείτε
	θα ρίξει	θα ρίξουν	θα ριχτεί	θα ριχτούν
Pr. P.	**I have thrown**		**I have been thrown**	
	έχω ρίξει		έχω ριχτεί	
	έχεις ρίξει	etc.	έχεις ριχτεί	etc.
P. P.	**I had thrown**		**I had been thrown**	
	είχα ρίξει		είχα ριχτεί	
	είχες ρίξει	etc.	είχες ριχτεί	etc.
F. P.	**I will have thrown**		**I will have been thrown**	
	θα έχω ρίξει		θα έχω ριχτεί	
	θα έχεις ρίξει	etc.	θα έχεις ριχτεί	etc.

Subjunctive (with να, για να, αν, όταν, etc.)

P.	να ρίχνω	that I may be throwing	να ρίχνομαι	that I may be being thrown
P. S.	να ρίξω	that I may throw	να ριχτώ	that I may be thrown
Pr. P.	να έχω ρίξει	that I may have thrown	να έχω ριχτεί	that I may have been thrown

Imperative

P.	ρίχνε (sing.)	be throwing	ρίχνου (sing.)	be being thrown
	ρίχνετε (pl.)	be throwing	ρίχνεστε (pl.)	be being thrown
P. S.	ρίξε (sing.)	throw	ρίξου (sing.)	be thrown
	ρίξετε, ρίξτε (pl.) throw		ριχτείτε (pl.)	be thrown

Infinitive

να ρίξει	to throw	να ριχτεί	to be thrown

Participle

ρίχνοντας	throwing	ριγμέν-ος, -η, -ο	thrown

(Examples on page 296)

	Active Voice, Indicative		*Passive Voice, Indicative*	
P.	**I ask**		**I am asked, I am being asked**	
	(ε)ρωτ-ώ, -άω	ρωτ-ούμε, -άμε	ρωτιέμαι	ρωτιόμαστε
	(ε)ρωτάς	ρωτάτε	ρωτιέσαι	ρωτιέστε
	(ε)ρωτ-ά, -άει	ρωτ-ούν, -άνε	ρωτιέται	ρωτιούνται
P. C.	**I was asking**		**I was being asked**	
	ρωτούσα	ρωτούσαμε	ρωτιόμουν	ρωτιόμαστε
	ρωτούσες	ρωτούσατε	ρωτιόσουν	ρωτιόσαστε
	ρωτούσε	ρωτούσαν	ρωτιόταν	ρωτιόνταν
P. S.	**I asked**		**I was asked**	
	ρώτησα	ρωτήσαμε	ρωτήθηκα	ρωτηθήκαμε
	ρώτησες	ρωτήσατε	ρωτήθηκες	ρωτηθήκατε
	ρώτησε	ρώτησαν	ρωτήθηκε	ρωτήθηκαν
F. C.	**I will be asking**		**I will be being asked**	
	θα ρωτ-ώ, -άω	θα ρωτ-ούμε, -άμε	θα ρωτιέμαι	θα ρωτιόμαστε
	θα ρωτάς	θα ρωτάτε	θα ρωτιέσαι	θα ρωτιέστε
	θα ρωτ-ά, -άει	θα ρωτ-ούν, -άνε	θα ρωτιέται	θα ρωτιούνται
F. S.	**I will ask**		**I will be asked**	
	θα ρωτήσω	θα ρωτήσουμε	θα ρωτηθώ	θα ρωτηθούμε
	θα ρωτήσεις	θα ρωτήσετε	θα ρωτηθείς	θα ρωτηθείτε
	θα ρωτήσει	θα ρωτήσουν	θα ρωτηθεί	θα ρωτηθούν
Pr. P.	**I have asked**		**I have been asked**	
	έχω ρωτήσει		έχω ρωτηθεί	
	έχεις ρωτήσει	etc.	έχεις ρωτηθεί	etc.
P. P.	**I had asked**		**I had been asked**	
	είχα ρωτήσει		είχα ρωτηθεί	
	είχες ρωτήσει	etc.	είχες ρωτηθεί	etc.
F. P.	**I will have asked**		**I will have been asked**	
	θα έχω ρωτήσει		θα έχω ρωτηθεί	
	θα έχεις ρωτήσει	etc.	θα έχεις ρωτηθεί	etc.

Subjunctive
(with να, για να, αν, όταν, etc.)

P.	να ρωτώ	that I may be asking	να ρωτιέμαι	that I may be being asked
P. S.	να ρωτήσω	that I may ask	να ρωτηθώ	that I may be asked
Pr. P.	να έχω ρωτήσει	that I may have asked	να έχω ρωτηθεί	that I may have been asked

Imperative

P.	ρώτα (sing.)	be asking	-	
	ρωτάτε (pl.)	be asking	-	
P. S.	ρώτησε (sing.)	ask	ρωτήσου (sing.)	be asked
	ρωτήστε (pl.)	ask	ρωτηθείτε (pl.)	be asked

Infinitive

	να ρωτήσει	to ask	να ρωτηθεί	to be asked

Participle

	ρωτώντας	asking	ερωτημέν-ος, -η, -ο	asked

(Examples on page 296)

Examples of uses of verbs starting with **ρ**

ράβω

Έραψα ένα φουστάνι.	I made a dress.
Η μαμά έρραψε την κάλτσα που είχε μια τρύπα.	Mother sewed the sock that had a hole.
Αυτό το ρούχο είναι τόσο χοντρό ώστε δε ράβεται.	This cloth is so thick that it cannot be sewn.
Έχουμε ράψει τις σακούλες.	We have sewed the bags.
Ο γιατρός έρραψε την πληγή.	The doctor stitched together the wound.
Ράψε το στόμα σου.	(Close your mouth). Shut your mouth.
Κόβει και ράβει.	(He cuts and sews). He talks too much.

ρίχνω

Τον έριξε κάτω.	He threw him down.
Τα παιδιά ρίχνουν πέτρες.	The children throw stones.
Ο πόλεμος μάς έριξε σε μεγάλη δυστυχία.	The war plunged us into great misery.
Ρίξε πάνω σου κάτι, γιατί κάνει κρύο.	(Drop something on you) Cover yourself because it is cold.
Ο φίλος μου έριξε μια καλή ιδέα.	My friend had a good idea.
Τα σκυλιά ρίχτηκαν πάνω στους λύκους.	The dogs rushed against the wolves.
Έριξε πολύ χιόνι.	It snowed much.
Είχαμε ριχτεί στη δουλειά.	We had plunged into our work.
Τα δέντρα ρίχνουν τα φύλλα τους το φθινόπωρο.	The trees drop their leaves in the fall.
Της ρίχτηκε.	He attacked her. He is after her.
Της ρίχνει ματιές.	He is making eyes at her.
Οι Αμερικανοί έριξαν την ατομική βόμβα πάνω στη Χιροσίμα.	The Americans dropped the atomic bomb on Hirosima.
Ρίχνει το ακόντιο.	He throws the javelin.
Ρίχνει την πέτρα πολύ μακριά.	He can fling a stone very far.

ρωτώ

Σε ρωτώ.	I am asking you.
Με ρώτησε.	He/she asked me.
Ρωτήθηκαν τι θέλουν.	They were asked what they want.
Έχουμε ρωτήσει όλους. Κανένας δεν ξέρει τίποτα.	We have asked all. Nobody knows anything.
Ρώτησέ με ό,τι θέλεις.	Ask me whatever you want.
Ρωτώντας βρίσκεις τον δρόμο.	You find the way by asking.
Ο δάσκαλος ρωτά τα παιδιά.	The teacher asks the children.
Πολλοί άνθρωποι ρωτήθηκαν γι' αυτό το ζήτημα.	Many people were asked about this matter.

	Indicative			**Subjunctive**	
P.	**I move**			(with να, για να, όταν, etc.)	
	σαλεύω	σαλεύουμε	**P.**	να σαλεύω	that I may be moving
	σαλεύεις	σαλεύετε	**P. S.**	να σαλέψω	that I may move
	σαλεύει	σαλεύουν	**Pr. P.**	να έχω σαλέψει	that I may have moved

	P. C.	**I was moving**		**Imperative**	
	σάλευα	σαλεύαμε	**P**	σάλευε (sing.)	be moving
	σάλευες	σαλεύατε		σαλεύετε (pl.)	be moving
	σάλευε	σάλευαν	**P. S.**	σάλεψε (sing.)	move
				σαλέψετε *or* σαλέψτε (pl.) move	

	P. S.	**I moved**		**Infinitive**	
	σάλεψα	σαλέψαμε		να σαλέψει	to move
	σάλεψες	σαλέψατε			
	σάλεψε	σάλεψαν			

	F. C.	**I will be moving**		**Participle**	
	θα σαλεύω	θα σαλεύουμε		σαλεύοντας	moving
	θα σαλεύεις	θα σαλεύετε			
	θα σαλεύει	θα σαλεύουν		**Passive participle**	

	F. S.	**I will move**			
	θα σαλέψω	θα σαλέψουμε		σαλεμέν-ος, -η, -ο	moved
	θα σαλέψεις	θα σαλέψετε			
	θα σαλέψει	θα σαλέψουν			

Pr. P. **I have moved**
έχω σαλέψει
έχεις σαλέψει   etc.

P. P. **I had moved**
είχα σαλέψει
είχες σαλέψει   etc.

F. P. **I will have moved**
θα έχω σαλέψει
θα έχεις σαλέψει   etc.

(Examples on page 328)

	Indicative	
P.	**I become confused**	
	σαστίζω	σαστίζουμε
	σαστίζεις	σαστίζετε
	σαστίζει	σαστίζουν

P. C.	**I was becoming confused**	
	σάστιζα	σαστίζαμε
	σάστιζες	σαστίζατε
	σάστιζε	σάστιζαν

P. S.	**I became confused**	
	σάστισα	σαστίσαμε
	σάστισες	σαστίσατε
	σάστισε	σάστισαν

F. C.	**I will be becoming confused**	
	θα σαστίζω	θα σαστίζουμε
	θα σαστίζεις	θα σαστίζετε
	θα σαστίζει	θα σαστίζουν

F. S.	**I will become confused**	
	θα σαστίσω	θα σαστίσουμε
	θα σαστίσεις	θα σαστίσετε
	θα σαστίσει	θα σαστίσουν

Pr. P.	**I have become confused**	
	έχω σαστίσει	
	έχεις σαστίσει	etc.

P. P.	**I had become confused**	
	είχα σαστίσει	
	είχες σαστίσει	etc.

F. P.	**I will have become confused**	
	θα έχω σαστίσει	
	θα έχεις σαστίσει	etc.

Subjunctive
(with να, για να, όταν, etc.)

P.	να σαστίζω	that I may be being confused
P. S.	να σαστίσω	that I may be confused
Pr. P.	να έχω σαστίσει	that I may have been confused

Imperative

P.	σάστιζε	be being confused
	σαστίζετε	be being confused
P.S.	σάστισε (sing.)	be confused
	σαστίστε (pl.)	be confused

Infinitive

να σαστίσει	to be confused

Participle

σαστίζοντας	being confused

Passive participle

σαστισμέν-ος, -η, -ο	confused

Examples:

Σάστισα, όταν τον είδα ξαφνικά μπροστά μου.	I became confused when I saw him suddenly in front of me.
Με σάστισες και δεν ήξερα τι έκανα.	You had me confused and I did not know what I was doing.
Είχα σαστίσει και δεν έγραψα καλά στον διαγωνισμό.	I became confused and I did not do well on my test.
Ο οδηγός τα σάστισε και χτύπησε ένα στύλο του δρόμου.	The driver was confused and hit a pole in the street.
Η Ελένη φαίνεται σαστισμένη.	Helen seems confused.

	Active Voice, Indicative		*Passive Voice, Indicative*	
P.	**I extinguish, I put out**		**I am extinguished, I am being extinguished**	
	σβήνω	σβήνουμε	σβήνομαι	σβηνόμαστε
	σβήνεις	σβήνετε	σβήνεσαι	σβήνεστε
	σβήνει	σβήνουν	σβήνεται	σβήνονται
P. C.	**I was extinguishing**		**I was being extinguished**	
	έσβηνα	σβήναμε	σβηνόμουν	σβηνόμαστε
	έσβηνες	σβήνατε	σβηνόσουν	σβηνόσαστε
	έσβηνε	έσβηναν	σβηνόταν	σβήνονταν
P. S.	**I extinguished**		**I was extinguished**	
	έσβησα	σβήσαμε	σβήστηκα	σβηστήκαμε
	έσβησες	σβήσατε	σβήστηκες	σβηστήκατε
	έσβησε	έσβησαν	σβήστηκε	σβήστηκαν
F. C.	**I will be extinguishing**		**I will be being extinguished**	
	θα σβήνω	θα σβήνουμε	θα σβήνομαι	θα σβηνόμαστε
	θα σβήνεις	θα σβήνετε	θα σβήνεσαι	θα σβήνεστε
	θα σβήνει	θα σβήνουν	θα σβήνεται	θα σβήνονται
F. S.	**I will extinguish**		**I will be extinguished**	
	θα σβήσω	θα σβήσουμε	θα σβηστώ	θα σβηστούμε
	θα σβήσεις	θα σβήσετε	θα σβηστείς	θα σβηστείτε
	θα σβήσει	θα σβήσουν	θα σβηστεί	θα σβηστούν
Pr. P.	**I have extinguished**		**I have been extinguished**	
	έχω σβήσει		έχω σβηστεί	
	έχεις σβήσει	etc.	έχεις σβηστεί	etc.
P. P.	**I had extinguished**		**I had been extinguished**	
	είχα σβήσει		είχα σβηστεί	
	είχες σβήσει	etc.	είχες σβηστεί	etc.
F. P.	**I will have extinguished**		**I will have been extinguished**	
	θα έχω σβήσει		θα έχω σβηστεί	
	θα έχεις σβήσει	etc.	θα έχεις σβηστεί	etc.

Subjunctive
(with να, για να, αν, όταν, etc.)

P.	να σβήνω	that I may be extinguishing	να σβήνομαι	that I may be being extinguished
P. S.	να σβήσω	that I may extinguish	να σβηστώ	that I may be extinguished
Pr. P.	να έχω σβήσει	that I may have extinguished	να έχω σβηστεί	that I may have been extinguished

Imperative

P.	σβήνε (sing.)	be extinguishing	σβήνου (sing.)	be being extinguished
	σβήνετε (pl.)	be extinguishing	σβήνεστε (pl.)	be being extinguished
P. S.	σβήσε (sing.)	extinguish	σβήσου (sing.)	be extinguished
	σβήστε (pl.)	extinguish	σβηστείτε (pl.)	be extinguished

Infinitive

να σβήσει	to extinguish	να σβηστεί	to be extinguished

Participle

σβήνοντας	extinguishing	σβησμέν-ος, -η, -ο	extinguished

(Examples on page 328)

σηκώνω (1) – to raise; to lift; to hold up; to carry
σηκώνομαι (4) – to rise

	Active Voice, Indicative		*Passive Voice, Indicative*	
P.	**I raise, I lift**		**I am being raised, I get up**	
	σηκώνω	σηκώνουμε	σηκώνομαι	σηκωνόμαστε
	σηκώνεις	σηκώνετε	σηκώνεσαι	σηκώνεστε
	σηκώνει	σηκώνουν	σηκώνεται	σηκώνονται
P. C.	**I was lifting**		**I was being raised, I was getting up**	
	σήκωνα	σηκώναμε	σηκωνόμουν	σηκωνόμαστε
	σήκωνες	σηκώνατε	σηκωνόσουν	σηκωνόσαστε
	σήκωνε	σήκωναν	σηκωνόταν	σηκώνονταν
P. S.	**I raised**		**I was raised, I got up**	
	σήκωσα	σηκώσαμε	σηκώθηκα	σηκωθήκαμε
	σήκωσες	σηκώσατε	σηκώθηκες	σηκωθήκατε
	σήκωσε	σήκωσαν	σηκώθηκε	σηκώθηκαν
F. C.	**I will be raising**		**I will be being raised, I will be getting up**	
	θα σηκώνω	θα σηκώνουμε	θα σηκώνομαι	θα σηκωνόμαστε
	θα σηκώνεις	θα σηκώνετε	θα σηκώνεσαι	θα σηκώνεστε
	θα σηκώνει	θα σηκώνουν	θα σηκώνεται	θα σηκώνονται
F. S.	**I will raise**		**I will be raised, I will rise, I will get up**	
	θα σηκώσω	θα σηκώσουμε	θα σηκωθώ	θα σηκωθούμε
	θα σηκώσεις	θα σηκώσετε	θα σηκωθείς	θα σηκωθείτε
	θα σηκώσει	θα σηκώσουν	θα σηκωθεί	θα σηκωθούν
Pr. P.	**I have raised**		**I have been raised, I have gotten up**	
	έχω σηκώσει		έχω σηκωθεί	
	έχεις σηκώσει	etc.	έχεις σηκωθεί	etc.
P. P.	**I had raised**		**I had been lifted, I had gotten up**	
	είχα σηκώσει	etc.	είχα σηκωθεί	etc.
	είχες σηκώσει		είχες σηκωθεί	
F. P.	**I will have raised**		**I will have been raised, I will have gotten up**	
	θα έχω σηκώσει		θα έχω σηκωθεί	
	θα έχεις σηκώσει	etc.	θα έχεις σηκωθεί	etc.

	Subjunctive		(with να, για να, αν, όταν, etc.)	
P.	να σηκώνω	that I may be raising	να σηκώνομαι	that I may be rising
P. S.	να σηκώσω	that I may raise	να σηκωθώ	that I may rise
Pr. P.	να έχω σηκώσει	that I may have raised	να έχω σηκωθεί	that I may have risen

	Imperative			
P.	σήκωνε (sing.)	be raising	σηκώνου (sing.)	be rising
	σηκώνετε (pl.)	be raising	σηκώνεστε (pl.)	be rising
P. S.	σήκωσε (sing.)	raise	σηκώσου (sing.)	rise
	σηκώστε (pl.)	raise	σηκωθείτε (pl.)	rise

	Infinitive			
	να σηκώσει	to raise	να σηκωθεί	to be raised, to get up

	Participle			
	σηκώνοντας	raising	σηκωμέν-ος, -η, -ο	raised, risen
			(Examples on page 328)	

σημαίνω **(1)** – to ring; to ring a bell
σημαίνει – (impersonal verb) – it means

	Indicative	
P.	**I ring**	
	σημαίνω	σημαίνουμε
	σημαίνεις	σημαίνετε
	σημαίνει	σημαίνουν

P. C.	**I was ringing**	
	σήμαινα	σημαίναμε
	σήμαινες	σημαίνατε
	σήμαινε	σήμαιναν

P. S.	**I rang**	
	σήμανα	σημάναμε
	σήμανες	σημάνατε
	σήμανε	σήμαναν

F. C.	**I will be ringing**	
	θα σημαίνω	θα σημαίνουμε
	θα σημαίνεις	θα σημαίνετε
	θα σημαίνει	θα σημαίνουν

F. S.	**I will ring**	
	θα σημάνω	θα σημάνουμε
	θα σημάνεις	θα σημάνετε
	θα σημάνει	θα σημάνουν

Pr. P.	**I have rung**	
	έχω σημάνει	έχουμε σημάνει
	έχεις σημάνει	έχετε σημάνει
	έχει σημάνει	έχουν σημάνει

P. P.	**I had rung**	
	είχα σημάνει	
	είχες σημάνει	etc.

F. P.	**I will have rung**	
	θα έχω σημάνει	
	θα έχεις σημάνει	etc.

Subjunctive
(with να, για να, όταν, etc.)

P.	να σημαίνω	that I may be ringing
P. S.	να σημάνω	that I may ring
Pr. P.	να έχω σημάνει	that I may have rung

Imperative

P.	σήμαινε (sing.)	be ringing
	σημαίνετε (pl.)	be ringing
P. S.	σήμανε (sing.)	ring
	σημάνετε (pl.)	ring

Infinitive

	να σημάνει	to ring

Participle

	σημαίνοντας	ringing

The impersonal verb

	σημαίνει	it means
	σήμαινε	it was meaning
	σήμανε	it meant

Passive, Past simple tense – I was rung

	σημάνθηκα	σημανθήκαμε
	σημάνθηκες	σημανθήκατε
	σημάνθηκε	σημάνθηκαν

Passive Participle

σεσημασμέν -ος, -η, -ο   marked
As: σεσημασμένος κακούργος
marked (known) criminal

Examples:

Η καμπάνα σημαίνει.	The church bell rings.
Τι σημαίνει αυτή η λέξη;	What does this word mean?
Το ρολόι σημαίνει δώδεκα.	The clock strikes twelve.
Η λέξη «ύδωρ» σημαίνει νερό.	The word "ύδωρ" means water.
Αυτό δε σημαίνει τίποτα.	This does not mean anything.
Το κουδούνι σημαίνει για να αρχίσει το μάθημα.	The school bell rings for the lesson to start.
Οι καλόγεροι σήμαναν την καμπάνα πολύ πρωί.	The monks rang the bell early morning.

	Active Voice, Indicative		*Passive Voice, Indicative*	
P.	**I mark**		**I am marked, I am being marked**	
	σημειώνω	σημειώνουμε	σημειώνομαι	σημειωνόμαστε
	σημειώνεις	σημειώνετε	σημειώνεσαι	σημειώνεστε
	σημειώνει	σημειώνουν	σημειώνεται	σημειώνονται
P. C.	**I was marking**		**I was being marked**	
	σημείωνα	σημειώναμε	σημειωνόμουν	σημειωνόμαστε
	σημείωνες	σημειώνατε	σημειωνόσουν	σημειωνόσαστε
	σημείωνε	σημείωναν	σημειωνόταν	σημειώνονταν
P. S.	**I marked**		**I was marked**	
	σημείωσα	σημειώσαμε	σημειώθηκα	σημειωθήκαμε
	σημείωσες	σημειώσατε	σημειώθηκες	σημειωθήκατε
	σημείωσε	σημείωσαν	σημειώθηκε	σημειώθηκαν
F. C.	**I will be marking**		**I will be being marked**	
	θα σημειώνω		θα σημειώνομαι	
	θα σημειώνεις	etc.	θα σημειώνεσαι	etc.
F. S.	**I will mark**		**I will be marked**	
	θα σημειώσω	θα σημειώσουμε	θα σημειωθώ	θα σημειωθούμε
	θα σημειώσεις	θα σημειώσετε	θα σημειωθείς	θα σημειωθείτε
	θα σημειώσει	θα σημειώσουν	θα σημειωθεί	θα σημειωθούν
Pr. P.	**I have marked**		**I have been marked**	
	έχω σημειώσει		έχω σημειωθεί	
	έχεις σημειώσει	etc.	έχεις σημειωθεί	etc.
P. P.	**I had marked**		**I had been marked**	
	είχα σημειώσει		είχα σημειωθεί	
	είχες σημειώσει	etc.	είχες σημειωθεί	etc.
F. P.	**I will have marked**		**I will have been marked**	
	θα έχω σημειώσει		θα έχω σημειωθεί	
	θα έχεις σημειώσει	etc.	θα έχεις σημειωθεί	etc.

	Subjunctive		(with να, για να, αν, όταν, etc.)	
P.	να σημειώνω	that I may be marking	να σημειώνομαι	that I may be being marked
P. S.	να σημειώσω	that I may mark	να σημειωθώ	that I may be marked
Pr. P.	να έχω σημειώσει	that I may have marked	να έχω σημειωθεί	that I may have been marked

	Imperative			
P.	σημείωνε (sing.)	be marking	σημειώνου (sing.)	be being marked
	σημειώνετε (pl.)	be marking	σημειώνεστε (pl.)	be being marked
P. S.	σημείωσε (sing.)	mark	σημειώσου (sing.)	be marked
	σημειώστε (pl.)	mark	σημειωθείτε (pl.)	be marked

	Infinitive			
	να σημειώσει	to mark	να σημειωθεί	to be marked

	Participle			
	σημειώνοντας	marking	σημειωμέν-ος, -η, -ο	marked

(Examples on page 329)

	Indicative	
P.	**I keep silent**	
	σιωπώ	σιωπούμε
	σιωπάς	σιωπάτε
	σιωπά	σιωπούν

P. C.	**I was keeping silent**	
	σιωπούσα	σιωπούσαμε
	σιωπούσες	σιωπούσατε
	σιωπούσε	σιωπούσαν

P. S.	**I was silent**	
	σιώπησα	σιωπήσαμε
	σιώπησες	σιωπήσατε
	σιώπησε	σιώπησαν

F. C.	**I will be being silent**	
	θα σιωπώ	θα σιωπούμε
	θα σιωπάς	θα σιωπάτε
	θα σιωπά	θα σιωπούν

F. S.	**I will be silent**	
	θα σιωπήσω	θα σιωπήσουμε
	θα σιωπήσεις	θα σιωπήσετε
	θα σιωπήσει	θα σιωπήσουν

Pr. P.	**I have been silent**	
	έχω σιωπήσει	
	έχεις σιωπήσει	etc.

P. P.	**I had been silent**	
	είχα σιωπήσει	
	είχες σιωπήσει	etc.

F. P.	**I will have been silent**	
	θα έχω σιωπήσει	
	θα έχεις σιωπήσει	etc.

Subjunctive
(with να, για να, όταν, etc.)

P.	να σιωπώ	that I may be being silent
P. S.	να σιωπήσω	that I may be silent
Pr. P.	να έχω σιωπήσει	that I may have been silent

Imperative

P.	σιώπα (sing.)	be being silent
	σιωπάτε (pl.)	be being silent
P. S.	σιώπησε (sing.)	be silent
	σιωπήστε (pl.)	be silent

Infinitive

	να σιωπήσει	to be silent

Participle

	σιωπώντας	being silent

Examples:

Σιώπα (σώπα). Σιώπησε.	Be silent.
Σιώπησε.	He/she was silent.
Δε θα σιωπήσουμε ποτέ. Πάντοτε θα ζητούμε το δίκαιό μας.	We will never keep silent. We will always be demanding our rights.
Σιωπήστε, παρακαλώ.	Keep quiet, please.
Μόλις μπήκε μέσα ο καθηγητής, όλη η τάξη σιώπησε.	As soon as the professor entered, the class became silent.

	Active Voice, Indicative		*Passive Voice, Indicative*	
P.	**I cover**		**I am covered, I am being covered**	
	σκεπάζω	σκεπάζουμε	σκεπάζομαι	σκεπαζόμαστε
	σκεπάζεις	σκεπάζετε	σκεπάζεσαι	σκεπάζεστε
	σκεπάζει	σκεπάζουν	σκεπάζεται	σκεπάζονται
P. C.	**I was covering**		**I was being covered**	
	σκέπαζα	σκεπάζαμε	σκεπαζόμουν	σκεπαζόμαστε
	σκέπαζες	σκεπάζατε	σκεπαζόσουν	σκεπαζόσαστε
	σκέπαζε	σκέπαζαν	σκεπαζόταν	σκεπάζονταν
P. S.	**I covered**		**I was covered**	
	σκέπασα	σκεπάσαμε	σκεπάστηκα	σκεπαστήκαμε
	σκέπασες	σκεπάσατε	σκεπάστηκες	σκεπαστήκατε
	σκέπασε	σκέπασαν	σκεπάστηκε	σκεπάστηκαν
F. C.	**I will be covering**		**I will be being covered**	
	θα σκεπάζω		θα σκεπάζομαι	
	θα σκεπάζεις	etc.	θα σκεπάζεσαι	etc.
F. S.	**I will cover**		**I will be covered**	
	θα σκεπάσω	θα σκεπάσουμε	θα σκεπαστώ	θα σκεπαστούμε
	θα σκεπάσεις	θα σκεπάσετε	θα σκεπαστείς	θα σκεπαστείτε
	θα σκεπάσει	θα σκεπάσουν	θα σκεπαστεί	θα σκεπαστούν
Pr. P.	**I have covered**		**I have been covered**	
	έχω σκεπάσει		έχω σκεπαστεί	
	έχεις σκεπάσει	etc.	έχεις σκεπαστεί	etc.
P. P.	**I had covered**		**I had been covered**	
	είχα σκεπάσει		είχα σκεπαστεί	
	είχες σκεπάσει	etc.	είχες σκεπαστεί	etc.
F. P.	**I will have covered**		**I will have been covered**	
	θα έχω σκεπάσει		θα έχω σκεπαστεί	
	θα έχεις σκεπάσει	etc.	θα έχεις σκεπαστεί	etc.

Subjunctive (with να, για να, αν, όταν, etc.)

P.	να σκεπάζω	that I may be covering	να σκεπάζομαι	that I may be being covered
P. S.	να σκεπάσω	that I may cover	να σκεπαστώ	that I may be covered
Pr. P.	να έχω σκεπάσει	that I may have covered	να έχω σκεπαστεί	that I may have been covered

Imperative

P.	σκέπαζε (sing.)	be covering	σκεπάζου (sing.)	be being covered
	σκεπάζετε (pl.)	be covering	σκεπάζεστε (pl.)	be being covered
P. S.	σκέπασε (sing.)	cover	σκεπάσου (sing.)	be covered
	σκεπάστε (pl.)	cover	σκεπαστείτε (pl.)	be covered

Infinitive

να σκεπάσει	to cover	να σκεπαστεί	to be covered

Participle

σκεπάζοντας	covering	σκεπασμέν-ος, -η, -ο	covered

(Examples on page 329)

	Indicative			*Subjunctive*	
P.	**I think**			(with να, για να, όταν, etc.)	
	σκέπτομαι	σκεπτόμαστε	P.	να σκέπτομαι	that I may be thinking
	σκέπτεσαι	σκέπτεστε	P. S.	να σκεφθώ	that I may think
	σκέπτεται	σκέπτονται	Pr. P.	να έχω σκεφθεί	that I may have thought

	I was thinking			**Imperative**	
P. C.					
	σκεπτόμουν	σκεπτόμαστε	P. S. σκέψου (sing.)	think	
	σκεπτόσουν	σκεπτόσαστε		σκεφθείτε (pl.)	think
	σκεπτόταν	σκέπτονταν			

	I thought			**Infinitive**	
P. S.					
	σκέφθηκα*	σκεφθήκαμε		να σκεφθεί	to think
	σκέφθηκες	σκεφθήκατε			
	σκέφθηκε	σκέφθηκαν			

* also σκέφτηκα, σκέφτηκες, etc.

	I will be thinking		**Participle**	
F. C.				
	θα σκέπτομαι	θα σκεπτόμαστε	σκεπτόμεν-ος, -η, -ο	thinking
	θα σκέπτεσαι	θα σκέπτεστε		
	θα σκέπτεται	θα σκέπτονται		

	I will think	
F. S.		
	θα σκεφθώ	θα σκεφθούμε
	θα σκεφθείς	θα σκεφθείτε
	θα σκεφθεί	θα σκεφθούν

Also: θα σκεφτώ, θα σκεφτείς, etc.

Pr. P.   **I have thought**
έχω σκεφθεί
έχεις σκεφθεί   etc.

P. P.   **I had thought**
είχα σκεφθεί
είχες σκεφθεί   etc.

F. P.   **I will have thought**
θα έχω σκεφθεί
θα έχεις σκεφθεί   etc.

Examples:

Σκέφτομαι να πάω ένα ταξίδι στην Ελλάδα.	I am contemplating a trip to Greece.
Μέρα νύχτα σκέφτεται την αγάπη του.	Day and night he thinks of his loved one.
Τι σκέφτεσαι;	What are you thinking?
Σκεφτήκαμε να σας επισκεφθούμε.	We decided to visit you.
Πάντα σε σκέπτομαι.	I always think of you.
Σκεφτείτε τι χάσαμε!	Think what we lost!

Indicative

P.   I intend, I aim at

σκοπεύω	σκοπεύουμε
σκοπεύεις	σκοπεύετε
σκοπεύει	σκοπεύουν

P. C.   I was intending, I was aiming at

σκόπευα	σκοπεύαμε
σκόπευες	σκοπεύατε
σκόπευε	σκόπευαν

P. S.   I intended, I aimed at

σκόπευσα	σκοπεύσαμε
σκόπευσες	σκοπεύσατε
σκόπευσε	σκόπευσαν

F. C.   I will be intending, aiming at

θα σκοπεύω	θα σκοπεύουμε
θα σκοπεύεις	θα σκοπεύετε
θα σκοπεύει	θα σκοπεύουν

F. S.   I will intend, aim at

θα σκοπεύσω	θα σκοπεύσουμε
θα σκοπεύσεις	θα σκοπεύσετε
θα σκοπεύσει	θα σκοπεύσουν

Pr. P.   I have intended, aimed at

έχω σκοπεύσει	
έχεις σκοπεύσει	etc.

P. P.   I had intended, aimed at

είχα σκοπεύσει	
είχες σκοπεύσει	etc.

F. C.   I will have intended, aimed at

θα έχω σκοπεύσει	
θα έχεις σκοπεύσει	etc.

Subjunctive

(with να, για να, όταν, etc.)

P.	να σκοπεύω	that I may be intending
P. S.	να σκοπεύσω	that I may intend
Pr. P.	να έχω σκοπεύσει	that I may have intended

Imperative

P.	σκόπευε (sing.)	be intending, be aiming at
	σκοπεύετε (pl.)	be intending, be aiming at
P. S.	σκόπευσε (sing.)	intend, aim at
	σκοπεύσετε (pl.)	intend, aim at

Infinitive

να σκοπεύσει	to intend, to aim at

Participle

σκοπεύοντας	intending, aiming at

Examples:

Τι σκοπεύεις να κάνεις;
What do you intend to do?

Αυτό το καλοκαίρι σκοπεύουμε να κάνουμε ένα ταξίδι στην Ελλάδα.
We intend to take a trip to Greece this summer.

Ο κυνηγός σκόπευσε το πουλί και πυροβόλησε.
The hunter aimed at the bird and fired.

Σκόπευα να πάω στο θέατρο μα δε βρήκα εισιτήρια.
I planned to go to the theater, but I did not find any tickets.

(More examples on page 329)

σκορπίζω (1) – to scatter; to disperse   255

	Active Voice, Indicative		*Passive Voice, Indicative*	
P.	**I scatter**		**I am scattered, I am being scattered**	
	σκορπίζω	σκορπίζουμε	σκορπίζομαι	σκορπιζόμαστε
	σκορπίζεις	σκορπίζετε	σκορπίζεσαι	σκορπίζεστε
	σκορπίζει	σκορπίζουν	σκορπίζεται	σκορπίζονται
P. C.	**I was scattering**		**I was being scattered**	
	σκόρπιζα	σκορπίζαμε	σκορπιζόμουν	σκορπιζ-όμαστε, -όμασταν
	σκόρπιζες	σκορπίζατε	σκορπιζόσουν	σκορπιζ-όσαστε, -όσασταν
	σκόρπιζε	σκόρπιζαν	σκορπιζόταν	σκορπίζονταν
P. S.	**I scattered**		**I was scattered**	
	σκόρπισα	σκορπίσαμε	σκορπίστηκα	σκορπιστήκαμε
	σκόρπισες	σκορπίσατε	σκορπίστηκες	σκορπιστήκατε
	σκόρπισε	σκόρπισαν	σκορπίστηκε	σκορπίστηκαν
F. C.	**I will be scattering**		**I will be being scattered**	
	θα σκορπίζω		θα σκορπίζομαι	
	θα σκορπίζεις	etc.	θα σκορπίζεσαι	etc.
F. S.	**I will scatter**		**I will be scattered**	
	θα σκορπίσω	θα σκορπίσουμε	θα σκορπιστώ	θα σκορπιστούμε
	θα σκορπίσεις	θα σκορπίσετε	θα σκορπιστείς	θα σκορπιστείτε
	θα σκορπίσει	θα σκορπίσουν	θα σκορπιστεί	θα σκορπιστούν
Pr. P.	**I have scattered**		**I have been scattered**	
	έχω σκορπίσει		έχω σκορπιστεί	
	έχεις σκορπίσει	etc.	έχεις σκορπιστεί	etc.
P. P.	**I had scattered**		**I had been scattered**	
	είχα σκορπίσει		είχα σκορπιστεί	
	είχες σκορπίσει	etc.	είχες σκορπιστεί	etc.
F. P.	**I will have scattered**		**I will have been scattered**	
	θα έχω σκορπίσει		θα έχω σκορπιστεί	
	θα έχεις σκορπίσει	etc.	θα έχεις σκορπιστεί	etc.

Subjunctive (with να, για να, αν, όταν, etc.)

P.	να σκορπίζω	that I may be scattering	να σκορπίζομαι	that I may be being scattered
P. S.	να σκορπίσω	that I may scatter	να σκορπιστώ	that I may be scattered
Pr. P.	να έχω σκορπίσει	that I may have scattered	να έχω σκορπιστεί	that I may have been scattered

Imperative

P.	σκόρπιζε (sing.)	be scattering	σκορπίζου (sing.)	be being scattered
	σκορπίζετε (pl.)	be scattering	σκορπίζεστε (pl.)	be being scattered
P. S.	σκόρπισε (sing.)	scatter	σκορπίσου (sing.)	be scattered
	σκορπίστε (pl.)	scatter	σκορπιστείτε (pl.)	be scattered

Infinitive

να σκορπίσει	to scatter	να σκορπιστεί	to be scattered

Participle

σκορπίζοντας	scattering	σκορπισμέν-ος, -η, -ο	scattered

(Examples on page 329)

307

	Active Voice, Indicative		*Passive Voice, Indicative*	
P.	**I kill**		**I am killed, I am being killed**	
	σκοτώνω	σκοτώνουμε	σκοτώνομαι	σκοτωνόμαστε
	σκοτώνεις	σκοτώνετε	σκοτώνεσαι	σκοτώνεστε
	σκοτώνει	σκοτώνουν	σκοτώνεται	σκοτώνονται
P. C.	**I was killing**		**I was being killed**	
	σκότωνα	σκοτώναμε	σκοτωνόμουν	σκοτωνόμαστε
	σκότωνες	σκοτώνατε	σκοτωνόσουν	σκοτωνόσαστε
	σκότωνε	σκότωναν	σκοτωνόταν	σκοτώνονταν
P. S.	**I killed**		**I was killed**	
	σκότωσα	σκοτώσαμε	σκοτώθηκα	σκοτωθήκαμε
	σκότωσες	σκοτώσατε	σκοτώθηκες	σκοτωθήκατε
	σκότωσε	σκότωσαν	σκοτώθηκε	σκοτώθηκαν
F. C.	**I will be killing**		**I will be being killed**	
	θα σκοτώνω		θα σκοτώνομαι	
	θα σκοτώνεις	etc.	θα σκοτώνεσαι	etc.
F. S.	**I will kill**		**I will be killed**	
	θα σκοτώσω	θα σκοτώσουμε	θα σκοτωθώ	θα σκοτωθούμε
	θα σκοτώσεις	θα σκοτώσετε	θα σκοτωθείς	θα σκοτωθείτε
	θα σκοτώσει	θα σκοτώσουν	θα σκοτωθεί	θα σκοτωθούν
Pr. P.	**I have killed**		**I have been killed**	
	έχω σκοτώσει		έχω σκοτωθεί	
	έχεις σκοτώσει	etc.	έχεις σκοτωθεί	etc.
P. P.	**I had killed**		**I had been killed**	
	είχα σκοτώσει		είχα σκοτωθεί	
	είχες σκοτώσει	etc.	είχες σκοτωθεί	etc.
F. P.	**I will have killed**		**I will have been killed**	
	θα έχω σκοτώσει		θα έχω σκοτωθεί	
	θα έχεις σκοτώσει	etc.	θα έχεις σκοτωθεί	etc.

Subjunctive (with να, για να, αν, όταν, etc.)

P.	να σκοτώνω	that I may be killing	να σκοτώνομαι	that I may be being killed
P. S.	να σκοτώσω	that I may kill	να σκοτωθώ	that I may be killed
Pr. P.	να έχω σκοτώσει	that I may have killed	να έχω σκοτωθεί	that I may have been killed

Imperative

P.	σκότωνε (sing.)	be killing	σκοτώνου (sing.)	be being killed
	σκοτώνετε (pl.)	be killing	σκοτώνεστε (pl.)	be being killed
P. S.	σκότωσε (sing.)	kill	σκοτώσου (sing.)	be killed
	σκοτώστε (pl.)	kill	σκοτωθείτε (pl.).	be killed

Infinitive

να σκοτώσει	to kill	να σκοτωθεί	to be killed

Participle

σκοτώνοντας	killing	σκοτωμέν-ος, -η, -ο	killed

(Examples on page 329)

	Indicative	
P.	**I bend**	
	σκύβω	σκύβουμε
	σκύβεις	σκύβετε
	σκύβει	σκύβουν

P. C.	**I was bending**	
	έσκυβα	σκύβαμε
	έσκυβες	σκύβατε
	έσκυβε	έσκυβαν

P. S.	**I bent**	
	έσκυψα	σκύψαμε
	έσκυψες	σκύψατε
	έσκυψε	έσκυψαν

F. C.	**I will be bending**	
	θα σκύβω	θα σκύβουμε
	θα σκύβεις	θα σκύβετε
	θα σκύβει	θα σκύβουν

F. S.	**I will bend**	
	θα σκύψω	θα σκύψουμε
	θα σκύψεις	θα σκύψετε
	θα σκύψει	θα σκύψουν

Pr. P.	**I have bent**	
	έχω σκύψει	
	έχεις σκύψει	etc.

P. P.	**I had bent**	
	είχα σκύψει	
	είχες σκύψει	etc.

F. P.	**I will have bent**	
	θα έχω σκύψει	
	θα έχεις σκύψει	etc.

Subjunctive
(with να, για να, όταν, etc.)

P.	να σκύβω	that I may be bending
P. S.	να σκύψω	that I may bend
Pr. P.	να έχω σκύψει	that I may have bent

Imperative

P.	σκύβε (sing.)	be bending
	σκύβετε (pl.)	be bending
P. S.	σκύψε (sing.)	bend
	σκύψετε (pl.)	bend

Infinitive

να σκύψει	to bend

Participle

σκύβοντας	bending

Passive Participle

σκυμμέν-ος, -η, -ο	bent

*Transitive in the sentence: Σκύβω το κεφάλι. – I bend the head.

Examples:

Έσκυψε στη γη.	He bent towards the earth.
Σκύβουμε το κεφάλι στην εικόνα του αγίου.	We bend our head in front of the icon of the saint.
Σκύψε κάτω.	Bend down.
Ο γέρος σκύβει πολύ.	The old man walks with a stoop.
Πηγαίνει σκύβοντας.	He walks stooping.

	Active Voice, Indicative		*Passive Voice, Indicative*	
P.	**I break**		**I am being broken, I am broken**	
	σπάζω	σπάζουμε	σπάζομαι	σπαζόμαστε
	σπάζεις	σπάζετε	σπάζεσαι	σπάζεστε
	σπάζει	σπάζουν	σπάζεται	σπάζονται
P. C.	**I was breaking**		**I was being broken**	
	έσπαζα	σπάζαμε	σπαζόμουν	σπαζόμαστε
	έσπαζες	σπάζατε	σπαζόσουν	σπαζόσαστε
	έσπαζε	έσπαζαν	σπαζόταν	σπάζονταν
P. S.	**I broke**		**I was broken**	
	έσπασα	σπάσαμε	σπάστηκα	σπαστήκαμε
	έσπασες	σπάσατε	σπάστηκες	σπαστήκατε
	έσπασε	έσπασαν	σπάστηκε	σπάστηκαν
F. C.	**I will be breaking**		**I will be being broken**	
	θα σπάζω		θα σπάζομαι	
	θα σπάζεις	etc.	θα σπάζεσαι	etc.
F. S.	**I will break**		**I will be broken**	
	θα σπάσω	θα σπάσουμε	θα σπαστώ	θα σπαστούμε
	θα σπάσεις	θα σπάσετε	θα σπαστείς	θα σπαστείτε
	θα σπάσει	θα σπάσουν	θα σπαστεί	θα σπαστούν
Pr. P.	**I have broken**		**I have been broken**	
	έχω σπάσει		έχω σπαστεί	
	έχεις σπάσει	etc.	έχεις σπαστεί	etc.
P. P.	**I had broken**		**I had been broken**	
	είχα σπάσει		είχα σπαστεί	
	είχες σπάσει	etc.	είχες σπαστεί	etc.
F. P.	**I will have broken**		**I will have been broken**	
	θα έχω σπάσει		θα έχω σπαστεί	
	θα έχεις σπάσει	etc.	θα έχεις σπαστεί	etc.

Subjunctive (with να, για να, αν, όταν, etc.)

P.	να σπάζω	that I may be breaking	να σπάζομαι	that I may be being broken
P. S.	να σπάσω	that I may break	να σπαστώ	that I may be broken
Pr. P.	να έχω σπάσει	that I may have broken	να έχω σπαστεί	that I may have been broken

Imperative

P.	σπάζε (sing.)	be breaking	σπάζου (sing.)	be being broken
	σπάζετε (pl.)	be breaking	σπάζεστε (pl.)	be being broken
P. S.	σπάσε (sing.)	break	σπάσου (sing.)	be broken
	σπάστε (pl.)	break	σπαστείτε (pl.)	be broken

Infinitive

να σπάσει	to break	να σπαστεί	to be broken

Participle

σπάζοντας	breaking	σπασμέν-ος, -η, -ο	broken

(Examples on page 330)

	Indicative	
P.	**I study**	
	σπουδάζω	σπουδάζουμε
	σπουδάζεις	σπουδάζετε
	σπουδάζει	σπουδάζουν
P. C.	**I was studying**	
	σπούδαζα	σπουδάζαμε
	σπούδαζες	σπουδάζατε
	σπούδαζε	σπούδαζαν
P. S.	**I studied**	
	σπούδασα	σπουδάσαμε
	σπούδασες	σπουδάσατε
	σπούδασε	σπούδασαν
F. C.	**I will be studying**	
	θα σπουδάζω	θα σπουδάζουμε
	θα σπουδάζεις	θα σπουδάζετε
	θα σπουδάζει	θα σπουδάζουν
F. S.	**I will study**	
	θα σπουδάσω	θα σπουδάσουμε
	θα σπουδάσεις	θα σπουδάσετε
	θα σπουδάσει	θα σπουδάσουν
Pr. P.	**I have studied**	
	έχω σπουδάσει	έχουμε σπουδάσει
	έχεις σπουδάσει	έχετε σπουδάσει
	έχει σπουδάσει	έχουν σπουδάσει
P. P.	**I had studied**	
	είχα σπουδάσει	
	είχες σπουδάσει	etc.
F. P.	**I will have studied**	
	θα έχω σπουδάσει	
	θα έχεις σπουδάσει	etc.

Subjunctive

(with να, για να, όταν, etc.)

P.	να σπουδάζω	that I may be studying
P. S.	να σπουδάσω	that I may study
Pr. P.	να έχω σπουδάσει	that I may have studied

Imperative

P.	σπούδαζε (sing.)	be studying
	σπουδάζετε (pl.)	be studying
P. S.	σπούδασε (sing.)	study
	σπουδάστε (pl.)	study

Infinitive

να σπουδάσει	to study

Participle

σπουδάζοντας	studying

Passive Participle

σπουδασμέν-ος, -η, -ο   *or*
σπουδαγμέν-ος, -η, -ο
educated

Examples:

Σπούδασε τα παιδιά του.	He sent his children to college.
Σπουδάζω γιατρός.	I am studying to be a physician.
Σπουδάζει την ιατρική.	He studies to be a doctor.
Σπουδάσαμε στην Αμερική.	We studied in America.
Τι σπουδάζεις;	What are you studying?
Στούδασε στα καλύτερα πανεπιστήμια της Αμερικής.	He studied in the best universities of America.
Τι έχετε σπουδάσει;	What is the subject of your studies?
Σπούδασα δικηγόρος.	I studied law.

	Indicative		*Subjunctive*	

P.   I stop (with να, για να, όταν, etc.)

σταματώ   σταματούμε   P.   να σταματώ   that I may be stopping
σταματάς   σταματάτε   P. S.   να σταματήσω   that I may stop
σταματά   σταματούν   Pr. P. να έχω σταματήσει that I may have stopped

P. C.   I was stopping   **Imperative**

σταματούσα   σταματούσαμε   P.   σταμάτα (sing.)   be stopping
σταματούσες   σταματούσατε   σταματάτε (pl.)   be stopping
σταματούσε   σταματούσαν   P. S.   σταμάτησε (sing.)   stop
                                      σταματήστε (pl.)   stop

P. S.   I stopped   **Infinitive**

σταμάτησα   σταματήσαμε   να σταματήσει
σταμάτησες   σταματήσατε
σταμάτησε   σταμάτησαν   to stop

F. C.   I will be stopping   **Participle**

θα σταματώ   θα σταματούμε   σταματώντας
θα σταματάς   θα σταματάτε
θα σταματά   θα σταματούν   stopping

F. S.   I will stop   **Passive participle**

θα σταματήσω   θα σταματήσουμε   σταματημέν-ος, -η, -ο
θα σταματήσεις   θα σταματήσετε
θα σταματήσει   θα σταματήσουν   stopped

Pr. P.   I have stopped

έχω σταματήσει
έχεις σταματήσει   etc.

P. P.   I had stopped

είχα σταματήσει
είχες σταματήσει   etc.

F. P.   I will have stopped

θα έχω σταματήσει
θα έχεις σταματήσει   etc.

Examples:

Το αυτοκίνητο σταμάτησε.   The car stopped.
Σταμάτησε η δουλειά.   The job stopped.
Σταμάτησε να ενδιαφέρεται.   He lost interest.
Η καρδιά του σταμάτησε να χτυπά.   His heart stopped beating.
Λόγω του καιρού οι δουλειές μας   Because of the weather our work
σταματούν τον χειμώνα.   during the winter is halted.

	Indicative		*Subjunctive*		
P.	**I stand**		(with να, για να, όταν, etc.)		
	στέκομαι	στεκόμαστε	P.	να στέκομαι	that I may be standing
	στέκεσαι	στέκεστε	P. S.	να σταθώ	that I may stand
	στέκεται	στέκονται	Pr. P.	να έχω σταθεί	that I may have stood

	I was standing		**Imperative**		
P. C.					
	στεκόμουν	στεκόμαστε		στάσου (sing.)	stand
	στεκόσουν	στεκόσαστε		σταθείτε (pl.)	stand
	στεκόταν	στέκονταν			

	I stood		**Infinitive**		
P. S.					
	στάθηκα	σταθήκαμε		να σταθεί	to stand
	στάθηκες	σταθήκατε			
	στάθηκε	στάθηκαν			

	I will be standing		**Participle**	
F. C.			(there is no passive participle)	
	θα στέκομαι	θα στεκόμαστε		
	θα στέκεσαι	θα στέκεστε	ιστάμενος – ισταμένη – ιστάμενο (classical form)	
	θα στέκεται	θα στέκονται	standing	

	I will stand	
F. S.		
	θα σταθώ	θα σταθούμε
	θα σταθείς	θα σταθείτε
	θα σταθεί	θα σταθούν

	I have stood		**P. P. - I had stood**	
Pr. P.				
	έχω σταθεί		είχα σταθεί	
	έχεις σταθεί	etc.	είχες σταθεί	etc.

	I will have stood
F. P.	
	θα έχω σταθεί
	θα έχεις σταθεί	etc.

*The common form of the verb is στέκομαι. There is also the form στέκω (1), a regular verb of the first conjugation. The tenses are: Στέκω – έστεκα – στάθηκα – θα στέκω – θα σταθώ – έχω σταθεί – είχα σταθεί, θα έχω σταθεί.

Examples:

Μη στέκεστε εδώ.	Do not stand here.
Στάσου.	Stop. Stand up. Wait.
Δεν μπορώ να σταθώ στα πόδια μου.	I am not able to stand on my feet. (I am weak.)
Στάσου να σου πω.	Wait until I tell you. (Listen first).
Στάσου να δεις.	Wait and see. (Just wait).
Το ρολόι στάθηκε.	The clock stopped.
Το αυτοκίνητο στάθηκε.	The car stopped.
Μου στάθηκε σε όλες τις δύσκολες	He stood by my side in all difficult moments,
στιγμές πραγματικός φίλος.	a true friend.
Στάθηκε άντρας.	He behaved like a man.
Δε στέκει καλά η κυβέρνηση.	The government is not stable. (secure).
Δε στέκει σε σένα να λες τέτοια λόγια.	It is not proper for you to say such things.

Active Voice, Indicative		*Passive Voice, Indicative*	
P.	**I send**		**I am being sent, I am sent**	
στέλνω	στέλνουμε	στέλνομαι	στελνόμαστε
στέλνεις	στέλνετε	στέλνεσαι	στέλνεστε
στέλνει	στέλνουν	στέλνεται	στέλνονται
P. C.	**I was sending**		**I was being sent**	
έστελνα	στέλναμε	στελνόμουν	στελνόμαστε
έστελνες	στέλνατε	στελνόσουν	στελνόσαστε
έστελνε	έστελναν	στελνόταν	στέλνονταν
P. S.	**I sent**		**I was sent**	
έστειλα	στείλαμε	στάλθηκα	σταλθήκαμε
έστειλες	στείλατε	στάλθηκες	σταλθήκατε
έστειλε	έστειλαν	στάλθηκε	στάλθηκαν
F. C.	**I will be sending**		**I will be being sent**	
θα στέλνω		θα στέλνομαι	
θα στέλνεις	etc.	θα στέλνεσαι	etc.
F. S.	**I will send**		**I will be sent**	
θα στείλω	θα στείλουμε	θα σταλώ	θα σταλούμε
θα στείλεις	θα στείλετε	θα σταλείς	θα σταλείτε
θα στείλει	θα στείλουν	θα σταλεί	θα σταλούν
Pr. P.	**I have sent**		**I have been sent**	
έχω στείλει		έχω σταλεί	
έχεις στείλει	etc.	έχεις σταλεί	etc.
P. P.	**I had sent**		**I had been sent**	
είχα στείλει		είχα σταλεί	
είχες στείλει	etc.	είχες σταλεί	etc.
F. P.	**I will have sent**		**I will have been sent**	
θα έχω στείλει		θα έχω σταλεί	
θα έχεις στείλει	etc.	θα έχεις σταλεί	etc.

Subjunctive   (with να, για να, αν, όταν, etc.)

P.	να στέλνω	that I may be sending	να στέλνομαι	that I may be being sent
P. S.	να στείλω	that I may send	να σταλώ	that I may be sent
Pr. P.	να έχω στείλει	that I may have sent	να έχω σταλεί	that I may have been sent

Imperative

P.	στέλνε (sing.)	be sending	-	
	στέλνετε (pl.)	be sending	στέλνεστε (pl.)	be being sent
P. S.	στείλε (sing.)	send	-	
	στείλετε (pl.)	send	-σταλθείτε (pl.)	be sent

Infinitive

να στείλει	to send	να σταλεί	to be sent

Participle

στέλνοντας	sending	σταλμέν-ος, -η, -ο	sent

(Examples on page 330)

στενοχωρώ (3) – to annoy; to worry
στενοχωριέμαι (4) – to be annoyed, to be worried

		Active Voice, Indicative		*Passive Voice, Indicative*	
P.	**I annoy**			**I am worried**	
		στενοχωρώ	στενοχωρούμε	στενοχωριέμαι	στενοχωριόμαστε
		στενοχωρείς	στενοχωρείτε	στενοχωριέσαι	στενοχωριέστε
		στενοχωρεί	στενοχωρούν	στενοχωριέται	στενοχωριούνται
P. C.	**I was annoying**			**I was being worried**	
		στενοχωρούσα	στενοχωρούσαμε	στενοχωριόμουν	στενοχωρι-όμαστε, -όμασταν
		στενοχωρούσες	στενοχωρούσατε	στενοχωριόσουν	στενοχωρι-όσαστε, -όσασταν
		στενοχωρούσε	στενοχωρούσαν	στενοχωριόταν	στενοχωριόνταν
P. S.	**I annoyed**			**I was worried**	
		στενοχώρεσα	στενοχωρέσαμε	στενοχωρέθηκα	στενοχωρεθήκαμε
		στενοχώρεσες	στενοχωρέσατε	στενοχωρέθηκες	στενοχωρεθήκατε
		στενοχώρεσε	στενοχώρεσαν	στενοχωρέθηκε	στενοχωρέθηκαν
F. C.	**I will be annoying**			**I will be being worried**	
		θα στενοχωρώ		θα στενοχωριέμαι	
		θα στενοχωρείς	etc.	θα στενοχωριέσαι	etc.
F. S.	**I will annoy**			**I will be worried**	
		θα στενοχωρέσω	θα στενοχωρέσουμε	θα στενοχωρεθώ	θα στενοχωρεθούμε
		θα στενοχωρέσεις	θα στενοχωρέσετε	θα στενοχωρεθείς	θα στενοχωρεθείτε
		θα στενοχωρέσει	θα στενοχωρέσουν	θα στενοχωρεθεί	θα στενοχωρεθούν
Pr. P.	**I have annoyed**			**I have been worried**	
		έχω στενοχωρέσει		έχω στενοχωρεθεί	
		έχεις στενοχωρέσει	etc.	έχεις στενοχωρεθεί	etc.
P. P.	**I had annoyed**			**I had been worried**	
		είχα στενοχωρέσει		είχα στενοχωρεθεί	
		είχες στενοχωρέσει	etc.	είχες στενοχωρεθεί	etc.
F. P.	**I will have annoyed**			**I will have been worried**	
		θα έχω στενοχωρέσει		θα έχω στενοχωρεθεί	
		θα έχεις στενοχωρέσει	etc.	θα έχεις στενοχωρεθεί	etc.

		Subjunctive	(with να, για να, αν, όταν, etc.)	
P.	να στενοχωρώ	that I may be annoying	να στενοχωριέμαι	that I may be being worried
P. S.	να στενοχωρέσω	that I may annoy	να στενοχωρεθώ	that I may be worried
Pr. P.	να έχω στενοχωρέσει	that I may have annoyed	να έχω στενοχωρεθεί	that I may have been worried

		Imperative		
P.	στενοχώρα (sing.)	be annoying	-	
	στενοχωράτε (pl.)	be annoying	-	
P. S.	στενοχώρεσε (sing.)	annoy	στενοχωρέσου (sing.)	be worried
	στενοχωρέστε (pl.)	annoy	στενοχωρεθείτε (pl.)	be worried

	Infinitive		
να στενοχωρέσει	to annoy	να στενοχωρεθεί	to be worried

	Participle		
στενοχωρώντας	annoying	στενοχωρεμέν-ος, -η, -ο	annoyed, worried
		(Examples on page 330)	

	Active Voice, Indicative		*Passive Voice, Indicative*	
P.	**I support**		**I am supported, I am being supported**	
	στηρίζω	στηρίζουμε	στηρίζομαι	στηριζόμαστε
	στηρίζεις	στηρίζετε	στηρίζεσαι	στηρίζεστε
	στηρίζει	στηρίζουν	στηρίζεται	στηρίζονται
P. C.	**I was supporting**		**I was being supported**	
	στήριζα	στηρίζαμε	στηριζόμουν	στηριζ-όμαστε, - όμασταν
	στήριζες	στηρίζατε	στηριζόσουν	στηριζ-όσαστε, -όσασταν
	στήριζε	στήριζαν	στηριζόταν	στηρίζονταν
P. S.	**I supported**		**I was supported**	
	στήριξα	στηρίξαμε	στηρίχ(θ,τ)ηκα	στηριχ(θ,τ)ήκαμε
	στήριξες	στηρίξατε	στηρίχ(θ,τ)ηκες	στηριχ(θ,τ)ήκατε
	στήριξε	στήριξαν	στηρίχ(θ,τ)ηκε	στηρίχ(θ,τ)ηκαν
F. C.	**I will be supporting**		**I will be being supported**	
	θα στηρίζω		θα στηρίζομαι	
	θα στηρίζεις	etc.	θα στηρίζεσαι	etc.
F. S.	**I will support**		**I will be supported**	
	θα στηρίξω	θα στηρίξουμε	θα στηριχθώ, στηριχτώ	θα στηριχθούμε
	θα στηρίξεις	θα στηρίξετε	θα στηριχθείς	θα στηριχθείτε
	θα στηρίξει	θα στηρίξουν	θα στηριχθεί	θα στηριχθούν
Pr. P.	**I have supported**		**I have been supported**	
	έχω στηρίξει		έχω στηριχθεί, στηριχτεί	
	έχεις στηρίξει	etc.	έχεις στηριχθεί	etc.
P. P.	**I had supported**		**I had been supported**	
	είχα στηρίξει		είχα στηριχθεί, στηριχτεί	
	είχες στηρίξει	etc.	είχες στηριχθεί	etc.
F. P.	**I will have supported**		**I will have been supported**	
	θα έχω στηρίξει		θα έχω στηριχθεί, στηριχτεί	
	θα έχεις στηρίξει	etc.	θα έχεις στηριχθεί	etc.

Subjunctive

(with να, για να, αν, όταν, etc.)

P.	να στηρίζω	that I may be supporting	να στηρίζομαι	that I may be being supported
P. S.	να στηρίξω	that I may support	να στηριχ(θ,τ)ώ	that I may be supported
Pr. P.	να έχω στηρίξει	that I may have supported	να έχω στηριχ(θ,τ)εί	that I may have been supported

Imperative

P.	στήριζε (sing.)	be supporting	στηρίζου (sing.)	be being supported
	στηρίζετε (pl.)	be supporting	στηρίζεστε (pl.)	be being supported
P. S.	στήριξε (sing.)	support	στηρίξου (sing.)	be supported
	στηρίξετε (pl.)	support	στηριχ(θ,τ)είτε (pl.)	be supported

Infinitive

να στηρίξει	to support	να στηριχ(θ,τ)εί	to be supported

Participle

στηρίζοντας	supporting	στηριγμέν-ος, -η, -ο	supported

(Examples on page 330)

	Active Voice, Indicative		*Passive Voice, Indicative*	
P.	**I decorate**		**I am decorated, dressed up**	
	στολίζω	στολίζουμε	στολίζομαι	στολιζόμαστε
	στολίζεις	στολίζετε	στολίζεσαι	στολίζεστε
	στολίζει	στολίζουν	στολίζεται	στολίζονται
P. C.	**I was decorating**		**I was being decorated, I was being dressed up**	
	στόλιζα	στολίζαμε	στολιζόμουν	στολιζόμαστε
	στόλιζες	στολίζατε	στολιζόσουν	στολιζόσαστε
	στόλιζε	στόλιζαν	στολιζόταν	στολίζονταν
P. S.	**I decorated**		**I was decorated, I was dressed up**	
	στόλισα	στολίσαμε	στολίστηκα	στολιστήκαμε
	στόλισες	στολίσατε	στολίστηκες	στολιστήκατε
	στόλισε	στόλισαν	στολίστηκε	στολίστηκαν
F. C.	**I will be decorating**		**I will be decorated, I will be dressed up**	
	θα στολίζω		θα στολίζομαι	
	θα στολίζεις	etc.	θα στολίζεσαι	etc.
F. S.	**I will decorate**		**I will be decorated, I will be dressed up**	
	θα στολίσω	θα στολίσουμε	θα στολιστώ	θα στολιστούμε
	θα στολίσεις	θα στολίσετε	θα στολιστείς	θα στολιστείτε
	θα στολίσει	θα στολίσουν	θα στολιστεί	θα στολιστούν
Pr. P.	**I have decorated**		**I have been decorated, dressed up**	
	έχω στολίσει		έχω στολιστεί	
	έχεις στολίσει	etc.	έχεις στολιστεί	etc.
P. P.	**I had decorated**		**I had been decorated, dressed up**	
	είχα στολίσει		είχα στολιστεί	
	είχες στολίσει	etc.	είχες στολιστεί	etc.
F. P.	**I will have decorated**		**I will have been decorated, dressed up**	
	θα έχω στολίσει		θα έχω στολιστεί	
	θα έχεις στολίσει	etc.	θα έχεις στολιστεί	etc.

		Subjunctive	(with να, για να, αν, όταν, etc.)	
P.	να στολίζω	that I may be decorating	να στολίζομαι	that I may be being decorated
P. S.	να στολίσω	that I may decorate	να στολιστώ	that I may be decorated
Pr. P.	να έχω στολίσει	that I may have decorated	να έχω στολιστεί	that I may have been decorated

		Imperative		
P.	στόλιζε (sing.)	be decorating	στολίζου (sing.)	be being decorated
	στολίζετε (pl.)	be decorating	στολίζεστε (pl.)	be being decorated
P. S.	στόλισε (sing.)	decorate	στολίσου (sing.)	be decorated
	στολίστε (pl.)	decorate	στολιστείτε (pl.)	be decorated

	Infinitive		
να στολίσει	to decorate	να στολιστεί	to be decorated, dressed up

	Participle		
στολίζοντας	decorating	στολισμέν-ος, -η, -ο	decorated, dressed up
		(Examples on page 330)	

317

στρώνω (1) – to spread; to lay down
στρώνομαι (4) – to be spread; to be laid down; to lie to sleep

	Active Voice, Indicative		*Passive Voice, Indicative*	
P.	**I spread**		**I am spread, I am being spread**	
	στρώνω	στρώνουμε	στρώνομαι	στρωνόμαστε
	στρώνεις	στρώνετε	στρώνεσαι	στρώνεστε
	στρώνει	στρώνουν	στρώνεται	στρώνονται
P. C.	**I was spreading**		**I was being spread**	
	έστρωνα	στρώναμε	στρωνόμουν	στρωνόμαστε
	έστρωνες	στρώνατε	στρωνόσουν	στρωνόσαστε
	έστρωνε	έστρωναν	στρωνόταν	στρώνονταν
P. S.	**I spread**		**I was spread**	
	έστρωσα	στρώσαμε	στρώθηκα	στρωθήκαμε
	έστρωσες	στρώσατε	στρώθηκες	στρωθήκατε
	έστρωσε	έστρωσαν	στρώθηκε	στρώθηκαν
F. C.	**I will be spreading**		**I will be being spread**	
	θα στρώνω		θα στρώνομαι	
	θα στρώνεις	etc.	θα στρώνεσαι	etc.
F. S.	**I will spread**		**I will be spread**	
	θα στρώσω	θα στρώσουμε	θα στρωθώ	θα στρωθούμε
	θα στρώσεις	θα στρώσετε	θα στρωθείς	θα στρωθείτε
	θα στρώσει	θα στρώσουν	θα στρωθεί	θα στρωθούν
Pr. P.	**I have spread**		**I have been spread**	
	έχω στρώσει		έχω στρωθεί	
	έχεις στρώσει	etc.	έχεις στρωθεί	etc.
P. P.	**I had spread**		**I had been spread**	
	είχα στρώσει		είχα στρωθεί	
	είχες στρώσει	etc.	είχες στρωθεί	etc.
F. P.	**I will have spread**		**I will have been spread**	
	θα έχω στρώσει		θα έχω στρωθεί	
	θα έχεις στρώσει	etc.	θα έχεις στρωθεί	etc.

Subjunctive (with να, για να, αν, όταν, etc.)

P.	να στρώνω	that I may be spreading	να στρώνομαι	that I may be being spread
P. S.	να στρώσω	that I may spread	να στρωθώ	that I may be spread
Pr. P.	να έχω στρώσει	that I may have spread	να έχω στρωθεί	that I may have been spread

Imperative

P.	στρώνε (sing.)	be spreading	στρώνου (sing.)	be being spread
	στρώνετε (pl.)	be spreading	στρώνεστε (pl.)	be being spread
P. S.	στρώσε (sing.)	spread	στρώσου (sing.)	be spread
	στρώστε (pl.)	spread	στρωθείτε (pl.)	be spread

Infinitive

να στρώσει	to spread	να στρωθεί	to be spread

Participle

στρώνοντας	spreading	στρωμέν-ος, -η, -ο	spread

(Examples on page 331)

	Active Voice, Indicative		*Passive Voice, Indicative*	
P.	**I forgive, I pardon**		**I am forgiven, pardoned**	
	συγχωρώ	συγχωρούμε	συγχωριέμαι	συγχωριόμαστε
	συγχωρείς	συγχωρείτε	συγχωριέσαι	συγχωριέστε
	συγχωρεί	συγχωρούν	συγχωριέται	συγχωριούνται
P. C.	**I was forgiving**		**I was being forgiven**	
	συγχωρούσα	συγχωρούσαμε	συγχωριόμουν	συγχωριόμαστε
	συγχωρούσες	συγχωρούσατε	συγχωριόσουν	συγχωριόσαστε
	συγχωρούσε	συγχωρούσαν	συγχωριόταν	συγχωριόνταν
P. S.	**I forgave**		**I was forgiven**	
	συγχώρεσα	συγχωρέσαμε	συγχωρέθηκα	συγχωρεθήκαμε
	συγχώρεσες	συγχωρέσατε	συγχωρέθηκες	συγχωρεθήκατε
	συγχώρεσε	συγχώρεσαν	συγχωρέθηκε	συγχωρέθηκαν
F. C.	**I will be forgiving**		**I will be being forgiven**	
	θα συγχωρώ		θα συγχωριέμαι	
	θα συγχωρείς	etc.	θα συγχωριέσαι	etc.
F. S.	**I will forgive**		**I will be forgiven**	
	θα συγχωρέσω	θα συγχωρέσουμε	θα συγχωρεθώ	θα συγχωρεθούμε
	θα συγχωρέσεις	θα συγχωρέσετε	θα συγχωρεθείς	θα συγχωρεθείτε
	θα συγχωρέσει	θα συγχωρέσουν	θα συγχωρεθεί	θα συγχωρεθούν
Pr. P.	**I have forgiven**		**I have been forgiven**	
	έχω συγχωρέσει		έχω συγχωρεθεί	
	έχεις συγχωρέσει	etc.	έχεις συγχωρεθεί	etc.
P. P.	**I had forgiven**		**I had been forgiven**	
	είχα συγχωρέσει		είχα συγχωρεθεί	
	είχες συγχωρέσει	etc.	είχες συγχωρεθεί	etc.
F. P.	**I will have forgiven**		**I will have been forgiven**	
	θα έχω συγχωρέσει		θα έχω συγχωρεθεί	
	θα έχεις συγχωρέσει	etc.	θα έχεις συγχωρεθεί	etc.

Subjunctive (with να, για να, αν, όταν, etc.)

P.	να συγχωρώ	that I may be forgiving	να συγχωριέμαι	that I may be being forgiven
P. S.	να συγχωρέσω	that I may forgive	να συγχωρεθώ	that I may be forgiven
Pr. P.	να έχω συγχωρέσει	that I may have forgiven	να έχω συγχωρεθεί	that I may have been forgiven

Imperative

P.	συγχώρα (sing.)	be forgiving	-	
	συγχωράτε (pl.)	be forgiving	-	
P. S.	συγχώρεσε (sing.)	forgive	συγχωρέσου (sing.)	be forgiven
	συγχωρέστε (pl.)	forgive	συγχωρεθείτε (pl.)	be forgiven

Infinitive

να συγχωρέσει	to forgive	να συγχωρεθεί	to be forgiven

Participle

συγχωρώντας	forgiving	συγχωρεμέν-ος, -η, -ο	forgiven
		(also: one who has passed away)	
		(Examples on page 331)	

319

	Active Voice, Indicative		*Passive Voice, Indicative*	
P.	**I discuss**		**I am being discussed**	
	συζητώ	συζητούμε	συζητιέμαι	συζητιόμαστε
	συζητάς	συζητάτε	συζητιέσαι	συζητιέστε
	συζητά	συζητούν	συζητιέται	συζητιούνται
P. C.	**I was discussing**		**I was being discussed**	
	συζητούσα	συζητούσαμε	συζητιόμουν	συζητιόμαστε
	συζητούσες	συζητούσατε	συζητιόσουν	συζητιόσαστε
	συζητούσε	συζητούσαν	συζητιόταν	συζητιόνταν
P. S.	**I discussed**		**I was discussed**	
	συζήτησα	συζητήσαμε	συζητήθηκα	συζητηθήκαμε
	συζήτησες	συζητήσατε	συζητήθηκες	συζητηθήκατε
	συζήτησε	συζήτησαν	συζητήθηκε	συζητήθηκαν
F. C.	**I will be discussing**		**I will be being discussed**	
	θα συζητώ		θα συζητιέμαι	
	θα συζητάς	etc.	θα συζητιέσαι	etc.
F. S.	**I will discuss**		**I will be discussed**	
	θα συζητήσω	θα συζητήσουμε	θα συζητηθώ	θα συζητηθούμε
	θα συζητήσεις	θα συζητήσετε	θα συζητηθείς	θα συζητηθείτε
	θα συζητήσει	θα συζητήσουν	θα συζητηθεί	θα συζητηθούν
Pr. P.	**I have discussed**		**I have been discussed**	
	έχω συζητήσει		έχω συζητηθεί	
	έχεις συζητήσει	etc.	έχεις συζητηθεί	etc.
P. P.	**I had discussed**		**I had been discussed**	
	είχα συζητήσει		είχα συζητηθεί	
	είχες συζητήσει	etc.	είχες συζητηθεί	etc.
F. P.	**I will have discussed**		**I will have been discussed**	
	θα έχω συζητήσει		θα έχω συζητηθεί	
	θα έχεις συζητήσει	etc.	θα έχεις συζητηθεί	etc.

	Subjunctive		(with να, για να, αν, όταν, etc.)	
P.	να συζητώ	that I may be discussing	να συζητιέμαι	that I may be being discussed
P. S.	να συζητήσω	that I may discuss	να συζητηθώ	that I may be discussed
Pr. P.	να έχω συζητήσει	that I may have discussed	να έχω συζητηθεί	that I may have been

	Imperative			
P	συζήτα (sing.)	be discussing	-	
	συζητάτε (pl.)	be discussing	-	
P. S.	συζήτησε (sing.)	discuss	συζητήσου (sing.)	be discussed
	συζητήστε (pl.)	discuss	συζητηθείτε (pl.)	be discussed

	Infinitive			
	να συζητήσει	to discuss	να συζητηθεί	to be discussed

	Participle			
	συζητώντας	discussing	συζητημέν-ος, -η, -ο	discussed

(Examples on page 331)

P.	συμβαίνει	It happens.
	συμβαίνουν	They happen.
P. C.	συνέβαινε	It was happening.
	συνέβαιναν	They were happening.
P. S.	συνέβη	It happened.
	συνέβησαν	They happened.
F. C.	θα συμβαίνει	It will be happening.
	θα συμβαίνουν	They will be happening.
F. S.	θα συμβεί	It will happen.
	θα συμβούν	They will happen.
Pr. P.	έχει συμβεί	It has happened.
	έχουν συμβεί	They have happened.
P. P.	είχε συμβεί	It had happened.
	είχαν συμβεί	They had happened.
F. P.	θα έχει συμβεί	It will have happened.
	θα έχουν συμβεί	They will have happened.
F. P. Pr.	θα είχε συμβεί	It would have happened.
	θα είχαν συμβεί	They would have happened.

Example:

Τι συμβαίνει;	What is going on? What is happening?
Συνέβη τίποτα;	Has anything happened?
Ξέρετε τι έχει συμβεί;	Do you know what has happened?
Ξέρετε τι είχε συμβεί;	Do you know what had happened?
Αυτό συμβαίνει τακτικά.	This happens regularly.
Τι σου συμβαίνει;	What is wrong with you? What is happening?

	Active Voice, Indicative		*Passive Voice, Indicative*	
P.	**I meet**		**I am met, I am being met**	
	συναντώ	συναντούμε	συναντιέμαι	συναντιόμαστε
	συναντάς	συναντάτε	συναντιέσαι	συναντιέστε
	συναντά	συναντούν	συναντιέται	συναντιούνται
P. C.	**I was meeting**		**I was being met**	
	συναντούσα	συναντούσαμε	συναντιόμουν	συναντιόμαστε
	συναντούσες	συναντούσατε	συναντιόσουν	συναντιόσαστε
	συναντούσε	συναντούσαν	συναντιόταν	συναντιόνταν
P. S.	**I met**		**I was met**	
	συνάντησα	συναντήσαμε	συναντήθηκα	συναντηθήκαμε
	συνάντησες	συναντήσατε	συναντήθηκες	συναντηθήκατε
	συνάντησε	συνάντησαν	συναντήθηκε	συναντήθηκαν
F. C.	**I will be meeting**		**I will be being met**	
	θα συναντώ		θα συναντιέμαι	
	θα συναντάς	etc.	θα συναντιέσαι	etc.
F. S.	**I will meet**		**I will be met**	
	θα συναντήσω	θα συναντήσουμε	θα συναντηθώ	θα συναντηθούμε
	θα συναντήσεις	θα συναντήσετε	θα συναντηθείς	θα συναντηθείτε
	θα συναντήσει	θα συναντήσουν	θα συναντηθεί	θα συναντηθούν
Pr. P.	**I have met**		**I have been met**	
	έχω συναντήσει		έχω συναντηθεί	
	έχεις συναντήσει	etc.	έχεις συναντηθεί	etc.
P. P.	**I had met**		**I had been met**	
	είχα συναντήσει		είχα συναντηθεί	
	είχες συναντήσει	etc.	είχες συναντηθεί	etc.
F. P.	**I will have met**		**I will have been met**	
	θα έχω συναντήσει		θα έχω συναντηθεί	
	θα έχεις συναντήσει	etc.	θα έχεις συναντηθεί	etc.

	Subjunctive		(with να, για να, αν, όταν, etc.)	
P.	να συναντώ	that I may be meeting	να συναντιέμαι	that I may be being met
P. S.	να συναντήσω	that I may meet	να συναντηθώ	that I may be met
Pr. P.	να έχω συναντήσει	that I may have met	να έχω συναντηθεί	that I may have been met

	Imperative			
P. S	συνάντησε (sing.)	meet	συναντήσου (sing.)	be met
	συναντήστε (pl.)	meet	συναντηθείτε (pl.)	be met

	Infinitive			
	να συναντήσει	to meet	να συναντηθεί	to be met

	Participle			
	συναντώντας	meeting	συναντηθείς – συναντηθείσα – συναντηθέν - met	

(Classical form)

(Examples on page 331)

Active Voice, Indicative		Passive Voice, Indicative	
P. **I continue**		**I am continued, I am being continued**	
συνεχίζω	συνεχίζουμε	συνεχίζομαι	συνεχιζόμαστε
συνεχίζεις	συνεχίζετε	συνεχίζεσαι	συνεχίζεστε
συνεχίζει	συνεχίζουν	συνεχίζεται	συνεχίζονται
P. C. **I was continuing**		**I was being continued**	
συνέχιζα	συνεχίζαμε	συνεχιζόμουν	συνεχιζόμαστε
συνέχιζες	συνεχίζατε	συνεχιζόσουν	συνεχιζόσαστε
συνέχιζε	συνέχιζαν	συνεχιζόταν	συνεχίζονταν
P. S. **I continued**		**I was continued**	
συνέχισα	συνεχίσαμε	συνεχίστηκα	συνεχιστήκαμε
συνέχισες	συνεχίσατε	συνεχίστηκες	συνεχιστήκατε
συνέχισε	συνέχισαν	συνεχίστηκε	συνεχίστηκαν
F. C. **I will be continuing**		**I will be being continued**	
θα συνεχίζω		θα συνεχίζομαι	
θα συνεχίζεις	etc.	θα συνεχίζεσαι	etc.
F. S. **I will continue**		**I will be continued**	
θα συνεχίσω	θα συνεχίσουμε	θα συνεχιστώ	θα συνεχιστούμε
θα συνεχίσεις	θα συνεχίσετε	θα συνεχιστείς	θα συνεχιστείτε
θα συνεχίσει	θα συνεχίσουν	θα συνεχιστεί	θα συνεχιστούν
Pr. P. **I have continued**		**I have been continued**	
έχω συνεχίσει		έχω συνεχιστεί	
έχεις συνεχίσει	etc.	έχεις συνεχιστεί	etc.
P. P. **I had continued**		**I had been continued**	
είχα συνεχίσει		είχα συνεχιστεί	
είχες συνεχίσει	etc.	είχες συνεχιστεί	etc.
F. P. **I will have continued**		**I will have been continued**	
θα έχω συνεχίσει		θα έχω συνεχιστεί	
θα έχεις συνεχίσει	etc.	θα έχεις συνεχιστεί	etc.

Subjunctive (with να, για να, αν, όταν, etc.)

P.	να συνεχίζω	that I may be continuing	να συνεχίζομαι	that I may be being continued
P. S.	να συνεχίσω	that I may continue	να συνεχιστώ	that I may be continued
Pr. P.	να έχω συνεχίσει	that I may have continued	να έχω συνεχιστεί	that I may have been continued

Imperative

P.	συνέχιζε (sing.)	be continuing	συνεχίζου (sing.)	be being continued
	συνεχίζετε (pl.)	be continuing	συνεχίζεστε (pl.)	be being continued
P. S.	συνέχισε (sing.)	continue	συνεχίσου (sing.)	be continued
	συνεχίστε (pl.)	continue	συνεχιστείτε (pl.)	be continued

Infinitive

να συνεχίσει	to continue	να συνεχιστεί	to be continued

Participle

συνεχίζοντας	continuing	συνεχιζόμενος – συνεχιζομένη – συνεχιζόμενον -	
		(classical form) continued	

(Examples on page 332)

	Active Voice, Indicative		*Passive Voice, Indicative*	
P.	**I slaughter**		**I am slaughtered, I am being slaughtered**	
	σφάζω	σφάζουμε	σφάζομαι	σφαζόμαστε
	σφάζεις	σφάζετε	σφάζεσαι	σφάζεστε
	σφάζει	σφάζουν	σφάζεται	σφάζονται
P. C.	**I was slaughtering**		**I was being slaughtered**	
	έσφαζα	σφάζαμε	σφαζόμουν	σφαζόμαστε
	έσφαζες	σφάζατε	σφαζόσουν	σφαζόσαστε
	έσφαζε	έσφαζαν	σφαζόταν	σφάζονταν
P. S.	**I slaughtered**		**I was slaughtered**	
	έσφαξα	σφάξαμε	σφάχτηκα	σφαχτήκαμε
	έσφαξες	σφάξατε	σφάχτηκες	σφαχτήκατε
	έσφαξε	έσφαξαν	σφάχτηκε	σφάχτηκαν
F. C.	**I will be slaughtering**		**I will be being slaughtered**	
	θα σφάζω		θα σφάζομαι	
	θα σφάζεις	etc.	θα σφάζεσαι	etc.
F. S.	**I will slaughter**		**I will be slaughtered**	
	θα σφάξω	θα σφάξουμε	θα σφαχτώ	θα σφαχτούμε
	θα σφάξεις	θα σφάξετε	θα σφαχτείς	θα σφαχτείτε
	θα σφάξει	θα σφάξουν	θα σφαχτεί	θα σφαχτούν
Pr. P.	**I have slaughtered**		**I have been slaughtered**	
	έχω σφάξει		έχω σφαχτεί	
	έχεις σφάξει	etc.	έχεις σφαχτεί	etc.
P. P.	**I had slaughtered**		**I had been slaughtered**	
	είχα σφάξει		είχα σφαχτεί	
	είχες σφάξει	etc.	είχες σφαχτεί	etc.
F. P.	**I will have slaughtered**		**I will have been slaughtered**	
	θα έχω σφάξει		θα έχω σφαχτεί	
	θα έχεις σφάξει	etc.	θα έχεις σφαχτεί	etc.

		Subjunctive	(with να, για να, αν, όταν, etc.)	
P.	να σφάζω	that I may be slaughtering	να σφάζομαι	that I may be being slaughtered
P. S.	να σφάξω	that I may slaughter	να σφαχτώ	that I may be slaughtered
Pr. P.	να έχω σφάξει	that I may have slaughtered	να έχω σφαχτεί	that I may have been slaughtered
		Imperative		
P.	σφάζε (sing.)	be slaughtering	σφάζου (sing.)	be being slaughtered
	σφάζετε (pl.)	be slaughtering	σφάζεστε (pl.)	be being slaughtered
P. S.	σφάξε (sing.)	slaughter	σφάξου (sing.)	be slaughtered
	σφάξετε (pl.)	slaughter	σφαχτείτε (pl.)	be slaughtered
		Infinitive		
	να σφάξει	to slaughter	να σφαχτεί	to be slaughtered
		Participle		
	σφάζοντας	slaughtering	σφαγμέν-ος, -η, -ο	slaughtered

(Examples on page 332)

Active Voice, Indicative		*Passive Voice, Indicative*	
P. **I plan**		**I am being sketched, planned**	
σχεδιάζω	σχεδιάζουμε	σχεδιάζομαι	σχεδιαζόμαστε
σχεδιάζεις	σχεδιάζετε	σχεδιάζεσαι	σχεδιάζεστε
σχεδιάζει	σχεδιάζουν	σχεδιάζεται	σχεδιάζονται
P. C. **I was planning**		**I was being sketched, planned**	
σχεδίαζα	σχεδιάζαμε	σχεδιαζόμουν	σχεδιαζόμαστε
σχεδίαζες	σχεδιάζατε	σχεδιαζόσουν	σχεδιαζόσαστε
σχεδίαζε	σχεδίαζαν	σχεδιαζόταν	σχεδιάζονταν
P. S. **I planned**		**I was sketched, planned**	
σχεδίασα	σχεδιάσαμε	σχεδιάστηκα	σχεδιαστήκαμε
σχεδίασες	σχεδιάσατε	σχεδιάστηκες	σχεδιαστήκατε
σχεδίασε	σχεδίασαν	σχεδιάστηκε	σχεδιάστηκαν
F. C. **I will be planning**		**I will be being sketched, planned**	
θα σχεδιάζω		θα σχεδιάζομαι	
θα σχεδιάζεις	etc.	θα σχεδιάζεσαι	etc.
F. S. **I will plan**		**I will be sketched, planned**	
θα σχεδιάσω	θα σχεδιάσουμε	θα σχεδιαστώ	θα σχεδιαστούμε
θα σχεδιάσεις	θα σχεδιάσετε	θα σχεδιαστείς	θα σχεδιαστείτε
θα σχεδιάσει	θα σχεδιάσουν	θα σχεδιαστεί	θα σχεδιαστούν
Pr. P. **I have planned**		**I have been sketched, planned**	
έχω σχεδιάσει		έχω σχεδιαστεί	
έχεις σχεδιάσει	etc.	έχεις σχεδιαστεί	etc.
P. P. **I had planned**		**I had been sketched, planned**	
είχα σχεδιάσει		είχα σχεδιαστεί	
είχες σχεδιάσει	etc.	είχες σχεδιαστεί	etc.
F. P. **I will have planned**		**I will have been sketched, planned**	
θα έχω σχεδιάσει		θα έχω σχεδιαστεί	
θα έχεις σχεδιάσει	etc.	θα έχεις σχεδιαστεί	etc.

Subjunctive (with να, για να, αν, όταν, etc.)

P.	να σχεδιάζω	that I may be planning	να σχεδιάζομαι	that I may be being sketched
P. S.	να σχεδιάσω	that I may plan	να σχεδιαστώ	that I may be sketched
Pr. P.	να έχω σχεδιάσει	that I may have planned	να έχω σχεδιαστεί	that I may have been sketched

Imperative

P.	σχεδίαζε (sing.)	be planning	σχεδιάζου (sing.)	be being sketched
	σχεδιάζετε (pl.)	be planning	σχεδιάζεστε (pl.)	be being sketched
P. S.	σχεδίασε (sing.)	plan	σχεδιάσου (sing.)	be sketched
	σχεδιάστε (pl.)	plan	σχεδιαστείτε (pl.)	be sketched

Infinitive

να σχεδιάσει	to plan	να σχεδιαστεί	to be sketched

Participle

σχεδιάζοντας	planning	σχεδιασμέν-ος, -η, -ο	planned, sketched

(Examples on page 332)

	Active Voice, Indicative		*Passive Voice, Indicative*	
P.	**I form**		**I am formed, I am being formed**	
	σχηματίζω	σχηματίζουμε	σχηματίζομαι	σχηματιζόμαστε
	σχηματίζεις	σχηματίζετε	σχηματίζεσαι	σχηματίζεστε
	σχηματίζει	σχηματίζουν	σχηματίζεται	σχηματίζονται
P. C.	**I was forming**		**I was being formed**	
	σχημάτιζα	σχηματίζαμε	σχηματιζόμουν	σχηματιζόμαστε
	σχημάτιζες	σχηματίζατε	σχηματιζόσουν	σχηματιζόσαστε
	σχημάτιζε	σχημάτιζαν	σχηματιζόταν	σχηματίζονταν
P. S.	**I formed**		**I was formed**	
	σχημάτισα	σχηματίσαμε	σχηματίστηκα	σχηματιστήκαμε
	σχημάτισες	σχηματίσατε	σχηματίστηκες	σχηματιστήκατε
	σχημάτισε	σχημάτισαν	σχηματίστηκε	σχηματίστηκαν
F. C.	**I will be forming**		**I will be being formed**	
	θα σχηματίζω		θα σχηματίζομαι	
	θα σχηματίζεις	etc.	θα σχηματίζεσαι	etc.
F. S.	**I will form**		**I will be formed**	
	θα σχηματίσω	θα σχηματίσουμε	θα σχηματιστώ	θα σχηματιστούμε
	θα σχηματίσεις	θα σχηματίσετε	θα σχηματιστείς	θα σχηματιστείτε
	θα σχηματίσει	θα σχηματίσουν	θα σχηματιστεί	θα σχηματιστούν
Pr. P.	**I have formed**		**I have been formed**	
	έχω σχηματίσει		έχω σχηματιστεί	
	έχεις σχηματίσει	etc.	έχεις σχηματιστεί	etc.
P. P.	**I had formed**		**I had been formed**	
	είχα σχηματίσει		είχα σχηματιστεί	
	είχες σχηματίσει	etc.	είχες σχηματιστεί	etc.
F. P.	**I will have formed**		**I will have been formed**	
	θα έχω σχηματίσει		θα έχω σχηματιστεί	
	θα έχεις σχηματίσει	etc.	θα έχεις σχηματιστεί	etc.

Subjunctive   (with να, για να, αν, όταν, etc.)

P.	να σχηματίζω	that I may be forming	να σχηματίζομαι	that I may be being formed
P. S.	να σχηματίσω	that I may form	να σχηματιστώ	that I may be formed
Pr. P.	να έχω σχηματίσει	that I may have formed	να έχω σχηματιστεί	that I may have been formed

Imperative

P.	σχημάτιζε (sing.)	be forming	σχηματίζου (sing.)	be being formed
	σχηματίζετε (pl.)	be forming	σχηματίζεστε (pl.)	be being formed
P. S.	σχημάτισε (sing.)	form	σχηματίσου (sing.)	be formed
	σχηματίστε (pl.)	form	σχηματιστείτε (pl.)	be formed

Infinitive

να σχηματίζει	to form	να σχηματιστεί	to be formed

Participle

σχηματίζοντας	forming	σχηματισμέν-ος, -η, -ο	formed

(Examples on page 332)

Active Voice, Indicative

P.   **I tear**

σχίζω	σχίζουμε
σχίζεις	σχίζετε
σχίζει	σχίζουν

P. C.   **I was tearing**

έσχιζα	σχίζαμε
έσχιζες	σχίζατε
έσχιζε	έσχιζαν

P. S.   **I tore**

έσχισα	σχίσαμε
έσχισες	σχίσατε
έσχισε	έσχισαν

F. C.   **I will be tearing**

θα σχίζω	
θα σχίζεις	etc.

F. S.   **I will tear**

θα σχίσω	θα σχίσουμε
θα σχίσεις	θα σχίσετε
θα σχίσει	θα σχίσουν

Pr. P.   **I have torn**

έχω σχίσει	
έχεις σχίσει	etc.

P. P.   **I had torn**

είχα σχίσει	
είχες σχίσει	etc.

F. P.   **I will have torn**

θα έχω σχίσει	
θα έχεις σχίσει	etc.

Passive Voice, Indicative

I am torn, I am being torn

σχίζομαι	σχιζόμαστε
σχίζεσαι	σχίζεστε
σχίζεται	σχίζονται

I was being torn

σχιζόμουν	σχιζόμαστε
σχιζόσουν	σχιζόσαστε
σχιζόταν	σχίζονταν

I was torn

σχίστηκα	σχιστήκαμε
σχίστηκες	σχιστήκατε
σχίστηκε	σχίστηκαν

I will be being torn

θα σχίζομαι	
θα σχίζεσαι	etc.

I will be torn

θα σχιστώ	θα σχιστούμε
θα σχιστείς	θα σχιστείτε
θα σχιστεί	θα σχιστούν

I have been torn

έχω σχιστεί	
έχεις σχιστεί	etc.

I had been torn

είχα σχιστεί	
είχες σχιστεί	etc.

I will have been torn

θα έχω σχιστεί	
θα έχεις σχιστεί	etc.

Subjunctive

(with να, για να, αν, όταν etc.)

P.	να σχίζω	that I may be tearing	να σχίζομαι	that I may be being torn
P. S.	να σχίσω	that I may tear	να σχιστώ	that I may be torn
Pr. P.	να έχω σχίσει	that I may have torn	να έχω σχιστεί	that I may have been torn

Imperative

P.	σχίζε (sing.)	be tearing	σχίζου (sing.)	be being torn
	σχίζετε (pl.)	be tearing	σχίζεστε (pl.)	be being torn
P. S.	σχίσε (sing.)	tear	σχίσου (sing.)	be torn
	σχίστε (pl.)	tear	σχιστείτε (pl.)	be torn

Infinitive

να σχίσει	to tear	να σχιστεί	to be torn

Participle

σχίζοντας	tearing	σχισμέν-ος, -η, -ο	torn

(Examples on page 332)

Examples of uses of verbs starting with **σ**

σαλεύω

Είναι παραμονή των Χριστουγέννων, τίποτα δε σαλεύει μέσα στο σπίτι.

Το αεράκι σαλεύει τα φύλλα των δέντρων.

Μη σαλεύεις.

Ολόκληρο το βουνό σαλεύτηκε από τον σεισμό.

Δε σαλεύουμε απ' εδώ.

Σάλεψε το μυαλό του.

It is Christmas eve, nothing stirs in the house.

The breeze moves the leaves of the trees.

Do not move.

The whole mountain was moved by the earthquake.

We will not move from here.

He lost his mind.

σβήνω

Η φωτιά έσβησε.

Σβήσε το ηλεκτρικό φως.

Μας έδωσε νερό και σβήσαμε τη δίψα μας.

Ο έρωτάς του, για το κορίτσι που αγαπούσε, έσβησε.

Τον σβήσαμε από τον κατάλογο.

Τα γράμματα σβήσανε και δεν μπορούμε να τα διαβάσουμε.

Κάποτε ο ήλιος θα σβήσει. Τότε θα σβήσει και η ζωή πάνω στη γη.

Σβήσε τα όλα.

The fire went out.

Turn off the light.

He gave us water and we quenched our thirst.

His love for the girl he adored died.

We scratched (crossed out) his name from our list.

The letters have faded and we cannot read them.

Sometime the sun will stop shining. Then all life on earth will also stop.

Wipe out everything. (Forget everything).

σηκώνω - σηκώνομαι

Σήκωσε αυτό το κουτί.

Σήκω!

Σήκωσε ψηλά τα χέρια.

Δε σηκώνει κεφάλι από τον πονοκέφαλο.

Σηκώνουν τη σημαία.

Σήμερα σηκώθηκα στις εφτά το πρωί.

Δεν έχει σηκωθεί ακόμα από το κρεβάτι.

Σήκωσε το χέρι του να με χτυπήσει.

Μη σηκώνετε χέρι στα παιδιά.

Σηκώθηκε ένας δυνατός άνεμος.

Σηκώσαμε τα λεφτά μας από την τράπεζα.

Με τις φωνές σου σήκωσες όλη τη γειτονιά.

Σήκωσε κεφάλι ο υπάλληλος.

Δε σηκώνω αστεία.

Δε με σηκώνει το κλίμα της Αμερικής.

Pick up this box.

Get up!

Raise your hands. (Hands up).

He cannot raise his head because of the headache.

They raise the flag.

Today I got up at seven in the morning.

He has not yet gotten up from bed.

He (raised his hand) tried to hit me.

Do not hit the children.

A strong wing started blowing.

We withdrew our money from the bank.

By your shouts you aroused the entire neighborhood.

The employee is arrogant. (Has a chip on his head).

I do not take jokes.

The climate of America does not suit me. (It is not good for my health).

σημειώνω

Σημειώνω στο βιβλίο μου όλα τα ονόματα.
Όταν διαβάζω ένα βιβλίο, σημειώνω όλες
τις παραγράφους που μου αρέσουν.
Σημείωσα το τηλέφωνό σου και θα σου
τηλεφωνήσουμε.
Οι τιμές των τροφίμων σημείωσαν νέα
αύξηση.
Σημειώθηκαν κρούσματα πολυομυελίτιδας
στο νοσοκομείο.
Ποιος σημείωσε το τέρμα;

I put down in my book all the names.
When I read a book I mark all the
paragraphs I like.
I put down your telephone number and
we will call you.
Food prices showed a new rise.

Cases of polio were observed at the
hospital.
Who scored the goal?

σκεπάζω

Η μητέρα σκεπάζει το παιδί να μην
κρυώσει.
Σκεπαστήκαμε καλά, γιατί έκανε
πολύ κρύο.
Η γη σκεπάστηκε από χιόνι.
Σκέπασέ με.
Σκεπαστείτε.

The mother covers the child so that it will
not catch cold.
We covered ourselves well, because it was
very cold.
The ground was covered by snow.
Cover me.
Cover yourselves.

σκοπεύω

Τι σκοπεύεις να κάνεις;
Αυτό το καλοκαίρι σκοπεύουμε να κάνουμε
ένα ταξίδι στην Ελλάδα.
Ο κυνηγός σκόπευσε το πουλί και
πυροβόλησε.
Σκόπευα να πάω στο θέατρο μα δε βρήκα
εισιτήρια.

What do you intend to do?
We intend to take a trip to Greece
this summer.
The hunter aimed at the bird and
fired.
I planned to go to the theater but I
did not find any tickets.

σκορπίζω

Σκορπίζει τα λεφτά του.
Τα λουλούδια σκορπίζουν ολόγυρα το
άρωμά τους.
Ο άνεμος σκόρπισε τα σύννεφα.
Σκορπίστηκαν σαν τους τσιγγάνους.
Ο εχθρός σκόρπισε μόλις είδε τον στρατό
να πλησιάζει.
Είχαμε σκορπιστεί στον κάμπο και
μαζεύαμε λουλούδια.

He scatters (wastes) his money.
The flowers spread their fragrances
all around.
The wind dispersed the clouds.
They were scattered around like gypsies.
The enemy scattered as soon as they saw
the army approaching.
We had scattered around in the plain
and gathered flowers.

σκοτώνω

Εκατομμύρια άνθρωποι σκοτώθηκαν
στον δεύτερο Παγκόσμιο Πόλεμο.
Σκοτώνομαι στη δουλειά.
Αυτή η δουλειά μάς σκοτώνει.
Σκοτώνω την ώρα μου παίζοντας
χαρτιά.
Τον σκότωσε στο ξύλο.
Το σκότωσε το εκατοστάρικο.
Σκοτώθηκε να μας περιποιηθεί.
Τον σκότωσε το αυτοκίνητο.
Σκοτώθηκε από ένα αυτοκίνητο.

Millions of people were killed during
the Second World War.
I kill myself working.
This job is killing us. (It is very hard).
I pass my time (I kill my time)
playing cards.
He gave him a good beating.
He killed the hundred dollars. (He spent it all).
He went out of his way to serve us.
A car killed him.
He was killed by a car.

Ο άνθρωπος είναι σκοτωμένος.
Σκοτώνουν την ωραία μας γλώσσα.

σπάζω
Ο άνεμος έσπασε το τζάμι.
Σπάσαμε το παράθυρο και ανοίξαμε το αυτοκίνητο.
Έσπασα το ρολόι μου.
Πολλά ποτήρια σπάζονται από τα γκαρσόνια κάθε μέρα.
Σπάζω το κεφάλι μου να βρω μια λύση στο ζήτημα αυτό.
Σπάσαμε στα γέλια.
Σπάσε δυο αβγά για τη σούπα.

στέλνω
Μου έστειλε ένα γράμμα πριν δέκα μέρες.
Σου στέλνω χαιρετίσματα.
Τον έστειλα να μου φέρει ένα βιβλίο από τη βιβλιοθήκη.
Τα πακέτα έχουν σταλεί.
Έχουμε ήδη στείλει τις χριστουγεννιάτικες κάρτες.
Στάλθηκε από την κυβέρνηση στην Αμερική για μια σπουδαία δουλειά.

στενοχωρώ
Αυτό το παιδί με στενοχωρεί πολύ.
Είχαμε στενοχωρεθεί με το κλείσιμο του μαγαζιού.
Μη στενοχωριέσαι.
Με στενοχώρεσε η στάση του.
Όποιος στενοχωριέται αρρωσταίνει.

στηρίζω
Τα θεμέλια στηρίζουν τους τοίχους και οι τοίχοι στηρίζουν την οροφή.
Στηρίζεται στον πατέρα του.
Στάσου να στηριχτώ πάνω σου.
Στηρίχτηκε στα χρήματα της γυναίκας του.
Το γεφύρι έπεσε, γιατί στηριζόταν σε ξύλινους στύλους.

στολίζω
Στολίσαμε την αίθουσα του σχολείου με χριστουγεννιάτικα στολίδια.
Τα κορίτσια στόλισαν τη νύμφη.
Το σπίτι στολίστηκε για τις γιορτές.
Γιατί στολίστηκες;
Στολίστηκα για τον αποψινό χορό.

The man has been killed (is dead).
They are abusing (murdering) our beautiful language.

The wind broke the glass.
We broke the window and opened the car.
I broke my watch.
Many glasses are broken by the waiters every day.
I break my brain about finding a solution on this matter.
We burst laughing.
Break two eggs for the soup.

He sent me a letter ten days ago.
I am sending you greetings.
I sent him to the library to fetch me a book.
The packages have been sent.
We have already sent our Christmas cards.
He was sent to America by the Government on an important matter.

This child annoys me very much.
We had been (were) annoyed because of the closing of the shop.
Do not worry.
His attitude made me feel bad.
Whoever worries may get sick.

The foundation supports the walls and the walls support the roof.
He depends on his father.
Wait! (stop) so I may lean on you.
He depended on his wife's money.
The bridge fell because it was supported by wooden poles.

We decorated the school hall with Christmas decorations.
The girls dressed up the bride.
The house was decorated for the holidays.
Why did you dress up?
I dressed up for tonight's dance.

στρώνω

Η υπηρέτρια στρώνει το κρεβάτι.
Στρώσαμε το σπίτι με χαλιά.

Το έστρωσε το χιόνι.
Στρώνομαι στη δουλειά.

Στρώθηκα καταγής.
Η γη στρώθηκε με χιόνι.
Ο καιρός έστρωσε.
Το αυτοκίνητο έστρωσε.
Στρώθηκαν στο φαγητό.
Μόλις ήρθε στρώθηκε στο τραπέζι.
Στρώσαμε καταγής τις κουβέρτες και
ξαπλώσαμε.
Όπως στρώσεις θα κοιμηθείς.

The maid makes the bed.
We covered the floors of the house
with carpets.
Snow has piled up.
I apply myself to the work. I put myself
to the grindstone.
I lay down.
The ground was (is) covered with snow.
The weather has improved.
The car now runs fine.
They played a good knife and fork.
As soon as he came he sat at the table.
We spread the blankets on the ground and
lay down on them.
As you have made your bed, so you
will lie on it.

συγχωρώ

Σε συγχωρώ για ό,τι έκαμες.
Ο παπάς συγχώρεσε τις αμαρτίες του
αμαρτωλού ανθρώπου.
Συγχώρα με. Συγχώρεσέ με.
Έχουν συγχωρεθεί για τα κακουργήματα
που έχουν κάνει.
Θα σε συγχωρέσω αλλά πρέπει να
υποσχεθείς ότι δε θα το ξανακάνεις.
Είναι συγχωρεμένος.

I forgive you for what you have done.
The priest forgave the sins of the
sinful man.
Forgive me. Forgive me.
They have been pardoned for the
crimes they have committed.
I will forgive you but you have to promise
that you will not do it again.
        He is forgiven. (also). He is dead.

συζητώ

Αυτοί συζητούν πολιτικά.
Συζητήσαμε το ζήτημα πολλές φορές.
Γιατί συζητάτε;
Το ζήτημα έχει συζητηθεί από τα
Ηνωμένα Έθνη.
Αύριο θα συζητήσουμε το ζήτημα της
ατομικής ενέργειας.
Οι Έλληνες αρέσκονται να συζητούν
πολιτικά.

They discuss politics.
We discussed this matter many times.
Why are you arguing?
The matter has been discussed by the
United Nations.
Tomorrow we will discuss the question
of atomic energy.
The Greeks like to discuss politics.

συναντώ

Με συνάντησε στον δρόμο.
Συναντηθήκαμε πολλές φορές.
Πότε θα συναντηθούμε πάλι;
Θα σε συναντήσω αύριο.
Συνάντησαν πολλές δυσκολίες στο
ταξίδι τους.
Συναντήσαμε τρικυμία.
Οι δυο ομάδες συναντιούνται αύριο
για τον τελικό αγώνα.

He met me in the street.
We have met many times.
When will we meet again?
I will meet you tomorrow.
They met many difficulties in
their trip.
We encountered foul weather.
The two teams will meet tomorrow
for the final match.

συνεχίζω

Θα συνεχίσω τις σπουδές μου στη Γερμανία.
Το μάθημα θα συνεχιστεί αύριο.
Συνέχισε την ομιλία σου.
Μη συνεχίσεις.
Αυτός ο καυγάς συνεχίστηκε για πολύ καιρό.
Ο πόλεμος του ανθρώπου εναντίον του καρκίνου συνεχίζεται.

I will continue my studies in Germany.
The lesson will continue tomorrow.
Continue your talk.
Stop. Do not continue.
This quarrel has been going on for a long time.
Man's war against cancer is continuing.

σφάζω

Σφάξαμε ένα αρνί για το Πάσχα.
Πολλά ζώα σφάζονται κάθε μέρα για το κρέας τους.
Οι βάνδαλοι μπήκαν στην πόλη και έσφαξαν όλους τους κατοίκους.

We slaughtered a lamb for Easter.
Many animals are being butchered every day for their meat.
The vandals entered the city and massacred all the inhabitants.

σχεδιάζω

Τι σχεδιάζεις να κάνεις;
Σχεδιάζουμε να ανοίξουμε ένα εστιατόριο.
Ποιος σχεδίασε αυτόν τον ουρανοξύστη;
Τα παιδιά σχεδίασαν καραβάκια πάνω στο χαρτί.
Τον καιρό που σχεδιάστηκε αυτό το σπίτι δεν υπήρχε ακόμα κλιματισμός.
Το πρόγραμμα έχει σχεδιαστεί από την επιτροπή.

What are you planning to do?
We are planning to open a restaurant.
Who made the plans for this skyscraper?
The children sketched little boats on the paper.
At the time this house was planned there was no air-conditioning.
The program has been planned by the Committee.

σχηματίζω

Έχω σχηματίσει κακή ιδέα για τον άνθρωπο αυτόν.
Πώς μπορούμε να σχηματίσουμε ένα τρίγωνο;
Παιδιά, μπείτε στη γραμμή και σχηματίστε κύκλο.
Χτες, μετά τη βροχή, είδαμε στον ουρανό να σχηματίζεται ένα ουράνιο τόξο.

I have formed a bad opinion about this man.
How can we form a triangle?

Children, get in line and form a circle.

Yesterday, after the rain, we saw a rainbow forming in the sky.

σχίζω

Το παιδί έσχισε το πανταλόνι του.
Το πλοίο σχίζει τη θάλασσα.
Η σημαία σχίστηκε από τον άνεμο.
Ο άνεμος έσχισε τη σημαία.
Ο εχθρός έσχισε τη σημαία μας.
Είχα σχίσει το γράμμα πριν προφτάσει να το διαβάσει ο πατέρας μου.
Προσέχετε να μη σχίσετε τα ρούχα σας.
Το βιβλίο είναι σχισμένο.
Το λιοντάρι έσχισε το ελάφι στα δύο.

The child tore his pants.
The boat parts the sea.
The flag was torn by the wind.
The wind tore the flag.
The enemy tore our flag.
I had torn the letter before my father had a chance to read it.
Be careful not to tear your clothes.
The book is torn.
The lion tore the deer into two.

ταξιδεύω (1) – to travel; to journey; to go on a voyage 276

	Indicative			*Subjunctive*	
P.	**I travel**			(with να, για να, όταν, etc.)	
	ταξιδεύω	ταξιδεύουμε	P.	να ταξιδεύω	that I may be traveling
	ταξιδεύεις	ταξιδεύετε	P. S.	να ταξιδέψω	that I may travel
	ταξιδεύει	ταξιδεύουν	Pr. P.	να έχω ταξιδέψει	that I may have traveled

	P. C.	**I was traveling**		**Imperative**	
	ταξίδευα	ταξιδεύαμε	P.	ταξίδευε (sing.)	be traveling
	ταξίδευες	ταξιδεύατε		ταξιδεύετε (pl.)	be traveling
	ταξίδευε	ταξίδευαν	P. S.	ταξίδεψε (sing.)	travel
				ταξιδέψετε, ταξιδέψτε (pl.)	travel

P. S.	**I traveled**	
	ταξίδεψα	ταξιδέψαμε
	ταξίδεψες	ταξιδέψατε
	ταξίδεψε	ταξίδεψαν

Infinitive

να ταξιδέψει — to travel

F. C.	**I will be traveling**		**Participle**	
	θα ταξιδεύω	θα ταξιδεύουμε	ταξιδεύοντας	traveling
	θα ταξιδεύεις	θα ταξιδεύετε		
	θα ταξιδεύει	θα ταξιδεύουν		

F. S.	**I will travel**		**Passive Participle**	
	θα ταξιδέψω	θα ταξιδέψουμε	ταξιδε(υ)μέν-ος, -η, -ο	traveled, one who
	θα ταξιδέψεις	θα ταξιδέψετε		has traveled much
	θα ταξιδέψει	θα ταξιδέψουν		

Pr. P. **I have traveled**
έχω ταξιδέψει
έχεις ταξιδέψει   etc.

P. P. **I had traveled**
είχα ταξιδέψει
είχες ταξιδέψει   etc.

F. P. **I will have traveled**
θα έχω ταξιδέψει
θα έχεις ταξιδέψει   etc.

Examples:

Ταξιδέψαμε με πλοίο από την Αμερική στην Αυστραλία.	We traveled by ship from America to Australia.
Έχουν ταξιδέψει σ' όλο τον κόσμο.	They have traveled all over the world.
Πότε θα ταξιδέψετε;	When will you set out on your journey?
Κάθε χρόνο ταξιδεύουμε κάπου.	Every year we take a trip somewhere.
Συναντήσαμε άσχημο καιρό, όταν ταξιδεύαμε.	We encountered bad weather while traveling.
Αυτή τη φορά ταξιδέψαμε με τρένο.	This time we traveled by train.

τελειώνω (1) – to finish; to complete; to conclude; to end; to come to an end
(passive voice not common; only the passive participle **τελειωμένος** is common).

<table>
<tr><td>

Indicative

P.   **I finish**

τελειώνω   τελειώνουμε
τελειώνεις   τελειώνετε
τελειώνει   τελειώνουν

</td><td>

Subjunctive

(with να, για να, όταν, etc.)

P.	να τελειώνω	that I may be finishing
P. S.	να τελειώσω	that I may finish
Pr. P.	να έχω τελειώσει	that I may have finished

</td></tr>
</table>

P. C.   I was finishing

τελείωνα   τελειώναμε
τελείωνες   τελειώνατε
τελείωνε   τελείωναν

Imperative

P.	τέλειωνε (sing.)	be finishing
	τελειώνετε (pl.)	be finishing
P. S.	τέλειωσε (sing.)	finish
	τελειώστε (pl.)	finish

P. S.   I finished

τελείωσα   τελειώσαμε
τελείωσες   τελειώσατε
τελείωσε   τελείωσαν

Infinitive

να τελειώσει   to finish

F. C.   I will be finishing

θα τελειώνω
θα τελειώνεις   etc.

Participle

τελειώνοντας   finishing

F. S.   I will finish

θα τελειώσω   θα τελειώσουμε
θα τελειώσεις   θα τελειώσετε
θα τελειώσει   θα τελειώσουν

Passive Participle

τελειωμέν-ος, -η, -ο   finished

Pr. P.   I have finished

έχω τελειώσει
έχεις τελειώσει   etc.

P. P.   I had finished

είχα τελειώσει
είχες τελειώσει   etc.

F. P.   I will have finished

θα έχω τελειώσει
θα έχεις τελειώσει   etc.

Examples:

Τέλειωσε το νερό.	There is no more water.
Πότε τελειώνουν τα μαθήματα;	When do the lessons end?
Τέλειωσαν τα ψέματα.	We cannot deceive ourselves anymore.
Τον τέλειωσαν στο ξύλο.	They beat him badly.
	(Beat him to death).
Νομίζω πως μέχρι αύριο θα τελειώσουμε.	By tomorrow, I think, we will have finished.
Το κτίριο θα τελειώσει σε ένα μήνα.	The building will be completed in one month.
Πότε θα τελειώσεις;	When will you finish?

	Indicative		*Subjunctive*		

P. **I telephone**

(with να, για να, όταν, etc.)

τηλεφωνώ   τηλεφωνούμε
τηλεφων-είς, -άς   τηλεφων-είτε, -άτε
τηλεφων-εί, -ά   τηλεφωνούν

P.	να τηλεφωνώ	that I may be calling
P. S.	να τηλεφωνήσω	that I may call
Pr. P.	να έχω τηλεφωνήσει	that I may have called

P. C.   **I was telephoning**

τηλεφωνούσα   τηλεφωνούσαμε
τηλεφωνούσες   τηλεφωνούσατε
τηλεφωνούσε   τηλεφωνούσαν

Imperative

P.	τηλεφώνα (sing)	be telephoning
	τηλεφωνάτε (pl.)	be telephoning
P. S.	τηλεφώνησε (sing.)	call
	τηλεφωνείστε (pl.)	call

P. S.   **I telephoned**

τηλεφώνησα   τηλεφωνήσαμε
τηλεφώνησες   τηλεφωνήσατε
τηλεφώνησε   τηλεφώνησαν

Infinitive

    να τηλεφωνήσει   to telephone

F. C.   **I will be telephoning**

θα τηλεφωνώ   θα τηλεφωνούμε
θα τηλεφων-είς, -άς   θα τηλεφων-είτε, -άτε
θα τηλεφων-εί, -ά   θα τηλεφωνούν

Participle

    τηλεφωνώντας

       telephoning, calling

F. S.   **I will telephone**

θα τηλεφωνήσω   θα τηλεφωνήσουμε
θα τηλεφωνήσεις   θα τηλεφωνήσετε
θα τηλεφωνήσει   θα τηλεφωνήσουν

Passive, Past tense – I was telephoned

τηλεφωνήθηκα   τηλεφωνηθήκαμε
τηλεφωνήθηκες   τηλεφωνηθήκατε
τηλεφωνήθηκε   τηλεφωνήθηκαν

Pr. P.   **I have telephoned**

έχω τηλεφωνήσει   έχουμε τηλεφωνήσει
έχεις τηλεφωνήσει   έχετε τηλεφωνήσει
έχει τηλεφωνήσει   έχουν τηλεφωνήσει

P. P.   **I had telephoned**

είχα τηλεφωνήσει
είχες τηλεφωνήσει   etc.

F. P.   **I will have telephoned**

θα έχω τηλεφωνήσει
θα έχεις τηλεφωνήσει   etc.

Examples:

Μου τηλεφώνησαν χτες.	They called me yesterday.
Μου τηλεφωνεί κάθε μέρα.	He/she calls me every day.
Δεν έχουν τηλεφωνήσει ακόμα.	They have not called yet.
Τηλεφωνηθήκατε;	Did you call each other?
Ποιος τηλεφώνησε;	Who called?
Θα σου τηλεφωνήσω αύριο.	I will call you tomorrow.

Active Voice, Indicative		*Passive Voice, Indicative*	
P.	**I honor**		**I am honored, I am being honored**	
τιμώ	τιμούμε	τιμούμαι - τιμώμαι	τιμούμαστε - τιμώμαστε
τιμάς	τιμάτε	τιμάσαι	τιμάστε
τιμά	τιμούν	τιμάται	τιμούνται
P. C.	**I was honoring**		**I was being honored**	
τιμούσα	τιμούσαμε	τιμούμουν	τιμούμ-αστε, -ασταν
τιμούσες	τιμούσατε	τιμούσουν	τιμούσ-αστε, -ασταν
τιμούσε	τιμούσαν	τιμούνταν	τιμούνταν
P. S.	**I honored**		**I was honored**	
τίμησα	τιμήσαμε	τιμήθηκα	τιμηθήκαμε
τίμησες	τιμήσατε	τιμήθηκες	τιμηθήκατε
τίμησε	τίμησαν	τιμήθηκε	τιμήθηκαν
F. C.	**I will be honoring**		**I will be being honored**	
θα τιμώ	θα τιμούμε	θα τιμούμαι	θα τιμούμαστε
θα τιμάς	θα τιμάτε	θα τιμάσαι	θα τιμάστε
θα τιμά	θα τιμούν	θα τιμάται	θα τιμούνται
F. S.	**I will honor**		**I will be honored**	
θα τιμήσω	θα τιμήσουμε	θα τιμηθώ	θα τιμηθούμε
θα τιμήσεις	θα τιμήσετε	θα τιμηθείς	θα τιμηθείτε
θα τιμήσει	θα τιμήσουν	θα τιμηθεί	θα τιμηθούν
Pr. P.	**I have honored**		**I have been honored**	
έχω τιμήσει		έχω τιμηθεί	
έχεις τιμήσει	etc.	έχεις τιμηθεί	etc.
P. S.	**I had honored**		**I had been honored**	
είχα τιμήσει		είχα τιμηθεί	
είχες τιμήσει	etc.	είχες τιμηθεί	etc.
F. P.	**I will have honored**		**I will have been honored**	
θα έχω τιμήσει		θα έχω τιμηθεί	
θα έχεις τιμήσει	etc.	θα έχεις τιμηθεί	etc.

Subjunctive (with να, για να, αν, όταν, etc.)

P.	να τιμώ	that I may be honoring	να τιμούμαι	that I may be being honored
P. S.	να τιμήσω	that I may honor	να τιμηθώ	that I may be honored
Pr. P.	να έχω τιμήσει	that I may have honored	να έχω τιμηθεί	that I may have been honored

Imperative

P.	τίμα (sing.)	be honoring	-	
	τιμάτε (pl.)	be honoring	-	
P. S.	τίμησε (sing.)	honor	τιμήσου (sing.)	be honored
	τιμήστε (pl.)	honor	τιμηθείτε (pl.)	be honored

Infinitive

να τιμήσει	to honor	να τιμηθεί	to be honored

Participle

τιμώντας	honoring	τιμημέν-ος, -η, -ο	honored

(Examples on page 346)

τοποθετώ (3) – to put; to place; to set; to lay; to put in a place

	Active Voice, Indicative		*Passive Voice, Indicative*	
P.	**I place**		**I am placed**	
	τοποθετώ	τοποθετούμε	τοποθετούμαι	τοποθετούμαστε
	τοποθετείς	τοποθετείτε	τοποθετείσαι	τοποθετείστε
	τοποθετεί	τοποθετούν	τοποθετείται	τοποθετούνται
P. C.	**I was placing**		**I was being placed**	
	τοποθετούσα	τοποθετούσαμε	τοποθετούμουν	τοποθετούμ-αστε, -ασταν
	τοποθετούσες	τοποθετούσατε	τοποθετούσουν	τοποθετούσ-αστε, -ασταν
	τοποθετούσε	τοποθετούσαν	τοποθετούνταν	τοποθετούνταν
P. S.	**I placed**		**I was placed**	
	τοποθέτησα	τοποθετήσαμε	τοποθετήθηκα	τοποθετηθήκαμε
	τοποθέτησες	τοποθετήσατε	τοποθετήθηκες	τοποθετηθήκατε
	τοποθέτησε	τοποθέτησαν	τοποθετήθηκε	τοποθετήθηκαν
F. C.	**I will be placing**		**I will be being placed**	
	θα τοποθετώ		θα τοποθετούμαι	
	θα τοποθετείς	etc.	θα τοποθετείσαι	etc.
F. S.	**I will place**		**I will be placed**	
	θα τοποθετήσω	θα τοποθετήσουμε	θα τοποθετηθώ	θα τοποθετηθούμε
	θα τοποθετήσεις	θα τοποθετήσετε	θα τοποθετηθείς	θα τοποθετηθείτε
	θα τοποθετήσει	θα τοποθετήσουν	θα τοποθετηθεί	θα τοποθετηθούν
Pr. P.	**I have placed**		**I have been placed**	
	έχω τοποθετήσει		έχω τοποθετηθεί	
	έχεις τοποθετήσει	etc.	έχεις τοποθετηθεί	etc.
P. P.	**I had placed**		**I had been placed**	
	είχα τοποθετήσει		είχα τοποθετηθεί	
	είχες τοποθετήσει	etc.	είχες τοποθετηθεί	etc.
F. P.	**I will have placed**		**I will have been placed**	
	θα έχω τοποθετήσει		θα έχω τοποθετηθεί	
	θα έχεις τοποθετήσει	etc.	θα έχεις τοποθετηθεί	etc.

Subjunctive (with να, για να, άν, όταν, etc.)

P.	να τοποθετώ	that I may be placing	να τοποθετούμαι	that I may be being placed
P. S.	να τοποθετήσω	that I may place	να τοποθετηθώ	that I may be placed
Pr. P.	να έχω τοποθετήσει	that I may have placed	να έχω τοποθετηθεί	that I may have been placed

Imperative

P.	τοποθέτει (sing.)	be placing	-	
	τοποθετείτε (pl.)	be placing	-	
P. S.	τοποθέτησε (sing.)	place	τοποθετήσου (sing.)	be placed
	τοποθετείστε (pl.)	place	τοποθετηθείτε (pl.)	be placed

Infinitive

να τοποθετήσει	to place	να τοποθετηθεί	to be placed

Participle

τοποθετώντας	placing	τοποθετημέν-ος, -η, -ο	placed

(Examples on page 346)

	Active Voice, Indicative		*Passive Voice, Indicative*	
P.	**I pull**		**I am being pulled, I am pulled**	
	τραβώ	τραβούμε	τραβιέμαι	τραβιόμαστε
	τραβάς	τραβάτε	τραβιέσαι	τραβιέστε
	τραβά	τραβούν	τραβιέται	τραβιούνται
P. C.	**I was pulling**		**I was being pulled**	
	τραβούσα	τραβούσαμε	τραβιόμουν	τραβι-όμαστε, -όμασταν
	τραβούσες	τραβούσατε	τραβιόσουν	τραβι-όσαστε, -όσασταν
	τραβούσε	τραβούσαν	τραβιόταν	τραβιόνταν
P. S.	**I pulled**		**I was pulled**	
	τράβηξα	τραβήξαμε	τραβήχτηκα	τραβηχτήκαμε
	τράβηξες	τραβήξατε	τραβήχτηκες	τραβηχτήκατε
	τράβηξε	τράβηξαν	τραβήχτηκε	τραβήχτηκαν
F. C.	**I will be pulling**		**I will be being pulled**	
	θα τραβώ		θα τραβιέμαι	
	θα τραβάς	etc.	θα τραβιέσαι	etc.
F. S.	**I will pull**		**I will be pulled**	
	θα τραβήξω	θα τραβήξουμε	θα τραβηχτώ	θα τραβηχτούμε
	θα τραβήξεις	θα τραβήξετε	θα τραβηχτείς	θα τραβηχτείτε
	θα τραβήξει	θα τραβήξουν	θα τραβηχτεί	θα τραβηχτούν
Pr. P.	**I have pulled**		**I have been pulled**	
	έχω τραβήξει		έχω τραβηχτεί	
	έχεις τραβήξει	etc.	έχεις τραβηχτεί	etc.
P. P.	**I had pulled**		**I had been pulled**	
	είχα τραβήξει		είχα τραβηχτεί	
	είχες τραβήξει	etc.	είχες τραβηχτεί	etc.
F. P.	**I will have pulled**		**I will have been pulled**	
	θα έχω τραβήξει		θα έχω τραβηχτεί	
	θα έχεις τραβήξει	etc.	θα έχεις τραβηχτεί	etc.

Subjunctive (with να, για να, αν, όταν, etc.)

P.	να τραβώ	that I may be pulling	να τραβιέμαι	that I may be being pulled
P. S.	να τραβήξω	that I may pull	να τραβηχτώ	that I may be pulled
Pr. P.	να έχω τραβήξει	that I may have pulled	να έχω τραβηχτεί	that I may have been pulled

Imperative

P.	τράβα (sing.)	be pulling	-	
	τραβάτε (pl.)	be pulling	τραβιέστε	be being pulled
P. S.	τράβηξε (sing.)	pull	τραβήξου (sing.)	be pulled
	Τραβήξτε, trab;hxte (pl.) pull		τραβηχτείτε (pl.)	be pulled

Infinitive

να τραβήξει	to pull	να τραβηχτεί	to be pulled

Participle

τραβώντας	pulling	τραβηγμέν-ος, -η, -ο	pulled

(Examples on page 346)

	Active Voice, Indicative		*Passive Voice, Indicative*	
P.	**I sing**		**I am sung, I am being sung**	
	τραγουδ-ώ, άω	τραγουδ-ούμε, -άμε	τραγουδιέμαι	τραγουδιόμαστε
	τραγουδάς	τραγουδάτε	τραγουδιέσαι	τραγουδιέστε
	τραγουδ-ά, άει	τραγουδ-ούν, -άνε	τραγουδιέται	τραγουδιούνται
P. C.	**I was singing**		**I was being sung**	
	τραγουδούσα	τραγουδούσαμε	τραγουδιόμουν	τραγουδι-όμαστε, -όμασταν
	τραγουδούσες	τραγουδούσατε	τραγουδιόσουν	τραγουδι-όσαστε, -όσασταν
	τραγουδούσε	τραγουδούσαν	τραγουδιόταν	τραγουδιόνταν
P. S.	**I sang**		**I was sung**	
	τραγούδησα	τραγουδήσαμε	τραγουδήθηκα	τραγουδηθήκαμε
	τραγούδησες	τραγουδήσατε	τραγουδήθηκες	τραγουδηθήκατε
	τραγούδησε	τραγούδησαν	τραγουδήθηκε	τραγουδήθηκαν
F. C.	**I will be singing**		**I will be being sung**	
	θα τραγουδώ		θα τραγουδιέμαι	
	θα τραγουδάς	etc.	θα τραγουδιέσαι	etc.
F. S.	**I will sing**		**I will be sung**	
	θα τραγουδήσω	θα τραγουδήσουμε	θα τραγουδηθώ	θα τραγουδηθούμε
	θα τραγουδήσεις	θα τραγουδήσετε	θα τραγουδηθείς	θα τραγουδηθείτε
	θα τραγουδήσει	θα τραγουδήσουν	θα τραγουδηθεί	θα τραγουδηθούν
Pr. P.	**I have sung**		**I have been sung**	
	έχω τραγουδήσει		έχω τραγουδηθεί	
	έχεις τραγουδήσει	etc.	έχεις τραγουδηθεί	etc.
P. P.	**I had sung**		**I had been sung**	
	είχα τραγουδήσει		είχα τραγουδηθεί	
	είχες τραγουδήσει	etc.	είχες τραγουδηθεί	etc.
F. P.	**I will have sung**		**I will have been sung**	
	θα έχω τραγουδήσει		θα έχω τραγουδηθεί	
	θα έχεις τραγουδήσει	etc.	θα έχεις τραγουδηθεί	etc.

Subjunctive (with να, για να, αν, όταν, etc.)

P.	να τραγουδώ	that I may be singing	να τραγουδιέμαι	that I may be being sung
P. S.	να τραγουδήσω	that I may sing	να τραγουδηθώ	that I may be sung
Pr. P	να έχω τραγουδήσει	that I may have sung	να έχω τραγουδηθεί	that I may have been sung

Imperative

P.	τραγούδα (sing.)	be singing	-	
	τραγουδάτε (pl.)	be singing	-	
P. S.	τραγούδησε (sing.)	sing	τραγουδήσου (sing.)	be sung
	τραγουδήστε (pl.)	sing	τραγουδηθείτε (pl.)	be sung

Infinitive

να τραγουδήσει	to sing	να τραγουδηθεί	to be sung

Participle

τραγουδώντας	singing	τραγουδισμέν-ος, -η, -ο	sung

(Examples on page 346)

τρέμω (1) – to tremble; to shiver; to shudder; to quake
(The verb occurs only in the present and past Continuous tenses)

	Indicative	
P.	**I tremble**	
	τρέμω	τρέμουμε
	τρέμεις	τρέμετε
	τρέμει	τρέμουν

Subjunctive
(with να, για να, όταν, etc.)

να τρέμω	that I may be trembling
	that I may tremble

	I was trebling	
P. C.	έτρεμα	τρέμαμε
	έτρεμες	τρέματε
	έτρεμε	έτρεμαν

Imperative

τρέμε (sing.)	be trembling, tremble
τρέμετε (pl.)	be trembling, tremble

Examples:

Η γη έτρεμε από τον σεισμό.	The earth was trembling because of the earthquake.
Τρέμαμε από το κρύο.	We were shivering because of the cold.
Ο σεισμός κάνει τη γη να τρέμει.	The earthquake makes the earth to tremble.
Έτρεμα από τον φόβο μου.	I was trembling from fear.
Από το πολύ κρύο τα δόντια μου έτρεμαν.	Because of the high cold my teeth were shattering.
Τρέμει για τη ζωή του.	He fears for his life.
Τρέμω σαν ψάρι.	I tremble like a fish (when caught and brought out of the water).

Indicative
P.   I run

τρέχω	τρέχουμε
τρέχεις	τρέχετε
τρέχει	τρέχουν

P. C.   I was running

έτρεχα	τρέχαμε
έτρεχες	τρέχατε
έτρεχε	έτρεχαν

P. S.   I ran

έτρεξα	τρέξαμε
έτρεξες	τρέξατε
έτρεξε	έτρεξαν

F. C.   I will be running

θα τρέχω	θα τρέχουμε
θα τρέχεις	θα τρέχετε
θα τρέχει	θα τρέχουν

F. S.   I will run

θα τρέξω	θα τρέξουμε
θα τρέξεις	θα τρέξετε
θα τρέξει	θα τρέξουν

Pr. P.   I have run

έχω τρέξει	
έχεις τρέξει	etc.

P. P.   I had run

είχα τρέξει	
είχες τρέξει	etc.

Subjunctive
(with να, για να, όταν, etc.)

P.	να τρέχω	that I may be running
P. S.	να τρέξω	that I may run
Pr. P.	να έχω τρέξει	that I may have run

Imperative

P.	τρέχε (sing.)	be running
	τρέχετε (pl.)	be running
P. S.	τρέξε (sing.)	run
	τρέξετε – τρέξτε (pl.)	run

Infinitive
να τρέξει   to run

Participle
τρέχοντας   running

F. P.   I will have run

θα έχω τρέξει	etc.

Examples:

Τι τρέχει;	What is going on? What is the matter?
Τρέχα γύρευε.	Go and find out. (It will take you a long time to find out).
Τρέχει όλη μέρα να βγάλει το ψωμί του.	He works all day to earn his bread.
Πού τρέχει το μυαλό σου;	What are you thinking of?
Πού τρέχεις τα βράδια;	Where do you roam at nights?
Μην τρέχεις, όταν μιλάς.	Do not speak quickly.
Τρέχει η γλώσσα του.	His tongue runs. (He speaks very fast).
Όποιος τρέχει σκοντάφτει.	He who runs will fall. (Do not haste).
Το τρένο τρέχει γρήγορα.	The train goes fast.
Ο μήνας που τρέχει.	The current month.
Ο μισθός του τρέχει.	His salary keeps coming.
Τρέχουν τα μάτια του.	He has tears in his eyes. He weeps.
Η μύτη του τρέχει αίμα.	Blood is dripping from his nose.
Η βρύση τρέχει.	The faucet is leaking.

	Active Voice, Indicative		*Passive Voice, Indicative*	
P.	**I rub**		**I am rubbed, I am being rubbed**	
	τρίβω	τρίβουμε	τρίβομαι	τριβόμαστε
	τρίβεις	τρίβετε	τρίβεσαι	τρίβεστε
	τρίβει	τρίβουν	τρίβεται	τρίβονται
P. C.	**I was rubbing**		**I was being rubbed**	
	έτριβα	τρίβαμε	τριβόμουν	τριβόμαστε
	έτριβες	τρίβατε	τριβόσουν	τριβόσαστε
	έτριβε	έτριβαν	τριβόταν	τρίβονταν
P. S.	**I rubbed**		**I was rubbed**	
	έτριψα	τρίψαμε	τρίφτηκα	τριφτήκαμε
	έτριψες	τρίψατε	τρίφτηκες	τριφτήκατε
	έτριψε	έτριψαν	τρίφτηκε	τρίφτηκαν
F. C.	**I will be rubbing**		**I will be being rubbed**	
	θα τρίβω		θα τρίβομαι	
	θα τρίβεις	etc.	θα τρίβεσαι	etc.
F. S.	**I will rub**		**I will be rubbed**	
	θα τρίψω	θα τρίψουμε	θα τριφτώ	θα τριφτούμε
	θα τρίψεις	θα τρίψετε	θα τριφτείς	θα τριφτείτε
	θα τρίψει	θα τρίψουν	θα τριφτεί	θα τριφτούν
Pr. P.	**I have rubbed**		**I have been rubbed**	
	έχω τρίψει		έχω τριφτεί	
	έχεις τρίψει	etc.	έχεις τριφτεί	etc.
P. P.	**I had rubbed**		**I had been rubbed**	
	είχα τρίψει		είχα τριφτεί	
	είχες τρίψει	etc.	είχες τριφτεί	etc.
F. P.	**I will have rubbed**		**I will have been rubbed**	
	θα έχω τρίψει		θα έχω τριφτεί	
	θα έχεις τρίψει	etc.	θα έχεις τριφτεί	etc.

Subjunctive (with να, για να, αν, όταν, etc.)

P.	να τρίβω	that I may be rubbing	να τρίβομαι	that I may be being rubbed
P. S.	να τρίψω	that I may rub	να τριφτώ	that I may be rubbed
Pr. P.	να έχω τρίψει	that I may have rubbed	να έχω τριφτεί	that I may have been rubbed

Imperative

P.	τρίβε (sing.)	be rubbing	τρίβου (sing.)	be being rubbed
	τρίβετε (pl.)	be rubbing	τρίβεστε (pl.)	be being rubbed
P. S.	τρίψε (sing.)	rub	τρίψου (sing.)	be rubbed
	τρίψετε – τρίψτε (pl.)	rub	τριφτείτε (pl.)	be rubbed

Infinitive

	να τρίψει	to rub	να τριφτεί	to be rubbed

Participle

	τρίβοντας	rubbing	τριμμέν-ος, -η, -ο	rubbed, worn out

(Examples on page 347)

Active Voice, Indicative		*Passive Voice, Indicative*	
P.	**I eat**	**I am eaten, I am being eaten**	
τρώγω – τρώω	τρώγουμε – τρώμε	τρώγομαι	τρωγόμαστε
τρώγεις – τρως	τρώγετε – τρώτε	τρώγεσαι	τρώγεστε
τρώγει – τρώει	τρώγουν – τρώνε	τρώγεται	τρώγονται

P. C.	**I was eating**	**I was being eaten**	
έτρωγα	τρώγαμε	τρωγόμουν	τρωγόμαστε
έτρωγες	τρώγατε	τρωγόσουν	τρωγόσαστε
έτρωγε	έτρωγαν	τρωγόταν	τρώγονταν

P. S.	**I ate**	**I was eaten**	
έφαγα	φάγαμε	φαγώθηκα	φαγωθήκαμε
έφαγες	φάγατε	φαγώθηκες	φαγωθήκατε
έφαγε	έφαγαν	φαγώθηκε	φαγώθηκαν

F. C.	**I will be eating**	**I will be being eaten**	
θα τρώω	θα τρώμε	θα τρώγομαι	θα τρωγόμαστε
θα τρως	θα τρώτε	θα τρώγεσαι	θα τρώγεστε
θα τρώει	θα τρώνε	θα τρώγεται	θα τρώγονται

F. S.	**I will eat**	**I will be eaten**	
θα φάω	θα φάμε	θα φαγωθώ	θα φαγωθούμε
θα φας	θα φάτε	θα φαγωθείς	θα φαγωθείτε
θα φάει	θα φάνε	θα φαγωθεί	θα φαγωθούν

Pr. P.	**I have eaten**	**I have been eaten**	
έχω φάει	έχουμε φάει	έχω φαγωθεί	έχουμε φαγωθεί
έχεις φάει	έχετε φάει	έχεις φαγωθεί	έχετε φαγωθεί
έχει φάει	έχουν φάει	έχει φαγωθεί	έχουν φαγωθεί

P. P.	**I had eaten**		**I had been eaten**	
είχα φάει	etc.		είχα φαγωθεί	
είχες φάει			είχες φαγωθεί	etc.

F. P.	**I will have eaten**	**I will have been eaten**	
θα έχω φάει		θα έχω φαγωθεί	
θα έχεις φάει	etc.	θα έχεις φαγωθεί	etc.

		Subjunctive	(with να, για να, αν, όταν, etc.)	
P.	να τρώω	that I may be eating	να τρώγομαι	that I may be being eaten
P. S.	να φάω	that I may eat	να φαγωθώ	that I may be eaten
Pr. P.	να έχω φάει	that I may have eaten	να έχω φαγωθεί	that I may have been eaten

		Imperative		
P.	τρώγε, τρώε (sing.)	be eating	-	
	τρώγετε, τρώτε (pl.)	be eating	τρώγεστε (pl.)	be being eaten
P. S.	φάγε, φάε (sing.)	eat	φαγώσου (sing.)	be eaten
	φάτε (pl.)	eat	φαγωθείτε (pl.).	be eaten, (destroy each other)

	Infinitive			
να φάγει, να φάει	to eat		να φαγωθεί	to be eaten

	Participle			
τρώγοντας	eating		φαγωμέν-ος, -η, -ο	eaten, satiated
			(Examples on page 347)	

	Active Voice, Indicative		*Passive Voice, Indicative*	
P.	**I wrap**		**I am wrapped, I am being wrapped**	
	τυλίγω	τυλίγουμε	τυλίγομαι	τυλιγόμαστε
	τυλίγεις	τυλίγετε	τυλίγεσαι	τυλίγεστε
	τυλίγει	τυλίγουν	τυλίγεται	τυλίγονται
P. C.	**I was wrapping**		**I was being wrapped**	
	τύλιγα	τυλίγαμε	τυλιγόμουν	τυλιγ-όμαστε, -όμασταν
	τύλιγες	τυλίγατε	τυλιγόσουν	τυλιγ-όσαστε, -όσασταν
	τύλιγε	τύλιγαν	τυλιγόταν	τυλίγονταν
P. S.	**I wrapped**		**I was wrapped**	
	τύλιξα	τυλίξαμε	τυλίχτηκα	τυλιχτήκαμε
	τύλιξες	τυλίξατε	τυλίχτηκες	τυλιχτήκατε
	τύλιξε	τύλιξαν	τυλίχτηκε	τυλίχτηκαν
F. C.	**I will be wrapping**		**I will be being wrapped**	
	θα τυλίγω		θα τυλίγομαι	
	θα τυλίγεις	etc.	θα τυλίγεσαι	etc.
F. S.	**I will wrap**		**I will be wrapped**	
	θα τυλίξω	θα τυλίξουμε	θα τυλιχτώ	θα τυλιχτούμε
	θα τυλίξεις	θα τυλίξετε	θα τυλιχτείς	θα τυλιχτείτε
	θα τυλίξει	θα τυλίξουν	θα τυλιχτεί	θα τυλιχτούν
Pr. P.	**I have wrapped**		**I have been wrapped**	
	έχω τυλίξει		έχω τυλιχτεί	
	έχεις τυλίξει	etc.	έχεις τυλιχτεί	etc.
P. P.	**I had wrapped**		**I had been wrapped**	
	είχα τυλίξει		είχα τυλιχτεί	
	είχες τυλίξει	etc.	είχες τυλιχτεί	etc.
F. P.	**I will have wrapped**		**I will have been wrapped**	
	θα έχω τυλίξει		θα έχω τυλιχτεί	
	θα έχεις τυλίξει	etc.	θα έχεις τυλιχτεί	etc.

Subjunctive (with να, για να, αν, όταν, etc.)

P.	να τυλίγω	that I may be wrapping	να τυλίγομαι	that I may be being wrapped
P. S.	να τυλίξω	that I may wrap	να τυλιχτώ	that I may be wrapped
Pr. P.	να έχω τυλίξει	that I may have wrapped	να έχω τυλιχτεί	that I may have been wrapped

Imperative

P.	τύλιγε (sing.)	be wrapping	τυλίγου (sing.)	be being wrapped
	τυλίγετε (pl.)	be wrapping	τυλίγεστε (pl.)	be being wrapped
P. S.	τύλιξε (sing.)	wrap	τυλίξου (sing.)	be wrapped
	τυλίξετε (pl.)	wrap	τυλιχτείτε (pl.)	be rapped

Infinitive

να τυλίξει	to wrap	να τυλιχθεί	to be wrapped

Participle

τυλίγοντας	wrapping	τυλιγμέν-ος, -η, -ο	wrapped

(Examples on page 347)

	Indicative				*Subjunctive*	
P.	**I occur**				(with να, για να, όταν, etc.)	
	τυχαίνω	τυχαίνουμε		P.	να τυχαίνω	that I may be occurring
	τυχαίνεις	τυχαίνετε		P. S.	να τύχω	that I may occur
	τυχαίνει	τυχαίνουν		Pr. P.	να έχω τύχει	that I may have occurred

P. C.	**I was occuring**		
	τύχαινα	τυχαίναμε	
	τύχαινες	τυχαίνατε	
	τύχαινε	τύχαιναν	

Imperative

τύχαινε (sing.)	be occuring, occur
τυχαίνετε (pl.)	be occurring, occur

P. S.	**I occurred**		
	έτυχα	τύχαμε	
	έτυχες	τύχατε	
	έτυχε	έτυχαν	

Infinitive

να τύχει	to occur,
	to happen

F. C.	**I will be occuring**		
	θα τυχαίνω	θα τυχαίνουμε	
	θα τυχαίνεις	θα τυχαίνετε	
	θα τυχαίνει	θα τυχαίνουν	

Participle

τυχαίνοντας	occurring,
	happening

P. S.	**I will occur**		
	θα τύχω	θα τύχουμε	
	θα τύχεις	θα τύχετε	
	θα τύχει	θα τύχουν	

Pr. P.	**I have occurred**	
	έχω τύχει	
	έχεις τύχει	etc.

P. P.	**I had occurred**	
	είχα τύχει	
	είχες τύχει	etc.

F. P.	**I will have occurred**	
	θα έχω τύχει	
	θα έχεις τύχει	etc.

Examples:

Αυτό τυχαίνει κάθε μέρα.	This happens every day.
Αυτό έτυχε χτες.	This occurred (happened) yesterday.
Έτυχε να τον δω στον δρόμο.	I met him in the street by chance.
Όταν τύχει.	Whenever the occasion arises.
Λέει ό,τι τύχει.	He says whatever comes to his mind.
Μου έτυχε αυτό το κακό.	This terrible thing happened to me.

Examples of use of verbs starting with **τ**

τιμώ

Το σχολείο μας κάθε χρόνο τιμά τους ευεργέτες του.	Every year our school pays tribute to its benefactors.
Τον τίμησαν με βραβείο.	They honored him with a prize.
Έχει τιμηθεί με το βραβείο Νόμπελ.	Ha has been awarded the Nobel prize.
Τιμάτε τους γονείς σας.	Honor your parents.
Τα καλά παιδιά τιμούν τον πατέρα και τη μητέρα.	The good children honor the father and the mother.
Πόσο τιμάται αυτό το πράγμα;	How much does this thing cost?

τοποθετώ

Τοποθετήσαμε τα βιβλία στη βιβλιοθήκη.	We placed the books in the book case.
Η μητέρα τοποθέτησε με προσοχή τα ρούχα στη βαλίτσα.	The mother put the clothes in the suitcase carefully.
Η ομάδα έχει τοποθετηθεί στην πρώτη κατηγορία.	The team has been placed in the first category.
Ο πρόεδρος τοποθέτησε τον φίλο του πρεσβευτή της Γαλλίας.	The president appointed his friend French ambassador.

τραβώ

Τραβώ το σχοινί.	I pull the rope.
Τραβώ τα μαλλιά μου.	I pull my hair. (I am in great distress).
Τον τραβά από τη μύτη.	He pulls him by the nose. (He controls him).
Τραβά κουπί.	He rows.
Μη με τραβάς.	Do not pull me.
Τράβηξε μαχαίρι.	He pulled a knife. (to kill)
Τραβώ πολλά.	I suffer a lot.
Τι τραβώ!	What I am going through! O, what I have to go through!
Τράβα στη δουλειά σου.	Mind your own business.
Του τράβηξε ένα μπάτσο.	He spanked him. He boxed his ears.
Το σφουγγάρι τραβά νερό.	The sponge absorbs water.
Το καλό κρασί τραβά καλό μεζέ.	The good wine goes with a good tidbit.
Τραβά το κρασί.	He likes wine. (He drinks).
Η καρδιά μου τραβά μια μπύρα.	My heart longs for a beer.
Τραβώ λεφτά από την τράπεζα.	I withdraw money from the bank.
Τράβηξε το παιδί από το σχολείο.	He withdrew the child from the school.
Τραβώ βάσανα.	I suffer a lot.
Πού τραβάς απ' εδώ;	Where are you going from here?
Τράβα μπρος.	Go ahead. Go forward.
Τράβα ίσια και στρίψε δεξιά.	Go straight and then turn right.
Η αρρώστια του τράβηξε ένα χρόνο.	His illness lasted one year.

τραγουδώ

Τραγουδά ωραία.	He (she) sings beautifully.
Πότε θα τραγουδήσεις;	When are you going to sing?
Τα κατορθώματά του τραγουδήθηκαν από τον λαό.	His deeds were sung by the people.
Τραγούδησέ μας ένα τραγούδι.	Sing a song for us.
Δεν έχει τραγουδήσει ποτέ.	He (she) has never sung.

τρίβω

Τρίβω τα χέρια μου για να ζεσταθούν.	I rub my hands to get them warm.
Τρίβω τα χέρια μου από χαρά.	I rub my hands with joy. (I am very glad with something that has happened).
Τρίβομαι με οινόπνευμα γιατί έχω κρύο.	I rub myself with alcohol because I have a cold.
Τρίβω τα μάτια μου με αυτά που βλέπω.	I rub my eyes over what I am seeing.
Τρίβουμε το τυρί.	We grind the cheese.
Το τυρί δεν έχει τριφτεί καλά.	The cheese has not been ground well.
Αυτή η φορεσιά είναι τριμμένη.	The suit is worn out.

τρώγω - τρώω

Το μόνο που κάνει είναι να τρώει και να πίνει.	The only thing he does is to eat and drink.
Είναι φαγωμένος.	He has eaten. He is satiated. He is not hungry.
Τρώει σαν λιοντάρι.	He eats like a lion.
Η μάνα τρώει και στο παιδί δεν δίνει.	The mother eats and does not give to the child. (What she eats is very tasty).
Δεν τρώει άχυρα.	(He does not eat hay.) He is very smart.
Έφαγε το χάπι.	He swallowed the pill. He was fooled.
Τρώει τα λόγια του τώρα.	(Now he swallows his words). Now he changes his words.
Φάγαμε το βόδι, μόνο η ουρά απομένει.	(We have eaten the cow, only the tail remains.) We are almost finished.
Το μεγάλο ψάρι τρώει το μικρό.	The big fish eats the small one.
Αυτό το κρέας δεν τρώγεται. Είναι σκληρό.	This meat cannot be eaten. It is tough.
Δεν είναι όμορφη, μα τρώγεται.	She is not beautiful, but she can pass.
Μήτε ωμός τρώγεσαι, μήτε ψημένος.	(You cannot be eaten either raw or cooked). You never agree on anything.
Έφαγε τα νιάτα του στα ξένα.	He spent his youth in foreign countries.
Το παλτό μου έχει φαγωθεί.	My overcoat is worn out.
Το παλτό μου είναι φαγωμένο.	My overcoat is worn out.
Φάγε. Τρώγε.	Eat. Keep eating.
Το αυτοκίνητο τρώει πολλή βενζίνη.	The car uses too much gas.
Έφαγε όλα τα λεφτά του στις διασκεδάσεις.	He wasted all his money having good time.
Έφαγε την περιουσία του στα χαρτιά.	He lost all his money playing cards.
Έφαγε τα λεφτά της εκκλησίας.	He embezzled the church money.
Έφαγε δυο χρόνια φυλακή.	He was sentenced to two years in prison.
Έφαγε το κεφάλι του.	He lost his life.
Πίσω, γιατί σ' έφαγα.	Go back, otherwise I will kill you.
Τον τρώω στο τρέξιμο.	I beat him in running.
Με έφαγε να πάμε στον χορό.	He/she was forever bothering me to go to the dance.
Μου έφαγε τα αυτιά μου.	She kept dinning something into my ear.
Φαγώθηκε να φύγει από την Αμερική.	He was very anxious to leave America.
Τρώγεται με τους γείτονές του.	He quarrels with his neighbors.

τυλίγω

Τυλίγω ένα κουβάρι κλωστή.	I roll a spool of thread.
Τύλιξε το παιδί στην κουβέρτα, γιατί κάνει κρύο.	Wrap the child in a blanket, because it is cold. *Or* He/she wrapped the child …
Είχαμε τυλιχτεί καλά με τα χειμωνιάτικα μας ρούχα.	We had wrapped ourselves in our winter clothes.
Τυλίξαμε τα πακέτα με χαρτί και τα στείλαμε με το ταχυδρομείο.	We wrapped the packages in paper and we sent them through the post office.

      Indicative

P.   **I am in good health**

υγιαίνω	υγιαίνουμε
υγιαίνεις	υγιαίνετε
υγιαίνει	υγιαίνουν

The verb occurs only in the present tense.

Subjunctive

     να υγιαίνω   that I may be in good health

Imperative

     υγίαινε (sing.)   be of good health
     υγιαίνετε (pl.)   be of good health

Infinitive

     να υγιαίνει   to be in good health

Participle

     υγιαίνοντας   being in good health

Examples:

     Υγίαινε ! (sing.)   Be healthy! Enjoy good health! Good-bye! Farewell!
     Υγιαίνετε! (pl.)   Be healthy! Enjoy good health! Good-bye! Farewell!

From «υγιαίνω» comes the word «υγεία» -"health" and the greetings
«**γεια σου», γεια σας**», friendly greetings meaning "how do you do", "be healthy",
"good-bye", etc.
They also take the place of other greetings, as: χαίρετε, αντίο, καλημέρα.

	Indicative			*Subjunctive*	
P.	**I obey**			(with να, για να, όταν, etc.)	
	υπακούω	υπακ-ούομε, -ούμε	P.	να υπακούω	that I may be obeying
	υπακ-ούεις, -ούς	υπακ-ούετε, -ούτε	P. S.	να υπακούσω	that I may obey
	υπακούει	υπακ-ούουν, -ούνε	Pr. P.	να έχω υπακούσει	that I may have obeyed

	I was obeying			*Imperative*	
P. C.	υπάκουα	υπακούαμε	P.	υπάκουε (sing.)	be obeying
	υπάκουες	υπακούατε		υπακ-ούετε, -ούτε (pl.)	be obeying
	υπάκουε	υπάκουαν	P. S.	υπάκουσε (sing.)	obey
				υπακούσετε (pl.)	obey

P. S.	**I obeyed**				
	υπάκουσα	υπακούσαμε			
	υπάκουσες	υπακούσατε		*Infinitive*	
	υπάκουσε	υπάκουσαν		να υπακούσει	to obey

F. C.	**I will be obeying**			*Participle*	
	θα υπακούω	θα υπακ-ούομε, -ούμε		υπακούοντας	obeying
	θα υπακ-ούεις, -ούς	θα υπακ-ούετε, -ούτε			
	θα υπακούει	θα υπακ-ούουν, -ούνε			

F. S.   I will obey

θα υπακούσω	θα υπακούσουμε
θα υπακούσεις	θα υπακούσετε
θα υπακούσει	θα υπακούσουν

Pr. P.   I have obeyed

έχω υπακούσει	
έχεις υπακούσει	etc.

P. P.   I had obeyed

είχα υπακούσει	
είχες υπακούσει	etc.

F. P.   I will have obeyed

θα έχω υπακούσει	
θα έχεις υπακούσει	etc.

Examples:

Το παιδί υπακούει στον πατέρα του.	The child obeys (listens to) his father.
Υπακούσαμε στη διαταγή της πατρίδας.	We obeyed the order of our fatherland.
Δεν υπάκουσαν, όταν διατάχτηκαν να βγουν από το σπίτι.	They did not obey when they were ordered to get out of the house.
Είμαστε θαμμένοι εδώ, υπακούοντες στους νόμους της πατρίδας μας.	"We are buried here obeying to the laws of our country."
	(Epitaph to the 300 Spartans who fell in Thermopylae in 480 B.C.)

υπάρχω **(1)** – to exist; to be   291

	Indicative	
P.	**I exist**	
	υπάρχω	υπάρχουμε
	υπάρχεις	υπάρχετε
	υπάρχει	υπάρχουν

P. C.	**I was existing**	
	υπήρχα	υπήρχαμε
	υπήρχες	υπήρχατε
	υπήρχε	υπήρχαν

P. S.	**I existed**	
	υπήρξα	υπήρξαμε
	υπήρξες	υπήρξατε
	υπήρξε	υπήρξαν

F. C.	**I will be existing**	
	θα υπάρχω	θα υπάρχουμε
	θα υπάρχεις	θα υπάρχετε
	θα υπάρχει	θα υπάρχουν

F. S.	**I will exist**	
	θα υπάρξω	θα υπάρξουμε
	θα υπάρξεις	θα υπάρξετε
	θα υπάρξει	θα υπάρξουν

Pr. P. **I have existed**
έχω υπάρξει
έχεις υπάρξει   etc.

P. P. **I had existed**
είχα υπάρξει
είχες υπάρξει   etc.

F. P. **I will have existed**
θα έχω υπάρξει
θα έχεις υπάρξει etc.

Subjunctive
(with να, για να, όταν, etc.)

P.	να υπάρχω	that I may be existing
P. S.	να υπάρξω	that I may exist
Pr. P.	να έχω υπάρξει	that I may have existed

Imperative

P.	-	
	υπάρχετε (pl.)	be existing
P. S.	-	
	υπάρξετε, υπάρξτε (pl.)	exist

Infinitive
να υπάρξει   to exist

Participle
υπάρχοντας   existing

Examples:

Στο φεγγάρι δεν υπάρχει νερό.	There is no water in the moon.
Στην αρχαία Ελλάδα υπήρχαν πολλοί ναοί αφιερωμένοι στους θεούς.	In ancient Greece there were many temples dedicated to the Gods.
Στον κόσμο θα υπάρχει πάντοτε καλό και κακό.	There will always be good and evil in the world.
Κάποτε υπήρξαμε φίλοι.	Sometime we had been friends.
Οι υπάρχοντες νόμοι.	The existing laws.
Υπάρχει θεός.	There is God. (God exists).
Σκέφτομαι, άρα υπάρχω.	I can think, therefore I exist.
	Cogito, ergo sum. (Latin)

	Active Voice, Indicative		*Passive Voice, Indicative*	
P.	**I defend**		**I defend, I defend myself, I am defended**	
	υπερασπίζω	υπερασπίζουμε	υπερασπίζομαι	υπερασπιζόμαστε
	υπερασπίζεις	υπερασπίζετε	υπερασπίζεσαι	υπερασπίζεστε
	υπερασπίζει	υπερασπίζουν	υπερασπίζεται	υπερασπίζονται
P. C.	**I was defending**		**I was defending**	
	υπεράσπιζα	υπερασπίζαμε	υπερασπιζόμουν	υπερασπιζ-όμαστε, -όμασταν
	υπεράσπιζες	υπερασπίζατε	υπερασπιζόσουν	υπερασπιζ-όσαστε, -όσασταν
	υπεράσπιζε	υπεράσπιζαν	υπερασπιζόταν	υπερασπίζονταν
P. S.	**I defended**		**I defended**	
	υπεράσπισα	υπερασπίσαμε	υπερασπίστηκα	υπερασπιστήκαμε
	υπεράσπισες	υπερασπίσατε	υπερασπίστηκες	υπερασπιστήκατε
	υπεράσπισε	υπεράσπισαν	υπερασπίστηκε	υπερασπίστηκαν
F. C.	**I will be defending**		**I will be being defending**	
	θα υπερασπίζω		θα υπερασπίζομαι	
	θα υπερασπίζεις	etc.	θα υπερασπίζεσαι	etc.
F. S.	**I will defend**		**I will defend**	
	θα υπερασπίσω	θα υπερασπίσουμε	θα υπερασπιστώ	θα υπερασπιστούμε
	θα υπερασπίσεις	θα υπερασπίσετε	θα υπερασπιστείς	θα υπερασπιστείτε
	θα υπερασπίσει	θα υπερασπίσουν	θα υπερασπιστεί	θα υπερασπιστούν
Pr. P.	**I have defended**		**I have been defending, I have defended**	
	έχω υπερασπίσει		έχω υπερασπιστεί	
	έχεις υπερασπίσει	etc.	έχεις υπερασπιστεί	etc.
P. P.	**I had defended**		**I had been defending, I had defended**	
	είχα υπερασπίσει		είχα υπερασπιστεί	
	είχες υπερασπίσει	etc.	είχες υπερασπιστεί	etc.
F. P.	**I will have defended**		**I will have been defending, I will defend**	
	θα έχω υπερασπίσει		θα έχω υπερασπιστεί	
	θα έχεις υπερασπίσει	etc.	θα έχεις υπερασπιστεί	etc.

Subjunctive (with να, για να, αν, όταν, etc.)

P.	να υπερασπίζω	that I may be defending	να υπερασπίζομαι	that I may be defending
P. S	να υπερασπίσω	that I may defend	να υπερασπιστώ	that I may defend
Pr. P.	να έχω υπερασπίσει	that I may have defended	να έχω υπερασπιστεί	that I may have defended

Imperative

P.	υπεράσπιζε (sing.)	be defending	υπερασπίζου (sing.)	be defending
	υπερασπίζετε (pl.)	be defending	υπερασπίζεστε (pl.)	be defending
P. S.	υπεράσπισε (sing.)	defend	υπερασπίσου (sing.)	defend
	υπερασπίστε (pl.)	defend	υπερασπιστείτε (pl.)	defend

Infinitive

να υπερασπίσει	to defend	να υπερασπιστεί	to defend

Participle

υπερασπίζοντας	defending	υπερασπισμέν-ος, -η, -ο	defended

(Examples on page 360)

	Indicative	
P.	**I surpass**	
	υπερέχω	υπερέχουμε
	υπερέχεις	υπερέχετε
	υπερέχει	υπερέχουν

P. C.	**I was surpassing**	
P. S.		
	υπερείχα	υπερείχαμε
	υπερείχες	υπερείχατε
	υπερείχε	υπερείχαν

F. C.	**I will be surpassing**	
F. S.		
	θα υπερέχω	θα υπερέχουμε
	θα υπερέχεις	θα υπερέχετε
	θα υπερέχει	θα υπερέχουν

The present perfect tenses are not common.

Subjunctive
(with να, για να, όταν, etc.)
P. & P. S.

να υπερέχω   that I may be surpassing

Imperative
P. & P. S.

υπερέχετε (pl.)   surpass

Infinitive

να υπερέχει   to surpass

Participle

υπερέχοντας   surpassing

Examples:

Αυτό το αεροπλάνο υπερέχει σε ταχύτητα.

This airplane is superior in speed.

Όταν οι δυο ομάδες συναντήθηκαν, ήταν φανερό ότι η ομάδα μας υπερείχε πολύ της άλλης.

When the two teams met, it was evident that our team was superior to the other.

Τα παλιά αυτοκίνητα υπερέχουν των νέων σε ποιότητα.

The old cars surpass the new ones in quality.

Οι καλοί και οι δίκαιοι πάντοτε υπερέχουν.

The good and righteous always excel.

	Active Voice, Indicative		*Passive Voice, Indicative*	
P.	**I serve**		**I am being served, I am served**	
	υπηρετώ	υπηρετούμε	υπηρετούμαι	υπηρετούμαστε
	υπηρετείς	υπηρετείτε	υπηρετείσαι	υπηρετείστε
	υπηρετεί	υπηρετούν	υπηρετείται	υπηρετούνται
P. C.	**I was serving**		**I was being served**	
	υπηρετούσα	υπηρετούσαμε	υπηρετούμουν	υπηρετούμ-αστε, - ασταν
	υπηρετούσες	υπηρετούσατε	υπηρετούσουν	υπηρετούσ-αστε - ασταν
	υπηρετούσε	υπηρετούσαν	υπηρετούνταν	υπηρετούνταν
P. S.	**I served**		**I was served**	
	υπηρέτησα	υπηρετήσαμε	υπηρετήθηκα	υπηρετηθήκαμε
	υπηρέτησες	υπηρετήσατε	υπηρετήθηκες	υπηρετηθήκατε
	υπηρέτησε	υπηρέτησαν	υπηρετήθηκε	υπηρετήθηκαν
F. C.	**I will be serving**		**I will be being served**	
	θα υπηρετώ		θα υπηρετούμαι	
	θα υπηρετείς	etc.	θα υπηρετείσαι	etc.
F. S.	**I will serve**		**I will be served**	
	θα υπηρετήσω	θα υπηρετήσουμε	θα υπηρετηθώ	θα υπηρετηθούμε
	θα υπηρετήσεις	θα υπηρετήσετε	θα υπηρετηθείς	θα υπηρετηθείτε
	θα υπηρετήσει	θα υπηρετήσουν	θα υπηρετηθεί	θα υπηρετηθούν
Pr. P.	**I have served**		**I have been served**	
	έχω υπηρετήσει		έχω υπηρετηθεί	
	έχεις υπηρετήσει	etc.	έχεις υπηρετηθεί	etc.
P. P.	**I had served**		**I had been served**	
	είχα υπηρετήσει		είχα υπηρετηθεί	
	είχες υπηρετήσει	etc.	είχες υπηρετηθεί	etc.
P. F.	**I will have served**		**I will have been served**	
	θα έχω υπηρετήσει		θα έχω υπηρετηθεί	
	θα έχεις υπηρετήσει	etc.	θα έχεις υπηρετηθεί	etc.

Subjunctive (with να, για να, αν, όταν etc.)

P.	να υπηρετώ	that I may be serving	να υπηρετούμαι	that I may be being served
P. S.	να υπηρετήσω	that I may serve	να υπηρετηθώ	that I may be served
Pr. P.	να έχω υπηρετήσει	that I may have served	να έχω υπηρετηθεί	that I may have been served

Imperative

P.	υπηρέτει (sing.)	be serving	-	
	υπηρετείτε (pl.)	be serving	-	
P. S.	υπηρέτησε (sing.)	serve	υπηρετήσου (sing.)	be served
	υπηρετείστε (pl.)	serve	υπηρετηθείτε (pl.)	be served

Infinitive

	να υπηρετήσει	to serve	να υπηρετηθεί	to be served

Participle

	υπηρετώντας	serving	υπηρετηθ-είς, - είσα, -έν	served

(classical form)
(Examples on page 360)

	Active Voice Indicative		*Passive Voice, Indicative*	
P.	**I sign**		**I am undersigned, I am being undersign**	
	υπογράφω	υπογράφουμε	υπογράφομαι	υπογραφόμαστε
	υπογράφεις	υπογράφετε	υποηράφεσαι	υπογράφεστε
	υπογράφει	υπογράφουν	υπογράφεται	υπογράφονται
P. C.	**I was signing**		**I was being undersigned**	
	υπέγραφα	υπογράφαμε	υπογραφόμουν	υπογραφ-όμαστε, -όμασταν
	υπέγραφες	υπογράφατε	υπογραφόσουν	υπογραφ-όσαστε, -όσασταν
	υπέγραφε	υπέγραφαν	υπογραφόταν	υπογράφονταν
P. S.	**I signed**		**I was undersigned**	
	υπέγραψα	υπογράψαμε	υπογράφ(τ)ηκα	υπογραφ(τ)ήκαμε
	υπέγραψες	υπογράψατε	υπογράφ(τ)ηκες	υπογραφ(τ)ήκατε
	υπέγραψε	υπέγραψαν	υπογράφ(τ)ηκε	υπογράφ(τ)ηκαν
F. C.	**I will be signing**		**I will be being undersigning**	
	θα υπογράφω		θα υπογράφομαι	
	θα υπογράφεις	etc.	θα υπογράφεσαι	etc.
F. S.	**I will sign**		**I will be undersigned**	
	θα υπογράψω	θα υπογράψουμε	θα υπογραφώ	θα υπογραφούμε
	θα υπογράψεις	θα υπογράψετε	θα υπογραφείς	θα υπογραφείτε
	θα υπογράψει	θα υπογράψουν	θα υπογραφεί	θα υπογραφούν
Pr. P.	**I have signed**		**I have been undersigned**	
	έχω υπογράψει		έχω υπογραφεί	
	έχεις υπογράψει	etc.	έχεις υπογραφεί	etc.
P. P.	**I had signed**		**I had been undersigned**	
	είχα υπογράψει		είχα υπογραφεί	
	είχες υπογράψει	etc.	είχες υπογραφεί	etc.
F. P.	**I will have signed**		**I will have been undersigned**	
	θα έχω υπογράψει		θα έχω υπογραφεί	
	θα έχεις υπογράψει	etc.	θα έχεις υπογραφεί	etc.

		Subjunctive	(with να, για να, αν, όταν, etc.)	
P.	να υπογράφω	that I may be signing	να υπογράφομαι	that I may be being undersigned
P. S.	να υπογράψω	that I may sign	να υπογραφώ	that I may be undersigned
Pr. P.	να έχω υπογράψει	that I may have signed	να έχω υπογραφεί	that I may have been undersigned

		Imperative		
P.	υπόγραφε (sing.)	be signing	-	
	υπογράφετε (pl.)	be signing	-	
P. S.	υπόγραψε (sing.)	sign	υπογράψου (sing.)	be undersigned
	υπογράψτε (pl.)	sign	υπογραφτείτε (pl.)	be undersigned

		Infinitive		
	να υπογράψει	to sign	να υπογραφτεί	to be undersigned

		Participle		
	υπογράφοντας	signing	υπογεγραμμέν-ος, -η, -ο	undersigned

(Examples on page 360)

	Indicative	
P.	**I endure**	
	υπομένω	υπομένουμε
	υπομένεις	υπομένετε
	υπομένει	υπομένουν

P. C.	**I was enduring**	
	υπέμενα	υπομέναμε
	υπέμενες	υπομένατε
	υπέμενε	υπέμεναν

P. S.	**I endured**	
	υπέμεινα	υπομείναμε
	υπέμεινες	υπομείνατε
	υπέμεινε	υπέμειναν

F. C.	**I will be enduring**	
	θα υπομένω	θα υπομένουμε
	θα υπομένεις	θα υπομένετε
	θα υπομένει	θα υπομένουν

F. S.	**I will endure**	
	θα υπομείνω	θα υπομείνουμε
	θα υπομείνεις	θα υπομείνετε
	θα υπομείνει	θα υπομείνουν

Pr. P.	**I have endured**	
	έχω υπομείνει	έχουμε υπομείνει
	έχεις υπομείνει	έχετε υπομείνει
	έχει υπομείνει	έχουν υπομείνει

P. P.	**I had endured**	
	είχα υπομείνει	
	είχες υπομείνει	etc.

F. P.	**I will have endured**	
	θα έχω υπομείνει	
	θα έχεις υπομείνει	etc.

Subjunctive
(with να, για να, όταν, etc.)

P.	να υπομένω	that I may be enduring
P. S.	να υπομείνω	that I may endure
Pr. P.	να έχω υπομείνει	that I may have endured

Imperative

P.	υπόμενε (sing.)	be enduring
	υπομένετε (pl.)	be enduring
P. S.	υπόμεινε (sing.)	endure
	υπομείνατε (pl)	endure

Infinitive

	να υπομείνει	to endure

Participle

	υπομένοντας	enduring

Examples:

Θα υπομείνουμε αυτό το βάσανο μέχρι τέλους.	We will endure this torture (hardship) to the end.
Υπέμεινε μέχρι τέλους.	He endured to the end.

	Active Voice, Indicative		*Passive Voice, Indicative*	
P.	**I support**		**I am supported, I am being supported**	
	υποστηρίζω	υποστηρίζουμε	υποστηρίζομαι	υποστηριζόμαστε
	υποστηρίζεις	υποστηρίζετε	υποστηρίζεσαι	υποστηρίζεστε
	υποστηρίζει	υποστηρίζουν	υποστηρίζεται	υποστηρίζονται
P. C.	**I was supporting**		**I was being supported**	
	υποστήριζα	υποστηρίζαμε	υποστηριζόμουν	υποστηριζ-όμαστε, -όμασταν
	υποστήριζες	υποστηρίζατε	υποστηριζόσουν	υποστηριζ-όσαστε, -όσασταν
	υποστήριζε	υποστήριζαν	υποστηριζόταν	υποστηρίζονταν
P. S.	**I supported**		**I was supported**	
	υποστήριξα	υποστηρίξαμε	υποστηρίχτηκα	υποστηριχτήκαμε
	υποστήριξες	υποστηρίξατε	υποστηρίχτηκες	υποστηριχτήκατε
	υποστήριξε	υποστήριξαν	υποστηρίχτηκε	υποστηρίχτηκαν
F. C.	**I will be supporting**		**I will be being supported**	
	θα υποστηρίζω		θα υποστηρίζομαι	
	θα υποστηρίζεις	etc.	θα υποστηρίζεσαι	etc.
F. S.	**I will support**		**I will be supported**	
	θα υποστηρίξω	θα υποστηρίξουμε	θα υποστηριχτώ	θα υποστηριχτούμε
	θα υποστηρίξεις	θα υποστηρίξετε	θα υποστηριχτείς	θα υποστηριχτείτε
	θα υποστηρίξει	θα υποστηρίξουν	θα υποστηριχτεί	θα υποστηριχτούν
Pr. P.	**I have supported**		**I have been supported**	
	έχω υποστηρίξει		έχω υποστηριχτεί	
	έχεις υποστηρίξει	etc.	έχεις υποστηριχτεί	etc.
P. P.	**I had supported**		**I had been supported**	
	είχα υποστηρίξει		είχα υποστηριχτεί	
	είχες υποστηρίξει	etc.	είχες υποστηριχτεί	etc.
F. P.	**I will have supported**		**I will have been supported**	
	θα έχω υποστηρίξει		θα έχω υτοστηριχτεί	
	θα έχεις υποστηρίξει	etc.	θα έχεις υποστηριχτεί	etc.

		Subjunctive	(with να, για να, αν, όταν, etc.)	
P.	να υποστηρίζω	that I may be supporting	να υποστηρίζομαι	that I may be being supported
P. S.	να υποστηρίξω	that I may support	να υποστηριχτώ	that I may be supported
Pr. P.	να έχω υποστηρίξει	that I may have supported	να έχω υποστηριχτεί	that I may have been supported

		Imperative		
P.	υποστήριζε (sing.)	be supporting	υποστηρίζου (sing.)	be being supported
	υποστηρίζετε (pl.)	be supporting	υποστηρίζεστε (pl.)	be being supported
P. S.	υποστήριξε (sing.)	support	υποστηρίζου (sing.)	be supported
	υποστηρίξετε (pl.)	support	υποστηριχτείτε (pl.)	be supported

Infinitive

να υποστηρίξει	to support	να υποστηριχτεί	to be supported

Participle

υποστηρίζοντας	supporting	υποστηριγμέν-ος, -η, -ο	supported

(Examples on page 360)

	Indicative	
P.	**I promise**	
	υπόσχομαι	υποσχόμαστε
	υπόσχεσαι	υπόσχεστε
	υπόσχεται	υπόσχονται

P. C.	**I was promising**	
	υποσχόμουν	υποσχόμαστε
	υποσχόσουν	υποσχόσαστε
	υποσχόταν	υπόσχονταν

P. S.	**I promised**	
	υποσχέθηκα	υποσχεθήκαμε
	υποσχέθηκες	υποσχεθήκατε
	υποσχέθηκε	υποσχέθηκαν

F. C.	**I will be promising**	
	θα υπόσχομαι	θα υποσχόμαστε
	θα υπόσχεσαι	θα υπόσχεστε
	θα υπόσχεται	θα υπόσχονται

F. S.	**I will promise**	
	θα υποσχεθώ	θα υποσχεθούμε
	θα υποσχεθείς	θα υποσχεθείτε
	θα υποσχεθεί	θα υποσχεθούν

Pr. P.	**I have promised**	
	έχω υποσχεθεί	έχουμε υποσχεθεί
	έχεις υποσχεθεί	έχετε υποσχεθεί
	έχει υποσχεθεί	έχουν υποσχεθεί

P. P.	**I had promised**	
	είχα υποσχεθεί	
	είχες υποσχεθεί	etc.

F. P.	**I will have promised**	
	θα έχω υποσχεθεί	
	θα έχεις υποσχεθεί	etc.

Subjunctive
(with να, για να, όταν, etc.)

P.	να υπόσχομαι	that I may be promising
P. S.	να υποσχεθώ	that I may promise
Pr. P.	να έχω υποσχεθεί	that I may have promised

Imperative

P.	-	
	υπόσχεστε (pl.)	be promising
P. S.	υποσχέσου (sing.)	promise
	υποσχεθείτε (pl.)	promise

Infinitive

	να υποσχεθεί	to promise

Participle

	υποσχόμεν-ος, -η, -ο	promised

Examples:

Υποσχέθηκε να μου δανείσει χίλια δολάρια.	He promised to lend me thousand dollars.
Μου υπόσχεσαι ότι θα με παντρευτείς;	Do you promise that you will marry me?
Έχουμε υποσχεθεί ότι θα πάμε στον γάμο.	We have promised that we will attend the wedding.
Τίποτα δεν υπόσχομαι.	I promise nothing.
Υπόσχεται τον ουρανό με τα άστρα.	He promises the sky with its stars. (He gives big promises).

	Indicative		*Subjunctive*	

P.   **I suffer**

υποφέρω	υποφέρουμε
υποφέρεις	υποφέρετε
υποφέρει	υποφέρουν

Subjunctive
(with να, για να, όταν, etc.)

P.& P. S. να υποφέρω   that I may be suffering
                                            that may suffer
Pr. P.   να έχω υποφέρει
                                            that I may have suffered

P. C.   **I was suffering, I suffered**
P. S.

υπέφερα	υποφέραμε
υπέφερες	υποφέρατε
υπέφερε	υπέφεραν

Imperative

P.   υπόφερε (sing.)   be suffering, suffer
                υποφέρετε (pl.)   be suffering, suffer
P. S.   υπόφερε (sing.)   suffer
                υποφέρετε (pl.)   suffer

F. C.   **I will be suffering, I will suffer**
F. S.

θα υποφέρω	θα υποφέρουμε
θα υποφέρεις	θα υποφέρετε
θα υποφέρει	θα υποφέρουν

Infinitive

                να υποφέρει   to suffer

Pr. P.   **I have suffered**

έχω υποφέρει	έχουμε υποφέρει
έχεις υποφέρει	έχετε υποφέρει
έχει υποφέρει	έχουν υποφέρει

Participle

                υποφέροντας   suffering

P. P.   **I had suffered**

είχα υποφέρει	
είχες υποφέρει	etc.

F. P.   **I will have suffered**

θα έχω υποφέρει	
θα έχεις υποφέρει	etc.

Examples:

Υπέφεραν πολλά βάσανα μέχρις ότου βρουν το χαμένο παιδί τους.	They suffered much to the time they found their lost child.
Οι άνθρωποι υποφέρουν, όταν ο καιρός είναι άσχημος.	Humans suffer when the weather is bad.
Υποφέρω από πονοκεφάλους.	I suffer from headaches.
Δεν μπορούσε να υποφέρει τα βάσανα της ζωής περισσότερο.	He could not bear the hardships of life any longer.
Υποφέρουμε από το κρύο.	We suffer from the cold.

	Active Voice, Indicative		*Passive Voice, Indicative*	
P.	**I raise**		**I am raised, I am being raised**	
	υψώνω	υψώνουμε	υψώνομαι	υψωνόμαστε
	υψώνεις	υψώνετε	υψώνεσαι	υψώνεστε
	υψώνει	υψώνουν	υψώνεται	υψώνονται
P. C.	**I was raising**		**I was being raised**	
	ύψωνα	υψώναμε	υψωνόμουν	υψων-όμαστε, -όμασταν
	ύψωνες	υψώνατε	υψωνόσουν	υψων-όσαστε, -όσασταν
	ύψωνε	ύψωναν	υψωνόταν	υψώνονταν
P. S.	**I raised**		**I was raised**	
	ύψωσα	υψώσαμε	υψώθηκα	υψώθηκαμε
	ύψωσες	υψώσατε	υψώθηκες	υψώθηκατε
	ύψωσε	ύψωσαν	υψώθηκε	υψώθηκαν
F. C.	**I will be raising**		**I will be being raised**	
	θα υψώνω		θα υψώνομαι	
	θα υψώνεις	etc.	θα υψώνεσαι	etc.
F. S.	**I will raise**		**I will be raised**	
	θα υψώσω	θα υψώσουμε	θα υψωθώ	θα υψωθούμε
	θα υψώσεις	θα υψώσετε	θα υψωθείς	θα υψωθείτε
	θα υψώσει	θα υψώσουν	θα υψωθεί	θα υψωθούν
Pr. P.	**I have raised**		**I have been raised**	
	έχω υψώσει		έχω υψωθεί	
	έχεις υψώσει	etc.	έχεις υψωθεί	etc.
P. P.	**I had raised**		**I had been raised**	
	είχα υψώσει		είχα υψωθεί	
	είχες υψώσει	etc.	είχες υψωθεί	etc.
F. P.	**I will have raised**		**I will have been raised**	
	θα έχω υψώσει		θα έχω υψωθεί	
	θα έχεις υψώσει	etc.	θα έχεις υψωθεί	etc.

Subjunctive (with να, για να, αν, όταν etc.)

P.	να υψώνω	that I may be raising	να υψώνομαι	that I may be being raised
P. S.	να υψώσω	that I may raise	να υψωθώ	that I may be raised
Pr. P.	να έχω υψώσει	that I may have raised	να έχω υψωθεί	that I may have been raised

Imperative

P.	ύψωνε (sing.)	be raising	υψώνου (sing.)	be being raised
	υψώνετε (pl.)	be raising	υψώνεστε (pl.)	be being raised
P. S.	ύψωσε (sing.)	raise	υψώσου (sing.)	be raised
	υψώστε (pl.)	raise	υψωθείτε (pl.)	be raised

Infinitive

να υψώσει	to raise	να υψωθεί	to be raised

Participle

υψώνοντας	raising	υψωμέν-ος, -η, -ο	raised
		(Example on page 360)	

Examples of uses of verbs beginning with **υ**

υπερασπίζω

Οι χωρικοί υπερασπίστηκαν με ανδρεία
το χωριό τους.
Θα υπερασπίσουμε την πατρίδα μας.
Ποιον υπερασπίζεσαι;
Υπερασπίζομαι τους φίλους μου.
Υπερασπίζω τον εαυτό μου.

The villagers defended their village
with bravery.
We will defend our country.
Whom are you defending?
I am defending my friends.
I defend myself.

υπηρετώ

Υπηρέτησε στον στρατό για δυο χρόνια.
Ο υπηρέτης υπηρετεί τον κύριό του
έμπιστα.
Όταν ήταν στο νοσοκομείο υπηρετούνταν
από τρεις νοσοκόμες.
Το 1940 υπηρέτησα στο Δυτικό Μέτωπο.

He served in the army for two years.
The servant serves his master
faithfully.
When he was in the hospital he was looked
after by three nurses.
In 1940 I served in the Western Front.

υπογράφω

Οι Σύμμαχοι υπέγραψαν τη συνθήκη ειρήνης.
Αύριο θα υπογράψουμε το συμβόλαιο για το
καινούργιο μας σπίτι.
Υπόγραψε εδώ.
Τα γράμματα δεν έχουν υπογραφτεί ακόμα.
Ποιος θα υπογράψει;

The Allies signed the peace treaty.
Tomorrow we will sign the contract
for our new house.
Sign here.
The letters have not yet been signed.
Who is going to sign?

υποστηρίζω

Στις εκλογές αυτή τη φορά θα υποστηρίξουμε
το δημοκρατικό κόμμα.
Στις τελευταίες εκλογές υποστηρίξαμε
το ρεπουπλικανικό κόμμα.
Οι φτωχοί φοιτητές έχουν υποστηριχτεί
πολύ από την κυβέρνηση.
Ποιον υποστηρίζεις;
Από ποιον υποστηρίζεσαι;

This time in the elections we will support the
Democratic party.
In the last elections we supported the
Republican party.
The poor students have been extensively
supported by the government.
Whom do you support?
By whom are you supported?

υψώνω

Υψώνω τη σημαία.
Υψώνω τη φωνή μου.

Υψώνω το ανάστημά μου.
Ύψωσαν τις τιμές.
Οι τιμές υψώθηκαν.
Ο τιμάριθμος έχει υψωθεί.
Η πίεσή του υψώθηκε.
Οι Έλληνες ύψωσαν τη σημαία της
Επανάστασης το 1821.

I raise the flag.
(I raise my voice). I make my opinion
heard.
(I raise my body). I flaunt my strength.
They raised the prices . (They hiked)
The prices have gone up.
The cost of living has gone up.
His blood pressure is up.
The Greeks raised the flag of the
revolution in 1821.

φαίνομαι (4) - to appear; to come in sight; to be visible; to be seen; to look like   301
                                  (deponent verb)

	Indicative				*Subjunctive*	
P.	**I appear**				(with να, για να, όταν, etc.)	
	φαίνομαι	φαινόμαστε		**P.**	να φαίνομαι	that I may be appearing
	φαίνεσαι	φαίνεστε		**P. S.**	να φανώ	that I may appear
	φαίνεται	φαίνονται		**Pr. P.**	να έχω φανεί	that I may have appeared

P. C.	**I was appearing**		
	φαινόμουν	φαινόμαστε	
	φαινόσουν	φαινόσαστε	
	φαινόταν	φαινόνταν	

Imperative

P.	-	
	φαίνεστε	be apperaing
P. S.	φανού (sing.)	appear
	φανείτε (pl.)	appear

P. S.	**I appeared**		
	φάνηκα	φανήκαμε	
	φάνηκες	φανήκατε	
	φάνηκε	φάνηκαν	

Infinitive

να φανεί	to appear

F. C.	**I will be appearing**		
	θα φαίνομαι	θα φαινόμαστε	
	θα φαίνεσαι	θα φαίνεστε	
	θα φαίνεται	θα φαίνονται	

F. S.	**I will appear**		
	θα φανώ	θα φανούμε	
	θα φανείς	θα φανείτε	
	θα φανεί	θα φανούν	

Pr. P.	**I have appeared**		
	έχω φανεί	έχουμε φανεί	
	έχεις φανεί	έχετε φανεί	
	έχει φανεί	έχουν φανεί	

P. P.	**I had appeared**		
	είχα φανεί		
	είχες φανεί		etc.

F. P.   I will have appeared
θα έχω φανεί   etc.

Examples:

Ένα αστέρι φάνηκε στον ουρανό.	A star appeared in the sky.
Ο φίλος μου δε φαίνεται.	My friend is nowhere to be seen.
Το βουνό φαίνεται από μακριά.	The mountain can be seen from afar.
Μου φαίνεσαι άρρωστος.	To me you seem to be sick.
Πώς σας φαίνεται;	How does it look to you?
Η καλή μέρα φαίνεται από το πρωί.	(The morning will usually tell one if the day will be good). If the beginning of something goes well the whole thing will succeed.
Φαίνεται εύκολο - δύσκολο.	It seems easy - difficult.
Μου φαίνεται ότι έχουμε αργήσει.	It seems to me that we are late.
Όπως φαίνεται.	As it looks – As it seems.
Φαίνεται ότι θα βρέξει.	It seems that it will rain.
Φαίνεται σαν τον πατέρα του.	He looks like his father.

φαντάζω (1) – to stand out; to create a sensation - **φαντάζομαι (4)** – to imagine; to fancy; to conceive; 302

	Active Voice, Indicative		*Passive Voice, Indicative*	
P.	**I stand out**		**I imagine, I am being imagined**	
	φαντάζω	φαντάζουμε	φαντάζομαι	φανταζόμαστε
	φαντάζεις	φαντάζετε	φαντάζεσαι	φαντάζεστε
	φαντάζει	φαντάζουν	φαντάζεται	φαντάζονται
P. C.	**I was standing out**		**I was imagining**	
	φάνταζα	φαντάζαμε	φανταζόμουν	φανταζ-όμαστε, -όμασταν
	φάνταζες	φαντάζατε	φανταζόσουν	φανταζ-όσαστε, -όσασταν
	φάνταζε	φάνταζαν	φανταζόταν	φαντάζονταν
P. S.	**I stood out**		**I imagined**	
	φάνταξα	φαντάξαμε	φαντάστηκα	φανταστήκαμε
	φάνταξες	φαντάξατε	φαντάστηκες	φανταστήκατε
	φάνταξε	φάνταξαν	φαντάστηκε	φαντάστηκαν
F. C.	**I will be standing out**		**I will be imagining**	
	θα φαντάζω		θα φαντάζομαι	
	θα φαντάζεις	etc.	θα φαντάζεσαι	etc.
F. S.	**I will stand out**		**I will imagine**	
	θα φαντάξω	θα φαντάξουμε	θα φανταστώ	θα φανταστούμε
	θα φαντάξεις	θα φαντάξετε	θα φανταστείς	θα φανταστείτε
	θα φαντάξει	θα φαντάξουν	θα φανταστεί	θα φανταστούν
Pr. P.	**I have stood out**		**I have imagined**	
	έχω φαντάξει		έχω φανταστεί	
	έχεις φαντάξει	etc.	έχεις φανταστεί	etc.
P. P.	**I had stood out**		**I had imagined**	
	είχα φαντάξει		είχα φανταστεί	
	είχες φαντάξει	etc.	είχες φανταστεί	etc.
F. P.	**I will have stood out**		**I will have imagined**	
	θα έχω φαντάξει		θα έχω φανταστεί	
	θα έχεις φαντάξει	etc.	θα έχεις φανταστεί	etc.

Subjunctive (with να, για να, αν, όταν, etc.)

P.	να φαντάζω	that I may be standing out	να φαντάζομαι	that I may be imagining
P. S.	να φαντάξω	that I may stand out	να φανταστώ	that I may imagine
Pr. P.	να έχω φαντάξει	that I may have stood out	να έχω φανταστεί	that I may have imagined

Imperative

P.	φάνταζε (sing.)	be standing out	φαντάζου (sing.)	be imagining
	φαντάζετε (pl.)	be standing out	φαντάζεστε (pl.)	be imagining
P. S.	φάνταξε (sing.)	stand out	φαντάσου (sing.)	imagine
	φαντάξετε (pl.)	stand out	φανταστείτε (pl.)	imagine

Infinitive

να φαντάξει	to stand out	να φανταστεί	to imagine

Participle

φαντάζοντας	standing out	φαντασμέν-ος, -η, -ο	conceited
		(Examples on page 373)	

362

φέρνω (1) – to bring; to carry; to fetch;　　　**φέρνομαι (4)** – to behave　　　303

	Active Voice, Indicative		*Passive Voice, Indicative*	
P.	**I bring**		**I behave, I am behaving**	
	φέρνω	φέρνουμε	φέρνομαι	φερνόμαστε
	φέρνεις	φέρνετε	φέρνεσαι	φέρνεστε
	φέρνει	φέρνουν	φέρνεται	φέρνονται
P. C.	**I was bringing**		**I was behaving**	
	έφερνα	φέρναμε	φερνόμουν	φερν-όμαστε, -όμασταν
	έφερνες	φέρνατε	φερνόσουν	φερν-όσαστε, -όσασταν
	έφερνε	έφερναν	φερνόταν	φέρνονταν
P. S.	**I brought**		**I behaved**	
	έφερα	φέραμε	φέρθηκα	φερθήκαμε
	έφερες	φέρατε	φέρθηκες	φερθήκατε
	έφερε	έφεραν	φέρθηκε	φέρθηκαν
F. C.	**I will be bringing**		**I will be behaving**	
	θα φέρνω		θα φέρνομαι	
	θα φέρνεις	etc.	θα φέρνεσαι	etc.
F. S.	**I will bring**		**I will behave**	
	θα φέρω	θα φέρουμε	θα φερθώ	θα φερθούμε
	θα φέρεις	θα φέρετε	θα φερθείς	θα φερθείτε
	θα φέρει	θα φέρουν	θα φερθεί	θα φερθούν
Pr. P.	**I have brought**		**I have behaved**	
	έχω φέρει		έχω φερθεί	
	έχεις φέρει	etc.	έχεις φερθεί	etc.
P. P.	**I had brought**		**I had behaved**	
	είχα φέρει		είχα φερθεί	
	είχες φέρει	etc.	είχες φερθεί	etc.
F. P.	**I will have brought**		**I will have behaved**	
	θα έχω φέρει		θα έχω φερθεί	
	θα έχεις φέρει	etc.	θα έχεις φερθεί	etc.

		Subjunctive	(with να, για να, αν, όταν, etc.)	
P.	να φέρνω	that I may be bringing	να φέρνομαι	that I may be behaving
P. S.	να φέρω	that I may bring	να φερθώ	that I may behave
Pr. P.	να έχω φέρει	that I may have brought	να έχω φερθεί	that I may have behaved

		Imperative		
P.	φέρε (sing.)	bring	φέρσου (sing.)	behave
	φέρετε, φέρτε (pl.)	bring	φερθείτε (pl.)	behave

	Infinitive		
να φέρει	to bring	να φερθεί	to behave

	Participle		
φέρνοντας	bringing	φερμέν-ος, -η, -ο	brought
		(Examples on page 373)	

	Indicative	
P.	**I leave**	
	φεύγω	φεύγουμε
	φεύγεις	φεύγετε
	φεύγει	φεύγουν

	I was leaving	
P. C.	έφευγα	φεύγαμε
	έφευγες	φεύγατε
	έφευγε	έφευγαν

	I left	
P. S.	έφυγα	φύγαμε
	έφυγες	φύγατε
	έφυγε	έφυγαν

	I will be leaving	
F. C.	θα φεύγω	θα φεύγουμε
	θα φεύγεις	θα φεύγετε
	θα φεύγει	θα φεύγουν

	I will leave	
F. S.	θα φύγω	θα φύγουμε
	θα φύγεις	θα φύγετε
	θα φύγει	θα φύγουν

	I have left	
Pr. P.	έχω φύγει	
	έχεις φύγει	etc.

	I had left	
P. P.	είχα φύγει	
	είχες φύγει	etc.

	I will have left	
F. P.	θα έχω φύγει	
	θα έχεις φύγει	etc.

Subjunctive
(with να, για να, όταν, etc.)

P.	να φεύγω	that I may be leaving
P. S.	να φύγω	that I may leave
Pr. P.	να έχω φύγει	that I may have left

Imperative

P.	φεύγε (sing.)	be leaving
	φεύγετε (pl.)	be leaving
P. S.	φύγε (sing.)	leave
	φύγετε (pl.)	leave

Infinitive

	να φύγει	to leave

Participle

	φεύγοντας	leaving

Examples:

Το αεροπλάνο φεύγει σε μια ώρα.	The airplane leaves in one hour.
Φύγε απ' εδώ.	Get out of here. Go away.
Έφυγε στα τέσσερα.	He fled on his four feet. (He left in a hurry).
Μου έφυγε το σχοινί.	The rope slipped from my hand.
Πρόσεξε να μη σου φύγει κανένας λόγος.	Be careful not to say anything inappropriate.
Φεύγουμε σε μισή ώρα.	We are leaving in half an hour.

	Active Voice, Indicative		Passive Voice, Indicative	
P.	**I kiss**		**I am kissed, I am being kissed**	
	φιλ-ώ, -άω	φιλ-ούμε, -άμε	φιλιέμαι	φιλιόμαστε
	φιλάς	φιλάτε	φιλιέσαι	φιλιέστε
	φιλ-ά, -άει	φιλ-ούν, -άνε	φιλιέται	φιλιούνται
P. C.	**I was kissing**		**I was being kissed**	
	φιλούσα	φιλούσαμε	φιλιόμουν	φιλιόμαστε
	φιλούσες	φιλούσατε	φιλιόσουν	φιλιόσαστε
	φιλούσε	φιλούσαν	φιλιόταν	φιλιόνταν
P. S.	**I kissed**		**I was kissed**	
	φίλησα	φιλήσαμε	φιλήθηκα	φιληθήκαμε
	φίλησες	φιλήσατε	φιλήθηκες	φιληθήκατε
	φίλησε	φίλησαν	φιλήθηκε	φιλήθηκαν
F. C.	**I will be kissing**		**I will be being kissed**	
	θα φιλώ		θα φιλιέμαι	
	θα φιλάς	etc.	θα φιλιέσαι	etc.
F. S.	**I will kiss**		**I will be kissed**	
	θα φιλήσω	θα φιλήσουμε	θα φιληθώ	θα φιληθούμε
	θα φιλήσεις	θα φιλήσετε	θα φιληθείς	θα φιληθείτε
	θα φιλήσει	θα φιλήσουν	θα φιληθεί	θα φιληθούν
Pr. P.	**I have kissed**		**I have been kissed**	
	έχω φιλήσει		έχω φιληθεί	
	έχεις φιλήσει	etc.	έχεις φιληθεί	etc.
P. P.	**I had kissed**		**I had been kissed**	
	είχα φιλήσει		είχα φιληθεί	
	είχες φιλήσει	etc.	είχες φιληθεί	etc.
F. P.	**I will have kissed**		**I will have been kissed**	
	θα έχω φιλήσει		θα έχω φιληθεί	
	θα έχεις φιλήσει	etc.	θα έχεις φιληθεί	etc.

Subjunctive (with να, για να, αν, όταν, etc.)

P.	να φιλώ	that I may be kissing	να φιλιέμαι	that I may be being kissed
P. S.	να φιλήσω	that I may kiss	να φιληθώ	that I may be kissed
Pr. P.	να έχω φιλήσει	that I may have kissed	να έχω φιληθεί	that I may have been kissed

Imperative

P.	φίλα (sing.)	be kissing	-	
	φιλάτε (pl.)	be kissing	-	
P. S.	φίλησε (sing.)	kiss	φιλήσου (sing.)	be kissed
	φιλήστε (pl.)	kiss	φιληθείτε (pl.)	be kissed

Infinitive

να φιλήσει	to kiss	να φιληθεί	to be kissed

Participle

φιλώντας	kissing	φιλημέν-ος, -η, -ο	kissed

(Examples on page 373)

	Indicative	
P.	**I am afraid**	
	φοβούμαι	φοβούμαστε
	φοβάσαι	φοβάστε
	φοβάται	φοβούνται

	Subjunctive	
	(with να, για να, όταν, etc.)	
P.	να φοβούμαι	that I may be being afraid
P. S.	να φοβηθώ	that I may be afraid
Pr. P.	να έχω φοβηθεί	that I may have been afraid

P. C.	**I was being afraid**	
	φοβόμουν	φοβόμαστε
	φοβόσουν	φοβόσαστε
	φοβόταν	φοβόνταν

	Imperative	
P.	φοβού (sing.)	be being afraid
	φοβάστε (pl.)	be being afraid
P. S.	φοβήσου (sing.)	be afraid
	φοβηθείτε (pl.)	be afraid

P. S.	**I was afraid**	
	φοβήθηκα	φοβηθήκαμε
	φοβήθηκες	φοβηθήκατε
	φοβήθηκε	φοβήθηκαν

	Infinitive	
	να φοβηθεί	to be afraid

F. C.	**I will be being afraid**	
	θα φοβούμαι	
	θα φοβάσαι	etc.

	Participle	
	φοβισμέν-ος, -η, -ο	afraid, fearful

F. S.	**I will be afraid**	
	θα φοβηθώ	θα φοβηθούμε
	θα φοβηθείς	θα φοβηθείτε
	θα φοβηθεί	θα φοβηθούν

Pr. P.	**I have been afraid**	
	έχω φοβηθεί	
	έχεις φοβηθεί	etc.

P. P.	**I had been afraid**	
	είχα φοβηθεί	
	είχες φοβηθεί	etc.

F. P.	**I will have been afraid**	
	θα έχω φοβηθεί	
	θα έχεις φοβηθεί	etc.

Examples:

Φοβηθήκαμε τα σκυλιά και γυρίσαμε πίσω.	We were frightened by the dogs and we turned back.
Το παιδί φοβάται, όταν είναι μόνο του.	The child is afraid, when he is alone.
«Δε φοβάμαι τίποτα, είμαι λεύτερος».	"I am not afraid of anything, I am free".
(Επίγραμμα πάνω στον τάφο του Καζαντζάκη στο Ηράκλειο, Κρήτης).	*(Epigram on Kazantzakis grave in Iraklio, Crete).*
Το άλογο φοβήθηκε τη σκιά του.	The horse was frightened by its shadow.
Έφυγε φοβισμένος.	He left full of fear.

	Active Voice, Indicative		*Passive Voice, Indicative*	
P.	**I wear, I am wearing**		**I am being worn, I am worn**	
	φορ-ώ, -άω	φορ-ούμε, -άμε	φοριέμαι	φοριόμαστε
	φορ-άς, -είς	φορ-άτε, -είτε	φοριέσαι	φοριέστε
	φορ-ά, -εί	φορ-ούν, -άνε	φοριέται	φοριούνται
P. C.	**I was wearing**		**I was been worn**	
	φορούσα	φορούσαμε	φοριόμουν	φοριόμαστε
	φορούσες	φορούσατε	φοριόσουν	φοριόσαστε
	φορούσε	φορούσαν	φοριόταν	φοριόνταν
P. S.	**I wore**		**I was worn**	
	φόρεσα	φορέσαμε	φορέθηκα	φορεθήκαμε
	φόρεσες	φορέσατε	φορέθηκες	φορεθήκατε
	φόρεσε	φόρεσαν	φορέθηκε	φορέθηκαν
F. C.	**I will be wearing**		**I will be being worn**	
	θα φορ-ώ, -άω		θα φοριέμαι	
	θα φορ-άς, -είς	etc.	θα φοριέσαι	etc.
F. S.	**I will wear**		**I will be worn**	
	θα φορέσω	θα φορέσουμε	θα φορεθώ	θα φορεθούμε
	θα φορέσεις	θα φορέσετε	θα φορεθείς	θα φορεθείτε
	θα φορέσει	θα φορέσουν	θα φορεθεί	θα φορεθούν
Pr. P.	**I have worn**		**I have been worn**	
	έχω φορέσει		έχω φορεθεί	
	έχεις φορέσει	etc.	έχεις φορεθεί	etc.
P. P.	**I had worn**		**I had been worn**	
	είχα φορέσει		είχα φορεθεί	
	είχες φορέσει	etc.	είχες φορεθεί	etc.
F. P.	**I will have worn**		**I will have been worn**	
	θα έχω φορέσει		θα έχω φορεθεί	
	θα έχεις φορέσει	etc.	θα έχεις φορεθεί	etc.

Subjunctive (with να, για να, αν, όταν, etc.)

P.	να φορώ	that I may be wearing	να φοριέμαι	that I may be being worn
P. S.	να φορέσω	that I may wear	να φορεθώ	that I may be worn
Pr. P.	να έχω φορέσει	that I may have worn	να έχω φορεθεί	that I may have been worn

Imperative

P. S	φόρεσε (sing.)	wear	φορέσου (sing.)	be worn
	φορέστε (pl.)	wear	φορεθείτε (pl.)	be worn

Infinitive

να φορέσει	to wear	να φορεθεί	to be worn

Participle

φορώντας	wearing	φορεμέν-ος, -η, -ο	worn

(Examples on page 373)

φροντίζω (1) – to take care of; to care; to look after   308

	Indicative		*Subjunctive*		
P.	**I take care**		(with να, για να, όταν, etc.)		
	φροντίζω	φροντίζουμε	**P.**	να φροντίζω	that I may be taking care of
	φροντίζεις	φροντίζετε	**P. S.**	να φροντίσω	that I may take care of
	φροντίζει	φροντίζουν	**Pr. P.**	να έχω φροντίσει	that I may have taken care of

			Imperative		
P. C.	**I was taking care of**				
	φρόντιζα	φροντίζαμε	**P**	φρόντιζε (sing.)	be taking care of
	φρόντιζες	φροντίζατε		φροντίζετε (pl.)	be taking care of
	φρόντιζε	φρόντιζαν	**P. S.**	φρόντισε (sing.)	take care of
				φροντίστε (pl.)	take care of

			Infinitive		
P. S.	**I took care of**				
	φρόντισα	φροντίσαμε			
	φρόντισες	φροντίσατε		να φροντίσει	to take care of
	φρόντισε	φρόντισαν			

			Participle		
F. C.	**I will be taking care of**				
	θα φροντίζω			φροντίζοντας	taking care of
	θα φροντίζεις	etc.			

			Passive Participle		
F. S.	**I will take care of**				
	θα φροντίσω	θα φροντίσουμε		φροντισμέν-ος, -η, -ο	having been cared of
	θα φροντίσεις	θα φροντίσετε			
	θα φροντίσει	θα φροντίσουν			

Pr. P.	**I have taken care of**	
	έχω φροντίσει	έχουμε φροντίσει
	έχεις φροντίσει	έχετε φροντίσει
	έχει φροντίσει	έχουν φροντίσει

P. P.	**I had taken care of**	
	είχα φροντίσει	
	είχες φροντίσει	etc.

F. P.	**I will have taken care of**	
	θα έχω φροντίσει	
	θα έχεις φροντίσει	etc.

Examples:

Όταν οι γονείς μας γεράσουν, εμείς τα παιδιά, θα φροντίσουμε γι' αυτούς.	When our parents get old, we the children will take care of them.
Φρόντισε να μάθεις πότε φεύγουν.	Try to find out when they are leaving.
Εμείς θα φροντίσουμε για όλα.	We will take care of everything.
Μπορείς να φροντίζεις τα λουλούδια μου τον καιρό που θα λείπω;	Can you take care (look after) of my flowers while I am away?
Φροντίζει για όλους.	He takes care of all.

	Indicative		*Subjunctive*		
P.	**I arrive**		(with να, για να, όταν, etc.)		
	φτάνω	φτάνουμε	P.	να φτάνω	that I may be arriving
	φτάνεις	φτάνετε	P. S.	να φτάσω	that I may arrive
	φτάνει	φτάνουν	Pr. P.	να έχω φτάσει	that I may have arrived

	P. C.	**I was arriving**		**Imperative**		
		έφτανα	φτάναμε	P.	φτάνε (sing.)	be arriving
		έφτανες	φτάνατε		φτάνετε (pl.)	be arriving
		έφτανε	έφταναν	P. S.	φτάσε (sing.)	arrive
					φτάστε (pl.)	arrive

P. S.   I arrived   **Infinitive**

έφτασα	φτάσαμε		να φτάσει	to reach, to arrive
έφτασες	φτάσατε			
έφτασε	έφτασαν			

F. C.   I will be arriving   **Participle**

θα φτάνω		φτάνοντας	reaching, arriving
θα φτάνεις	etc.		

F. S.   I will arrive

θα φτάσω	θα φτάσουμε
θα φτάσεις	θα φτάσετε
θα φτάσει	θα φτάσουν

Pr. P.   I have arrived

έχω φτάσει	
έχεις φτάσει	etc.

P. P.   I had arrived

είχα φτάσει	
είχες φτάσει	etc.

F. P.   I will have arrived

θα έχω φτάσει	
θα έχεις φτάσει	etc.

Examples:

Ο θείος μου φτάνει σήμερα από την Ελλάδα.	My uncle arrives today from Greece.
Λέει ό,τι του φτάσει.	He says whatever comes to his mind.
Με φτάνουν είκοσι δολλάρια.	Twenty dollars are enough for me.
Φτάνει πια.	It is enough. To this point and no more.
Ο δρόμος φτάνει μέχρι την παραλία.	The road goes as far as the beach.
Η φήμη του έφτασε πολύ μακριά.	His fame reached very far.
Ο χειμώνας φτάνει.	Winter is coming.
Το σχοινί φτάνει απ' εδώ ως εκεί.	The rope reaches from here to there.
Φτάσαμε το αυτοκίνητό του.	We caught up with his car.
Καμιά δεν τη φτάνει στην ομορφιά.	No one surpasses her in beauty.
Επί τέλους έφτασε στον προορισμό του.	At last he arrived at his destination.
Να μη φτάσει του χρόνου.	May not he (she) live to the next year.
	(A curse: Death to him, to her.)

φυλάγω (1) – φυλάσσω – to keep; to take care; to guard; to watch; to protect   310

	Active voice, Indicative		Passive Voice, Indicative	
P.	**I keep**		**I am kept, I am being kept**	
	φυλάγω	φυλάγουμε	φυλάγομαι	φυλαγόμαστε
	φυλάγεις	φυλάγετε	φυλάγεσαι	φυλάγεστε
	φυλάγει	φυλάγουν	φυλάγεται	φυλάγονται
P. C.	**I was keeping**		**I was being kept**	
	φύλαγα	φυλάγαμε	φυλαγόμουν	φυλαγ-όμαστε, -όμασταν
	φύλαγες	φυλάγατε	φυλαγόσουν	φυλαγ-όσαστε, όσασταν
	φύλαγε	φύλαγαν	φυλαγόταν	φυλάγονταν
P. S.	**I kept**		**I was kept**	
	φύλαξα	φυλάξαμε	φυλάχτηκα	φυλαχτήκαμε
	φύλαξες	φυλάξατε	φυλάχτηκες	φυλαχτήκατε
	φύλαξε	φύλαξαν	φυλάχτηκε	φυλάχτηκαν
F. C.	**I will be keeping**		**I will be being kept**	
	θα φυλάγω		θα φυλάγομαι	
	θα φυλάγεις	etc.	θα φυλάγεσαι	etc.
F. S.	**I will keep**		**I will be kept**	
	θα φυλάξω	θα φυλάξουμε	θα φυλαχτώ	θα φυλαχτούμε
	θα φυλάξεις	θα φυλάξετε	θα φυλαχτείς	θα φυλαχτείτε
	θα φυλάξει	θα φυλάξουν	θα φυλαχτεί	θα φυλαχτούν
Pr. P.	**I have kept**		**I have been kept**	
	έχω φυλάξει		έχω φυλαχτεί	
	έχεις φυλάξει	etc.	έχεις φυλαχτεί	etc.
P. P.	**I had kept**		**I had been kept**	
	είχα φυλάξει		είχα φυλαχτεί	
	είχες φυλάξει	etc.	είχες φυλαχτεί	etc.
F. P.	**I will have kept**		**I will have been kept**	
	θα έχω φυλάξει		θα έχω φυλαχτεί	
	θα έχεις φυλάξει	etc.	θα έχεις φυλαχτεί	etc.

Subjunctive (with να, για να, αν, όταν, etc.)

P.	να φυλάγω	that I may be keeping	να φυλάγομαι	that I may be being kept
P. S.	να φυλάξω	that I may keep	να φυλαχτώ	that I may be kept
Pr. P.	να έχω φυλάξει	that I may have kept	να έχω φυλαχτεί	that I may have been kept

Imperative

P.	φύλαγε (sing.)	be keeping	φυλάγου (sing.)	be watching yourself*
	φυλάγετε (pl.)	be keeping	φυλάγεστε (pl.)	be watching yourselves*
P. S.	φύλαξε (sing.)	keep	φυλάξου (sing.)	watch yourself*
	φυλάξετε, φυλάξτε (pl.)	keep	φυλαχτείτε (pl.)	watch yourselves*

Infinitive

να φυλάξει	to keep	να φυλαχτεί	to watch*

Participle

φυλάγοντας	keeping	φυλαγμέν-ος, -η, -ο - kept, secured, protected	

The verb in the passive voice has a meaning of: watch yourself, be careful, protect yourself
(Examples on page 373)

φωνάζω (1) – to shout; to yell; to call

	Indicative		*Subjunctive*		
P.	**I shout, I call**		(with να, για να, όταν, etc.)		
	φωνάζω	φωνάζουμε	**P.**	να φωνάζω	that I may be calling, shouting
	φωνάζεις	φωνάζετε	**P. S.**	να φωνάξω	that I may call, shout
	φωνάζει	φωνάζουν	**Pr. P.**	να έχω φωνάξει	that I may have called shouted
P. C.	**I was calling, shouting**		**Imperative**		
	φώναζα	φωνάζαμε	**P.**	φώναζε (sing.)	be calling, shouting
	φώναζες	φωνάζατε		φωνάζετε (pl.)	be calling, shouting
	φώναζε	φώναζαν	**P. S.**	φώναξε (sing.)	call, shout
P. S.	**I called, shouted**			φωνάξετε (pl.)	call, shout
	φώναξα	φωνάξαμε	**Infinitive**		
	φώναξες	φωνάξατε		να φωνάξει	to call, to shout
	φώναξε	φώναξαν			
F. C.	**I will be calling, shouting**		**Participle**		
	θα φωνάζω			φωνάζοντας	calling, shouting
	θα φωνάζεις	etc.			
F. S.	**I will call, shout**				
	θα φωνάξω	θα φωνάξουμε			
	θα φωνάξεις	θα φωνάξετε			
	θα φωνάξει	θα φωνάξουν			
Pr. P.	**I have called, shouted**				
	έχω φωνάξει	έχουμε φωνάξει			
	έχεις φωνάξει	έχετε φωνάξει			
	έχει φωνάξει	έχουν φωνάξει			
P. P.	**I had called, shouted**				
	είχα φωνάξει				
	είχες φωνάξει	etc.			
F. P.	**I will have called, shouted**				
	θα έχω φωνάξει				
	θα έχεις φωνάξει	etc.			

Examples:

Το παιδί φωνάζει.	The child cries, (shouts, yells).
Μη φωνάζεις τόσο πολύ.	Do not shout so loud.
Φώναξε τον Γιάννη.	Call John. *(or)* He called John.
Φωνάξαμε τον γιατρό να δει τον παππού.	We called the doctor to examine grandfather.
Μας φώναξαν στην αστυνομία.	They called us to the police station.
Ο δάσκαλος φωνάζει ένα - ένα τα παιδιά.	The teacher calls the children one by one.
Ποιος με φώναξε;	Who called me?
Έτρεχε στον δρόμο φωνάζοντας.	He was running in the street shouting.

Active Voice, Indicative		*Passive Voice, Indicative*	
P. **I illuminate**		**I am illuminated, I am being illuminated**	
φωτίζω	φωτίζουμε	φωτίζομαι	φωτιζόμαστε
φωτίζεις	φωτίζετε	φωτίζεσαι	φωτίζεστε
φωτίζει	φωτίζουν	φωτίζεται	φωτίζονται
P. C. **I was illuminating**		**I was being illuminated**	
φώτιζα	φωτίζαμε	φωτιζόμουν	φωτιζ-όμαστε, -όμασταν
φώτιζες	φωτίζατε	φωτιζόσουν	φωτιζ-όσαστε, -όσασταν
φώτιζε	φώτιζαν	φωτιζόταν	φωτίζονταν
P. S. **I illuminated**		**I was illuminated**	
φώτισα	φωτίσαμε	φωτίστηκα	φωτιστήκαμε
φώτισες	φωτίσατε	φωτίστηκες	φωτιστήκατε
φώτισε	φώτισαν	φωτίστηκε	φωτίστηκαν
F. C. **I will be illuminating**		**I will be being illuminated**	
θα φωτίζω		θα φωτίζομαι	
θα φωτίζεις	etc.	θα φωτίζεσαι	etc.
F. S. **I will illuminate**		**I will be illuminated**	
θα φωτίσω	θα φωτίσουμε	θα φωτιστώ	θα φωτιστούμε
θα φωτίσεις	θα φωτίσετε	θα φωτιστείς	θα φωτιστείτε
θα φωτίσει	θα φωτίσουν	θα φωτιστεί	θα φωτιστούν
Pr. P. **I have illuminated**		**I have been illuminated**	
έχω φωτίσει		έχω φωτιστεί	
έχεις φωτίσει	etc.	έχεις φωτιστεί	etc.
P. P. **I had illuminated**		**I had been illuminated**	
είχα φωτίσει		είχα φωτιστεί	
είχες φωτίσει	etc.	είχες φωτιστεί	etc.
F. P. **I will have illuminated**		**I will have been illuminated**	
θα έχω φωτίσει		θα έχω φωτιστεί	
θα έχεις φωτίσει	etc.	θα έχεις φωτιστεί	etc.

		Subjunctive	(with να, για να, αν, όταν, etc.)	
P.	να φωτίζω	that I may be illuminating	να φωτίζομαι	that I may be being illuminated
P. S.	να φωτίσω	that I may illuminate	να φωτιστώ	that I may be illuminated
Pr. P.	να έχω φωτίσει	that I may have illuminated	να έχω φωτιστεί	that I may have been illuminated

		Imperative		
P.	φώτιζε (sing.)	be illuminating	φωτίζου (sing.)	be being illuminated
	φωτίζετε (pl.)	be illuminating	φωτίζεστε (pl.)	be being illuminated
P. S.	φώτισε (sing.)	illuminate	φωτίσου (sing.)	be illuminated
	φωτίστε (pl.)	illuminate	φωτιστείτε (pl.)	be illuminated

	Infinitive		
να φωτίσει	to illuminate	να φωτιστεί	to be illuminated

	Participle		
φωτίζοντας	illuminating	φωτισμέν-ος, -η, -ο	illuminated

(Examples on page 374)

Examples od uses of verbs beginning with **φ**

φαντάζω – φαντάζομαι

Αυτό το κορίτσι φαντάζει.	This girl makes an impression.
Φανταστείτε ότι βρισκόμαστε σε μια ωραία ακροθαλασσιά.	Imagine that we find ourselves in a beautiful seaside.
Φαντάζομαι πως θα έλθει αύριο.	I imagine he will come tomorrow.
Ο φίλος μου είναι πολύ φαντασμένος.	My friend is very conceited.
Φανταστείτε πως κάνουμε ένα ταξίδι στο διάστημα.	Imagine that we take a trip into space.
Φαντάζομαι τη χαρά σου, όταν κέρδισες το λαχείο.	I can imagine your joy when you won the lottery.
Στον κήπο φαντάζουν ωραία λουλούδια.	Beautiful flowers in the garden make an impression.
Δεν φανταζόμουνα ότι δεν είχε λεφτά.	I could not imagine that he did not have any money.
Είναι αδύνατο να φανταστεί κανείς πόσο ωραίο είναι το νησί αυτό.	It is impossible for someone to imagine how beautiful this island is.

φέρνω

Σας φέρνω καλά νέα.	I bring you good tidings.
Σε παρακαλώ φέρε μου ένα ποτήρι νερό.	Please, bring me a glass of water.
Τι έφερε ο ταχυδρόμος;	What did the mailman bring?
Φέρθηκε πολύ άσχημα.	He behaved very rudely.
Το αεροπλάνο είναι φερμένο.	The airplane has come.
Οι εισβολείς έφεραν μεγάλη δυστυχία στη χώρα.	The invaders brought much misery to the country.
Μη φέρεσαι έτσι.	Do not behave in this way.

φιλώ

Με φίλησε.	He kissed me.
Η μητέρα φιλεί το παιδί της προτού αυτό φύγει για το σχολείο.	Mother kisses her child before he leaves for school.
Τους είδαμε που φιλιόνταν.	We saw them kissing each other.
Φίλα με γλυκά στο στόμα.	Kiss me sweetly on the mouth.

φορώ

Τον χειμώνα φορούμε μάλλινα ρούχα.	In winter we wear woolen clothes.
Τι θα φορέσεις στον χορό;	What will you wear at the dance?
Αυτό το παλτό δεν φοριέται τώρα.	This coat cannot be worn now.
Είναι πολύ βαρύ.	It is too heavy.
Φόρεσε ό,τι θέλεις.	Put on whatever you wish.

φυλάγω

Ο Θεός να σε φυλάξει!	May God keep and preserve you.
Θεός φυλάξει!	God forbid!
Δε φυλάγει καθόλου τα βιβλία του.	He does not at all take care of his books.
Μας φύλαξε από τις επιθέσεις των σκυλιών.	He guarded us against the attacks of the dogs.
Στο μουσείο φυλάγονται περίφημα έργα τέχνης.	Famous works of art are kept in the museum.
Δε φυλαγόταν, γι' αυτό κρύωσε.	He was not taking care of himself and he caught cold.
Φύλαξε λίγα λεφτά για τα γηρατειά σου.	Save some money for your old age.

φωτίζω

Ο δρόμος φωτίζεται από πολλά φώτα.	The street is illuminated by many lights.
Μας φώτισε με τη διάλεξή του.	He enlightened us through his lecture.
	(Sarcastically: His lecture offered nothing new.)
Ο Θεός να σε φωτίσει.	May God enlighten you!
Αυτό το φως φωτίζει το δωμάτιο πολύ ωραία.	This light provides good light for the room.
Όλη η πόλη φωτίστηκε από τα βεγγαλικά.	The whole city was illuminated by the fire works.

	Active Voice, Indicative	

P. I pat

χαϊδεύω   χαϊδεύουμε
χαϊδεύεις   χαϊδεύετε
χαϊδεύει   χαϊδεύουν

Passive Voice, Indicative

I am caressed, I am being patted

χαϊδεύομαι   χαϊδευόμαστε
χαϊδεύεσαι   χαϊδεύεστε
χαϊδεύεται   χαϊδεύονται

P. C. I was patting

χάιδευα   χαϊδεύαμε
χάιδευες   χαϊδεύατε
χάιδευε   χάιδευαν

I was being caressed

χαϊδευόμουν   χαϊδευ-όμαστε, -όμασταν
χαϊδευόσουν   χαϊδευ-όσαστε, -όσασταν
χαϊδευόταν   χαϊδεύονταν

P. S. I patted

χάιδεψα   χαϊδέψαμε
χάιδεψες   χαϊδέψατε
χάιδεψε   χάιδεψαν

I was caressed

χαϊδεύτηκα   χαϊδευτήκαμε
χαϊδεύτηκες   χαϊδευτήκατε
χαϊδεύτηκε   χαϊδεύτηκαν

F. C. I will be patting

θα χαϊδεύω
θα χαϊδεύεις   etc.

I will be being caressed

θα χαϊδεύομαι
θα χαϊδεύεσαι   etc.

F. S. I will pat

θα χαϊδέψω   θα χαϊδέψουμε
θα χαϊδέψεις   θα χαϊδέψετε
θα χαϊδέψει   θα χαϊδέψουν

I will be caressed

θα χαϊδευτώ   θα χαϊδευτούμε
θα χαϊδευτείς   θα χαϊδευτείτε
θα χαϊδευτεί   θα χαϊδευτούν

Pr. P. I have patted

έχω χαϊδέψει
έχεις χαϊδέψει   etc.

I have been caressed

έχω χαϊδευτεί
έχεις χαϊδευτεί   etc.

P. P. I had patted

είχα χαϊδέψει
είχες χαϊδέψει   etc.

I had been caressed

είχα χαϊδευτεί
είχες χαϊδευτεί   etc.

F. P. I will have patted

θα έχω χαϊδέψει
θα έχεις χαϊδέψει   etc.

I will have been caressed

θα έχω χαϊδευτεί
θα έχεις χαϊδευτεί   etc.

Subjunctive (with να, για να, αν, όταν, etc.)

P.   να χαϊδεύω   that I may be patting   να χαϊδεύομαι   that I may be being caressed
P. S.   να χαϊδέψω   that I may pat   να χαϊδευτώ   that I may be caressed
Pr. P.   να έχω χαϊδέψει   that I may have patted   να έχω χαϊδευτεί   that I may have been caressed

Imperative

P.   χάιδευε (sing.)   be patting   χαϊδεύου (sing.) be being caressed
     χαϊδεύετε (pl.)   be patting   χαϊδεύεστε (pl.) be being caressed
P. S.   χάιδεψε (sing.)   pat   χαϊδέψου (sing.) be caressed
     χαϊδέψτε (pl.)   pat   χαϊδευθείτε (pl.) be caressed

Infinitive

να χαϊδέψει   to pat, to caress   να χαϊδευτεί   to be caressed, patted

Participle

χαϊδεύοντας   patting, caressing   χαϊδεμέν-ος, -η, -ο   caressed, pampered, spoiled
(Examples on page 395)

χαιρετώ (2) – to greet; to salute

	Active Voice, Indicative		*Passive Voice, Indicative*	
P.	**I greet**		**I am greeted, I am being greeted**	
	χαιρετώ	χαιρετούμε	χαιρετιέμαι	χαιρετιόμαστε
	χαιρετάς	χαιρετάτε	χαιρετιέσαι	χαιρετιέστε
	χαιρετά	χαιρετούν	χαιρετιέται	χαιρετιούνται
P. C.	**I was greeting**		**I was being greeted**	
	χαιρετούσα	χαιρετούσαμε	χαιρετιόμουν	χαιρετιόμαστε
	χαιρετούσες	χαιρετούσατε	χαιρετιόσουν	χαιρετιόσαστε
	χαιρετούσε	χαιρετούσαν	χαιρετιόταν	χαιρετιόνταν
P. S.	**I greeted**		**I was greeted**	
	χαιρέτησα	χαιρετήσαμε	χαιρετίστηκα	χαιρετιστήκαμε
	χαιρέτησες	χαιρετήσατε	χαιρετίστηκες	χαιρετιστήκατε
	χαιρέτησε	χαιρέτησαν	χαιρετίστηκε	χαιρετίστηκαν
F. C.	**I will be greeting**		**I will be being greeted**	
	θα χαιρετώ		θα χαιρετιέμαι	
	θα χαιρετάς	etc.	θα χαιρετιέσαι	etc.
F. S.	**I will greet**		**I will be greeted**	
	θα χαιρετήσω	θα χαιρετήσουμε	θα χαιρετηθώ	θα χαιρετηθούμε
	θα χαιρετήσεις	θα χαιρετήσετε	θα χαιρετηθείς	θα χαιρετηθείτε
	θα χαιρετήσει	θα χαιρετήσουν	θα χαιρετηθεί	θα χαιρετηθούν
Pr. P.	**I have greeted**		**I have been greeted**	
	έχω χαιρετήσει		έχω χαιρετηθεί	
	έχεις χαιρετήσει	etc.	έχεις χαιρετηθεί	etc.
P. P.	**I had greeted**		**I had been greeted**	
	είχα χαιρετήσει		είχα χαιρετηθεί	
	είχες χαιρετήσει	etc.	είχες χαιρετηθεί	etc.
F. P.	**I will have greeted**		**I will have been greeted**	
	θα έχω χαιρετήσει		θα έχω χαιρετηθεί	
	θα έχεις χαιρετήσει	etc.	θα έχεις χαιρετηθεί	etc.

Subjunctive (with να, για να, αν, όταν, etc.)

P.	να χαιρετώ	that I may be greeting	να χαιρετιέμαι	that I may be being greeted
P. S.	να χαιρετήσω	that I may greet	να χαιρετηθώ	that I may be greeted
Pr. P.	να έχω χαιρετήσει	that I may have greeted	να έχω χαιρετηθεί	that I may have been greeted

Imperative

P.	χαιρέτα (sing.)	be greeting	-	
	χαιρετάτε (pl.)	be greeting	-	
P. S.	χαιρέτησε (sing.)	greet	χαιρετήσου (sing.)	be greeted
	χαιρετήστε (pl.)	greet	χαιρετηθείτε (pl.)	be greeted

Infinitive

να χαιρετήσει	to greet	να χαιρετηθεί	to be greeted

Participle

χαιρετώντας	greeting	(no form)

(Examples on page 395)

χαίρομαι (4) – to be pleased with; to rejoice at
χαίρω (1) – to be glad; to have pleasure; to delight; to be pleased

	Indicative	
P.	**I am glad, I rejoice at**	
	χαίρομαι	χαιρόμαστε
	χαίρεσαι	χαίρεστε
	χαίρεται	χαίρονται

	P. C.	**I was glad, I was rejoicing**	
		χαιρόμουν	χαιρόμαστε
		χαιρόσουν	χαιρόσαστε
		χαιρόταν	χαίρονταν

	P. S.	**I was glad**	
		χάρηκα	χαρήκαμε
		χάρηκες	χαρήκατε
		χάρηκε	χάρηκαν

	F. C.	**I will be being glad**	
		θα χαίρομαι	θα χαιρόμαστε
		θα χαίρεσαι	θα χαίρεστε
		θα χαίρεται	θα χαίρονται

	F. S.	**I will be glad**	
		θα χαρώ	θα χαρούμε
		θα χαρείς	θα χαρείτε
		θα χαρεί	θα χαρούν

Pr. P. **I have been glad**
  έχω χαρεί
  έχεις χαρεί   etc.

P. P. **I had been glad**
  είχα χαρεί
  είχες χαρεί   etc.

F. P. **I will have been glad**
  θα έχω χαρεί
  θα έχεις χαρεί   etc.

Subjunctive
(with να, για να, όταν, etc.)

P.	να χαίρομαι	that I may be rejoicing
P. S.	να χαρώ	that I may rejoice
Pr. P.	να έχω χαρεί	that I may have rejoiced

Imperative of the verb χαίρω (active voice)

P.	χαίρε (sing.)	be glad, be rejoicing
P. S.	χαρείτε (pl.)	be glad, rejoice

Infinitive

να χαρεί	to be glad, to rejoice

*   The verb occurs also in active form as in: «Χαίρω για τη γνωριμία σας» -
I am glad to meet you.

Examples:

Χαίρε – Χαίρετε!	Hello! Good-bye. Be of good cheer.
Δε χάρηκε τη ζωή του.	He did not enjoy his life.
Χάρηκα που σε είδα.	I was glad to see you. (I was delighted to see you).
Δε χαίρεται τα πλούτη του.	He does not enjoy his riches.
Να χαίρεσαι τα παιδιά σου.	May you live and find joy in your children.
Χαρείτε την ομορφιά της άνοιξης.	Enjoy the beauty of spring.

	Indicative		*Subjunctive*		
P.	**I lower**		(with να, για να, όταν, etc.)		
	χαμηλώνω	χαμηλώνουμε	P.	να χαμηλώνω	that I may be lowering
	χαμηλώνεις	χαμηλώνετε	P. S.	να χαμηλώσω	that I may lower
	χαμηλώνει	χαμηλώνουν	Pr. P.	να έχω χαμηλώσει	that I may have lowered

P. C.	**I was lowering**		**Imperative**		
	χαμήλωνα	χαμηλώναμε	P.	χαμήλωνε (sing.)	be lowering
	χαμήλωνες	χαμηλώνατε		χαμηλώνετε (pl.)	be lowering
	χαμήλωνε	χαμήλωναν	P. S.	χαμήλωσε (sing.)	lower
				χαμηλώστε (pl.)	lower

P. S.	**I lowered**				
	χαμήλωσα	χαμηλώσαμε			
	χαμήλωσες	χαμηλώσατε	**Infinitive**		
	χαμήλωσε	χαμήλωσαν		να χαμηλώσει	to lower

F. C.	**I will be lowering**		**Participle**	
	θα χαμηλώνω	θα χαμηλώνουμε	χαμηλώνοντας	lowering
	θα χαμηλώνεις	θα χαμηλώνετε		
	θα χαμηλώνει	θα χαμηλώνουν		

F. S.	**I will lower**	
	θα χαμηλώσω	θα χαμηλώσουμε
	θα χαμηλώσεις	θα χαμηλώσετε
	θα χαμηλώσει	θα χαμηλώσουν

Pr. P.	**I have lowered**	
	έχω χαμηλώσει	
	έχεις χαμηλώσει	etc.

P. P.	**I had lowered**	
	είχα χαμηλώσει	
	είχες χαμηλώσει	etc.

F. P.	**I will have lowered**	
	θα έχω χαμηλώσει	
	θα έχεις χαμηλώσει	etc.

Examples:

Οι τιμές χαμήλωσαν λίγο.	The prices have gone down a little.
Χαμήλωσε να δω το καπέλο σου.	Bend down so I can see your hat.
Η πόρτα ήταν χαμηλή, έτσι χαμήλωσα να μπω μέσα.	The door was low so I stooped down in order to go in.
Από το πολύ χιόνι τα κλαδιά των δέντρων χαμήλωσαν από το βάρος.	Because of the amount of snow the branches of the trees swayed with the weight.
Χαμήλωσε τη φωνή σου.	Lower your voice.

	Indicative	
P.	**I smile**	
	χαμογελ-ώ, -άω	χαμογελ-ούμε, -άμε
	χαμογελάς	χαμογελάτε
	χαμογελ-ά, -άει	χαμογελ-ούν, -άνε
P. C.	**I was smiling**	
	χαμογελούσα	χαμογελούσαμε
	χαμογελούσες	χαμογελούσατε
	χαμογελούσε	χαμογελούσαν
P. S.	**I smiled**	
	χαμογέλασα	χαμογελάσαμε
	χαμογέλασες	χαμογελάσατε
	χαμογέλασε	χαμογέλασαν
F. C.	**I will be smiling**	
	θα χαμογελώ	θα χαμογελούμε
	θα χαμογελάς	θα χαμογελάτε
	θα χαμογελά	θα χαμογελούν
F. S.	**I will smile**	
	θα χαμογελάσω	θα χαμογελάσουμε
	θα χαμογελάσεις	θα χαμογελάσετε
	θα χαμογελάσει	θα χαμογελάσουν
Pr. P.	**I have smiled**	
	έχω χαμογελάσει	
	έχεις χαμογελάσει	etc.
P. P.	**I had smiled**	
	είχα χαμογελάσει	
	είχες χαμογελάσει	etc.
F. P.	**I will have smiled**	
	θα έχω χαμογελάσει	
	θα έχεις χαμογελάσει	etc.

	Subjunctive	
	(with να, για να, όταν, etc.)	
P.	να χαμογελώ	that I may be smiling
P. S.	να χαμογελάσω	that I may smile
Pr. P.	να έχω χαμογελάσει	that I may have smiled
	Imperative	
P.	χαμογέλα (sing.)	be smiling
	χαμογελάτε (pl.)	be smiling
P. S.	χαμογέλασε (sing.)	smile
	χαμογελάστε (pl.)	smile
	Infinitive	
	να χαμογελάσει	to smile
	Participle	
	χαμογελώντας	smiling

Examples:

Μου χαμογέλασε.	He (she) smiled at me.
Αυτό το παιδί όλο χαμογελά.	This child always smiles.
Ήλθε χαμογελώντας.	He came smiling.
Χαμογελάστε, παρακαλώ, για να πάρω μια φωτογραφία.	Smile, please, for your picture.

	Active Voice, Indicative			**Passive Voice, Indicative**	
P.	**I lose**			**I am being lost, I am lost**	
	χάνω	χάνουμε		χάνομαι	χανόμαστε
	χάνεις	χάνετε		χάνεσαι	χάνεστε
	χάνει	χάνουν		χάνεται	χάνονται
P. C.	**I was losing**			**I was being lost**	
	έχανα	χάναμε		χανόμουν	χαν-όμαστε, -όμασταν
	έχανες	χάνατε		χανόσουν	χαν-όσαστε, -όσασταν
	έχανε	έχαναν		χανόταν	χάνονταν
P. S.	**I lost**			**I was lost**	
	έχασα	χάσαμε		χάθηκα	χαθήκαμε
	έχασες	χάσατε		χάθηκες	χαθήκατε
	έχασε	έχασαν		χάθηκε	χάθηκαν
F. C.	**I will be losing**			**I will be being lost**	
	θα χάνω			θα χάνομαι	
	θα χάνεις	etc.		θα χάνεσαι	etc.
F. S.	**I will lose**			**I will be lost**	
	θα χάσω	θα χάσουμε		θα χαθώ	θα χαθούμε
	θα χάσεις	θα χάσετε		θα χαθείς	θα χαθείτε
	θα χάσει	θα χάσουν		θα χαθεί	θα χαθούν
Pr. P.	**I have lost**			**I have been lost**	
	έχω χάσει			έχω χαθεί	
	έχεις χάσει	etc.		έχεις χαθεί	etc.
P. P.	**I had lost**			**I had been lost**	
	είχα χάσει			είχα χαθεί	
	είχες χάσει	etc.		είχες χαθεί	etc.
F. P.	**I will have lost**			**I will have been lost**	
	θα έχω χάσει			θα έχω χαθεί	
	θα έχεις χάσει	etc.		θα έχεις χαθεί	etc.

Subjunctive   (with να, για να, αν, όταν, etc.)

P.	να χάνω	that I may be losing	να χάνομαι	that I may be being lost
P. S.	να χάσω	that I may lose	να χαθώ	that I may be lost
Pr. P.	να έχω χάσει	that I may have lost	να έχω χαθεί	that I may have been lost

Imperative

P. S.	χάνε (sing.)	be losing		
	χάνετε (pl.)	be losing		
	χάσε (sing.)	lose	χάσου (sing.)	be lost
	χάσετε - χάστε (pl.) lose		χαθείτε (pl.)	be lost

Infinitive

να χάσει	to lose	να χαθεί	to be lost

Participle

χάνοντας	losing	χαμέν-ος, -η, -ο	lost
		(Examples on page 395)	

	Indicative	
P.	**I give away**	

χαρίζω	χαρίζουμε
χαρίζεις	χαρίζετε
χαρίζει	χαρίζουν

P. C.   **I was giving away**

χάριζα	χαρίζαμε
χάριζες	χαρίζατε
χάριζε	χάριζαν

P. S.   **I gave away**

χάρισα	χαρίσαμε
χάρισες	χαρίσατε
χάρισε	χάρισαν

F. C.   **I will be giving away**

θα χαρίζω	θα χαρίζουμε
θα χαρίζεις	θα χαρίζετε
θα χαρίζει	θα χαρίζουν

F. S.   **I will give away**

θα χαρίσω	θα χαρίσουμε
θα χαρίσεις	θα χαρίσετε
θα χαρίσει	θα χαρίσουν

Pr. P.   **I have given away**

έχω χαρίσει	
έχεις χαρίσει	etc.

P. P.   **I had given away**

είχα χαρίσει	
είχες χαρίσει	etc.

F. P.   **I will have given away**

θα έχω χαρίσει	
θα έχεις χαρίσει	etc.

Subjunctive

(with να, για να, όταν, etc.)

P.	να χαρίζω	that I may be giving away
P. S.	να χαρίσω	that I may give away
Pr. P.	να έχω χαρίσει	that I may have given away

Imperative

P.	χάριζε (sing.)	be giving away
	χαρίζετε (pl.)	be giving away
P.S.	χάρισε (sing.)	give away
	χαρίστε (pl.)	give away

Infinitive

να χαρίσει	to give away

Participle

χαρίζοντας	giving away

Passive, Past Simple tense – I was given away

χαρίστηκα	χαριστήκαμε
χαρίστηκες	χαριστήκατε
χαρίστηκε	χαρίστηκαν

Passive Participle

χαρισμέν-ος, -η, -ο
                given away, donated

Examples:

Μου χάρισε ένα βιβλίο.	He gave me a book.
Χάρισε στην πινακοθήκη τη συλλογή του από έργα τέχνης.	He donated his art collection to the Art Gallery.
Ο κυβερνήτης του χάρισε τη ζωή.	The governor commuted his life sentence.
Μας χάρισαν τα χρέη μας.	They liquidated our debts.

	Indicative			*Subjunctive*	

P.   **I applaud**

χειροκροτώ   χειροκροτούμε
χειροκροτείς   χειροκροτείτε
χειροκροτεί   χειροκροτούν

Subjunctive
(with να, για να, όταν, etc.)

P.   να χειροκροτώ   that I may be applauding
P. S.   να χειροκροτήσω   that I may applaud
Pr. P. να έχω χειροκροτήσει   that I may have
                                    applaud

P. C.   **I was applauding**

χειροκροτούσα   χειροκροτούσαμε
χειροκροτούσες   χειροκροτούσατε
χειροκροτούσε   χειροκροτούσαν

Imperative
P.   -
        χειροκροτάτε (pl.)   be applauding
P. S.   χειροκρότησε (sing.)   applaud
        χειροκροτείστε (pl.)   applaud

P. S.   **I applauded**

χειροκρότησα   χειροκροτήσαμε
χειροκρότησες   χειροκροτήσατε
χειροκρότησε   χειροκρότησαν

Infinitive
        να χειροκροτήσει   to applaud

F. C.   **I will be applauding**
θα χειροκροτώ
θα χειροκροτείς   etc.

Participle
        χειροκροτώντας   applauding

F. S.   **I will applaud**
θα χειροκροτήσω   θα χειροκροτήσουμε
θα χειροκροτήσεις   θα χειροκροτήσετε
θα χειροκροτήσει   θα χειροκροτήσουν

**Passive Present tense, Indicative
I was being applauded**

χειροκροτιέμαι   χειροκροτιόμαστε
χειτοκροτιέσαι   χειροκροτιέστε
χειροκροτιέται   χειροκροτιούνται

Pr. P.   **I have applauded**
έχω χειροκροτήσει
έχεις χειροκροτήσει   etc.

Passive Past Simple tense – I was applauded
χειροκροτήθηκα   χειροκροτηθήκαμε
χειροκροτήθηκες   χειροκροτηθήκατε
χειροκροτήθηκε   χειροκροτήθηκαν

P. P.   **I had applauded**
είχα χειροκροτήσει
είχες χειροκροτήσει   etc.

Passive Participle
        χειροκροτημέν-ος, -η, -ο   applauded

F. P.   **I will have applauded**
θα έχω χειροκροτήσει
θα έχεις χειροκροτήσει etc.

Examples:

Οι θεατές χειροκρότησαν θερμά τον
ηθοποιό.
Η ηθοποιός χειροκροτήθηκε θερμά
από τους θεατές.
Ο κόσμος χειροκροτούσε πολλή ώρα
ύστερα από την παράσταση.
Χειροκροτώ την πράξη σου.

The audience applauded the actor warmly.

The actress was applauded by the audience
warmly.
The people kept applauding long after the
end of the show.
I approve of your action. (I commend).

P.	χιονίζει	it snows, it is snowing
P. C.	χιόνιζε	it was snowing
P. S.	χιόνισε	it snowed
F. C.	θα χιονίζει	it will be snowing
F. S.	θα χιονίσει	it will snow
Pr. P.	έχει χιονίσει	it has snowed
P. P.	είχε χιονίσει	it had snowed
F. P.	θα έχει χιονίσει	it will have snowed

	Indicative			*Subjunctive*	

Indicative

P.   **I dance**

χορεύω   χορεύουμε
χορεύεις   χορεύετε
χορεύει   χορεύουν

P. C.   **I was dancing**

χόρευα   χορεύαμε
χόρευες   χορεύατε
χόρευε   χόρευαν

P. S.   **I danced**

χόρεψα   χορέψαμε
χόρεψες   χορέψατε
χόρεψε   χόρεψαν

F. C.   **I will be dancing**

θα χορεύω   θα χορεύουμε
θα χορεύεις   θα χορεύετε
θα χορεύει   θα χορεύουν

F. S.   **I will dance**

θα χορέψω   θα χορέψουμε
θα χορέψεις   θα χορέψετε
θα χορέψει   θα χορέψουν

Pr. P.   **I have danced**

έχω χορέψει
έχεις χορέψει   etc.

P. P.   **I had danced**

είχα χορέψει
είχες χορέψει   etc.

F. P.   **I will have danced**

θα έχω χορέψει
θα έχεις χορέψει   etc.

Subjunctive
(with να, για να, όταν, etc.)

P.	να χορεύω	that I may be dancing
P. S.	να χορέψω	that I may dance
Pr. P.	να έχω χορέψει	that I may have danced

Imperative

P.	χόρευε (sing.)	be dancing
	χορεύετε (pl.)	be dancing
P. S.	χόρεψε (sing.)	dance
	χορέψετε (pl.)	dance

Infinitive

	να χορέψει	to dance

Participle

	χορεύοντας	dancing

Examples:

Το κορίτσι χορεύει με χάρη.	The girl dances with grace.
Θα σε κάνω να χορεύεις.	(I will make you dance.) I will punish you.
Χορεύαμε μέχρι το πρωί.	We were dancing until morning hours.
Σηκωθείτε να χορέψετε.	Get up and dance.
Χόρευε όλο το βράδυ.	He/she was dancing all night long.
Ποιος χορεύει;	Who is dancing?

	Indicative		*Subjunctive*		
P.	**I am filled, satiated**		(with να, για να, όταν, etc.)		
	χορταίνω	χορταίνουμε	P.	να χορταίνω	that I may be being filled
	χορταίνεις	χορταίνετε	P. S.	να χορτάσω	that I may be filled
	χορταίνει	χορταίνουν	Pr. P.	να έχω χορτάσει	that I may have been filled

P. C.	**I was being filled, satiated**		**Imperative**		
	χόρταινα	χορταίναμε	P.	χόρταινε (sing.)	be being filled
	χόρταινες	χορταίνατε		χορταίνετε (pl.)	be being filled
	χόρταινε	χόρταιναν	P. S.	χόρτασε (sing.)	be filled
				χορτάστε (pl.)	be filled

P. S.	**I was filled, satiated**				
	χόρτασα	χορτάσαμε	**Infinitive**		να χορτάσει
	χόρτασες	χορτάσατε			to be filled, satiated
	χόρτασε	χόρτασαν			

F. C.	**I will be being filled, satiated**		**Participle**	χορταίνοντας
	θα χορταίνω	θα χορταίνουμε		being filled, satiated
	θα χορταίνεις	θα χορταίνετε		
	θα χορταίνει	θα χορταίνουν		

F. S.	**I will be filled, satiated**		**Passive Participle**	χορτασμέν-ος, -η, -ο
	θα χορτάσω	θα χορτάσουμε		satiated, satisfied, filled
	θα χορτάσεις	θα χορτάσετε		
	θα χορτάσει	θα χορτάσουν		

Pr. P.   **I have been filled, satiated**
έχω χορτάσει
έχεις χορτάσει   etc.

P. P.   **I had been filled, satiated**
είχα χορτάσει
είχες χορτάσει   etc.

F. P.   **I will have been filled, satiated**
θα έχω χορτάσει
θα έχεις χορτάσει   etc.

Examples:

Τρώει, τρώει και ποτέ δεν χορταίνει.	He eats and eats and he is never satisfied.
Χόρτασα, δε θέλω τίποτε άλλο.	I am full, I do not want anything else.
Μας χόρτασε ψευτιές.	We had more than enough of his lies.
Δε χορταίνω να σε βλέπω.	I can look at you for ever.
Χορτάσαμε από τα άνοστα αστεία του.	We had enough of his tasteless (flat) jokes.
Χόρτασα φέτος θέατρο.	I have had my share of theater this year.
Χορτάσαμε ψωμί.	We had plenty (of food).

	Indicative		*Subjunctive*		

P.   I need

χρειάζομαι	χρειαζόμαστε
χρειάζεσαι	χρειάζεστε
χρειάζεται	χρειάζονται

Subjunctive
(with να, για να, όταν, etc.)

P.	να χρειάζομαι	that I may be needing
P. S.	να χρειαστώ	that I may need
Pr. P.	να έχω χρειαστεί	that I may have needed

P. C.   I was being in need

χρειαζόμουν	χρειαζ-όμαστε, -όμασταν
χρειαζόσουν	χρειαζ-όσαστε, -όσασταν
χρειαζόταν	χρειάζονταν

Imperative

P.	χρειάζεστε (pl.)	be needing
P. S.	χρειαστείτε (pl.)	need

P. S.   I needed

χρειάστηκα	χρειαστήκαμε
χρειάστηκες	χρειαστήκατε
χρειάστηκε	χρειάστηκαν

Infinitive

να χρειαστεί	to need

F. C.   I will be in need

θα χρειάζομαι	θα χρειαζόμαστε
θα χρειάζεσαι	θα χρειάζεστε
θα χρειάζεται	θα χρειάζονται

F. S.   I will need

θα χρειαστώ	θα χρειαστούμε
θα χρειαστείς	θα χρειαστείτε
θα χρειαστεί	θα χρειαστούν

Pr. P.   I have needed

έχω χρειαστεί	
έχεις χρειαστεί	etc.

P. P.   I had needed

είχα χρειαστεί	
είχες χρειαστεί	etc.

F. P.   I will have needed

θα έχω χρειαστεί	
θα έχεις χρειαστεί	etc.

Examples:

Δε χρειάζομαι τίποτα.	I do not need anything.
Αυτό χρειάζεται προσοχή.	This requires attention.
Θα χρειαστούν πολλά λεφτά για τη δουλειά αυτή.	Much money will be required for this job.
Μου χρειάζεται το βιβλίο αυτό.	I need this book.
Τα χρειάστηκα.	I was afraid. I was terrified.

	Indicative	
P.	**I am of use**	
	χρησιμεύω	χρησιμεύουμε
	χρησιμεύεις	χρησιμεύετε
	χρησιμεύει	χρησιμεύουν

P. C.	**I was being of use**	
	χρησίμευα	χρησιμεύαμε
	χρησίμευες	χρησιμεύατε
	χρησίμευε	χρησίμευαν

P. S.	**I was of use**	
	χρησίμεψα	χρησιμέψαμε
	χρησίμεψες	χρησιμέψατε
	χρησίμεψε	χρησίμεψαν

F. C.	**I will be being of use**	
	θα χρησιμεύω	θα χρησιμεύουμε
	θα χρησιμεύεις	θα χρησιμεύετε
	θα χρησιμεύει	θα χρησιμεύουν

F. S.	**I will be of use**	
	θα χρησιμέψω	θα χρησιμέψουμε
	θα χρησιμέψεις	θα χρησιμέψετε
	θα χρησιμέψει	θα χρησιμέψουν

Pr. P.	**I have been of use**	
	έχω χρησιμέψει	έχουμε χρησιμέψει
	έχεις χρησιμέψει	έχετε χρησιμέψει
	έχει χρησιμέψει	έχουν χρησιμέψει

P. P.	**I had been of use**	
	είχα χρησιμέψει	
	είχες χρησιμέψει	etc.

F. P.	**I will have been of use**	
	θα έχω χρησιμέψει	
	θα έχεις χρησιμέψει	etc.

Subjunctive
(with να, για να, όταν, etc.)

P.	να χρησιμεύω	that I may be being of use
P.	να χρησιμέψω	that I may be of use
Pr. P.	να έχω χρησιμέψει	that I may have been of use

Imperative

P	χρησίμευε (sing.)	be being of use
	χρησιμεύετε (pl.)	be being of use
P. S.	χρησίμεψε (sing.)	be of use
	χρησιμέψετε (pl.)	be of use

Infinitive

να χρησιμέψει	to be of use

Participle

χρησιμεύοντας	being of use

Examples:

Σε τι χρησιμεύει αυτό το εργαλείο;	For what is this tool used?
Μας χρησίμεψε η σκηνή που μας δώσατε.	The tent you gave us has been of good use.
Αυτό το ποταμόπλοιο χρησιμεύει να μεταφέρει επιβάτες από τη μια πλευρά του ποταμού στην άλλη.	This river boat is used to carry passengers from one bank of the river to the other.
Πάρτε αυτά, θα σας χρησιμέψουν στο ταξίδι σας.	Take these, they will be of use to you in your trip.

Active Voice, Indicative*

P. I use

χρησιμοποιώ   χρησιμοποιούμε
χρησιμοποιείς   χρησιμοποιείτε
χρησιμοποιεί   χρησιμοποιούν

P. C. I was using

χρησιμοποιούσα   χρησιμοποιούσαμε
χρησιμοποιούσες   χρησιμοποιούσατε
χρησιμοποιούσε   χρησιμοποιούσαν

P. S. I used

χρησιμοποίησα   χρησιμοποιήσαμε
χρησιμοποίησες   χρησιμοποιήσατε
χρησιμοποίησε   χρησιμοποίησαν

F. C. I will be using

θα χρησιμοποιώ
θα χρησιμοποιείς   etc.

F. S. I will use

θα χρησιμοποιήσω   θα χρησιμοποιήσουμε
θα χρησιμοποιήσεις   θα χρησιμοποιήσετε
θα χρησιμοποιήσει   θα χρησιμοποιήσουν

Pr. P. I have used

έχω χρησιμοποιήσει
έχεις χρησιμοποιήσει   etc.

P. P. I had used

είχα χρησιμοποιήσει
είχες χρησιμοποιήσει   etc.

F. P. I will have used

θα έχω χρησιμοποιήσει
θα έχεις χρησιμοποιήσει   etc.

Subjunctive

P.   να χρησιμοποιώ   that I may be using
P. S.   να χρησιμοποιήσω   that I may use
Pr. P. να έχω χρησιμοποιήσει   that I may have used

Imperative

P. S.   χρησιμοποίησε (sing.)   use
        χρησιμοποιείστε (pl.)   use

Infinitive

        να χρησιμοποιήσει   to use

Participle

        χρησιμοποιώντας   using   ** For the passive Voice see next page.*

Passive Voice of χρησιμοποιώ (continued from the previous page)

P.   **I am used, I am being used**

χρησιμοποιούμαι   χρησιμοποιούμαστε
χρησιμοποιείσαι   χρησιμοποιείστε
χρησιμοποιείται   χρησιμοποιούνται

P. C.   **I was being used**

χρησιμοποιούμουν   χρησιμοποιούμ-αστε, -ασταν
χρησιμοποιούσουν   χρησιμοποιούσ-αστε, -ασταν
χρησιμοποιούνταν   χρησιμοποιούνταν

P. S.   **I was used**

χρησιμοποιήθηκα   χρησιμοποιηθήκαμε
χρησιμοποιήθηκες   χρησιμοποιηθήκατε
χρησιμοποιήθηκε   χρησιμοποιήθηκαν

F. C.   **I will be being used**

θα χρησιμοποιούμαι
θα χρησιμοποιείσαι   etc.

F. S.   **I will be used**

θα χρησιμοποιηθώ   θα χρησιμοποιηθούμε
θα χρησιμοποιηθείς   θα χρησιμοποιηθείτε
θα χρησιμοποιηθεί   θα χρησιμοποιηθούν

Pr. P.   **I have been used**

έχω χρησιμοποιηθεί
έχεις χρησιμοποιηθεί   etc.

P. P.   **I had been used**

είχα χρησιμοποιηθεί
είχες χρησιμοποιηθεί   etc.

F. P.   **I will have been used**

θα έχω χρησιμοποιηθεί
θα έχεις χρησιμοποιηθεί   etc.

Subjunctive

P.   να χρησιμοποιούμαι   that I may be being used
P. S.   να χρησιμοποιηθώ   that I may be used
Pr. P. να έχω χρησιμοποιηθεί   that I may have been used

Imperative

P. S.   χρησιμοποιήσου (sing.)   be used
        χρησιμοποιηθείτε (pl.)   be used

Infinitive

να χρησιμοποιηθεί   to be used

Participle

χρησιμοποιημέν-ος, -η, -ο   used

(Examples on page 395)

	Active Voice, Indicative		*Passive Voice, Indicative*	
P.	**I color**		**I am being colored, I am colored**	
	χρωματίζω	χρωματίζουμε	χρωματίζομαι	χρωματιζόμαστε
	χρωματίζεις	χρωματίζετε	χρωματίζεσαι	χρωματίζεστε
	χρωματίζει	χρωματίζουν	χρωματίζεται	χρωματίζονται
P. C.	**I was coloring**		**I was being colored**	
	χρωμάτιζα	χρωματίζαμε	χρωματιζόμουν	χρωματιζ-όμαστε, -όμασταν
	χρωμάτιζες	χρωματίζατε	χρωματιζόσουν	χρωματιζ-όσαστε, -όσασταν
	χρωμάτιζε	χρωμάτιζαν	χρωματιζόταν	χρωματίζονταν
P. S.	**I colored**		**I was colored**	
	χρωμάτισα	χρωματίσαμε	χρωματίστηκα	χρωματιστήκαμε
	χρωμάτισες	χρωματίσατε	χρωματίστηκες	χρωματιστήκατε
	χρωμάτισε	χρωμάτισαν	χρωματίστηκε	χρωματίστηκαν
F. C.	**I will be coloring**		**I will be being colored**	
	θα χρωματίζω		θα χρωματίζομαι	
	θα χρωματίζεις	etc.	θα χρωματίζεσαι	etc.
F. S.	**I will color**		**I will be colored**	
	θα χρωματίσω	θα χρωματίσουμε	θα χρωματιστώ	θα χρωματιστούμε
	θα χρωματίσεις	θα χρωματίσετε	θα χρωματιστείς	θα χρωματιστείτε
	θα χρωματίσει	θα χρωματίσουν	θα χρωματιστεί	θα χρωματιστούν
Pr. P.	**I have colored**		**I have been colored**	
	έχω χρωματίσει		έχω χρωματιστεί	
	έχεις χρωματίσει	etc.	έχεις χρωματιστεί	etc.
P. P.	**I had colored**		**I had been colored**	
	είχα χρωματίσει		είχα χρωματιστεί	
	είχες χρωματίσει	etc.	είχες χρωματιστεί	etc.
F. P.	**I will have colored**		**I will have been colored**	
	θα έχω χρωματίσει		θα έχω χρωματιστεί	
	θα έχεις χρωματίσει	etc.	θα έχεις χρωματιστεί	etc.

		Subjunctive	(with να, για να, αν, όταν, etc.)	
P.	να χρωματίζω	that I may be coloring	να χρωματίζομαι	that I may be being colored
P. S.	να χρωματίσω	that I may color	να χρωματιστώ	that I may be colored
P. P.	να έχω χρωματίσει	that I may have colored	να έχω χρωματιστεί	that I may have been colored

		Imperative		
p.	χρωμάτιζε (sing.)	be coloring	χρωματίζου (sing.)	be being colored
	χρωματίζετε (pl.)	be coloring	χρωματίζεστε (pl.)	be being colored
P. S.	χρωμάτισε (sing.)	color	χρωματίσου (sing.)	be colored
	χρωματίστε (pl.)	color	χρωματιστείτε (pl.)	be colored

		Infinitive		
	να χρωματίσει	to color	να χρωματιστεί	to be colored

		Participle		
	χρωματίζοντας	coloring	χρωματισμέν-ος, -η, -ο	colored
			(Examples on page 396)	

	Active Voice, Indicative		**Passive Voice, Indicative**	
P.	**I comb**		**I am combed, I am being combed**	
	χτενίζω	χτενίζουμε	χτενίζομαι	χτενιζόμαστε
	χτενίζεις	χτενίζετε	χτενίζεσαι	χτενίζεστε
	χτενίζει	χτενίζουν	χτενίζεται	χτενίζονται
P. C.	**I was combing**		**I was being combed**	
	χτένιζα	χτενίζαμε	χτενιζόμουν	χτενιζόμαστε
	χτένιζες	χτενίζατε	χτενιζόσουν	χτενιζόσαστε
	χτένιζε	χτένιζαν	χτενιζόταν	χτενίζονταν
P. S.	**I combed**		**I was combed**	
	χτένισα	χτενίσαμε	χτενίστηκα	χτενιστήκαμε
	χτένισες	χτενίσατε	χτενίστηκες	χτενιστήκατε
	χτένισε	χτένισαν	χτενίστηκε	χτενίστηκαν
F. C.	**I will be combing**		**I will be being combed**	
	θα χτενίζω		θα χτενίζομαι	
	θα χτενίζεις	etc.	θα χτενίζεσαι	etc.
F. S.	**I will comb**		**I will be combed**	
	θα χτενίσω	θα χτενίσουμε	θα χτενιστώ	θα χτενιστούμε
	θα χτενίσεις	θα χτενίσετε	θα χτενιστείς	θα χτενιστείτε
	θα χτενίσει	θα χτενίσουν	θα χτενιστεί	θα χτενιστούν
Pr. P.	**I have combed**		**I have been combed**	
	έχω χτενίσει		έχω χτενιστεί	
	έχεις χτενίσει	etc.	έχεις χτενιστεί	etc.
P. P.	**I had combed**		**I had been combed**	
	είχα χτενίσει		είχα χτενιστεί	
	είχες χτενίσει	etc.	είχες χτενιστεί	etc.
F. P.	**I will have combed**		**I will have been combed**	
	θα έχω χτενίσει		θα έχω χτενιστεί	
	θα έχεις χτενίσει	etc.	θα έχεις χτενιστεί	etc.

Subjunctive (with να, για να, αν, όταν, etc.)

P.	να χτενίζω	that I may be combing	να χτενίζομαι	that I may be being combed
P. S.	να χτενίσω	that I may comb	να χτενιστώ	that I may be combed
Pr. P.	να έχω χτενίσει	that I may have combed	να έχω χτενιστεί	that I may have been combed

Imperative

P.	χτένιζε (sing.)	be combing	χτενίζου (sing.)	be being combed
	χτενίζετε (pl.)	be combing	χτενίζεστε (pl.)	be being combed
P. S.	χτένισε (sing.)	comb	χτενίσου (sing.)	be combed
	χτενίστε (pl.)	comb	χτενιστείτε (pl.)	be combed

Infinitive

να χτενίσει	to comb	να χτενιστεί	to be combed

Participle

χτενίζοντας	combing	χτενισμέν-ος, -η, -ο	combed

(Examples on page 396)

	Active Voice, Indicative		**Passive Voice, Indicative**	
P.	**I build**		**I am built, I am being built**	
	χτίζω	χτίζουμε	χτίζομαι	χτιζόμαστε
	χτίζεις	χτίζετε	χτίζεσαι	χτίζεστε
	χτίζει	χτίζουν	χτίζεται	χτίζονται
P. C.	**I was building**		**I was being built**	
	έχτιζα	χτίζαμε	χτιζόμουν	χτιζόμαστε
	έχτιζες	χτίζατε	χτιζόσουν	χτιζόσαστε
	έχτιζε	έχτιζαν	χτιζόταν	χτίζονταν
P. S.	**I built**		**I was built**	
	έχτισα	χτίσαμε	χτίστηκα	χτιστήκαμε
	έχτισες	χτίσατε	χτίστηκες	χτιστήκατε
	έχτισε	έχτισαν	χτίστηκε	χτίστηκαν
F. C.	**I will be building**		**I will be being building**	
	θα χτίζω		θα χτίζομαι	
	θα χτίζεις	etc.	θα χτίζεσαι	etc.
F. S.	**I will build**		**I will be built**	
	θα χτίσω	θα χτίσουμε	θα χτιστώ	θα χτιστούμε
	θα χτίσεις	θα χτίσετε	θα χτιστείς	θα χτιστείτε
	θα χτίσει	θα χτίσουν	θα χτιστεί	θα χτιστούν
Pr. P.	**I have built**		**I have been built**	
	έχω χτίσει		έχω χτιστεί	
	έχεις χτίσει	etc.	έχεις χτιστεί	etc.
P. P.	**I had built**		**I had been built**	
	είχα χτίσει		είχα χτιστεί	
	είχες χτίσει	etc.	είχες χτιστεί	etc.
F. P.	**I will have built**		**I will have been built**	
	θα έχω χτίσει		θα έχω χτιστεί	
	θα έχεις χτίσει	etc.	θα έχεις χτιστεί etc.	

Subjunctive (with να, για να, αν, όταν, etc.)

P.	να χτίζω	that I may be building	να χτίζομαι	that I may be being built
P. S.	να χτίσω	that I may build	να χτιστώ	that I may be built
Pr. P.	να έχω χτίσει	that I may have built	να έχω χτιστεί	that I may have been built

Imperative

P.	χτίζε (sing.)	be building	χτίζου (sing.)	be being built
	χτίζετε (pl.)	be building	χτίζεστε (pl.)	be being built
P. S.	χτίσε (sing.)	build	χτίσου (sing.)	be built
	χτίστε (pl.)	build	χτιστείτε (pl.)	be built

Infinitive

να χτίσει	to build	να χτιστεί	to be built

Participle

χτίζοντας	building	χτισμέν-ος, -η, -ο	built

(Examples on page 396)

	Active Voice, Indicative		*Passive Voice, Indicative*	
P.	**I hit, I am hitting**		**I am hit, I am being hit**	
	χτυπ-ώ, -άω	χτυπ-ούμε, -άμε	χτυπιέμαι	χτυπιόμαστε
	χτυπάς	χτυπάτε	χτυπιέσαι	χτυπιέστε
	χτυπ-ά, άει	χτυπ-ούν, -άνε	χτυπιέται	χτυπιούνται
P. C.	**I was hitting**		**I was being hit**	
	χτυπούσα	χτυπούσαμε	χτυπιόμουν	χτυπιόμαστε
	χτυπούσες	χτυπούσατε	χτυπιόσουν	χτυπιόσαστε
	χτυπούσε	χτυπούσαν	χτυπιόταν	χτυπιόνταν
P. S.	**I hit**		**I was hit**	
	χτύπησα	χτυπήσαμε	χτυπήθηκα	χτυπηθήκαμε
	χτύπησες	χτυπήσατε	χτυπήθηκες	χτυπηθήκατε
	χτύπησε	χτύπησαν	χτυπήθηκε	χτυπήθηκαν
F. C.	**I will be hitting**		**I will be being hit**	
	θα χτυπώ		θα χτυπιέμαι	
	θα χτυπάς	etc.	θα χτυπιέσαι	etc.
F. S.	**I will hit**		**I will be hit**	
	θα χτυπήσω	θα χτυπήσουμε	θα χτυπηθώ	θα χτυπηθούμε
	θα χτυπήσεις	θα χτυπήσετε	θα χτυπηθείς	θα χτυπηθείτε
	θα χτυπήσει	θα χτυπήσουν	θα χτυπηθεί	θα χτυπηθούν
Pr. P.	**I have hit**		**I have been hit**	
	έχω χτυπήσει		έχω χτυπηθεί	
	έχεις χτυπήσει	etc.	έχεις χτυπηθεί	etc.
P. P.	**I had hit**		**I had been hit**	
	είχα χτυπήσει		είχα χτυπηθεί	
	είχες χτυπήσει	etc.	είχες χτυπηθεί	etc.
F. P.	**I will have hit**		**I will have been hit**	
	θα έχω χτυπήσει		θα έχω χτυπηθεί	
	θα έχεις χτυπήσει	etc.	θα έχεις χτυπηθεί	etc.

		Subjunctive	(with να, για να, αν, όταν, etc.)	
p.	να χτυπώ	that I may be hitting	να χτυπιέμαι	that I may be being hit
p. s.	να χτυπήσω	that I may hit	να χτυπηθώ	that I may be hit
Pr. P.	να έχω χτυπήσει	that I may have hit	να έχω χτυπηθεί	that I may have been hit
		Imperative		
P.	χτύπα (sing.)	be hitting	-	
	χτυπάτε (pl.)	be hitting	-	
P. S.	χτύπησε (sing.)	hit	χτυπήσου (sing.)	be hit
	χτυπήστε (pl.)	hit	χτυπηθείτε (pl.)	be hit
		Infinitive		
	να χτυπήσει	to hit	να χτυπηθεί	to be hit
		Participle		
	χτυπώντας	hitting	χτυπημέν-ος, -η, -ο	hit, wounded
			(Examples on page 396)	

	Active Voice, Indicative		*Passive Voice, Indicative*	
P.	**I separate**		**I am separated, I am being separated**	
	χωρίζω	χωρίζουμε	χωρίζομαι	χωριζόμαστε
	χωρίζεις	χωρίζετε	χωρίζεσαι	χωρίζεστε
	χωρίζει	χωρίζουν	χωρίζεται	χωρίζονται
P. C.	**I was separating**		**I was being separated**	
	χώριζα	χωρίζαμε	χωριζόμουν	χωριζ-όμαστε, -όμασταν
	χώριζες	χωρίζατε	χωριζόσουν	χωριζ-όσαστε, -όσασταν
	χώριζε	χώριζαν	χωριζόταν	χωρίζονταν
P. S.	**I separated**		**I was separated**	
	χώρισα	χωρίσαμε	χωρίστηκα	χωριστήκαμε
	χώρισες	χωρίσατε	χωρίστηκες	χωριστήκατε
	χώρισε	χώρισαν	χωρίστηκε	χωρίστηκαν
F. C.	**I will be separating**		**I will be being separated**	
	θα χωρίζω		θα χωρίζομαι	
	θα χωρίζεις	etc.	θα χωρίζεσαι	etc.
F. S.	**I will separate**		**I will be separated**	
	θα χωρίσω	θα χωρίσουμε	θα χωριστώ	θα χωριστούμε
	θα χωρίσεις	θα χωρίσετε	θα χωριστείς	θα χωριστείτε
	θα χωρίσει	θα χωρίσουν	θα χωριστεί	θα χωριστούν
Pr. P.	**I have separated**		**I have been separated**	
	έχω χωρίσει		έχω χωριστεί	
	έχεις χωρίσει	etc.	έχεις χωριστεί	etc.
P. P.	**I had separated**		**I had been separated**	
	είχα χωρίσει		είχα χωριστεί	
	είχες χωρίσει	etc	είχες χωριστεί	etc.
F. P.	**I will have separated**		**I will have been separated**	
	θα έχω χωρίσει		θα έχω χωριστεί	
	θα έχεις χωρίσει	etc.	θα έχεις χωριστεί	etc.

Subjunctive (with να, για να, αν, όταν, etc.)

P.	να χωρίζω	that I may be separating	να χωρίζομαι	that I may be being separated
P. S.	να χωρίσω	that I may separate	να χωριστώ	that I may be separated
Pr. P.	να έχω χωρίσει	that I may have separated	να έχω χωριστεί	that I may have been separated

Imperative

P.	χώριζε (sing.)	be separating	χωρίζου (sing.)	be being separated
	χωρίζετε (pl.)	be separating	χωρίζεστε (pl.)	be being separated
P. S.	χώρισε (sing.)	separate	χωρίσου (sing.)	be separated
	χωρίστε (pl.)	separate	χωριστείτε (pl.)	be separated

Infinitive

να χωρίσει	to separate	να χωριστεί	to be separated

Participle

χωρίζοντας	separating	χωρισμέν-ος, -η, -ο	separated

(Examples on page 397)

Examples of uses of verbs beginning with χ

χαϊδεύω

Η μητέρα χαϊδεύει τα παιδιά της.	The mother caresses her children.
Ο μικρός Τάκης χάιδεψε το γατάκι του.	Young Takis patted his kitten.
Χαϊδεύτηκε πολύ.	He (she) has become very vain. (conceited)
Είναι χαϊδεμένο παιδί.	He is a conceited child. (spoiled)
Μ' αρέσει να χαϊδεύω τα χρυσά της μαλλιά.	I like to stroke her golden hair.

χαιρετώ

Φεύγοντας μας χαιρέτησε με το μαντήλι του.	While leaving he waved good-bye with his handkerchief.
Χαιρετίζουμε τον ερχομό της ελευθερίας στη χώρα μας.	We greet the coming of freedom to our country.
Συναντηθήκαμε στον δρόμο και χαιρετηθή-καμε θερμά.	We met in the street and greeted each other warmly.
Σας χαιρετά ο κύριος Αδαμόπουλος.	Mr. Adamopoulos sends you greetings.
Θα χαιρετήσει το συνέδριο εκ μέρους του Προέδρου.	On behalf of the president he will greet the conference.

χάνω

Χαθήκαμε.	We were lost.
Χάσαμε τον δρόμο.	We lost our way
Χάσαμε τα λεφτά μας.	We lost our money.
Έχασα στα χαρτιά.	I lost money playing cards.
Τα χάνει.	Often he does not know what he is doing.
Έχασε το μυαλό του.	He lost his mind.
Χάνω τα νερά μου. *	I do not know what I am doing.*
Χάσαμε την ευκαιρία.	We missed the chance.
Χάσαμε τη πτήση μας.	We missed our flight.
Μη χάνεις τον καιρό σου.	Do not waste your time.
Χάνω τις ώρες μου.	I am wasting my time.
Τι θα χάσεις; Δεν έχεις να χάσεις τίποτα.	What are you going to lose? You will not lose anything.
Χάθηκε από τον κόσμο.	He disappeared from society. (He became a recluse).
Πήγαινε να χαθείς. Άντε χάσου.	Get lost.
Τάχει (τα έχει) χαμένα.	He has lost his mind.
Χάνομαι γι' αυτήν.	I even give my life for her.
Αν δεν έρθεις, θα χάσεις	If you do not come, you will lose.

I lose my whereabouts like a fish wanders from known to unknown waters and perishes.

χρησιμοποιώ

Στην τάξη μας χρησιμοποιούμε πολλά βιβλία.	We use many books in our class.
Στην αρχαία εποχή για χαρτί χρησιμο-ποιούνταν ο πάπυρος.	In ancient times papyrus was used in place of paper.
Αυτά τα παπούτσια έχουν χρησιμοποιηθεί πολύ και έχουν λειώσει.	These shoes have been used very much and are worn out.
Σε τι θα χρησιμοποιηθεί αυτό το μηχάνημα;	For what is this machine going to be used?
Χρησιμοποιούμε λάδι της ελιάς στα φαγητά μας.	We use olive oil in our cooking.

χρωματίζω

Χρωματίζω το κουτί κόκκινο και πράσινο. I color the box red and green.
Χρωματίστε την αμερικανική σημαία. Color the American flag.
Ο ουρανός χρωματίστηκε κόκκινος από την The sky was colored red with the
ανατολή του ήλιου. rise of the sun.
Από τη βροχή το νερό χρωματίστηκε μαύρο. The water became black because of the
rain.

χτενίζω

Ο κουρέας χτενίζει τα μαλλιά μου. The barber combs my hair.
Τα μαλλιά μου χτενίζονται από τον My hair is (being) combed by
κουρέα. the barber.
Χτες χτενίστηκα στο κουρείο. I combed my hair yesterday at the barber.
Η μητέρα θα χτενίσει τα μαλλιά του The mother will comb the child's hair.
παιδιού.
Τα μαλλιά του παιδιού είναι τώρα The child's hair is now combed.
χτενισμένα.
Γιαννάκη, χτένισε τα μαλλιά σου. John, comb your hair.
Τα μαλλιά μου είναι τόσο πυκνά My hair is so thick that I comb it
ώστε με δυσκολία χτενίζονται. with difficulty.

χτίζω

Το σπίτι μας χτίζεται τώρα. Our house is being built now.
Πότε θα χτίσετε το σπίτι σας; When are you going to build your house?
Τα σπίτια έχουν χτιστεί το ένα The houses have been built close
κοντά στο άλλο. together.
Τι χτίζεται εδώ; What is being built here?
Εσείς, τι χτίζετε εδώ; What are you building here?

χτυπώ

Έπεσα κάτω και χτύπησα το κεφάλι μου. I fell down and hit my head.
Το ρολόι χτυπά δώδεκα η ώρα. The clock strikes twelve.
Η καμπάνα χτυπά. The church bell rings.
Ο πατέρας χτύπησε το άτακτο παιδί. The father struck the unruly child.
Η πόρτα χτυπά. Somebody is knocking at the door.
Χτυπά την πόρτα. He knocks at the door.
Τον χτύπησαν με μαχαίρι. They struck him with a knife.
Χτύπησα δέκα πουλιά. I shot ten birds.
Μας χτύπησαν από τα πλάγια. They attacked us from the sides.
Τον χτύπησε η αρρώστια. Illness struck him.
Το κρασί χτυπά στο κεφάλι. (Wine hits the head). Wine makes you
dizzy.
Ο ήλιος όλη μέρα χτυπά το σπίτι. The sun bears down on the house all
day long.
Τον χτύπησε ο ήλιος στο κεφάλι. He had a sun stroke.
Χτυπώ το καρφί με το σφυρί. I hit the nail with a hammer.
Χτυπά τα αβγά. He beats the eggs.
Αυτό χτυπά άσχημα. This sounds bad.
Η καρδιά μου χτυπά δυνατά. My heart beats fast.
Αυτό χτυπά στα μάτια. (This strikes the eyes.) It makes an impression.
Μου χτυπάει στα νεύρα αυτός (This man strikes me on my nerves.) This man
ο άνθρωπος. makes me nervous. He upsets me.
Πάρε τον ένα και χτύπα τον άλλο. (Take the one and hit him on the other). Both
are equally bad.
Ο εχθρός έχει χτυπηθεί από τα The enemy has been attacked by our planes.
αεροπλάνα μας.

396

χωρίζω

Ο Γιάννης και η Μαρία χώρισαν.

John and Maria separated. (They got a divorce).

Ο δρόμος χωρίστηκε σε δύο μέρη από τον σεισμό.

The road was split into two parts by the earthquake.

Το λεωφορείο πέρασε την ώρα που χώριζα από τον φίλο μου.

The bus passed at the time I was separating from my friend.

Χωρίσαμε φιλικά.

We separated in a friendly way.

Ο βοσκός χωρίζει τα πρόβατα από τα κατσίκια.

The shepherd separates the sheep from the goats.

Χώρισε τα μικρά από τα μεγάλα βιβλία.

Separate the small books from the big books.

397

	Indicative			**Subjunctive**	

P. **I chant**

ψάλλω	ψάλλουμε
ψάλλεις	ψάλλετε
ψάλλει	ψάλλουν

Subjunctive
(with να, για να, όταν, etc.)

P.	να ψάλλω	that I may be chanting
P. S.	να ψάλω	that I may chant
Pr. P.	να έχω ψάλει	that I may have chanted

P. C. **I was chanting**

έψαλλα	ψάλλαμε
έψαλλες	ψάλλατε
έψαλλε	έψαλλαν

Imperative

P.	ψάλλε (sing.)	be chanting
	ψάλλετε (pl.)	be chanting
P. S.	ψάλε (sing.)	chant
	ψάλετε (pl.)	chant

P. S. **I chanted**

έψαλα	ψάλαμε
έψαλες	ψάλατε
έψαλε	έψαλαν

Infinitive

να ψάλει	to chant

F. C. **I will be chanting**

θα ψάλλω	θα ψάλλουμε
θα ψάλλεις	θα ψάλλετε
θα ψάλλει	θα ψάλλουν

Participle

ψάλλοντας	chanting

F. S. **I will chant**

θα ψάλω	θα ψάλουμε
θα ψάλεις	θα ψάλετε
θα ψάλει	θα ψάλουν

Pr. P. **I have chanted**

έχω ψάλει	
έχεις ψάλει	etc.

P. P. **I had chanted**

είχα ψάλει	
είχες ψάλει	etc.

F. P. **I will have chanted**

θα έχω ψάλει	
θα έχεις ψάλει	etc.

Examples:

Ο φίλος μου ψάλλει με τη χορωδία στην εκκλησία κάθε Κυριακή.

My friend sings every Sunday in church with the choir.

Δεν ξέρω πώς να ψάλλω.

I do not know how to chant.

Όλα τα παιδιά θα ψάλουν τα χριστου-γεννιάτικα κάλαντα.

All the children will sing Christmas carols.

	Indicative			*Subjunctive*	

	Indicative	
P.	**I fish**	
	ψαρεύω	ψαρεύουμε
	ψαρεύεις	ψαρεύετε
	ψαρεύει	ψαρεύουν

P. C.	**I was fishing**	
	ψάρευα	ψαρεύαμε
	ψάρευες	ψαρεύατε
	ψάρευε	ψάρευαν

P. S.	**I fished**	
	ψάρεψα	ψαρέψαμε
	ψάρεψες	ψαρέψατε
	ψάρεψε	ψάρεψαν

F. C.	**I will be fishing**	
	θα ψαρεύω	θα ψαρεύουμε
	θα ψαρεύεις	θα ψαρεύετε
	θα ψαρεύει	θα ψαρεύουν

F. S.	**I will fish**	
	θα ψαρέψω	θα ψαρέψουμε
	θα ψαρέψεις	θα ψαρέψετε
	θα ψαρέψει	θα ψαρέψουν

Pr. P.	**I have fished**	
	έχω ψαρέψει	
	έχεις ψαρέψει	etc.

P. P.	**I had fished**	
	είχα ψαρέψει	
	είχες ψαρέψει	etc.

F. P.	**I will have fished**	
	θα έχω ψαρέψει	
	θα έχεις ψαρέψει	etc.

Subjunctive
(with να, για να, όταν, etc.)

P.	να ψαρεύω		that I may be fishing
P. S.	να ψαρέψω		that I may fish
Pr. P.	να έχω ψαρέψει		that I may have fished

Imperative

P.	ψάρευε (sing.)	be fishing
	ψαρεύετε (pl.)	be fishing
P. S.	ψάρεψε (sing.)	fish
	ψαρέψετε – ψαρέψτε (pl.)	fish

Infinitive

να ψαρέψει	to fish

Participle

ψαρεύοντας	fishing

Passive, Past simple tense – I was fished

ψαρεύτηκα	ψαρευτήκαμε
ψαρεύτηκες	ψαρευτήκατε
ψαρεύτηκε	ψαρεύτηκαν

Passive Participle

ψαρεμέν-ος, -η, -ο	having been fished

Examples:

Πολλές φορές ψαρεύουμε στη λίμνη, που είναι κοντά στο σπίτι μας.	Many times we fish at the lake which is near our house.
Προχτές ψαρέψαμε ένα μεγάλο ψάρι.	The other day we fished a big fish.
Θα τον ψαρέψω.	(I will try to fish him out): I will try to get some information from him.

	Indicative		*Subjunctive*		
P.	**I search**		(with να, για να, όταν, etc.)		
	ψάχνω	ψάχνουμε	**P.**	να ψάχνω	that I may be searching
	ψάχνεις	ψάχνετε	**P. S.**	να ψάξω	that may search
	ψάχνει	ψάχνουν	**Pr. P.**	να έχω ψάξει	that I may have search

P. C.	**I was searching**		**Imperative**		
	έψαχνα	ψάχναμε	**P.**	ψάχνε (sing.)	be searching
	έψαχνες	ψάχνατε		ψάχνετε (pl.)	be searching
	έψαχνε	έψαχναν	**P. S.**	ψάξε (sing.)	search

P. S.	**I searched**			ψάξετε – ψάξτε (pl.)	search
	έψαξα	ψάξαμε			
	έψαξες	ψάξατε	**Infinitive**		
	έψαξε	έψαξαν		να ψάξει	to search

F. C.	**I will be searching**		**Participle**		
	θα ψάχνω	θα ψάχνουμε		ψάχνοντας	searching
	θα ψάχνεις	θα ψάχνετε			
	θα ψάχνει	θα ψάχνουν			

F. S.	**I will search**		**Passive, Past simple tense – I was searched**		
	θα ψάξω	θα ψάξουμε		ψάχτηκα	ψαχτήκαμε
	θα ψάξεις	θα ψάξετε		ψάχτηκες	ψαχτήκατε
	θα ψάξει	θα ψάξουν		ψάχτηκε	ψάχτηκαν

Pr. P.	**I have searched**		**Passive Voice**		
	έχω ψάξει			ψαγμέν-ος, -η, -ο	searched
	έχεις ψάξει	etc.			

P. P.	**I had searched**
	είχα ψάξει
	είχες ψάξει etc.

F. P.	**I will have searched**
	θα έχω ψάξει
	θα έχεις ψάξει etc.

Examples:

Ψάχνω να βρω δουλειά.	I am looking for a job.
Ψάχνουμε να βρούμε τα βιβλία που χάσαμε.	We are searching to find the books we have lost.
Όταν περνούσαμε από το αεροδρόμιο μας έψαξαν.	When we passed through the airport they searched us.
Ψάχνουν να βρουν τη χαμένη τους ευτυχία.	They are trying to find their lost happiness.

	Active Voice, Indicative		*Passive Voice, Indicative*	
P.	**I bake, I cook**		**I am cooked, baked, I am being cooked**	
	ψήνω	ψήνουμε	ψήνομαι	ψηνόμαστε
	ψήνεις	ψήνετε	ψήνεσαι	ψήνεστε
	ψήνει	ψήνουν	ψήνεται	ψήνονται
P. C.	**I was baking, cooking**		**I was been baked**	
	έψηνα	ψήναμε	ψηνόμουν	ψην-όμαστε, -όμασταν
	έψηνες	ψήνατε	ψηνόσουν	ψην-όσαστε, -όσασταν
	έψηνε	έψηναν	ψηνόταν	ψήνονταν
P. S.	**I baked, cooked**		**I was baked**	
	έψησα	ψήσαμε	ψήθηκα	ψηθήκαμε
	έψησες	ψήσατε	ψήθηκες	ψηθήκατε
	έψησε	έψησαν	ψήθηκε	ψήθηκαν
F. C.	**I will be baking, cooking**		**I will be being baked**	
	θα ψήνω		θα ψήνομαι	
	θα ψήνεις	etc.	θα ψήνεσαι	etc.
F. S.	**I will bake, cook**		**I will be baked**	
	θα ψήσω	θα ψήσουμε	θα ψηθώ	θα ψηθούμε
	θα ψήσεις	θα ψήσετε	θα ψηθείς	θα ψηθείτε
	θα ψήσει	θα ψήσουν	θα ψηθεί	θα ψηθούν
Pr. P.	**I have baked, cooked**		**I have been baked**	
	έχω ψήσει		έχω ψηθεί	
	έχεις ψήσει	etc.	έχεις ψηθεί	etc.
P. P.	**I had baked, cooked**		**I had been baked**	
	είχα ψήσει		είχα ψηθεί	
	είχες ψήσει	etc.	είχες ψηθεί	etc.
F. P.	**I will have baked, cooked**		**I will have been baked**	
	θα έχω ψήσει		θα έχω ψηθεί	
	θα έχεις ψήσει	etc.	θα έχεις ψηθεί	etc.

Subjunctive (with να, για να, αν, όταν, etc.)

P.	να ψήνω	that I may be baking	να ψήνομαι	that I may be being baked
P. S.	να ψήσω	that I may bake	να ψηθώ	that I may be baked
Pr. P.	να έχω ψήσει	that I may have baked	να έχω ψηθεί	that I may have been baked

Imperative

P.	ψήνε (sing.)	be baking	ψήνου (sing.)	be being baked
	ψήνετε (pl.)	be baking	ψήνεστε	be being baked
P. S	ψήσε (sing.)	bake	ψήσου (sing.)	be baked
	ψήστε (pl.)	bake	ψηθείτε (pl.)	be baked

Infinitive

να ψήσει	to bake	να ψηθεί	to be baked

Participle

ψήνοντας	baking	ψημέν-ος, -η, -ο	baked, cooked
		(Examples on page 404)	

	Indicative		*Subjunctive*		
P.	**I shop**		(with να, για να, όταν, etc.)		
	ψωνίζω	ψωνίζουμε	**P.**	να ψωνίζω	that I may be shopping
	ψωνίζεις	ψωνίζετε	**P. S.**	να ψωνίσω	that I may shop
	ψωνίζει	ψωνίζουν	**Pr. P.**	να έχω ψωνίσει	that I may have shopped

	I was shopping		**Imperative**		
P. C.					
	ψώνιζα	ψωνίζαμε	**P.**	ψώνιζε (sing.)	be shopping
	ψώνιζες	ψωνίζατε		ψωνίζετε (pl.)	be shopping
	ψώνιζε	ψώνιζαν	**P. S.**	ψώνισε (sing.)	shop
				ψωνίστε (pl.)	shop

	I shopped				
P. S.					
	ψώνισα	ψωνίσαμε			
	ψώνισες	ψωνίσατε	**Infinitive**	να ψωνίσει	to shop
	ψώνισε	ψώνισαν			

	I will be shopping		**Participle**	ψωνίζοντας	shopping
F. C.					
	θα ψωνίζω	θα ψωνίζουμε			
	θα ψωνίζεις	θα ψωνίζετε			
	θα ψωνίζει	θα ψωνίζουν			

	I will shop		**Passive Past Simple tense – I was purchased**		
F. S.					
	θα ψωνίσω	θα ψωνίσουμε	ψωνίστηκα	ψωνιστήκαμε	
	θα ψωνίσεις	θα ψωνίσετε	ψωνίστηκες	ψωνιστήκατε	
	θα ψωνίσει	θα ψωνίσουν	ψωνίστηκε	ψωνίστηκαν	

	I have shopped		**Passive Participle**		
Pr. P.					
	έχω ψωνίσει	έχουμε ψωνίσει		ψωνισμέν-ος, -η, -ο	purchased, shopped
	έχεις ψωνίσει	έχετε ψωνίσει			
	έχει ψωνίσει	έχουν ψωνίσει			

	I had shopped	
P. P.		
	είχα ψωνίσει	
	είχες ψωνίσει	etc.

	I will have shopped	
F. P.		
	θα έχω ψωνίσει	
	θα έχεις ψωνίσει	etc.

Examples:

Τι ψώνισες;	What did you buy?
Ψωνίσαμε χριστουγεννιάτικα δώρα.	We bought some Christmas presents.
Από πού ψωνίζετε;	Where do you do your shopping?
Δεν έχουμε ψωνίσει τίποτα ακόμα.	We have not bought anything yet.

	Active Voice, Indicative		*Passive Voice, Indicative*	
P.	**I benefit**		**I am benefited, I am being benefited**	
	ωφελώ	ωφελούμε	ωφελούμαι	ωφελούμαστε
	ωφελείς	ωφελείτε	ωφελείσαι	ωφελείστε
	ωφελεί	ωφελούν	ωφελείται	ωφελούνται
P. C.	**I was benefiting**		**I was being benefited**	
	ωφελούσα	ωφελούσαμε	ωφελούμουν	ωφελούμ-αστε, -ασταν
	ωφελούσες	ωφελούσατε	ωφελούσουν	ωφελούσ-αστε, -ασταν
	ωφελούσε	ωφελούσαν	ωφελούνταν	ωφελούνταν
P. S.	**I benefited**		**I was benefited**	
	ωφέλησα	ωφελήσαμε	ωφελήθηκα	ωφεληθήκαμε
	ωφέλησες	ωφελήσατε	ωφελήθηκες	ωφεληθήκατε
	ωφέλησε	ωφέλησαν	ωφελήθηκε	ωφελήθηκαν
F. C.	**I will be benefiting**		**I will be being benefited**	
	θα ωφελώ		θα ωφελούμαι	
	θα ωφελείς	etc.	θα ωφελείσαι	etc.
F. S.	**I will benefit**		**I will be benefited**	
	θα ωφελήσω	θα ωφελήσουμε	θα ωφεληθώ	θα ωφεληθούμε
	θα ωφελήσεις	θα ωφελήσετε	θα ωφεληθείς	θα ωφεληθείτε
	θα ωφελήσει	θα ωφελήσουν	θα ωφεληθεί	θα ωφεληθούν
Pr. P	**I have benefited**		**I have been benefited**	
	έχω ωφελήσει		έχω ωφεληθεί	
	έχεις ωφελήσει	etc.	έχεις ωφεληθεί	etc.
P. P.	**I had benefited**		**I had been benefited**	
	είχα ωφελήσει		είχα ωφεληθεί	
	είχες ωφελήσει	etc.	είχες ωφεληθεί	etc.
F. P.	**I will have benefited**		**I will have been benefited**	
	θα έχω ωφελήσει		θα έχω ωφεληθεί	
	θα έχεις ωφελήσει	etc.	θα έχεις ωφεληθεί	etc.

Subjunctive (with να, για να, αν, όταν, etc.)

P.	να ωφελώ	that I may be benefiting	να ωφελούμαι	that I may be being benefited
P. S.	να ωφελήσω	that I may benefit	να ωφεληθώ	that I may be benefited
Pr. P.	να έχω ωφελήσει	that I may have benefited	να έχω ωφεληθεί	that I may have been benefited

Imperative

P.	ωφέλει (sing.)	be benefiting	-	
	ωφελείτε (pl.)	be benefiting	-	
P. S.	ωφέλησε (sing.)	benefit	ωφελήσου (sing.)	be benefited
	ωφελείστε (pl.)	benefit	ωφεληθείτε (pl.)	be benefited

Infinitive

	να ωφελήσει	to benefit	να ωφεληθεί	to be benefited

Participle

	ωφελώντας	benefiting	ωφελημέν-ος, -η, -ο	benefited

(Examples on page 404)

Examples of uses of verbs beginning with ψ and ω

ψήνω

Τι ψήνετε;	What are you cooking?
Ψήνουμε κρέας με πατάτες.	We are cooking meat with potatoes.
Αυτός ο φούρνος ψήνει καλό ψωμί.	This bakery makes good bread.
Το κρέας ψήθηκε.	The meat is cooked.
Είχαμε ψηθεί από τον ήλιο.	We burned in the sun.
Ο Μανώλης και η Δέσποινα τα έψησαν.	(Manolis and Despina have an affair.) They are in love.
Θα σε ψήσω στο ξύλο.	I will give you a good spanking.
Ψηθήκαμε στη δουλειά.	We have tired a lot in this job (work).
Θα σου ψήσω το ψάρι στα χείλη.	(I am going to cook the fish on your lips.) I will make you pay for this.

ωφελώ

Αυτό το φάρμακο με ωφέλησε πολύ.	This medicine helped me much.
Δεν ωφελήθηκε καθόλου από τη δίαιτα.	He/she did not benefit at all from the diet.
Σε τι θα ωφελήσουν τα χρήματα, όταν πεθάνεις;	To what way will money help after you have died?
Το Ινστιτούτο ωφελήθηκε πολύ από τα χρήματα που άφησε ο μεγάλος αυτός φιλάνθρωπος.	The Institute was greatly benefited from the money which this great philanthropist left.

List of Greek Verbs

Verb	Verb Number	Verb	Verb Number
αγαπώ – to love	1	βλέπω – to see, to behold, to look at	52
αγγίζω – to touch	2	βοηθώ – to help, to aid, to assist	53
αγκαλιάζω – to embrace	3	βουρτσίζω – to brush	54
αγοράζω – to buy	4	βρέχω – to water, to wet	55
αγρυπνώ – to stay awake	5	βρίσκω – to find, to discover	56
αγωνίζομαι – to strive, to fight	6	γελώ – to laugh	57
αδικώ – to wrong, to injure	7	γεμίζω – to fill	58
αισθάνομαι – to feel	8	γεννώ – to give birth	59
ακολουθώ – to follow, to accompany	9	γίνομαι – to become, to take place, to happen	60
ακούω – to hear, to listen	10	γνωρίζω – to know, to be aware of	61
αλλάζω – to change	11	γράφω – to write	62
αμφιβάλλω – to doubt	12	γυρεύω – to look for, to seek	63
αναβάλλω – to postpone	13	γυρίζω – to turn, to return	64
ανάβω – to light	14	δείχνω – to show	65
αναγγέλλω – to announce	15	δένω – to tie, to bind	66
αναγκάζω – to compel, I oblige	16	δέρνω – to beat, to spank	67
αναγνωρίζω – to recognize	17	δέχομαι – to accept	68
αναζητώ – to seek, to search for	18	διαβάζω – to read, to study	69
ανακαλύπτω – to discover, to invent	19	διαλέγω – to choose	70
ανακατεύω – to stir, to mix, to blend	20	διασκεδάζω – to amuse myself, to enjoy oneself	71
αναλαμβάνω – to undertake, to assume	21	διδάσκω – to teach	72
αναπαύομαι – to rest	22	δίνω – to give	73
αναπνέω – to breathe	23	διψώ – to be thirsty	74
αναστενάζω – to sigh	24	δοκιμάζω – to try, to make test of	75
αναφέρω – to refer, to report, to mention	25	δουλεύω – to work	76
ανεβαίνω – to ascend, to climb	26	ειδοποιώ – to notify, to inform	77
ανήκω – to belong	27	είμαι – to be, to exist	78
ανησυχώ – to disturb, to trouble	28	εκτιμώ – to value, to esteem, to assess	79
ανοίγω – to open	29	ελπίζω – to hope	80
αντέχω – to endure, to hold out	30	εμποδίζω – to prevent, to hinder	81
αντιγράφω – to copy, to imitate	31	ενώνω – to unite, to bind together	82
αντικρύζω – to face	32	εξακολουθώ – to continue	83
αντιλαμβάνομαι – to understand, to perceive	33	εξηγώ – to explain, to expound	84
αξίζω – to cost, to be worth	34	επαναλαμβάνω – to repeat	85
απαγορεύω – to prohibit, to forbid	35	επιθυμώ – to wish, to desire	86
απαιτώ – to demand, to require	36	επισκέπτομαι – to visit, to call upon	87
απαντώ – to answer, to reply	37	έρχομαι – to come, to arrive	88
απλώνω – to spread out	38	ετοιμάζω – to prepare, to get ready	89
απογοητεύομαι – to be disappointed	39	ευχαριστώ – to thank, to please	90
αποκτώ – to acquire, to obtain	40	έχω – to have	91
απομένω – I remain, I am left	41	ζαλίζω – to make someone dizzy, to stun	92
αποτελώ – to form, to constitute	42	ζεσταίνω – to warn, to be warm	93
αποφασίζω – to decide, to resolve	43	ζηλεύω – to be jealous, to envy	94
αποφεύγω – to avoid, to shun	44	ζητώ – to look for, to demand, to claim	95
αρέσω – to like, to be pleasing	45	ζω – to live, to exist, to be alive	96
αρχίζω – to begin, to start	46	ησυχάζω – to quiet, to be quiet, to rest	97
αφήνω – to leave, to abandon	47	θαυμάζω – to marvel, to wonder at, to admire	98
βάζω – to put, to set	48	θέλω – to want, to wish, to desire	99
βγάζω – to take off	49	θεωρώ – to consider	100
βγαίνω – to go out, to come out	50	θυμούμαι – to remember	101
βεβαιώνω – to assure, to affirm	51		

θυμώνω – to get angry, to irritate 102
καθαρίζω – to clean 103
κάθομαι – to sit, to stay 104
καίω – to burn 105
κάνω – to do, to make 106
καταλαβαίνω – to understand 107
καταπίνω – to swallow 108
κατεβαίνω – to descend, to climb down, to go down 109
κατέχω – to possess, to occupy 110
κατηγορώ – to accuse 111
κατοικώ – to inhabit, to dwell, to reside 112
κατορθώνω – to achieve, to obtain 113
κερδίζω – to gain, to earn to win 114
κλαίω – to cry, to weep, to lament 115
κλέβω – to steal, to rob 116
κλείνω – to close, to shut 117
κόβω – to cut 118
κοιμούμαι – to sleep 119
κοιτάζω – to look, to gaze 120
κολυμπώ – to swim 121
κοντεύω – to approach, to draw near 122
κρατώ – to hold, to keep 123
κρεμώ – to hang, to hang up 124
κρίνω – to judge, to deem 125
κρύβω – to hide, to conceal, to screen 126
κρυώνω – to be cold, to catch cold, to get cold 127
κυβερνώ – to govern, to rule 128
λαλώ – to speak, to talk 129
λαμβάνω – to take, to receive 130
λάμπω – to shine, to glitter, to glisten 131
λείπω – to be absent 133
λειώνω – to melt 134
λέω – to say, to tell, to speak 132
λογαριάζω – to calculate, to count 135
λούζω – to bathe 136
λύνω – to untie, to loosen 137
μαγειρεύω – to cook 138
μαζεύω – to collect, to gather, to pick up 139
μαθαίνω – to learn, to be informed of 140
μεγαλώνω – to grow up, to get tall, to enlarge 141
μελετώ – to study, to examine 142
μένω – to remain, to stay 143
μεταφέρω – to carry, to transport 144
μεταχειρίζομαι – to use 145
μετέχω – to participate, to partake 146
μετρώ – to count, to measure 147
μικραίνω – to lessen, to decrease 148
μιλώ – to talk, to speak, to chat 149
μοιάζω – to resemble, to look alike 150
μπαίνω – to enter 151
μπορώ – to be able, to can 152
νικώ – to defeat, to conquer, to beat 153
νιώθω – to feel 154
νομίζω – to think, to believe 155

ντρέπομαι – to feel ashamed 156
ντύνω – to dress 157
νυστάζω – to be sleepy 158
ξαγρυπνώ – to stay awake 159
ξαναρχίζω – to begin afresh, to resume 160
ξαπλώνω – to lie down, to lay 161
ξαφνιάζω – to startle, to frighten 162
ξεκινώ – to start, to set out 163
ξεκουράζω – to rest 164
ξεπερνώ – to surpass, to outrun 165
ξέρω – to know 166
ξεσκεπάζω – to uncover, to bare 167
ξεσχίζω – to tear 168
ξεφεύγω – to escape 169
ξεχνώ – to forget 170
ξεχωρίζω – to distinguish, to separate 171
ξημερώνει – it dawns 172
ξοδεύω – to spend 173
ξυπνώ – to awake, to wake up 174
ξυρίζω – to shave 175
οδηγώ – to lead, to guide 176
ονειρεύομαι – to dream 177
ονομάζω – to name, to call 178
οργίζω – to enrage, to make angry 179
ορίζω – to define, to limit 180
ορμώ – to rush, to dart 181
παγώνω – to freeze, to chill 182
παθαίνω – to suffer, to endure 183
παιδεύω – to educate 184
παίζω – to play 185
παίρνω – to take 186
παλεύω – to fight, to struggle 187
παντρεύω – to marry, to wed 188
παραγγέλνω – to order, to instruct 189
παραδέχομαι – to admit, to accept 190
παρακαλώ – to beg, to entreat, to ask 191
παραμένω – to stay, to remain 192
παρατηρώ – to observe, to look at 193
παρέχω – to supply, to provide 194
παρουσιάζω – to present 195
πάσχω – to suffer, to be sick 196
πατώ – to tread, to step on 197
παύω – to cease, to stop 198
πεθαίνω – to die 199
πεινώ – to be hungry 200
πειράζω – to bother, to annoy 201
περιγράφω – to describe 202
περιέχω – to contain, to include 203
περιμένω – to wait 204
περιορίζω – to limit, to confine 205
περιποιούμαι – to look after, to treat 206
περνώ – to pass 207
περπατώ – to walk 208
πετυχαίνω – to succeed, to achieve 209
πετώ – to fly, to throw away 210
πέφτω – to fall 211
πηγαινοέρχομαι – to go and come 213

πηγαίνω – to go 212
πηδώ – to jump, to leap 214
πιάνω – to take, to seize 215
πίνω – I drink 216
πιστεύω – to believe 217
πλένω – to wash 218
πληγώνω – to wound 219
πληροφορώ – I inform 220
πληρώνω – to pay 221
πλησιάζω – to approach 222
πλουτίζω – to enrich 223
πνίγω – to choke, to drown 224
πολεμώ – to wage war, to fight 225
πονώ – to ache, to feel pain 226
ποτίζω – to water, to irrigate 227
πουλώ – to sell 228
πρασινίζω – to become green 229
πρέπει – it must 230
προειδοποιώ – to warn, to foreworn 231
πρόκειται – it is about 232
προξενώ – to cause 233
προσεύχομαι – to pray 234
προσέχω – to pay attention 235
προσκαλώ – to invite 236
προσπαθώ – to try, to endeavor 237
προσφέρω – to offer 238
προτιμώ – to prefer 239
προφταίνω – to overtake, to catch up 240
προχωρώ – to advance, to go forward 241
ράβω – to sew, to stitch 242
ρίχνω – to throw, to toss 243
ρωτώ – to ask, to question 244
σαλεύω – to move, to stir 245
σαστίζω – to become confused 246
σβήνω – to put out, to blow out 247
σηκώνω – to raise, to lift 248
σημαίνω – to ring, to ring a bell 249
σημειώνω – to mark 250
σιωπώ – to keep silent, to be silent 251
σκεπάζω – to cover, to conceal 252
σκέπτομαι – to think, to reflect 253
σκοπεύω – to intend 254
σκορπίζω – to scatter, to disperse 255
σκοτώνω – to kill 256
σκύβω – to bend, to scoop 257
σπάζω – to break, to smash 258
σπουδάζω – to study 259
σταματώ – to stop, to halt, to cease 260
στέκομαι – to stand 261
στέλνω – to send 262
στενοχωρώ – to annoy, to worry 263
στηρίζω – to lean, to support 264
στολίζω – to adorn, to decorate 265
στρώνω – to spread 266
συγχωρώ – to forgive, to pardon 267
συζητώ – to discuss, to argue 268
συμβαίνει – it happens, it occurs 269

συναντώ – to meet, to come across 270
συνεχίζω – to continue 271
σφάζω – to slaughter, to kill 272
σχεδιάζω – to plan 273
σχηματίζω – to form, to shape 274
σχίζω – to tear 275
ταξιδεύω – to travel, to journey 276
τελειώνω – to finish, to end 277
τηλεφωνώ – to call, to telephone 278
τιμώ – to honor, to respect 279
τοποθετώ – to put, to place 280
τραβώ – to pull, to draw 281
τραγουδώ – to sing 282
τρέμω – to tremble 283
τρέχω – to run 284
τρίβω – to rub 285
τρώγω – to eat 286
τυλίγω – to wrap 287
τυχαίνω – to meet by chance 288
υγιαίνω – to be in good health 289
υπακούω – to obey, to listen to 290
υπάρχω – to exist, to be 291
υπερασπίζω – to defend 292
υπερέχω – be superior, to surpass 293
υπηρετώ – to serve 294
υπογράφω – to sign 295
υπομένω – to endure 296
υποστηρίζω – to support 297
υπόσχομαι – to promise 298
υποφέρω – to suffer, to endure 299
υψώνω – to raise, to elevate 300
φαίνομαι – to seem, to appear 301
φαντάζω – to stand out 302
φέρνω – to bring, to fetch 303
φεύγω – to leave 304
φιλώ – to kiss 305
φοβούμαι – to be afraid 306
φορώ – to wear, to put on 307
φροντίζω – to take care, to look after 308
φτάνω – to arrive, to reach 309
φυλάγω – to keep 310
φωνάζω – to shout, to yell, to call 311
φωτίζω – to light, to illuminate 312
χαϊδεύω – to pat, to caress 313
χαιρετώ – to greet, to salute 314
χαίρομαι – to be pleased, to rejoice 315
χαμηλώνω – to lower 316
χαμογελώ – to smile 317
χάνω – to lose 318
χαρίζω – to donate, to give away 319
χειροκροτώ – to applaud, to clap 320
χιονίζει – it snows 321
χορεύω – to dance 322
χορταίνω – to satiate, to be filled 323
χρειάζομαι – to need, to require 324
χρησιμεύω – to be of use, to be of service 325
χρησιμοποιώ – to use, to utilize 326

χρωματίζω – to color, to paint 327
χτενίζω – to comb 328
χτίζω – to build, to erect 329
χτυπώ – to hit, to strike 330
χωρίζω – to separate, to divide 331
ψάλλω – to chant, to sing hymns 332
ψαρεύω – to fish 333
ψάχνω – to search 334
ψήνω – to cook, to bake, to roast 335
ψωνίζω – to shop 336
ωφελώ – to benefit 337

List of English Verbs

Verb	Verb Number	Verb	Verb Number
abandon – αφήνω	47	beat – νικώ	153
able, to be... – μπορώ	152	become – γίνομαι	60
about., it is ... – πρόκειται	232	beg – παρακαλώ	191
absent, be ... – λείπω	133	begin – αρχίζω	46
accept – δέχομαι	68	begin afresh – ξαναρχίζω	160
accept – παραδέχομαι	190	behold – βλέπω	52
accompany – ακολουθώ	9	believe – νομίζω	155
accuse – κατηγορώ	111	believe – πιστεύω	217
ache – πονώ	226	belong – ανήκω	27
achieve – κατορθώνω	113	bend – σκύβω	257
achieve – πετυχαίνω	209	benefit – ωφελώ	337
acquire – αποκτώ	40	bind – δένω	66
admire – θαυμάζω	98	bind together – ενώνω	82
admit – παραδέχομαι	190	blend – ανακατώνω	20
adorn – στολίζω	265	blow out – σβήνω	247
advance – προχωρώ	241	bother – πειράζω	201
affirm – βεβαιώνω	51	break – σπάζω	258
afraid, to be ... – φοβούμαι	306	breathe – αναπνέω	23
aid – βοηθώ	53	bring – φέρνω	303
alive, to be ...– ζω	96	brush – βουρτσίζω	54
amuse myself – διασκεδάζω	71	build – χτίζω	329
angry, get... – θυμώνω	102	burn – καίω	105
angry, make ... – οργίζω	179	buy – αγοράζω	4
announce – αναγγέλλω	15	calculate – λογαριάζω	135
annoy – πειράζω	201	call – ονομάζω	178
annoy – στενοχωρώ	263	call – τηλεφωνώ	278
answer – απαντώ	37	call – φωνάζω	311
appear – φαίνομαι	301	call upon – επισκέπτομαι	87
applaud – χειροκροτώ	320	can – μπορώ	152
approach – κοντεύω	122	caress – χαϊδεύω	313
approach – πλησιάζω	222	carry – μεταφέρω	144
argue – συζητώ	268	catch up – προφταίνω	240
arrive – έρχομαι	88	cause – προξενώ	233
arrive – φτάνω	309	cease – παύω	198
ascend – ανεβαίνω	26	cease – σταματώ	260
ashamed, to be ... – ντρέπομαι	156	change – αλλάζω	11
ask – παρακαλώ	191	chant – ψάλλω	332
ask – ρωτώ	244	chat – μιλώ	149
assess – εκτιμώ	79	chill – παγώνω	182
assist – βοηθώ	53	choke – πνίγω	224
assume – αναλαμβάνω	21	choose – διαλέγω	70
assure – βεβαιώνω	51	claim – ζητώ	95
attention, pay ... – προσέχω	235	clap – χειροκροτώ	320
avoid – αποφεύγω	44	clean – καθαρίζω	103
awake – ξυπνώ	174	climb – ανεβαίνω	26
awake, stay ...– ξαγρυπνώ	159	climb down – κατεβαίνω	109
aware, be ...of – γνωρίζω	61	close – κλείνω	117
bake – ψήνω	335	cold – κρυώνω	127
bare – ξεσκεπάζω	167	cold, catch ...– κρυώνω	127
bathe – λούζω	136	cold, get ...– κρυώνω	127
be – είμαι	78	collect – μαζεύω	139
beat – δέρνω	67	color – χρωματίζω	327
		comb – χτενίζω	328

come – έρχομαι	88	drink – πίνω	216
come across – συναντώ	270	drown – πνίγω	224
come out – βγαίνω	50	dwell – κατοικώ	112
compel – αναγκάζω	16	earn – κερδίζω	114
conceal – κρύβω	126	eat – τρώγω	286
conceal – σκεπάζω	252	educate – παιδεύω	184
confine – περιορίζω	205	elevate – υψώνω	300
confused, become … – σαστίζω	246	embrace – αγκαλιάζω	3
conquer – νικώ	153	end – τελειώνω	277
consider – θεωρώ	100	endeavor – προσπαθώ	237
constitute – αποτελώ	42	endure – αντέχω	30
contain – περιέχω	203	endure – υπομένω	296
continue – εξακολουθώ	83	enjoy myself – διασκεδάζω	71
continue – συνεχίζω	271	enlarge – μεγαλώνω	141
cook – μαγειρεύω	138	enrage – οργίζω	179
cook – ψήνω	335	enrich – πλουτίζω	223
copy – αντιγράφω	31	enter – μπαίνω	151
cost – αξίζω	34	entreat – παρακαλώ	191
count – λογαριάζω	135	envy – ζηλεύω	94
count – μετρώ	147	escape – ξεφεύγω	169
cover – σκεπάζω	252	esteem – εκτιμώ	79
cry – κλαίω	115	examine – μελετώ	142
cut – κόβω	118	exist – είμαι	78
dance – χορεύω	322	exist – ζω	96
dart – ορμώ	181	exist – υπάρχω	291
dawns, it … – ξημερώνει	172	explain – εξηγώ	84
decide – αποφασίζω	43	expound – εξηγώ	84
decorate – στολίζω	265	face – αντικρίζω	32
decrease – μικραίνω	148	fall – πέφτω	211
deem – κρίνω	125	feel – αισθάνομαι	8
defeat – νικώ	153	feel – νιώθω	154
defend – υπερασπίζω	292	feel pain – πονώ	226
define – ορίζω	180	fetch – φέρνω	303
demand – απαιτώ	36	fight – αγωνίζομαι	6
demand – ζητώ	95	fight – παλεύω	187
descend – κατεβαίνω	109	fight – πολεμώ	225
describe – περιγράφω	202	fill – γεμίζω	58
desire – επιθυμώ	86	filled, to be … – χορταίνω	323
desire – θέλω	99	find – βρίσκω	56
die – πεθαίνω	199	finish – τελειώνω	277
disappoint – απογοητεύω	39	fish – ψαρεύω	333
disappointed, to be – απογοητεύομαι	39	fly – πετώ	210
discover – ανακαλύπτω	19	follow – ακολουθώ	9
discover – βρίσκω	56	forbid – απαγορεύω	35
discuss – συζητώ	268	foreworn – προειδοποιώ	231
disperse – σκορπίζω	255	forget – ξεχνώ	170
distinguish – ξεχωρίζω	171	forgive – συγχωρώ	267
disturb – ανησυχώ	28	form – αποτελώ	42
divide – χωρίζω	331	form – σχηματίζω	274
dizzy, make someone – ζαλίζω	92	freeze – παγώνω	182
do – κάνω	106	frighten – ξαφνιάζω	162
donate – χαρίζω	319	gain – κερδίζω	114
doubt – αμφιβάλλω	12	gather – μαζεύω	139
draw – τραβώ	281	gaze – κοιτάζω	120
draw near – κοντεύω	122	get ready – ετοιμάζω	89
dream – ονειρεύομαι	177	get tall – μεγαλώνω	141
dress – ντύνω	157	give – δίνω	73

give away – χαρίζω	319	
give birth – γεννώ	59	
glisten – λάμπω	131	
glitter – λάμπω	131	
go – πηγαίνω	212	
go and come – πηγαινοέρχομαι	213	
go down – κατεβαίνω	109	
go forward – προχωρώ	241	
go out – βγαίνω	50	
govern – κυβερνώ	128	
green, become ... – πρασινίζω	229	
greet – χαιρετώ	314	
grow up – μεγαλώνω	141	
guide – οδηγώ	176	
halt – σταματώ	260	
hang – κρεμώ	124	
hang up – κρεμώ	124	
happen – γίνομαι	60	
happens, it... – συμβαίνει	269	
have – έχω	91	
health, be in good ... – υγιαίνω	289	
hear – ακούω	10	
help – βοηθώ	53	
hide – κρύβω	126	
hinder – εμποδίζω	81	
hit – χτυπώ	330	
hold – κρατώ	123	
hold out – αντέχω	30	
honor – τιμώ	279	
hope – ελπίζω	80	
hungry, to be ... – πεινώ	200	
illuminate – φωτίζω	312	
imitate – αντιγράφω	31	
include – περιέχω	203	
inform – ειδοποιώ	77	
inform – πληροφορώ	220	
inhabit – κατοικώ	112	
injure – αδικώ	7	
instruct – παραγγέλνω	189	
intend – σκοπεύω	254	
invent – ανακαλύπτω	19	
invite – προσκαλώ	236	
irrigate – ποτίζω	227	
irritate – θυμώνω	102	
jealous, to be ... – ζηλεύω	94	
journey – ταξιδεύω	276	
judge – κρίνω	125	
jump – πηδώ	214	
keep – κρατώ	123	
keep – φυλάγω	310	
kill – σκοτώνω	256	
kiss – φιλώ	305	
know – γνωρίζω	61	
know – ξέρω	166	
lament – κλαίω	115	
laugh – γελώ	57	
lay – ξαπλώνω	161	
lead – οδηγώ	176	
lean – στηρίζω	264	
leap – πηδώ	214	
learn – μαθαίνω	140	
leave – αφήνω	47	
leave – φεύγω	304	
left, I am ... – απομένω	41	
lessen – μικραίνω	148	
lie down – ξαπλώνω	161	
lift – σηκώνω	248	
light – ανάβω	14	
light – φωτίζω	312	
like – αρέσω	45	
limit – ορίζω	180	
limit – περιορίζω	205	
listen – ακούω	10	
listen to – υπακούω	290	
live – ζω	96	
look – κοιτάζω	120	
look after – περιποιούμαι	206	
look after – φροντίζω	308	
look alike – μοιάζω	150	
look at – βλέπω	52	
look at – παρατηρώ	193	
look for – γυρεύω	63	
look for – ζητώ	95	
loosen – λύνω	137	
lose – χάνω	318	
love – αγαπώ	1	
lower – χαμηλώνω	316	
make – κάνω	106	
make test of – δοκιμάζω	75	
mark – σημειώνω	250	
marry – παντρεύω	188	
marvel – θαυμάζω	98	
measure – μετρώ	147	
meet – συναντώ	270	
meet by chance – τυχαίνω	288	
melt – λειώνω	134	
mention – αναφέρω	25	
mix – ανακατεύω	20	
move – σαλεύω	245	
must, it ... – πρέπει	230	
name – ονομάζω	178	
need – χρειάζομαι	324	
notify – ειδοποιώ	77	
obey – υπακούω	290	
oblige – αναγκάζω	16	
observe – παρατηρώ	193	
obtain – αποκτώ	40	
obtain – κατορθώνω	113	
occupy – κατέχω	110	
occurs, it ... – συμβαίνει	269	
offer – προσφέρω	238	
open – ανοίγω	29	
order – παραγγέλνω	189	
outrun – ξεπερνώ	165	

overtake – προφταίνω	240	
paint – χρωματίζω	327	
pardon – συγχωρώ	267	
partake – μετέχω	146	
participate – μετέχω	146	
pass – περνώ	207	
pat – χαϊδεύω	313	
pay – πληρώνω	221	
perceive – αντιλαμβάνομαι	33	
pick up – μαζεύω	139	
place – τοποθετώ	280	
plan – σχεδιάζω	273	
play – παίζω	185	
please – ευχαριστώ	90	
pleased, to be … – χαίρομαι	315	
pleasing, to be – αρέσω	45	
possess – κατέχω	110	
postpone – αναβάλλω	13	
pray – προσεύχομαι	234	
prefer – προτιμώ	239	
prepare – ετοιμάζω	89	
present – παρουσιάζω	195	
prevent – εμποδίζω	81	
prohibit – απαγορεύω	35	
promise – υπόσχομαι	298	
provide – παρέχω	194	
pull – τραβώ	281	
put – βάζω	48	
put – τοποθετώ	280	
put on – φορώ	307	
put out – σβήνω	247	
question – ρωτώ	244	
quiet – ησυχάζω	97	
raise – σηκώνω	248	
raise – υψώνω	300	
reach – φτάνω	309	
read – διαβάζω	69	
receive – παίρνω	130	
recognize – αναγνωρίζω	17	
refer – αναφέρω	25	
reflect – σκέπτομαι	253	
rejoice – χαίρομαι	315	
remain – απομένω	41	
remain – μένω	143	
remain – παραμένω	192	
remember – θυμούμαι	101	
repeat – επαναλαμβάνω	85	
reply – απαντώ	37	
report – αναφέρω	25	
require – απαιτώ	36	
require – χρειάζομαι	324	
resemble – μοιάζω	150	
reside – κατοικώ	112	
resolve – αποφασίζω	43	
respect – τιμώ	279	
rest – αναπαύομαι	22	
rest – ησυχάζω	97	

rest – ξεκουράζω	164	
resume – ξαναρχίζω	160	
return – γυρίζω	64	
ring – σημαίνω	249	
ring a bell – σημαίνω	249	
roast – ψήνω	335	
rob – κλέβω	116	
rub – τρίβω	285	
rule – κυβερνώ	128	
run – τρέχω	284	
rush – ορμώ	181	
salute – χαιρετώ	314	
satiate – χορταίνω	323	
say – λέω	132	
scatter – σκορπίζω	255	
scoop – σκύβω	257	
screen – κρύβω	126	
search – ψάχνω	334	
search for – αναζητώ	18	
see – βλέπω	52	
seek – αναζητώ	18	
seek – γυρεύω	63	
seem – φαίνομαι	301	
seize – πιάνω	215	
sell – πουλώ	228	
send – στέλνω	262	
separate – ξεχωρίζω	171	
separate – χωρίζω	331	
serve – υπηρετώ	294	
service, to be of … – χρησιμεύω	325	
set – βάζω	48	
set out – ξεκινώ	163	
sew – ράβω	242	
shape – σχηματίζω	274	
shave – ξυρίζω	175	
shine – λάμπω	131	
shop – ψωνίζω	336	
shout – φωνάζω	311	
show – δείχνω	65	
shun – αποφεύγω	44	
shut – κλείνω	117	
sick, to be … – πάσχω	196	
sigh – αναστενάζω	24	
sign – υπογράφω	295	
silent, be … – σιωπώ	251	
silent, keep … – σιωπώ	251	
sing – τραγουδώ	282	
sing hymns – ψάλλω	332	
sit – κάθομαι	104	
slaughter – σφάζω	272	
sleep – κοιμούμαι	119	
sleepy, to be … – νυστάζω	158	
smash – σπάζω	258	
smile – χαμογελώ	317	
snows, it … – χιονίζει	321	
spank – δέρνω	67	
speak – λαλώ	129	

speak – λέω	132	
speak – μιλώ	149	
spend – ξοδεύω	173	
spread – στρώνω	266	
spread out – απλώνω	38	
stand – στέκομαι	261	
stand out – φαντάζω	302	
start – αρχίζω	46	
start – ξεκινώ	163	
startle – ξαφνιάζω	162	
stay – κάθομαι	104	
stay – μένω	143	
stay – παραμένω	192	
stay awake – αγρυπνώ	5	
steal – κλέβω	116	
step on – πατώ	197	
stir – ανακατώνω	20	
stir – σαλεύω	245	
stitch – ράβω	242	
stop – παύω	198	
stop – σταματώ	260	
strike – χτυπώ	330	
strive – αγωνίζομαι	6	
struggle – παλεύω	187	
study – διαβάζω	69	
study – μελετώ	142	
study – σπουδάζω	259	
stun – ζαλίζω	92	
succeed – πετυχαίνω	209	
suffer – παθαίνω	183	
suffer – πάσχω	196	
suffer – υποφέρω	299	
superior, be ... – υπερέχω	293	
supply – παρέχω	194	
support – στηρίζω	264	
support – υποστηρίζω	297	
surpass – ξεπερνώ	165	
surpass – υπερέχω	293	
swallow – καταπίνω	108	
swim – κολυμπώ	121	
take – πιάνω	215	
take – παίρνω	130	
take – παίρνω	186	
take care – φροντίζω	308	
take off – βγάζω	49	
take place – γίνομαι	60	
talk – λαλώ	129	
talk – μιλώ	149	
teach – διδάσκω	72	
tear – ξεσχίζω	168	
tear – σχίζω	275	
telephone – τηλεφωνώ	278	
tell – λέω	132	
thank – ευχαριστώ	90	
think – νομίζω	155	
think – σκέπτομαι	253	
thirsty, to be ...– διψώ	74	
throw – ρίχνω	243	
throw away – πετώ	210	
tie – δένω	66	
toss – ρίχνω	243	
touch – αγγίζω	2	
transport – μεταφέρω	144	
travel – ταξιδεύω	276	
tread – πατώ	197	
treat – περιποιούμαι	206	
tremble – τρέμω	283	
trouble – ανησυχώ	28	
try – δοκιμάζω	75	
try – προσπαθώ	237	
turn – γυρίζω	64	
uncover – ξεσκεπάζω	167	
understand – αντιλαμβάνομαι	33	
understand – καταλαβαίνω	107	
undertake – αναλαμβάνω	21	
unite – ενώνω	82	
untie – λύνω	137	
use – μεταχειρίζομαι	145	
use – χρησιμοποιώ	326	
use, to be of ... – χρησιμεύω	325	
utilize – χρησιμοποιώ	326	
value – εκτιμώ	79	
visit – επισκέπτομαι	87	
wage war – πολεμώ	225	
wait – περιμένω	204	
wake up – ξυπνώ	174	
walk – περπατώ	208	
want – θέλω	99	
warm – ζεσταίνω	93	
warm, to be ...– ζεσταίνω	93	
warn – προειδοποιώ	231	
wash – πλένω	218	
water – βρέχω	55	
water – ποτίζω	227	
wear – φορώ	307	
wed – παντρεύω	188	
weep – κλαίω	115	
wet – βρέχω	55	
win – κερδίζω	114	
wish – επιθυμώ	86	
wish – θέλω	99	
wonder – θαυμάζω	98	
work – δουλεύω	76	
worry – στενοχωρώ	263	
worth, to be ...– αξίζω	34	
wound – πληγώνω	219	
wrap – τυλίγω	287	
write – γράφω	62	
wrong – αδικώ	7	
yell – φωνάζω	311	